ET Classici
169

Giacomo Leopardi
Canti

A cura di Niccolò Gallo e Cesare Garboli
Prefazione di Cesare Garboli

Einaudi

© 1962, 1993 Giulio Einaudi editore s.p.a., Torino

Prima edizione «Nuova Universale Einaudi» 1962

www.einaudi.it

ISBN 88-06-17741-9

Prefazione

Nel ripubblicare questo commento e nel dargli la veste dei cosiddetti Tascabili a distanza di un po' piú di trent'anni dalla prima edizione NUE (e dopo una quindicina di ristampe) l'Editore mi fa sapere che sarebbe gradito un aggiornamento bibliografico. E come rifiutarglielo? Un trentennio non può certo passare senza che si produca intorno ai *Canti* del Leopardi qualche contributo nuovo o originale – basti pensare alle concordanze, alle indagini sulle fonti, come il famoso Sannazaro della Corti, ai riepiloghi e capitoli nelle storie letterarie, dal Sapegno (Garzanti) al Tartaro (Laterza), o alla semplicissima e chiarissima edizione critica del Peruzzi, che si richiama al benemerito Moroncini ma corregge e rettifica quel gran modello; e a quella non meno lodevole, ampiamente e sottilmente ragionata di Domenico de Robertis.

Ma aggiornare, nel mio caso, non è cosí semplice. Questo commento è il frutto di una stretta collaborazione. Esso fu concepito e redatto insieme con Niccolò Gallo, spesso per lunghe ore seduti fianco a fianco allo stesso tavolo. Ritornare su queste carte e integrarle, aggiornando la vecchia noticina su I «*Canti*» e la critica mi crea un certo disagio. Che so io di quel che Gallo penserebbe oggi di molta critica leopardiana? Tra l'altro, uno dei tratti che ci univano era proprio la comune antipatia per quei mari bibliografici, quelle distese di titoli dove i piú diversi contributi piú o meno scientifici si ammucchiano indistinti uno via l'altro come i rifiuti nella discarica, buttati là magari in ordine cronologico, che vuol dire guardando l'orologio per far presto, scaricare tutto e non farsi nemico nessuno (e facendo torto a tutti). Qualcuno, un gran nome, anni fa, esortava alle concordanze, parodiando il Foscolo; ma sarebbe pure il caso, piú modestamente, di richiamare il

popolo dei nostri studiosi alle bibliografie ragionate e a qualche piccolo sforzo selettivo.

Il mio vecchio libro, frutto del lavoro con Gallo, io desidero che resti tal quale – il documento di un'amicizia, e come
tale intoccabile. Mi adatterò a un compromesso. Fornirò con
questa prefazione una lista preferenziale degli scritti che, pubblicati dopo il 1962, il lettore dei *Canti* di Leopardi non dovrebbe ignorare. In primo luogo, come dicevo, le concordanze: quelle a cura di Luciano Lovera e Chiara Colli, di tutti i
versi del Leopardi ad eccezione dei puerili, edite in appendice al IX volume del *Parnaso italiano*, Einaudi, Torino 1968; e
le *Concordanze dei «Canti»* a cura di Antonietta Bufano (in-
cluse le varianti manoscritte e a stampa), Le Monnier, Firenze 1969.

Le due edizioni critiche cui accennavo poco fa, di Emilio
Peruzzi (Rizzoli, Milano 1981) e del de Robertis (Il Polifilo,
Milano 1984), hanno visto la luce a pochi anni di distanza, di-
vergenti campioni di concordia discorde. Diverse nel metodo,
forniscono entrambe – pregevolissima novità – la riproduzio-
ne fotografica degli autografi. Innamorato della grecità del
Leopardi, il Peruzzi si raccomanda per gli studi, o, meglio, le
lezioni sul *Tramonto della luna* (*L'ultimo canto leopardiano*, in
«Lettere italiane», 1966), sulla *Sera del dí di festa*, con un'appendice sulla grecità di Leopardi (*Studi leopardiani*, I, Olschki,
Firenze 1979), sul frammento «Odi, Melisso» e sulla canzone
All'Italia (*Odi, Melisso* e *Il canto di Simonide*, in *Studi leopardiani*, II, Olschki, Firenze 1987). Di quell'infaticabile ricogni-
tore dell'editoria leopardiana che è il de Robertis ricordo, oltre all'edizione già citata, la postfazione alla ristampa in fac-
simile della prima edizione dei *Canti* (1831) a cura dell'editrice Le Lettere, Firenze 1987, e il saggio *L'edizione Starita*, Isti-
tuto Suor Orsola Benincasa, Napoli 1989.

Per la sua attinenza col frammento «Spento il diurno raggio in occidente» è da consultare l'edizione critica dell'*Appressamento della morte* a cura di Lorenza Posfortunato, Accademia della Crusca, Firenze 1983. Non mi sembrano molto
funzionali o comunque essenziali alla lettura e all'interpretazione dei *Canti* i versi puerili editi nella loro completezza e
con grande amore da Maria Corti sotto il titolo «*Entro dipinta*

gabbia». Tutti gli scritti inediti, rari e editi 1809-1810 (Bompiani, Milano 1972). Questa pubblicazione sollevò un certo rumore scandalistico e fu sponsorizzata dal quotidiano torinese «La Stampa», quasi i *puerilia* leopardiani fossero uno scoop (cfr. in particolare gli articoli di Guido Piovene sulla «Stampa» del 14 e 21 ottobre e del 18 novembre 1971). Sotto certi aspetti si può considerare quasi piú benemerita la riedizione delle due Crestomazie leopardiane di prosa e poesia italiana curate per la NUE rispettivamente da Giulio Bollati e Giuseppe Savoca (Einaudi, Torino 1968): strumento da tenere sempre sott'occhio, complemento indispensabile per lo studio dello stile dei *Canti*.

E quanto alla critica, *quid diceres*, mio inseparabile Niccolò? Da tempo il miglior leopardismo non appartiene piú alla critica ma si divide tra la filologia e la storia delle idee, ristretto a un esiguo manipolo di studiosi di grande autorità e di attività lungamente collaudata – Timpanaro, Blasucci, Dionisotti. Di quest'ultimo sono fondamentali i cinque saggi di diverso argomento raccolti nel volume *Appunti sui moderni*, il Mulino, Bologna 1988, tra i quali la *Preistoria del pastore errante* e la *Fortuna di Leopardi*, già apparso negli «Essays in honour of J. H. Whitfield», St. George's Press, Londra 1975. Il Blasucci ha raccolto i suoi contributi nei due volumi *Leopardi e i segnali dell'infinito*, il Mulino, Bologna 1985, e *I titoli dei «Canti» e altri studi leopardiani*, Morano, Napoli 1989; e di lui si aspetta sempre imminente il commento ai *Canti* per i Classici Einaudi annotati già diretti dal Contini e ora dal Segre. I lavori del Timpanaro sono arcinoti, e si leggono in *Classicismo e illuminismo nell'Ottocento italiano*, Nistri-Lischi, Pisa 1965; *Aspetti e figure della cultura ottocentesca*, Nistri-Lischi, Pisa 1980; *Antileopardiani e neomoderati nella sinistra italiana*, ETS, Pisa 1982; ai quali si aggiunge, in collaborazione con Giuseppe Pacella, l'edizione degli *Scritti filologici*, Le Monnier, Firenze 1972 (del Pacella è anche la recente edizione critica dello *Zibaldone*, 3 volumi, Garzanti, Milano 1991).

A questi titoli ne unisco un altro che mi è dolorosamente caro: la ristampa, per gli Editori Riuniti, nel gennaio di quest'anno, del vecchio saggio di Cesare Luporini, *Leopardi progressivo*, accresciuto di un'importante premessa che è, sotto certi aspetti, una palinodia, dal titolo «Avvertenze dal 1980 al 1992»; e da tre saggi nuovi, all'ultimo dei quali, *Naufragio senza spettatore*, densissima e stringente interpretazione dell'*Infinito*, il Luporini era intensamente e irriducibilmente affezionato. Di un nuovo libro progettato per i Saggi blu dell'editore Garzanti, e già quasi pronto, il Luporini mi parlò nei suoi ultimi anni, in tutte le rare occasioni in cui ci siamo incontrati. Il titolo era: *Decifrazioni leopardiane*. Ricordo questa confidenza non solo nella speranza che il progetto del Luporini si realizzi postumo, e il libro veda presto la luce, ma anche perché nei suoi estremi e quasi maniacali interessi leopardiani, e nel suo incessante aggiornarsi, il Luporini intravide, e, in un certo senso, anticipò la tendenza oggi sempre piú diffusa a *envisager* nel Leopardi un eroe, avanti lettera, del dopo-romanticismo europeo, un eroe del pensiero distruttivo, negativo, «revolté», caricando molte delle idee annotate nello *Zibaldone* di un valore preveggente e profetico. Lucido diagnostico – come nessun altro – dei mali della civiltà e del progresso, pensatore dalle idee inesorabilmente coerenti e quindi sempre estreme, il Leopardi si presta senza fatica a trasformarsi in eterno soggetto di protesta e a farsi di volta in volta simbolo ora del pensiero negativo che denuncia e distrugge e ora di quello che stoicamente rifonda nuove ideologie e nuove etiche sopra la distruzione (*La ginestra*). Il meccanismo che porta a dare al pensiero di Leopardi un valore marziale e a farlo apparire sempre in stato di guerra è irrinunciabile; questo meccanismo trova il suo fondamento da una parte in una sindrome oggettiva, la ribellione al destino, e dall'altra in un bisogno, a cui pochi esegeti resistono, di cannibalismo, di fare del pensiero di Leopardi il proprio, quasi che le idee del Leopardi siano fatte per rimbombare con un piú di volume retorico nelle anime dei suoi lettori piú appassionati e identificati (e cosí il Leopardi socialista, il Leopardi veggente, il Leopardi nietzschiano, ecc. ecc.). Come stupirsi se anche il Luporini ha finito col fare del suo vecchio Leopardi progressivo e moralista un filosofo del Nulla, un «nichilista attivo» – uno di quei metafisici che costruiscono le loro verità per denuncia e per negazione?

Tra critica e linguistica, lontano dal leopardismo ideologico, e con dichiarati interessi soltanto formali, si situa l'eccentrico saggio di Giacomo Magrini, *Leopardi: storia di una parola*, apparso nel fascicolo di «Paragone» del febbraio 1987: sorta di concordanza del verbo «recare» estesa, in funzione leopardiana, ai sistemi piú illustri della lingua poetica italiana (da Dante al Foscolo). L'interesse del Magrini si appunta sul privilegio sistematicamente accordato nel lessico leopardiano al verbo «recare», secondo l'uso recanatese, in contrapposizione al piú vulgato e documentatissimo «portare». Tale predilezione non sarebbe che un lapsus continuato; in essa si nasconde, ma non tanto da non rendersi trasparente e intenzionalmente visibile, l'amore profanato e rinnegato verso la città in cui si è nati, espresso sotto forma di anagramma allusivo, reticente e quindi incompleto (recare/Recanati). Il sovrappiú di valore formale spiegherebbe la misteriosa e patetica risonanza affettiva di sintagmi del tipo: «Viene il vento recando il suon dell'ora...» E vicino a tanta sottigliezza non striderà la citazione della corposa, ricca e nutrita silloge, pressoché completa «secondo tradizione», di *Poesie e prose* curata per i Meridiani Mondadori da Rolando Damiani (le prose) e Mario Andrea Rigoni (l'opera in versi), con ampia introduzione di Cesare Galimberti ispirata al nesso tra poesia e pensiero, meditazione e canto (2 volumi, Milano 1988). Nella tavola di abbreviazioni e nella nota bibliografica che corredano i due volumi si trovano indicati, tra l'altro, i numerosi lavori leopardiani sia del prefatore, sia dei due curatori. Il Rigoni è anche curatore di un'antologia di scritti civili e politici scelti dallo *Zibaldone*, dal titolo *La strage delle illusioni* (Adelphi, Milano 1992); il Damiani di una nuova, aggiornata *Vita di Leopardi*, affabilmente raccontata secondo un certo gusto all'antica, da amabile chiacchiera non solo informatissima, o dotta, ma colta senza darlo a vedere, senza affanno, senza sforzo, senza mai alzare il volume; una biografia controcorrente, che evita e sfiora il romanzo, di cui da tempo si sentiva il bisogno (Mondadori, Milano 1992).

Non posso concludere questa nota senza un doveroso risarcimento. Nella vecchia paginetta bibliografica sui *Canti*, redatta da me e da Gallo trent'anni fa, si afferma che «il primo a intendere, nella sua grandezza, la poesia dei *Canti*, fu il

de Sanctis ». È un enunciato che non teme smentita, e lo sot-
toscrivo ancora senza riserve. Ma è un enunciato legittimo a
condizione di privilegiare, nella lettura di un testo, l'emozione letteraria. Se invece si privilegiano la drammaticità, la novità, lo stupore di emozioni che sorpassano la letteratura, che
ci colgono impreparati e indifesi, se si pensa a quelle letture
dove l'anima, non la critica è in gioco, allora il primo a intendere la grandezza del Leopardi, nella sua totalità, fu sicuramente il Gioberti, le cui insistenti e reiterate pagine sul Leopardi furono del resto il presupposto e l'antefatto delle lezioni
desanctisiane della prima scuola napoletana. Su questo argomento non ci fu mai parola tra Gallo e me; la priorità del de
Sanctis, per entrambi, era una realtà storica ovvia, fuori di-
scussione. Tra l'altro, nel 1959, quando scrivevamo la nostra
paginetta (il commento uscí semiclandestino presso l'editore
Colombo di Roma, prima che Einaudi lo rilevasse), non esi-
steva ancora l'edizione completa e corretta delle lezioni tenu-
te dal de Sanctis nella prima scuola napoletana, conservate nei
quaderni dagli allievi; quei quaderni si conoscevano, parzialmente, attraverso la stampa sommaria e un po' confusa che ne
aveva dato il Croce; e solo nel 1975, con la nuova edizione a
cura di Attilio Marinari, fu chiaro che a dare una spinta alla
seduzione esercitata sul de Sanctis dal Leopardi era stato, stri-
sciante ma energico, l'influsso del Gioberti. Ma non è questo
il punto. Il ruolo del Gioberti, la natura, la qualità del suo *odi
et amo*, della sua ripugnanza e della fascinazione prodotta in
lui dal Leopardi, mi apparivano tanto piú rilevanti quanto piú
ne scorgevo una copia, un calco fedele e irriconoscibile nella
lettura travolgente e angosciosa, quasi intollerabile, mista di
sentimenti diversi che fece dei *Canti*, nell'inverno tra il 1850
e il '51, a Pisa, quella divoratrice di libri che fu l'ultimogenita
del Manzoni e di Enrichetta Blondel, Matilde. Questa lettura
viene dopo le forti pagine del Gioberti, ma prima, molto prima dei saggi famosi del de Sanctis. Il lettore può averne notizia dal *Journal* di Matilde stessa, già edito parzialmente in nota al primo volume del *Manzoni intimo* a cura di Michele
Scherillo (Hoepli, Milano 1923); e, nella sua integrità, da chi
scrive (Adelphi, Milano 1992).

L'analogia di reazione, il contrasto di ammirazione e di ri-

bellione, il turbamento prodotto dai *Canti*, come una terribile
realtà che si riveli con forza inaspettata, in due anime sincera-
mente e profondamente credenti, una presidiata dal ragiona-
mento e l'altra sorretta soltanto dalla fede, è di grandissimo
interesse. Tutto ciò che il Gioberti pensò, argomentò, discus-
se pro e contro il Leopardi, in ogni libro, trattato, pamphlet
che mandasse in tipografia, era per Matilde, romantica di
cuore ma non di testa, motivo di guerra insopportabile con se
stessa, combattuta contro la disperazione senza il soccorso di
nessuna estetica e nessuna filosofia: «una tranquilla e logica
disperazione, che apparisce al lettore, non come un morbo del
cuore, ma come una necessità dello spirito». Si pensi che furono i *Canti*, con ogni probabilità, a mostrare a questa ragazza
infelice, condannata a una morte precoce, la vanità di parlare
a se stessa e di tenere un diario. Quasi che leggere i *Canti* fosse stata un'esperienza divinatrice, come sapere da un globo di
vetro, da un libro rivelatore, tutto ciò che il destino le preparava: infelicità, solitudine, e la tomba di Nerina e di Silvia.
L'orrore del vero era ciò che il Gioberti, a sua volta, aveva visto e discusso nei *Canti*. Letti con gli occhi idealisti del de
Sanctis, i *Canti* possono anche sprigionare una vaporosa sostanza narcotica, e andare redenti dalla misericordia della
poesia. La lettura di Matilde, come quella del Gioberti, è di
segno più forte e diverso. Essa rende più onore a Leopardi. E
mi è grato constatare come il Luporini, nel luglio 1992, licen-
ziando la seconda edizione del suo libro, traesse dalla lettura
del *Journal* di Matilde Manzoni, che lo aveva conquistato e affascinato, la convinzione che bisognasse risarcire il Gioberti:
«il primo a percepire con sicura e argomentata intuizione il
"nullismo" di Leopardi... il primo in Italia a capire qualcosa,
anzi moltissimo, della sua filosofia» (*Leopardi progressivo* cit.,
1992, p. XVI).

CESARE GARBOLI

[1993].

Premessa

La presente edizione riproduce i *Canti* di Giacomo Leopardi nell'ordinamento fissato dal poeta per l'edizione Starita (Napoli 1835), che li comprende tutti, a eccezione del *Tramonto della luna* e della *Ginestra*, apparsi postumi nelle *Opere di G. L.* a cura di A. Ranieri (Firenze 1845).

La cronologia dei singoli componimenti è indicata, e, qualche volta, quando era necessario, discussa, in testa a ciascuno di essi. Alle indicazioni cronologiche abbiamo aggiunto, quando potevano ricavarsi testimonianze in merito, alcune indicazioni orientative delle circostanze nelle quali i canti furono concepiti. Giovava però non congetturare troppo in mancanza di precise testimonianze: non a caso sappiamo molto circa la genesi dei primi canti del Leopardi, e non sappiamo nulla, o quasi nulla, circa la genesi degli ultimi. Ciò dimostra assai bene come fossero ricchi gli interessi culturali, storici, politici, del Leopardi quando era giovane, o addirittura giovinetto; come i primi componimenti fiorissero, pur nella solitudine, entro una varietà movimentata di relazioni vivaci e sociali; e come a poco a poco, invece, tutti questi interessi siano venuti meno, ridotti a quello solo di far fronte alla sofferenza, e gli ultimi componimenti siano fioriti in una condizione di completo isolamento. Quando scrive i suoi ultimi canti, il Leopardi sembra che sia lui solo, sulla superficie terrestre, a vivere, e a interrogare il destino.

Alla cronologia segue un succinto apparato di note. Le note sono redatte per un pubblico di persone colte, o amanti dell'espressione letteraria, ma indifferenti a specifici problemi di interpretazione critica. Esse mirano solamente a tradurre in termini più accessibili, a chi abbia scarsa familiarità con gli scritti del Leopardi, ciò che il poeta, di volta

in volta, intendeva dire: esse sono redatte, se cosí si può
dire, da un punto di vista elementare e realistico. La speciale profondità emozionale e sentimentale, con la quale il
Leopardi esprime i luoghi comuni del sentimento, delle
emozioni, del pensiero umano, rende difficile questa traduzione, e, spesso, impossibile: nessuna nota, anche ampia, potrebbe servire.

Sebbene il nostro commento rivesta un carattere esclu-
sivamente divulgativo, ci è parso tuttavia opportuno chia-
rire la tinta letteraria del linguaggio dei *Canti* con riferimenti e accostamenti essenziali al linguaggio di altri poeti,
antichi e moderni. Ma soprattutto ci è parso doveroso ar-
ricchire le chiose di tutti i riferimenti che, per la spiega-
zione specifica di qualche passo dei *Canti*, è possibile ricavare dallo *Zibaldone*. Abbiamo per lo piú evitato, invece,
di rimandare il lettore ad altri scritti del Leopardi, che a
differenza dello *Zibaldone*, furono concepiti e compiuti secondo un preciso disegno d'arte.

In appendice pubblichiamo tutta quella fermentante
congerie di progetti (argomenti di canzoni, di elegie, di
idilli) e di memorie (le *Memorie del primo amore* e i *Ricordi d'infanzia e di adolescenza*), che, rimasta allo stato
di abbozzo, presenta diretta attinenza con alcuni ritornanti
motivi e temi dei *Canti*. Sempre in appendice pubblichiamo la *Comparazione delle sentenze di Teofrasto e di Bruto
Minore vicini a morte*, che costituisce il migliore commento alla canzone *Bruto Minore*.

Abbiamo infine riunito, a seguito dei *Canti*, le dediche
delle canzoni del 1818 e del 1820 e dei *Canti* del 1831, gli
annunci, le *Annotazioni* alle dieci canzoni (1824) e le *Note*
apposte ai *Canti* nelle edizioni del 1831 e del 1835.

Il testo che riproduciamo, sia per i *Canti* sia per gli altri scritti, è quello stabilito dal Flora nelle *Opere complete
di G. L.*, Milano 1940.

Cronologia della vita e delle opere di Giacomo Leopardi

1798 29 giugno – Nasce in Recanati, dal conte Monaldo Leopardi (1776-1847) e da Adelaide dei marchesi Antici (1779-1857).

« Die 30 junii, 1798. – Iacobus Taldegardus Franciscus Sales Xaverius Petrus, natus heri hora 19 ex cive Monaldo quondam Iacobi Leopardi et Adelaide filia civis Philippi quondam Josephi Antici legitimis coniugibus ex hac civitate et parochia, baptizatus fuit de licentia a reverendo patre Aloysio Leopardi ex oratorio Divi Philippi. Patrini fuere cives Philippus Antici et Virginia Mosca Leopardi ».

1799 12 luglio – Nascita del fratello Carlo.

1800 6 ottobre – Nascita della sorella Paolina.

1803 19 febbraio – Morte del fratello Luigi, nato da nove giorni.

« Prima che uscisse di casa ho voluto che i suoi Fratelli lo vedessero e lo baciassero, e Giacomo Taldegardo ne ha pianto dirottamente la perdita, quantunque in età di soli quattro anni e mezzo » (Monaldo Leopardi, *Diario*).

« Mi dicono che io da fanciullino di tre o quattro anni, stava sempre dietro a questa o quella persona perché mi raccontasse delle favole. E mi ricordo ancor io che in poco maggior età, era innamorato dei racconti, e del maraviglioso che si percepisce coll'udito, o colla lettura (giacché seppi leggere, ed amai leggere assai presto). Questi, secondo me, sono indizi notabili d'ingegno non ordinario e prematuro » (28 luglio 1821; *Zibaldone*, 1401).

1804 Nascita di un altro fratello, cui viene dato lo stesso nome di Luigi.

1805 28 giugno – Prima confessione.

20 settembre – Riceve la cresima.

Monaldo fonda nel suo palazzo un'Accademia poetica, che si colleghi spiritualmente all'Accademia de' Disuguali, fiorita a Recanati nel Quattrocento.

1807 I ragazzi Leopardi sono avviati agli studi sotto la guida del gesuita don Sebastiano Sanchini, pedagogo don Vincenzo Diotallevi.

« Nel 1807 presi in casa il Signor Don Sebastiano Sanchini sacerdote di Mondaino diocesi di Rimino, il quale ammaestrò Giacomo e il suo minore fratello Carlo fino alli 20 di luglio del 1812, in cui diedero ambedue pubblico esperimento di filosofia... In quel giorno finirono gli studi scolastici di Giacomo (allora di anni 14) perché il precettore non avea piú altro da insegnarli » (Monaldo Leopardi, *Lettera-memoriale* a Antonio Ranieri).

1808 30 gennaio – Giacomo, Carlo e Paolina dànno il loro primo saggio di studi.

1809 Legge Omero. Compone il sonetto *La morte di Ettore*. Inizia una vita di studio intenso e continuo.

9 aprile – Prima Comunione.

« Da bambino fu docilissimo, amabilissimo, ma sempre di una fantasia tanto calda apprensiva e vivace, che molte volte ebbi gravi timori di vederlo trascendere fuori di mente. Mentre aveva tre o quattro anni si diedero qui le missioni; e i missionari nei fervorini notturni erano accompagnati da alcuni confrati vestiti col sacco nero e col cappuccio sopra la testa. Li vidde e ne restò cosí spaventato che per piú settimane non poteva dormire, e temeva sempre di vedere *i bruttacci*. Noi tememmo allora molto per la sua salute, e per la sua mente... Era sommamente inclinato alla divozione, e pochissimo dato ai sollazzi puerili, si divertiva solo molto impegnatamente con l'altarino. Voleva sempre ascoltare molte messe, e chiamava felice quel giorno in cui aveva potuto udirne di piú » (Monaldo Leopardi, *Lettera-memoriale* a Antonio Ranieri).

1810 19 agosto – Riceve la tonsura da monsignor Bellini, vescovo di Recanati.

« La fanciullezza di Giacomo passò fra giuochi e capriole e studi; studi, per la sua straordinaria apprensiva, incredibili in quell'età. Mostrò fin da piccolo indole alle azioni grandi, amore di gloria e di libertà ardentissimo. Nei giuochi e nelle finte battaglie romane, che noi fratelli facevamo nel giardino, egli si metteva sempre primo. Ricordo ancora i pugni sonori che mi dava! Provò funestamente precoce la sensibilità della natura. Anticipò quattro o cinque anni l'età dello sviluppo! Indi, com'egli mi confessò poi, tutti i mali fisici. Ebbe fin da fanciullo l'abilità straordinaria d'inventar fole o novelle, e di seguitarne alcuna per piú giorni, come un romanzo. Questo faceva la mattina a letto per mio spasso. Aveva l'abilità e l'uso di fare spesso con tutte due le mani un certo giuoco, come di nacchere, famigliare, diceva egli, agli antichi; onde faceva una certa musica. Se non leggeva o scriveva, e questa, salvo gl'intervalli del male, fu la sua vita quotidiana fino a' 24 anni, non poteva star fermo colle mani: giocava ogni momento con un tagliacarte d'osso, che portava in tasca anche fuori di casa! Ogni bagatella che gli venisse alle mani la girava e rigirava tanto che poi la rompeva » (ricordi di Carlo Leopardi, detti a Prospero Viani).

1811 Trascorre le giornate nella biblioteca paterna, continuando il modo di vita di questi anni, che chiamerà « di studio matto e disperatissimo ». Traduce in ottava rima l'*Ars poetica* di Orazio. Compone *La virtú indiana*, tragedia in tre atti, e la presenta al padre la vigilia di Natale.

1812 Scrive una seconda tragedia, *Pompeo in Egitto* e gli *Epigrammi*.

20 luglio – Sostiene, coi fratelli, il pubblico esame, presentando tesi di Teologia, Ontologia, Morale, Psicologia, Fisica e Scienze Naturali.

« Certo nessuno è stato testimonio del suo affaticarsi piú di me, che, avendo sempre nella prima età dormito nella stessa camera con lui, lo vedeva, svegliandomi nella notte altissima, in ginocchio avanti il tavolino per potere scrivere fino all'ultimo momento col lume che si spegneva » (Carlo Leopardi a Prospero Viani, il 9 settembre 1845).

« Una volta all'età di circa 14 anni soggiacque al travaglio degli scrupoli, e tanto esageratamente che temeva di camminare per non mettere il piede sopra la croce nella congiunzione dei mattoni » (Monaldo Leopardi, *Lettera-memoriale* a Antonio Ranieri).

Monaldo apre al pubblico la biblioteca del suo palazzo.

1813 Inizia, senza maestro, lo studio della lingua greca. Scrive la *Storia dell'astronomia*.

1814 Continua gli studi filologici e compone il *Porphyrii de vita Plotini et ordine librorum eius Commentarius.*

« Oggi, 31 agosto 1814, questo lavoro mi donò Giacomo mio primogenito figlio, che non ha avuto maestro di lingua greca, ed è in età di anni 16, mesi due, giorni due » (Monaldo Leopardi, nota nell'interno del volume manoscritto).

Traduce dal greco gli *Scherzi epigrammatici.* Compone i *Commentarii de vita et scriptis rhetorum quorumdam qui secundo post Christum saeculo vel primo declinante floruerunt* e gli incompiuti *Fragmenta Patrum secundi saeculi.*

1815 Compone *In Julium Africanum Jacobi Leopardi Recanatensis comitis Lucubrationes.*

« La somma felicità possibile dell'uomo in questo mondo, è quando egli vive quietamente nel suo stato con una speranza riposata e certa di un avvenire molto migliore, che per esser certa, e lo stato in cui vive, buono, non lo inquieti e non lo turbi coll'impazienza di goder di questo immaginato bellissimo futuro. Questo divino stato l'ho provato io di sedici e diciassette anni per alcuni mesi ad intervalli, trovandomi quietamente *occupato* negli studi senz'altri disturbi, e colla certa e tranquilla speranza di un lietissimo avvenire. E non lo proverò mai piú, perché questa tale speranza che *sola può render l'uomo contento del presente*, non può cadere se non in un giovane di quella età o almeno, esperienza » (*Zibaldone*, 76).

Scrive il *Saggio sopra gli errori popolari degli antichi*, traduce gli idilli di Mosco e la *Batracomiomachia.*

Tra gli ultimi di maggio e i primi di giugno, dopo la vittoria austriaca contro Murat, scrive l'*Orazione agli Italiani, in occasione della liberazione del Piceno.*

1816 Traduce gli scritti di Frontone, scoperti e pubblicati dal Mai, il primo libro dell'*Odissea*, le *Inscrizioni greche triopee*, il *Moretum* falsamente attribuito a Virgilio e il secondo libro dell'*Eneide.*

Gennaio-aprile – Compone il *Discorso sopra la vita e le opere di M. Cornelio Frontone*, il discorso *Della fama di Orazio presso gli antichi*, le due anacreontiche adespote e l'*Inno a Nettuno.*

Primavera – Scrive l'idillio *Le rimembranze.*

Giugno – Pubblica le *Notizie istoriche e geografiche sulla città e chiesa arcivescovile di Damiata* (Loreto 1816).

30 giugno - 15 luglio – Compare ne « Lo Spettatore italiano e straniero » di Milano, in due puntate, la traduzione del primo libro dell'*Odissea*.

18 luglio – Scrive la *Lettera ai compilatori della Biblioteca Italiana*, in risposta agli articoli di Madame de Staël.

Estate – Compone *La dimenticanza*, raffigurando se stesso e i fratelli nei « tre giovinetti nobili » e il pedagogo Diotallevi nel « vermiglio, grasso florido pedante ». Si ferma a Recanati il tipografo milanese Antonio Fortunato Stella, direttore-proprietario del periodico « Lo Spettatore ».

Dicembre – Appare ne « Lo Spettatore » il discorso *Della fama di Orazio presso gli antichi*.

Compone la cantica *Appressamento della morte*.

1817 Traduce i frammenti delle *Antichità romane* di Dionigi di Alicarnasso scoperti dal Mai.

Febbraio – Appare a Milano, pei tipi di Giovanni Pirotta, il *Libro secondo dell'Eneide*.

Marzo – Inizia la corrispondenza con Pietro Giordani.

« Oh quante volte, carissimo e desideratissimo Signor Giordani mio, ho supplicato il cielo che mi facesse trovare un uomo di cuore d'ingegno e di dottrina straordinario, il quale trovato potessi pregare che si degnasse di concedermi l'amicizia sua... » (a Pietro Giordani, il 30 aprile 1817).

Maggio – Appare ne « Lo Spettatore » la pretesa traduzione dell'*Inno a Nettuno*: « d'incerto autore nuovamente scoperto. Traduzione dal greco del conte Giacomo Leopardi da Recanati ».

Giugno – Appare ne « Lo Spettatore » la traduzione della *Titanomachia* di Esiodo.

« Mi fa infelice primieramente l'assenza della salute, perché, oltreché io non sono quel filosofo che non mi curi della vita, mi vedo forzato a star lontano dall'amor mio che è lo studio. Ahi, mio caro Giordani, che credete voi che io faccia ora? Alzarmi la mattina e tardi, perché ora, cosa diabolica! amo piú il dormire che il vegliare. Poi mettermi immediatamente a passeggiare, *e passeggiar sempre senza mai aprir bocca né veder libro* sino al desinare. Desinato, passeggiar sempre nello stesso modo sino alla cena: se non che fo, e spesso sforzandomi e spesso interrompendomi e talvolta abbandonandola, una lettura di un'ora. Cosí vivo e son vissuto con pochissimi intervalli per sei mesi. L'altra cosa che mi fa infelice è il pensiero... » (a Pietro Giordani, l'8 agosto 1817).

Luglio-agosto – Comincia a fissare in uno « zibaldone » pensieri, impressioni, ricordi.

« Palazzo bello. Cane di notte dal casolare, al passar del viandante.

> Era la luna nel cortile, un lato
> tutto ne illuminava, e discendea
> sopra il contiguo lato obliquo un raggio...
> Nella (dalla) maestra via s'udiva il carro
> del passegger, che stritolando i sassi
> mandava un suon, cui procedea da lungi
> il tintinnío de' mobili sonagli ».

(Luglio o agosto 1817, *Zibaldone*, 1).

Novembre – Appare ne « Lo Spettatore » il saggio *Sopra due voci italiane*.

Scrive i *Sonetti in persona di ser Pecora fiorentino*, contro lo « scrittorello » Guglielmo Manzi, bibliotecario della Barberini di Roma, e il sonetto *Letta la vita di Vittorio Alfieri scritta da esso*.

Dicembre –

« In Recanati... io son tenuto quello che sono, un vero e pretto ragazzo, e i piú ci aggiungono i titoli di saccentuzzo di filosofo d'eremita e che so io... » (a Pietro Giordani, il 5 dicembre 1817).

11-14 – È ospite di passaggio in casa Leopardi la ventisettenne cugina di Monaldo, Gertrude Cassi maritata Lazzari, che suscita in Giacomo la prima esaltante emozione d'amore.

« Perché la finestra della mia stanza risponde in un cortile che dà lume all'androne di casa, io sentendo passar gente cosí per tempo, subito mi sono accorto che i forestieri si preparavano al partire, e con grandissima pazienza e impazienza, sentendo prima passare i cavalli, poi arrivar la carrozza, poi andar gente su e giú, ho aspettato un buon pezzo coll'orecchio avidamente teso, credendo a ogni momento che discendesse la Signora, per sentirne la voce l'ultima volta; e l'ho sentita » (dalle *Memorie del primo amore*).

15-16 – Compone i versi di quella che sarà la *Elegia I* e avrà poi come titolo *Il primo amore*.

« Ieri, avendo passata la seconda notte con sonno interrotto e delirante, durarono molto piú intensi ch'io non credeva, e poco meno che il giorno innanzi, gli stessi affetti, i quali avendo cominciato a descrivere in versi ieri notte vegliando, continuai tutto ieri, e ho terminato questa mattina stando in letto. (Martedí 16 Decembre) » (dalle *Memorie del primo amore*).

1818 Primi mesi – Compone la *Elegia II*.

Marzo – Scrive il *Discorso di un italiano intorno alla poesia romantica*.

« Di qua ad otto anni addietro... ho potuto accorgermi e persuadermi, non lusingandomi, o caro, né ingannandomi, che il lusingarmi e l'ingannarmi pur troppo m'è impossibile, che in me veramente non è cagione necessaria di morir presto, e purché m'abbia infinita cura, potrò vivere, bensí strascinando la vita coi denti, e servendomi di me stesso appena per la metà di quello che facciano gli altri uomini, e sempre in pericolo che ogni piccolo accidente e ogni minimo sproposito mi pregiudichi o mi uccida: perché in somma io mi sono rovinato con sette anni di studio matto e disperatissimo in quel tempo che mi s'andava formando e mi si doveva assodare la complessione. E mi sono rovinato infelicemente e senza rimedio per tutta la vita, e rendutomi l'aspetto miserabile, e dispregevolissima tutta quella gran parte dell'uomo, che è la sola a cui guardino i piú... » (a Pietro Giordani, il 2 marzo 1818).

Agosto –

« Io v'aspetto impazientissimamente, mangiato dalla malinconia, zeppo di desiderii, attediato, arrabbiato, bevendomi questi giorni o amari o scipitissimi, senza un filo di dolce né d'altro sapore che possa andare a sangue a nessuno. Certo ch'avendo aspettato tanto tempo la vostra visita, adesso ch'è vicina, ogni giorno mi pare un secolo » (a Pietro Giordani, il 4 agosto 1818).

Settembre 16-21 – Il Giordani si trattiene cinque giorni a Recanati. Monaldo acconsente che Giacomo si rechi in gita con lui a Macerata.

« Uscivamo sempre di casa accompagnati dall'aio o dai nostri: la prima volta che Giacomo ne uscí da solo fu quando
venne a trovarlo il Giordani » (ricordi di Carlo, detti a Prospero Viani).

« Io invitai il sig. Giordani a trattenersi con noi venendo da
queste parti. Egli mi favorí per alcuni giorni, ma la venuta
sua fu l'epoca in cui li figli miei cangiarono pensieri e condotta, ed io forse li perdetti allora per sempre. Fino a quel
giorno mai, *letteralmente mai*, erano stati un'ora fuori del-
l'occhio mio e della madre. Li lasciai con Giordani liberamente, stimando di lasciarli in braccio all'amicizia e all'o-
nore. Non so, o per lo meno, mi giova ignorare, una gran
parte, e forse la piú interessante, di quanto formò l'oggetto
di quei lunghi colloquii. Certo si esagerò sulla infelicità di
vivere in un piccolo paese; si riscaldò la fantasia dei giovani
come destinati dalla natura ad alte imprese ed a teatro va-
stissimo; si progettò per Giacomo un posto, o almeno un
soggiorno, in Milano ovvero in Roma; si assegnò al secondo
una piazza di ufficiale fralle truppe del Piemonte; e fino si
parlò di non so quale matrimonio per una mia figlia. Giordani partí portando con sé il segreto dei figli miei... » (lettera di Monaldo a Pietro Brighenti, del 3 aprile 1820).

Settembre-ottobre – Compone le canzoni *All'Italia* e
Sopra il monumento di Dante, e ne spedisce il 19 ottobre il manoscritto al Giordani, perché si occupi di farlo
stampare a Piacenza.

Ottobre 30 – Morte di Teresa Fattorini, figlia del cocchiere di casa Leopardi. Era nata il 10 ottobre 1797.

« Molto piú romanzeschi che veri gli amori di Nerina e di
Silvia [Maria Belardinelli e Teresa Fattorini?] Sí, vedevamo
dalle nostre finestre quelle due ragazze, e talvolta parlavamo
a segni. Amori, se tali potessero dirsi, lontani e prigionieri.
Le dolorose condizioni di quelle due povere diavole, morte
nel fiore degli anni, furono bensí incentivo alla fantasia di
Giacomo a crear due de' piú bei tratti delle sue poesie. Una
era la figlia del cocchiere, l'altra una tessitora » (ricordi di
Carlo a Prospero Viani).

Novembre 30 – Venuto a conoscenza che il plico conte-
nente le canzoni, spedito al Giordani, è andato smarrito
(forse intercettato dalla censura), incarica della stampa
l'abate Cancellieri, a Roma.

1819 Gennaio – Appaiono in Roma, con la data 1818, le due
canzoni.

« Oh la è una cosa grande, Giacomino mio, e che non finisce mai. Le vostre canzoni girano per questa città come fuoco elettrico: tutti le vogliono, tutti ne sono invasati. Non ho mai (mai mai) veduto né poesia né prosa, né cosa alcuna d'ingegno tanto ammirata ed esaltata. Si esclama di voi, come di un miracolo. Capisco che questo mio povero paese non è l'ultimo del mondo, poiché pur conosce il bello e il raro. Oh fui pure sciocco io quando (conoscendovi anche poco) vi consigliavo ad esercitarvi prima nella prosa che nei versi: ve ne ricordate? Oh fate quel che volete: ogni bella e grande cosa è per voi: voi siete uguale a qualunque altissima impresa. Oh quanto onore avrà da voi la povera Italia; e forse ancora quanto bene » (lettera di Pietro Giordani, da Piacenza, del 5 febbraio 1819).

Scrive le canzoni *Per una donna inferma di malattia lunga e mortale* e *Nella morte di una donna fatta trucidare col suo portato dal corruttore per mano ed arte di un chirurgo*. Comincia a soffrire della malattia agli occhi, che lo affliggerà, a varie riprese, fino alla fine.

« Accidia e freddezza e secchezza del gennaio ec. insomma del carnevale del 19 dove quasi neppur la vista delle donne piú mi moveva e mio piacere allora della pace e vita casalinga e inclinazione al fratesco... » (dai *Ricordi d'infanzia e di adolescenza*).

Marzo –

« Sento riaprirmi l'anima al ritorno della primavera, che certo due mesi addietro, era stupido oppresso insensato in modo, ch'io mi facea maraviglia a me stesso, e disperava di provar piú consolazione in questo mondo » (a Pietro Giordani, il 26 marzo 1819).

Luglio – Decide di fuggire da Recanati, chiedendo al conte Broglio di Macerata il passaporto per il viaggio. Egli stesso redige i « connotati » per il suo passaporto:

« Età 21 anni. Statura piccola. Capelli neri. Sopracciglia nere. Occhi cerulei. Naso ordinario. Bocca regolare. Mento simile. Carnagione pallida ».

« Ora che la legge mi fa padrone di me stesso, non ho voluto piú differire quello ch'era indispensabile secondo i nostri principii. Due cagioni m'hanno determinato immediatamente, la noia orribile derivata dall'impossibilità dello studio, sola occupazione che mi potesse trattenere in questo paese; ed un altro motivo che non voglio esprimere, ma tu potrai fa-

cilmente indovinare. E questo secondo, che per le mie qualità
sí mentali come fisiche, era capace di condurmi alle ultime
disperazioni, e mi facea compiacere sovranamente nell'idea
del suicidio, pensa tu se non dovea potermi portare ad ab-
bandonarmi a occhi chiusi nelle mani della fortuna » (al fratello Carlo, senza data, ma fine di luglio 1819).

« Un anno (1819) Giacomo, dominato straordinariamente dal-
l'entusiasmo, dalla noia, da violenta brama d'esser libero e
padrone di sé, credendosi quasi prigioniero e trascurato, senza conoscer bene lo stato della famiglia, concepí l'idea (n'ho
ancor pena) di fuggir via di casa alla muta e provveduto di
viatico. Scrisse al conte Saverio Broglio di Macerata per averne il passaporto, preparò pel padre e per me due lettere sin-
golari, che le farò leggere se viene a Recanati (vedile qui,
piangi, e perdona), e preparò fino gli arnesi da rompere lo
stipo dei denari. Dimostrava in quei giorni umor tetro, taci-
turnità sospetta. Io e la Paolina ce ne avvedemmo, e lo te-
nemmo d'occhio. Temevamo qualche funesta risoluzione. Nostro padre n'ebbe, per caso, sentore da Macerata, e dal conte
Broglio, bonariamente credulo, si fece spedire il passaporto.
Giacomo con un pronto ripiego rivoltò la frittata. La fuga
non avvenne, e le due lettere caddero nelle mani della Paolina e mie » (ricordi di Carlo a Prospero Viani).

Settembre –

« Da sei mesi in qua [la fortuna] mi ha levato l'uso degli
occhi e della mente per una somma debolezza dei nervi ocu-
lari, che m'impedisce non solamente qualunque lettura e studio, ma ogni minima contenzione del pensiero. E cosí spogliato del solo conforto che mi restasse in una città come
questa, e nella mia condizione, può pensare V. S. che vita
sia questa ch'io vo menando. Fui per cedere alla fortuna,
dando effetto a una risoluzione che m'avrebbe condotto in
breve alla fine comune di tutti i mali, ma fui scoperto e impedito, non colla forza che non valeva, ma con le preghiere »
(al conte Leonardo Trissino, il 27 settembre 1819).

Autunno – Compone l'idillio L'infinito, la Telesilla, forse il frammento di Alceta e Melisso.

Scrive i Ricordi d'infanzia e di adolescenza.

« Non v'ha forse cosa tanto conducente al suicidio quanto il
disprezzo di se medesimo. Esempio di quel mio amico che
andò a Roma deliberato di gittarsi nel Tevere perché sentiva
dirsi ch'era un da nulla. Esempio mio stimolatissimo ad
espormi a quanti pericoli potessi e anche uccidermi, la prima

volta che mi venni in disprezzo. Effetto dell'amor proprio che preferisce la morte alla cognizione del proprio niente, ec. onde quanto piú uno sarà egoista tanto piú fortemente e costantemente sarà spinto in questo caso ad uccidersi. E infatti l'amor della vita è l'amore del proprio bene; ora essa non parendo piú un bene ec. ec. » (*Zibaldone*, 71).

« *Beati voi se le miserie vostre | non sapete*. Detto, per esempio, a qualche animale, alle api ec. » (*Zibaldone*, 69).

« Sono cosí stordito del niente che mi circonda, che non so come abbia forza di prender la penna... Se in questo momento impazzissi, io credo che la mia pazzia sarebbe di seder sempre cogli occhi attoniti, colla bocca aperta, colle mani tra le ginocchia, senza né ridere né piangere, né muovermi altro che per forza dal luogo dove mi trovassi. Non ho piú lena di concepire nessun desiderio, neanche della morte, non perch'io la tema in nessun conto, ma non vedo piú divario tra la morte e questa mia vita, dove non viene piú a consolarmi neppure il dolore. Questa è la prima volta che la noia non solamente mi opprime e stanca, ma mi lacera come un dolor gravissimo; e sono cosí spaventato della vanità di tutte le cose, e della condizione degli uomini, morte tutte le passioni, come sono spente nell'animo mio, che ne vo fuori di me, considerando ch'è un niente anche la mia disperazione » (a Pietro Giordani, il 19 novembre 1819).

1820 Gennaio –

« Pare un assurdo, e pure è esattamente vero, che, tutto il reale essendo un nulla, non v'è altro di reale né altro di sostanza al mondo che le illusioni » (*Zibaldone*, 88, 8 gennaio 1820).

Scrive la canzone *Ad Angelo Mai*, « opera di dieci o dodici giorni », e il 4 febbraio ne manda il manoscritto a Bologna, a Pietro Brighenti, perché lo dia alle stampe.

Marzo –

« Sto anch'io sospirando la bella primavera come l'unica speranza di medicina che rimanga allo sfinimento dell'animo mio; e poche sere addietro, prima di coricarmi, aperta la finestra della mia stanza, e vedendo un cielo puro e un bel raggio di luna, e sentendo un'aria tepida e certi cani che abbaiavano da lontano, mi si svegliarono alcune immagini antiche, e mi parve di sentire un moto nel cuore, onde mi posi a gridare come un forsennato, domandando misericordia alla natura, la cui voce mi pareva di udire dopo tanto tempo. E in quel momento dando uno sguardo alla mia condizione passata, alla quale era certo di ritornare subito dopo, com'è seguito, m'agghiacciai dallo spavento, non arrivando a comprendere come si possa tollerare la vita senza illusioni e affetti vivi, e senza immaginazione ed entusiasmo, delle quali cose un anno addietro si componeva tutto il mio tempo, e mi faceano cosí beato, non ostante i miei travagli. Ora sono stecchito e inaridito come una canna secca, e nessuna passione trova piú l'entrata di questa povera anima, e la stessa onnipotenza eterna e sovrana dell'amore è annullata a rispetto mio nell'età in cui mi trovo » (a Pietro Giordani, il 6 marzo 1820).

« Le genti per la città dai loro letti nelle lor case, in mezzo al silenzio della notte si risvegliavano e udivano con ispavento per le strade il suo orribil pianto ec. » (*Zibaldone*, 106, fine di marzo del 1820).

« Come potrà essere che la materia senta e si dolga e si disperi della sua propria nullità? E questo certo e profondo sentimento (massime nelle anime grandi) della vanità e insufficienza di tutte le cose che si misurano coi sensi, sentimento non di solo raziocinio, ma vero e per modo di dire sensibilissimo sentimento e dolorosissimo, come non dovrà essere una prova materiale, che quella sostanza che lo concepisce e lo sperimenta, è di un'altra natura? Perché il sentire la nullità di tutte le cose sensibili e materiali suppone essenzialmente una facoltà di sentire e comprendere oggetti di natura diversa e contraria, ora questa facoltà come potrà essere nella materia? E si noti ch'io qui non parlo di cosa che si concepisce colla ragione, perché infatti *la ragione è la facoltà piú materiale che sussista in noi*, e le sue operazioni materialissime e matematiche si potrebbero attribuire in qualche modo anche alla materia, ma parlo di un sentimento ingenito e proprio dell'animo nostro che ci fa sentire la nullità delle cose indipendentemente dalla ragione, e perciò presumo che questa prova faccia piú forza, manifestando in parte la natura di esso animo. *La natura non è materiale come la ragione* » (*Zibaldone*, 106-7).

Giugno-luglio –

« Nella carriera poetica il mio spirito ha percorso lo stesso stadio che lo spirito umano in generale. Da principio il mio forte era la fantasia, e i miei versi erano pieni d'immagini, e delle mie letture poetiche io cercava sempre di profittare riguardo alla immaginazione. Io era bensí sensibilissimo anche agli affetti, ma esprimerli in poesia non sapea. Non aveva ancora meditato intorno alle cose, e della filosofia non avea che un barlume, e questo in grande, e con quella solita illu-

sione che noi ci facciamo, cioè che nel mondo e nella vita ci
debba esser sempre un'eccezione a favor nostro. Sono stato
sempre sventurato, ma le mie sventure d'allora erano piene
di vita, e mi disperavano perché mi pareva (non veramente
alla ragione, ma ad una saldissima immaginazione) che m'im-
pedissero la felicità, della quale gli altri credea che godessero.
In somma il mio stato era allora in tutto e per tutto come
quello degli antichi. Ben è vero che anche allora quando le
sventure mi stringevano e mi travagliavano assai, io diveniva
capace anche di certi affetti in poesia, come nell'ultimo canto
della *Cantica*. La mutazione totale in me, e il passaggio dallo
stato antico al moderno, seguí si può dire dentro un anno, cioè
nel 1819 dove privato dell'uso della vista, e della continua di-
strazione della lettura, cominciai a sentire la mia infelicità in
un modo assai piú tenebroso, cominciai ad abbandonar la speranza, a riflettere profondamente sopra le cose (in questi pensieri ho scritto in un anno il doppio quasi di quello che avea
scritto in un anno e mezzo, e sopra materie appartenenti sopra tutto alla nostra natura, a differenza dei pensieri passati,
quasi tutti di letteratura), a divenir filosofo di professione
(di poeta ch'io era), a sentire l'infelicità certa del mondo, in
luogo di conoscerla, e questo anche per uno stato di languore
corporale, che tanto piú mi allontanava dagli antichi e mi av-
vicinava ai moderni. Allora l'immaginazione in me fu sommamente infiacchita, e quantunque la facoltà dell'invenzione
allora appunto crescesse in me grandemente, anzi quasi cominciasse, verteva però principalmente, o sopra affari di prosa, o sopra poesie sentimentali. E s'io mi metteva a far versi,
le immagini mi venivano a sommo stento, anzi la fantasia
era quasi dissecata (anche astraendo dalla poesia, cioè nella
contemplazione delle belle scene naturali ec. come ora ch'io
ci resto duro come una pietra); bensí quei versi traboccavano
di sentimento. (1º luglio 1820) » (*Zibaldone*, 143-44).

« Nella mia vita infelicissima l'ora meno trista è quella del
levarmi. Le speranze e le illusioni ripigliano per pochi momenti un certo corpo, ed io chiamo quell'ora la gioventú della giornata per questa similitudine che ha colla gioventú della
vita. E anche riguardo alla stessa giornata, si suol sempre
sperare di passarla meglio della precedente. E la sera che ti
trovi fallito di questa speranza e disingannato, si può chiamare la vecchiezza della giornata. (4 Luglio 1820) » (*Zibaldone*, 152).

Appare a Bologna, stampata dal Marsigli, la canzone al
Mai.

Scrive, probabilmente, l'idillio *Alla luna*.

Pietro Brighenti gli prospetta la possibilità di ricoprire la cattedra di eloquenza all'Università di Bologna.

« Quanto alla cattedra di Bologna, vi dico che non avete idea di mio padre. Non c'è affare che lo interessi cosí poco, quanto quelli che lo riguardano. Non vuol mantenermi fuori di qui a sue sole spese, ma non moverebbe una paglia per procurarmi altrove un mezzo di sussistenza che mi togliesse da questa disperazione. Non ho dubbio di ottenere il suo consenso a cose fatte, ma sarebbe piú facile di smuovere una montagna, che d'indurlo a fare egli stesso qualche cosa per me » (a Pietro Brighenti, il 28 agosto 1820).

Settembre –

« In questi giorni, quasi per vendicarmi del mondo, e quasi anche della virtú, ho immaginato e abbozzato certe prosette satiriche » (a Pietro Giordani, il 4 settembre 1820).

30 –

« Si mise un paio di occhiali fatti della metà del meridiano co' due cerchi polari » (*Zibaldone*, 255).

Ottobre – Scrive, forse, *La sera del dí di festa*.

« Il suo divertimento era di passeggiare contando le stelle (e simili). (16 Ottobre 1820) » (*Zibaldone*, 280).

Dicembre –

« Quelle rare volte ch'io ho incontrato qualche piccola fortuna, o motivo di allegrezza, in luogo di mostrarla al di fuori, io mi dava naturalmente alla malinconia quanto all'esterno, sebbene l'interno fosse contento. Ma quel contento placido e riposto, io temeva di turbarlo, alterarlo, guastarlo e perderlo col dargli vento. E dava il mio contento in custodia alla malinconia » (*Zibaldone*, 460).

1821 Gennaio –

« Io sto competentemente bene del corpo. L'animo dopo lunghissima e ferocissima resistenza, finalmente è soggiogato, e ubbidiente alla fortuna. Non vorrei vivere, ma dovendo vivere, che giova ricalcitrare alla necessità?... Leggo e scrivo e fo tanti disegni, che a voler colorire e terminare quei soli che ho, non solamente schizzati, ma delineati, fo conto che non mi basterebbero quattro vite. Se bene io comprendo anzi sento tutto giorno e intensamente l'inutilità delle cose umane, contuttociò m'addolora e m'affanna la considerazione di quanto ci sarebbe da fare, e quanto poco potrò fare. Massimamente che questa sola vita che la natura mi concede, la miseria me la intorpidisce e incatena; e me la vedo sdrucciolare e sfumare tra le mani; in guisa che laddove ai miei disegni si richiederebbero molte vite, non ne avrò quasi neppur una » (a Pietro Giordani, il 5 gennaio 1821).

« Osservate che forse la massima parte delle immagini e sensazioni indefinite che noi proviamo pure dopo la fanciullezza e nel resto della vita, non sono altro che una rimembranza della fanciullezza, si riferiscono a lei, dipendono e derivano da lei, sono come un influsso e una conseguenza di lei; o in genere, o anche in specie; vale a dire, proviamo quella tal sensazione, idea, piacere ec., perché ci ricordiamo e ci si rappresenta alla fantasia quella stessa sensazione immagine ec. provata da fanciulli, e come la provammo in quelle stesse circostanze. Cosí che la sensazione presente non deriva immediatamente dalle cose, non è una immagine degli oggetti, ma della immagine fanciullesca; una ricordanza, una ripetizione, una ripercussione o riflesso della immagine antica. E ciò accade frequentissimamente. (Cosí io, nel rivedere quelle stampe piaciutemi vagamente da fanciullo, quei luoghi, spettacoli, incontri ec. nel ripensare a quei racconti, favole, letture, sogni ec. nel risentire quelle cantilene udite nella fanciullezza o nella prima gioventú ec.). In maniera che, se non fossimo stati fanciulli, tali quali siamo ora, saremmo privi della massima parte di quelle poche sensazioni indefinite che ci restano, giacché le proviamo se non rispetto e in virtú della fanciullezza. E osservate che anche i sogni piacevoli nell'età nostra, sebbene ci dilettano assai piú del reale, tuttavia non ci rappresentano piú quel bello e quel piacevole indefinito come nell'età prima spessissimo (16 Gennaio 1821) » (*Zibaldone*, 515-16).

Marzo – Sollecita dal Perticari e dal Mai una segnalazione per ottenere a Roma il posto vacante di « scrittore di lingua latina » nella Biblioteca Vaticana.

Aprile –

« Non è cosa piú dispiacevole e dispettosa all'uomo afflitto, e oppresso dalla malinconia, dalla sventura presente, o dal presente sentimento di lei, quanto il tuono della frivolezza e della dissipazione in coloro che lo circondano, e l'aspetto comunque della gioia insulsa. Molto piú se questo è usato con lui, e soprattutto s'egli è obbligato per creanza, o per qualche ragione a prendervi parte. (12 Aprile 1821) » (*Zibaldone*, 931).

A Giulio Perticari, che lo aveva invitato a recarsi a Pesaro per qualche mese, e a lasciare « a qualche bue pedagogo » la fatica dell'amanuense:

« Al vostro caro e pietoso invito rispondo ch'eccetto il caso di una provvisione, io non potrò mai veder cielo né terra che non sia recanatese, prima di quell'accidente che la natura comanda ch'io tema, e che oltracciò, secondo natura, avverrà nel tempo della mia vecchiezza; dico la morte di mio padre. Il quale non ha altro a cuore di tutto ciò che m'appartiene, fuorché lasciarmi vivere in quella stanza dov'io traggo tutta quanta la giornata, il mese, l'anno, contando i tocchi dell'oriuolo » (lettera del 9 aprile 1821).

« Oggi non può scegliere il cammino della virtú se non il pazzo, o il timido e vile, o il debole e misero. (23 Aprile 1821) » (*Zibaldone*, 978).

Estate –

« Io nel povero ingegno mio non ho riconosciuto altra differenza dagl'ingegni volgari, che una facilità di assuefarlo a quello ch'io volessi, e quando io volessi, e di fargli contrarre abitudine forte e radicata, in poco tempo. Leggendo una poesia, divenir facilmente poeta; un logico, logico; un pensatore, acquistar subito l'abito di pensare nella giornata; uno stile, saperlo subito o ben presto imitare ec.; una maniera di tratto che mi paresse conveniente, contrarne l'abitudine in poco d'ora ec. ec. (1º Luglio) » (*Zibaldone*, 1254-55).

Scrive, forse, *La vita solitaria*.

Ottobre-novembre –

« Oh se ti potessi rivedere. Dopo tre soli anni, appena mi riconosceresti. Non piú giovane, non piú renitente alla fortuna, escluso dalla speranza e dal timore, escluso da' menomi e fuggitivi piaceri che tutti godono... Paolina andrà sposa di un Signor Peroli a Sant'Angelo in Vado, ma non prima di questo Gennaio, come già ti scrissi, e forse a primavera... Io me la passo alla buona, proponendo molto, effettuando poco, bisognoso unicamente di svagarmi e sollazzarmi, e non uscendo mai di casa. Ma essendo stanco di far guerra all'invincibile, tengo il riposo in luogo della felicità, mi sono coll'uso accomodato alla noia, nel che mi credeva incapace d'assuefazione, e ho quasi finito di patire » (a Pietro Giordani, il 26 ottobre 1821).

Scrive la canzone *Nelle nozze della sorella Paolina*.

Novembre –

« Ho detto che l'uomo di gran sentimento è soggetto a divenire insensibile piú presto e piú fortemente degli altri, e soprattutto di quegli di mediocre sensibilità. Questa verità si deve estendere ed applicare a tutte quelle parti, generi ec. ne' quali il sentimento si divide e si esercita, come la compassione ec. ec. Sebbene è verissimo che l'uomo di sentimento è destinato all'infelicità, nondimeno assai spesso accade ch'egli nella sua giovanezza divenga insensibile al dolore e alla sventura, e che tanto meno egli sia suscettibile di dolor vivo dopo passata una certa epoca, e un certo giro di esperienza, quanto piú violento e terribile fu il suo dolore e la sua disperazione ne' primi anni, e ne' primi saggi ch'egli fece della vita. Egli arriva sovente assai presto ad un punto, dove qualunque massima infelicità non è piú capace di agitarlo fortemente, e dall'eccessiva suscettibilità di essere eccessivamente turbato, passa rapidamente alla qualità contraria, cioè ad un abito di quiete e di rassegnazione sí costante, e di disperazione cosí poco sensibile, che qualunque nuovo male gli riesce indifferente (e questa si può dire l'ultima epoca del sentimento, e quella in cui la piú gran disposizione naturale all'immaginazione alla sensibilità, divengono quasi al tutto inutili, e il piú gran poeta, o il piú dotato di eloquenza che si possa immaginare, perde quasi affatto e irrecuperabilmente queste qualità, e si rende incapace a poterle piú sperimentare o mettere in opera per qualunque circostanza. Il sentimento è sempre vivo fino a questo tempo, anche in mezzo alla maggior disperazione, e al piú forte senso della nullità delle cose. Ma dopo quest'epoca, le cose divengono tanto nulle all'uomo sensibile, ch'egli non ne sente piú nemmeno la nullità: ed allora il sentimento e l'immaginazione son veramente morte, e senza risorsa) (17 Novembre 1821) » (*Zibaldone*, 2107-10).

30 – Finisce di scrivere la canzone *A un vincitore nel pallone*.

Dicembre – Scrive la canzone *Bruto Minore*, « opera di venti giorni ».

1822 Gennaio – Scrive la canzone *Alla primavera, o delle favole antiche*, « opera di undici giorni ».

Marzo – Scrive in otto giorni la *Comparazione delle sentenze di Bruto Minore e di Teofrasto vicini a morte*.

Maggio – Scrive l'*Ultimo canto di Saffo*, « opera di sette giorni », dal 13 al 19.

Luglio – Scrive l'*Inno ai Patriarchi*, « opera di diciassette giorni ».

Ottobre – Vede profilarsi l'eventualità di un viaggio a Roma. Ne scrive il giorno 20 a Giuseppe Melchiorri:

« Vorrei che tu mi sapessi dire se costí si troverebbe nel prossimo inverno una dozzina buona e discreta; in contrada non affatto deserta. Una camera mi basterebbe; ma la vorrei calda, luminosa, e soprattutto non a tetto, ossia in ultimo piano. Io mangio poco, e non bevo vino: fo un pasto solo, con una piccola colazione la mattina... Io verrei costà verso il mezzo Novembre ».

29 – Inizia la traduzione (« fatta sullo stile del trecento, con arcaismi a bella posta, per farla passare come antica ») del *Martirio de' Santi Padri del monte Sinai*.

Novembre – Il 17 parte da Recanati con gli zii don Girolamo, Carlo e Marianna Antici. Nel bagaglio ha un Luciano, *Il Torto e il Diritto* del padre Bartoli, il primo volume del *Don Quijote*, il manoscritto della traduzione del *Martirio de' Santi Padri* e il quaderno dello *Zibaldone*.

20 – Si ferma con lo zio don Girolamo, per una notte, a Spoleto.

23 – Arriva a Roma, ospite degli zii materni nel palazzo Antici-Mattei.

« Io son fuori di me, non già per la maraviglia, ché quando anche io vedessi il Demonio non mi maraviglierei: e delle gran cose che io vedo, non provo il menomo piacere, perché conosco che sono maravigliose, ma non lo sento, e t'accerto che la moltitudine e la grandezza loro m'è venuta a noia dopo il primo giorno... Fa leggere questa lettera al signor Padre, al quale io non so quello che mi scrivessi da Spoleto: perché dovete sapere che io scrissi in tavola fra una canaglia di Fabrianesi, Iesini ec., i quali s'erano informati dal Cameriere dell'esser mio, e già conoscevano il mio nome e qualità *di poeta* ec. ec. E un birbante di prete furbissimo ch'era con loro, si propose di dar la burla anche a me, come la dava a tutti gli altri: ma credetemi che alla mia prima risposta, cambiò tuono tutto d'un salto, e la sua compagnia divenne bonissima e gentilissima come tante pecore » (al fratello Carlo, il 25 novembre 1822).

Dicembre 1 – Termina la traduzione del *Martirio de' Santi Padri*.

Scrive ai fratelli:

« La cupola l'ho veduta io, colla mia corta vista, a 5 miglia di distanza, mentre io era in viaggio, e l'ho veduta distin-

tissimamente colla sua palla e colla sua croce, come voi vedete di costà gli Appennini. Tutta la grandezza di Roma non
serve ad altro che a moltiplicare le distanze, e il numero de'
gradini che bisogna salire per trovare chiunque vogliate.
Queste fabbriche immense, e queste strade per conseguenza
interminabili, sono tanti spazi gittati fra gli uomini, invece
d'essere spazi che contengano uomini... » (alla sorella Paolina, il 3 dicembre 1822).

« L'uomo non può assolutamente vivere in una grande sfera,
perché la sua forza o facoltà di rapporto è limitata. In una
piccolissima città ci possiamo annoiare, ma alla fine i rapporti dell'uomo all'uomo e alle cose, esistono, perché la sfera
de' medesimi rapporti è ristretta e proporzionata alla natura
umana. In una grande città l'uomo vive senza nessunissimo
rapporto a quello che lo circonda... Da questo potete congetturare quanto maggiore e più terribile sia la noia che si
prova in una grande città... L'unica maniera di poter vivere
in una città grande, e che tutti, presto o tardi, sono obbli-
gati a tenere, è quella di farsi una piccola sfera di rapporti...
Vale a dire fabbricarsi dintorno come una piccola città, dentro la grande... Non finirei mai di discorrer con voi. Tutti
dormono: io rubo questi momenti al sonno, perché, durante
il giorno, non mi lasciano un momento di libertà... » (al fratello Carlo, il 6 dicembre 1822).

« Ieri fui a pranzo dal ministro d'Olanda. La compagnia
era scelta e tutta composta di forestieri. Posso dir che questa sia la prima volta che io abbia assistito a una conversazione di buon tono, spiritosa ed elegante, e quasi paragonabile a una conversazione francese... Abbiamo un freddo
tale, che i vecchi cavano fuori la solita formola di non ri-
cordarsene uno simile in questo clima... » (alla sorella Paolina, il 30 dicembre 1822).

1823 Gennaio –

« Ho sentito tutte e due le Opere: quella d'Argentina e
quella di Valle. La prima è del maestro Caraffa, quasi tutta
rubata a Rossini... Quanto all'Opera di Valle, ch'è buffa, tenete per certissimo che il nostro *Turco in Italia*, non solamente per la musica, ma per ciascun cantante, a uno per
uno, e tutti insieme, fu migliore senza nessunissimo paragone. Il teatro è per lo più deserto, e ci fa un freddo che
ammazza. L'Opera è del M. Celli. Gl'istrioni sono insoffri-
bili... » (al fratello Carlo, il 6 gennaio 1823).

« Il mio progetto è di farmi portar via da qualche forestiere
o inglese o tedesco o russo... » (allo stesso, il 22 gennaio).

Febbraio 5 –

« ... i tuoi versi hanno moltissimo dell'Alfieresco, senza che tu forse te ne avvegga; e la cagione che t'indurrebbe alla poesia, sarebbe quella stessa d'Alfieri, cioè l'amore o una cosa di questa specie. Puoi credere, Carlo mio, quanto volentieri io farei qualunque cosa per te, cioè per me, giacché tu ed io siamo stati e saremo sempre una stessa persona ipostatica, e non c'è bisogno di ripeterlo. Che Marini abbia una certa influenza sugli impieghi relativi ai catasti, è vero. Che ne sia padrone, non è vero, ma sono i soliti sogni e chimere di Zio Carlo, come ti scrissi. Io ho con lui una certa amicizia, ma di quelle amicizie fredde che si possono avere con persone occupate, che vedono un'infinità di gente ogni giorno, che hanno fatto fortuna a forza di travaglio, e con ciò si sono abituate all'egoismo, cioè a travagliare per sé sole, giacché se avessero travagliato per altri, non avrebbero fatto fortuna. In ogni modo è un uomo molto cortese... Mi congratulo con te dell'impressioni e delle lagrime che t'ha cagionato la musica di Rossini, ma tu hai torto di credere che a noi non tocchi niente di simile. Abbiamo in Argentina la *Donna del Lago*, la qual musica eseguita da voci sorprendenti è una cosa stupenda, e potrei piangere ancor io, se il dono delle lagrime non mi fosse stato sospeso, giacché m'avvedo pure di non averlo perduto affatto. Bensí è intollerabile e mortale la lunghezza dello spettacolo, che dura sei ore, e qui non s'usa d'uscire del palco proprio. Pare che questi fottuti Romani che si son fatti e palazzi e strade e chiese e piazze sulla misura delle abitazioni de' giganti, vogliano anche farsi i divertimenti a proporzione, cioè giganteschi, quasi che la natura umana, per coglionesca che sia, possa reggere e sia capace di maggior divertimento che fino a un certo segno. Non ti parlerò dello spettacolo del corso, che veramente è bello e degno d'esser veduto (intendo il corso di carnevale); né dell'impressione che m'ha prodotto il ballo veduto colla *lorgnette*... Credimi che se tu vedessi una di queste ballerine in azione, ho tanto concetto dei tuoi propositi anterotici, che ti darei per cotto al primo momento » (allo stesso).

15 – Visita la tomba del Tasso, nella chiesa di Sant'Onofrio al Gianicolo.

« È il primo e l'unico *piacere* che ho provato in Roma... Anche la strada che conduce a quel luogo prepara lo spirito alle impressioni del sentimento. È tutta costeggiata di case destinate alle manifatture, e risuona dello strepito de' telai e d'altri tali istrumenti, e del canto delle donne e degli operai occupati al lavoro. In una città oziosa, dissipata, senza metodo, come sono le capitali, è pur bello il considerare l'immagine della vita raccolta, ordinata e occupata in professioni utili. Anche le fisionomie e le maniere della gente che s'incontra per quella via, hanno un non so che di piú semplice e di piú umano che quelle degli altri; e dimostrano i costumi e il carattere di persone, la cui vita si fonda sul vero e non sul falso, cioè che vivono di travaglio e non d'intrigo, d'impostura e d'inganno, come la massima parte di questa popolazione » (allo stesso, il 20 febbraio 1823).

« Il freddo è tornato in questi giorni, dopo un mese e piú di primavera (non asciutta), ma è sopportabile anche senza fuoco » (a Monaldo Leopardi, il 22 febbraio 1823).

Marzo – Tramite il Niebhur, che ha conosciuto in questi giorni, presenta al cardinale Consalvi una domanda, chiedendo un impiego come « Cancelliere del Censo in qualche importante Capoluogo di Delegazione » (forse pensa alla sede di Rimini).

« Qualche giorno dopo la prima *entrevue* ch'ebbi col Ministro [di Prussia, il Niebhur], ricevetti un biglietto, dove colla maggior gentilezza possibile, mi diceva in sostanza che aveva parlato di me col Segretario di Stato, che questi non era alieno dal provvedermi, che intendendo la mia avversione al sacerdozio, gli aveva domandato se mi risolvessi di prender l'abito di Corte, il quale mi avrebbe aperto la strada ad impieghi ed onori... » (al fratello Carlo, il 22 marzo 1823).

Aprile –

« Il Ministro è partito per sempre il Sabato santo. Mi dispiace moltissimo che il zio Carlo abbia informato mio padre dell'affare, e mi dispiace perché da una parte è impossibile che mio padre approvi mai nessun passo fatto per levarmi stabilmente da Recanati... Già da piú parti m'è arrivato all'orecchio che il Segretario di Stato m'ha offerto la mantelletta e ch'io l'ho ricusata... » (allo stesso, il 5 aprile 1823).

« Veramente non so qual migliore occupazione si possa trovare al mondo, che quella di fare all'amore, sia di primavera o d'autunno; e certo che il parlare a una bella ragazza vale dieci volte piú che girare, come io fo, attorno all'Apollo di Belvedere o alla Venere Capitolina » (*ibid.*).

« Lasciando una Roma, e tornando in una Recanati, non vorrei trovar altro che amicizia ed amore... » (allo stesso, il 9 aprile 1823).

« Se il Segretario si ricorderà di me, non resterò in Recanati gran tempo: altrimenti non vedo come ne potrò di nuovo uscire; del che mi prendo pochissima pena. Ho fatto in Roma gran moto ed esercizio di corpo, ed ho sopportato il tutto facilissimamente, e senza la menoma incomodità, quantunque uscissi da un'eccessiva, anzi totale inerzia corporale di piú anni. Fuor del vigore che non riacquisterò mai piú, e della piena signoria de' miei occhi e della mia testa, che parimente ho perduta per sempre, posso dir che la mia salute è non solamente buona ma ottima. Non cosí bene posso dire del mio spirito, il quale assuefatto per lunghissimo tempo alla solitudine e al silenzio, è pienamente ed ostinatissimamente nullo nella società degli uomini, e tale sarà in eterno, come mi sono accertato per molte anzi continue esperienze. Ed avendo in questi ultimi mesi perduto anche l'abito della solitudine, è diventato nulla ancora in se medesimo, di modo che veramente io non son piú buono a cosa alcuna del mondo; e questo ancora mi dà poca noia » (a Pietro Giordani, il 26 aprile 1823).

Maggio 3 sera – Fa ritorno a Recanati.

« Quando era in casa si levava di buonora e studiava tutta la mattina, poi buona parte del giorno. Poi passeggiava due o tre ore di seguito, su e giú dentro una sala, e per qualche ora all'oscuro. Io lo chiamava Malco ed egli ne rideva. Finito il passeggio all'una dopo l'Ave Maria, si metteva a sedere circondato dai suoi Fratelli, e con essi conversava amichevolmente un paio d'ore; indi si ritirava, e quando poteva tornava allo studio. Levate quelle due ore era ordinariamente silenzioso, mai però burbero e scortese, e quando se gli dirigeva il discorso o rispondeva con brevi e cortesi parole, o pure, sorrideva. Alla mensa siedeva vicino a me, ed aspettava che se gli mettesse la vivanda nel piatto non volendo incomodarsi a prenderla; e neppure voleva il fastidio di tagliarla col cortello. Toccava a me il tagliare a minuto le sue vivande, altrimenti le stracciava con la sola forchetta, overo impazientito le ripudiava. Non so dire quante forchette rompesse per quella sua avversione all'uso del cortello... Amava molto il dolce, e con una libbra di zucchero condiva solamente sei tazze di caffè » (Monaldo Leopardi, *Lettera-memoriale* a Antonio Ranieri).

Giugno –

« La surabondance de la vie intérieure pousse toujours l'individu vers l'extérieure, mais en même temps elle fait en sorte qu'il ne sait comment s'y prendre. Il embrasse tout, il voudrait toujours être rempli; cependant tous les objets lui échappent, précisément parce qu'ils sont plus petits que sa capacité. Il exige même de ses moindres actions, de ses paroles, de ses gestes, de ses mouvements, plus de grâce et de perfection qu'il n'est possible à l'homme d'atteindre. Aussi, ne pouvant jamais être content de soi-même, ni cesser de s'examiner, et se défiant toujours de ses propres forces, il ne sait pas faire ce que font les autres » (a A. Jacopssen, il 23 giugno 1823).

Settembre – Scrive in sette giorni la canzone *Alla sua donna*.

Intensifica gli studi filologici, già ripresi con fervore a Roma. Traduce la *Satira di Simonide sopra le donne*.

Novembre –

« Il giovane che al suo ingresso nella vita, si trova, per qualunque causa e circostanza ed in qual che sia modo, ributtato dal mondo, innanzi di aver deposto la tenerezza verso se stesso, propria di quella età, e di aver fatto l'abito e il callo alle contrarietà, alle persecuzioni e malignità degli uomini, agli oltraggi, punture, smacchi, dispiaceri che si ricevono nell'uso della vita sociale, alle sventure, ai cattivi successi nella società e nella vita civile; il giovane, dico, che o da' parenti, come spesso accade o da que' di fuori si trova ributtato ed escluso dalla vita, e serrata la strada ai godimenti (di qualsivoglia sorta) o piú che agli altri o al comune de' giovani non suole accadere; o tanto che tali ostacoli vengano ad essere straordinarii e ad avere maggior forza che non sogliono, a causa di una sua non ordinaria sensibilità, immaginazione, suscettibilità, delicatezza di spirito e d'indole, vita interna, e quindi straordinaria tenerezza verso se stesso, maggiore amor proprio, maggiore smania e bisogno di felicità e di godimento, maggior capacità e facilità di soffrire, maggior delicatezza sopra ogni offesa, ogni danno, ogn'ingiuria, ogni disprezzo, ogni puntura ed ogni lesione del suo amor proprio; un tal giovane trasporta e rivolge bene spesso tutto l'ardore e la morale e fisica forza o generale della sua età, o particolare della sua indole, o l'uno e l'altro insieme, tutta, dico, questa forza e questo ardore che lo spingevano verso la felicità, l'azione, la vita, ei la rivolge a procurarsi l'infelicità, l'inattività, la morte morale. Egli diviene misantropo di se stesso e il suo maggior nemico, egli vuol soffrire, egli vi si ostina, i partiti piú tristi, piú acerbi verso se stesso, piú dolorosi e piú spaventevoli, e che prima di quella sua poca esperienza della vita egli avrebbe rigettati con orrore, divengono del suo gusto, ei li abbraccia con trasporto, dovendo scegliere uno stato, il piú monotono, il piú freddo, il piú penoso per la noia che reca, il piú difficile

a sopportarsi, perché piú lontano e men partecipe della vita,
è quello ch'ei preferisce, ei vi si compiace tanto piú quanto
esso è piú orribile per lui, egl'impiega tutta la forza del suo
carattere e della sua età in abbracciarlo, e in sostenerlo, e in
mantenere ed eseguire la sua risoluzione, e in continuarlo,
e si compiace fra l'altre cose in particolare nell'impossibili-
tarsi a poter mai fare altrimenti, e nello abbracciar quei partiti che gli chiudano per sempre la strada di poter vivere,
o soffrir meno, perché con ciò ei viene a ridursi e a rappre-
sentarsi come ridotto in uno estremo di sciagura, il che piace,
come altrove ho detto, e se qualche cosa mancasse e potesse
aggiungersi al suo male, ei non sarebbe contento ec.; egl'impiega tutta la sua vita morale in abbracciare, sopportare e
mantenere costantemente la sua morte morale, tutto il suo
ardore in agghiacciarsi, tutta la sua inquietezza in sostenere
la monotonia e l'uniformità della vita, tutta la sua costanza
in scegliere di soffrire, voler soffrire, continuare a soffrire,
tutta la sua gioventú in invecchiarsi l'animo, e vivere este-
riormente da vecchio, ed abbracciare e seguir gl'istituti, le
costumanze, i modi, le inclinazioni, il pensare, la vita de'
vecchi. Come tutto ciò è un effetto del suo ardore e della
sua forza naturale, egli va molto al di là del necessario:
se il mondo a causa de' suoi difetti o morali o fisici, o di
sue circostanze, gli nega tanto di godimento, egli se ne toglie il decuplo; se la necessità l'obbliga a soffrir tanto, egli
elegge di soffrir dieci volte di piú; se gli nega un bene ei se
ne interdice uno assai maggiore; se gli contrasta qualche godimento, egli si priva di tutti, e rinunzia affatto al godere »
(*Zibaldone*, 3837-38).

Dicembre – Spedisce al Brighenti il manoscritto delle
dieci canzoni, da stampare in Bologna.

1824 19 gennaio - 7 febbraio – Scrive la *Storia del genere
umano*, la prima delle *Operette morali*.

Febbraio 10-27 – Scrive il *Dialogo d'Ercole e di Atlante*,
il *Dialogo della Moda e della Morte*, la *Proposta di
Premi fatta dall'Accademia dei Sillografi* e il *Dialogo
di un lettore di umanità e di Sallustio*.

Marzo 2-6 – Scrive il *Dialogo di un folletto e di uno
gnomo*.

« Io non ho scritto in vita mia se non pochissime e brevi
poesie. Nello scriverle non ho mai seguito altro che un'ispirazione (o frenesia), sopraggiungendo la quale, in due minuti io formava il disegno e la distribuzione di tutto il com-

ponimento. Fatto questo, soglio sempre aspettare che mi torni un altro momento, e tornandomi (che ordinariamente non succede se non di là a qualche mese), mi pongo allora a comporre, ma con tanta lentezza, che non mi è possibile di terminare una poesia, benché brevissima, in meno di due o tre settimane. Questo è il mio metodo, e se l'ispirazione non mi nasce da sé, piú facilmente uscirebbe acqua da un tronco, che un solo verso dal mio cervello. Gli altri possono poetare sempre che vogliono, ma io non ho questa facoltà in nessun modo, e per quanto mi pregaste, sarebbe inutile, non perch'io non volessi compiacervi, ma perché non potrei. Molte altre volte sono stato pregato, e mi sono trovato in occasioni simili a questa, ma non ho mai fatto un mezzo verso a richiesta di chi che sia, né per qualunque circostanza si fosse. Fate accettare queste mie scuse al signor Carnevalini, ringraziandolo della opinione altrettanto falsa quanto gentile, che egli dimostra della mia capacità poetica, ed assicurandolo ch'io piango di cuore con tutti i buoni la morte del suo degno fratello, lo credo meritevolissimo di onore e di lagrime, e godo che si provvegga a celebrare e perpetuare la sua memoria. I miei versi farebbero piuttosto l'effetto contrario, ma qualunque giudizio egli per sua cortesia voglia farne, il fatto è che chieder versi a una natura difficile e infeconda come la mia, è lo stesso che chiedermi un vescovato: questo non posso dare, e quelli non so comporre se non per caso » (a Giuseppe Melchiorri, il 5 marzo 1824).

Scrive probabilmente il *Discorso sopra lo stato presente dei costumi degl'Italiani*.

Aprile-maggio – Compone il *Dialogo di Malambruno e di Farfarello* (1-3 aprile), il *Dialogo della Natura e di un'Anima* (9-14), il *Dialogo della Terra e della Luna* (24-28), *La scommessa di Prometeo* (30 aprile - 8 maggio), il *Dialogo di un fisico e di un metafisico* (14-19 maggio), il *Dialogo della Natura e di un Islandese* (21-30 maggio).

« Il tale rassomigliava i piaceri umani a un carcioffo, dicendo che conveniva roderne prima e inghiottirne tutte le foglie per arrivare a dar di morso alla castagna. E che anche di questi carcioffi era grandissima carestia, e la piú parte di loro senza castagna. E soggiungeva che esso non volendosi accomodare a roder le foglie si era contentato e contentavasi di non gustarne alcuna castagna. (30 Maggio, domenica, 1824) » (*Zibaldone*, 4095).

Giugno – Scrive il *Dialogo di Torquato Tasso e del suo Genio familiare* (1-10 giugno) e il *Dialogo di Timandro e di Eleandro* (14-24).

Estate – Dal 6 luglio al 13 agosto scrive *Il Parini ovvero della gloria*; dal 16 al 23 agosto il *Dialogo di Federico Ruysch e delle sue mummie*.

Sul finire dell'agosto appaiono a Bologna, pei tipi del Nobili e Comp.º, le *Canzoni*.

Dal 29 agosto al 26 settembre scrive i *Detti memorabili di Filippo Ottonieri*.

Autunno – Scrive il *Dialogo di Cristoforo Colombo e di Pietro Gutierrez* (19-25 ottobre), l'*Elogio degli uccelli* (29 ottobre - 5 novembre) e il *Cantico del gallo silvestre* (10-16 novembre).

1825 Gennaio –

« Io vengo presentemente ingannando il tempo e la noia con una traduzione di operette morali scelte da autori greci dei piú classici [Isocrate, Prodico], fatta in un italiano che spero non pecchi di impurità né di oscurità. Ne ho tradotti sinora tre in pochi giorni... » (a Carlo Antici, il 15 gennaio 1825).

Maggio –

« Quanto al genere di studi che io fo, come io sono mutato da quel che io fui, cosí gli studi sono mutati. Ogni cosa che tenga di affettuoso e di eloquente mi annoia, mi sa di scherzo e di fanciullaggine ridicola. Non cerco altro piú fuorché il vero, che ho già tanto odiato e detestato. Mi compiaccio di sempre meglio scoprire e toccar con mano la miseria degli uomini e delle cose, e d'inorridire freddamente, speculando questo arcano infelice e terribile della vita dell'universo » (a Pietro Giordani, il 6 maggio 1825).

Luglio 12 o 13 notte – Parte per Milano, invitato dall'editore Antonio Fortunato Stella.

« Montai nel legno con un sentimento di cieca disperazione, come se andassi a morire, o a qualche cosa di simile, mettendomi tutto in mano al destino ».

18 – Arriva a Bologna, dove prende alloggio nel Convento dei Frati Conventuali, insieme al padre Perri, col quale ha fatto il viaggio.

« Giunsi iersera in Bologna stanco, ma sano. I miei occhi, malgrado il gran sole e il gran caldo patiti pel viaggio, non sono peggiorati » (a Monaldo Leopardi, il 19 luglio 1825).

« Sono talmente migliorato della salute, che nessuno strapazzo mi fa piú male, mangio come un lupo... Anche gli occhi sono migliorati assai. Sono stato tentatissimo di fermarmi qui in Bologna, città quietissima, allegrissima, ospitalissima, dove ho trovato molto buone accoglienze, ed avrei forse modo di mantenermivi con poca spesa, occupandomi di qualche impresa letteraria che mi è stata offerta, e che non richiederebbe gran fatica, né mi obbligherebbe per troppo tempo » (allo stesso, il 22 luglio 1825).

27 – Prosegue per Milano, dove giunge la sera del 30.

« Sono arrivato qui iersera, dopo un viaggio felice, che ho fatto in compagnia di due viaggiatori inglesi. Al primo aspetto mi pare impossibile di durar qui neppure una settimana, ma siccome l'esperienza mi ha insegnato che le mie disperazioni non sempre sono ragionevoli e non sempre si avverano, perciò non ardisco ancora di affermarti nulla, ed aspetto molto quietamente quello che porterà il tempo... Milano non ha che far niente con Bologna. Milano è uno *specimen* di Parigi, ed entrando qui, si respira un'aria della quale non si può avere idea senza esservi stato. In Bologna nel materiale e nel morale tutto è bello, e niente magnifico; ma in Milano il bello che vi è in gran copia, è guastato dal magnifico e dal diplomatico, anche nei divertimenti. In Bologna gli uomini sono vespe senza pungolo, e credilo a me, che con mia infinita maraviglia ho dovuto convenire con Giordani e con Brighenti (brav'uomo), che la bontà di cuore vi si trova effettivamente, anzi vi è comunissima, e che la razza umana vi è differente da quella di cui tu ed io avevamo idea. Ma in Milano gli uomini sono come *partout ailleurs*, e quello che mi fa piú rabbia è che tutti ti guardano in viso e ti squadrano da capo a piedi come a Monte Morello. Del resto chi ama il divertimento, trova qui quello che non potrebbe trovare in altra città d'Italia, perché Milano nel materiale e nel morale è tutto un giardino delle Tuilleries. Ma tu sai quanta inclinazione io ho ai divertimenti » (al fratello Carlo, il 31 luglio 1825).

Agosto 13 – L'idillio *Il sogno*, composto probabilmente nel 1821, appare anonimo nel « Caffè di Petronio » di Bologna, diretto da Pietro Brighenti.

Fa visita al Monti.

« Qui non ho conosciuto ancora se non pochissime persone di merito, e tra queste niuna che mi paia disposta a concedermi la sua amicizia, eccetto il Cav. Monti, al quale ho portato i suoi saluti e quelli del conte Pepoli e del prof. Costa, e che mi ha parlato di Lei con lode e con amor grandissimo. Mi ha trattato molto benignamente, e mi ha dato licenza di vederlo spesso » (a Antonio Papadopoli, il 6 agosto 1825).

« Da quella volta in qua non l'ho mai veduto, e credo che non lo vedrò, perché in quella prima visita volli propriamente sputar sangue per parlargli in modo che egli mi potesse intendere; e in verità non ho forza di petto che basti per conversare con lui neanche un quarto d'ora » (a Francesco Cassi, il 17 settembre 1825).

« Io vivo qui poco volentieri e per lo più in casa, perché Milano è veramente insociale, e non avendo affari, e non volendo darsi alla pura galanteria, non vi si può fare altra vita che quella del letterato solitario » (a Carlo Antici, il 20 agosto 1825).

Settembre – Il giorno 26 lascia Milano. Arriva a Bologna la mattina del 29. Va ad abitare in casa Badini, a subaffitto presso la famiglia Aliprandi, in strada Santo Stefano.

« Qui ho tolto a pigione per un mese un appartamentino in casa di un'ottima e amorevolissima famiglia, la quale pensa anche a farmi servire e a darmi da mangiare, perché io pur non amo di profittar molto degli inviti che mi si fanno di pranzare fuori di casa. Lo Stella, che mi ha lasciato partire con molto dispiacere, mi ha assegnato per i lavori fatti e da farsi, dieci scudi al mese, come un acconto, senza pregiudizio di quel che più potranno meritare le mie fatiche letterarie dentro l'anno. Queste fatiche sono a mia piena disposizione, cioè io potrò occuparmi a scrivere quello che vorrò, dando le mie opere a lui. Per un'ora al giorno che io spendo in leggere il latino con un ricchissimo Signore greco, ricevo altri otto scudi al mese. Un'altr'ora e mezza passo a leggere il greco e il latino col Conte Papadopoli, nobile veneziano, giovane ricchissimo, studiosissimo, e mio grande amico, col quale non ho alcun discorso di danaro, ma son certo che ciò sarà senza mio pregiudizio. Eccole descritta la mia situazione, la quale proverò un poco come mi riesca. Io non cerco altro che libertà, e facoltà di studiare senza ammazzarmi. Ma veramente non trovo in nessun luogo né la libertà né i comodi di casa mia; e finora qui in Bologna vivo molto malinconico » (a Monaldo Leopardi, il 3 ottobre 1825).

« Mi alzo alle 7. Scendo subito al caffè a far colezione. Poi studio. Alle 12 vado da Papadopoli, alle 2 dal Greco. Torno a pranzo alle 5, per lo piú in casa, e se ho inviti mi seccano. La sera la passo come Dio vuole. Alle 11 vado a letto. Eccoti la mia vita » (al fratello Carlo, il 10 ottobre 1825).

« Oggi ho lettera del Bunsen, dove parla dell'impiego propostomi, che è la cattedra combinata di eloquenza greca e latina nella *Sapienza* di Roma: e pare che se io l'accetto potrò averlo quasi subito. Oggi stesso rispondo ed accetto; al che mi muove anche il bestialissimo freddo di questo paese, che mi ha talmente avvilito da farmi immalinconichire e disperare. Scrivo vicino al fuoco che arde per dispetto in un caminaccio porco, fatto per scaldarmi appena le calcagna » (allo stesso, il 28 ottobre 1825).

Novembre – Il Bunsen lo consiglia di recarsi a Roma, per ottenere con maggior sicurezza l'incarico. Rifiuta l'invito: le sue condizioni fisiche non gli permettono d'intraprendere il viaggio e, d'altra parte, l'emolumento della cattedra vacante di Roma non gli sembra tale da giustificare la fatica fisica e morale « di dar lezioni ad un pubblico ». Prega piuttosto il Bunsen di voler « continuare ad impiegare il suo credito presso l'E^{mo} Segretario di Stato » per essere sistemato a Bologna come segretario dell'Accademia.

« Io sono, mi si perdoni la metafora, un sepolcro ambulante, che porto dentro di me un uomo morto, un cuore già sensibilissimo che piú non sente ec. (Bologna, 3 Novembre 1825) » (*Zibaldone*, 4149).

Dicembre –

« Qualche settimana fa, passeggiando per Bologna solo, come sempre, vidi scritto in una cantonata *Via Remorsella*. Mi ricordai d'Angelina [ex cameriera di casa Leopardi] e del numero 488, che tu mi scrivesti in una cartuccia la sera avanti la mia partenza, trovai Angelina, che sentendo ch'io era Leopardi, si fece rossa come la Luna quando s'alza. Poi mi disse che maggior consolazione non poteva provare, che sogna di Mamma ogni notte, e poi centomila altre cose. Di salute sta benissimo, ed è ancora giovanotta e fresca piú di me; colorita assai piú di prima. Ha un molto bel quartiere, e fa vita molto comoda. È stata poi da me piú volte col marito, che al viso, agli abiti e al tratto, par proprio un Signore. Mi hanno invitato a pranzo con gran premura, e ho promesso di andarci. Mangerò bene assai, perché si tratta di un bravo cuoco, e da quel che mi dice Angelina, ogni giorno fanno una tavola molto ghiotta. Oggi vado a portarle un Sonetto che mi ha domandato per Messa novella » (alla sorella Paolina, il 9 dicembre 1825).

« I teatri di Bologna io non so ancora come sieno fatti, perché gli spettacoli mi seccano mortalmente; sicché ho preferito di essere gentilmente messo in burla dalle signore che mi hanno invitato ai loro palchi, e dopo aver promesso di andare e mancato di parola, ho detto francamente a tutte che il teatro non fa al caso mio. La bella è che il muro della mia camera è contiguo al teatro del Corso, talmente che mi tocca di sentir la Commedia distintamente senza muovermi di casa... Sapete che compagnia comica abbiamo qui per Carnevale? Quella che avemmo a Recanati per San Vito del 24, cioè Villani, Fracanzani ec.» (alla stessa, il 19 dicembre 1825).

1826 Gennaio –

« La malinconia, che spesso mi prende qui come a Recanati, ha ora per me un carattere piú nero di prima, e rare volte ne risulta una certa allegria interna, come spesso mi accadeva costí. Sento che sono senza appoggio e senza amore » (al fratello Carlo, il 6 gennaio 1826).

« Qui non abbiamo gran neve, ma freddi intensissimi, che mi tormentano in modo straordinario, perché la mia ostinata riscaldazione d'intestini e di reni m'impedisce l'uso del fuoco, il camminare e lo star molto in letto. Sicché dalla mattina alla sera non trovo riposo, e non fo altro che tremare e spasimare dal freddo, che qualche volta mi dà voglia di piangere come un bambino. Ma del resto, grazie a Dio, sto bene di salute... » (a Monaldo Leopardi, il 25 gennaio 1826).

Il 27 riceve la lettera del Bunsen, che gli toglie ogni speranza d'impiego a Roma e a Bologna, e gli propone un eventuale incarico di letteratura italiana a Berlino o a Bonn.

Marzo – Giampietro Vieusseux, inviandogli il numero 61 dell'« Antologia », nel quale apparvero per la prima volta tre dialoghi delle Operette morali, gli offre una collaborazione fissa:

« Piú volte ho pensato ad avere per corrispondente un hermite des Apennins, che dal fondo del suo romitorio criticherebbe la stessa Antologia, flagellerebbe i nostri pessimi costumi, i nostri metodi di educazione e di pubblica istruzione, tutto ciò in fine che si può flagellare quando si scrive sotto il peso di una doppia censura civile ed ecclesiastica. Un altro romito dell'Arno potrebbe rispondergli. Voi sareste il romito degli Appennini... »

« La vostra idea dell'*Hermite des Apennins*, — risponde il 4 marzo, — è opportunissima in sé. Ma perché questo buon romito potesse flagellare i nostri costumi e le nostre istituzioni, converrebbe che prima di ritirarsi nel suo romitorio, fosse vissuto nel mondo, e avesse avuto parte non piccola e non accidentale nelle cose della società. Ora questo non è il caso mio. La mia vita, prima per necessità di circostanze e contro mia voglia, poi per inclinazione nata dall'abito convertito in natura e divenuto indelebile, è stata sempre, ed è, e sarà perpetuamente solitaria, anche in mezzo alla conversazione, nella quale, per dirlo all'inglese, io sono piú absent di quel che sarebbe un cieco e un sordo. Questo vizio dell'*absence* è in me incorreggibile e disperato. Se volete persuadervi della mia bestialità, domandatene a Giordani, al quale, se occorre, do pienissima licenza di dirvi di me tutto il male che io merito e che è la verità. Da questa assuefazione e da questo carattere nasce naturalmente che gli uomini sono a' miei occhi quello che sono in natura, cioè una menomissima parte dell'universo, e che i miei rapporti con loro e i loro rapporti scambievoli non m'interessano punto, e non interessandomi, non gli osservo se non superficialissimamente. Però siate certo che nella filosofia sociale io sono per ogni parte un vero ignorante. Bensí sono assuefatto ad osservar di continuo me stesso, cioè l'uomo in sé, e similmente i suoi rapporti col resto della natura, dai quali, con tutta la mia solitudine, io non mi posso liberare. Tenete dunque per costante che la mia filosofia (se volete onorarla con questo nome) non è di quel genere che si apprezza ed è gradito in questo secolo; è bensí utile a me stesso, perché mi fa disprezzar la vita e considerar tutte le cose come chimere, e cosí mi aiuta a sopportar l'esistenza; ma non so quanto possa esser utile alla società, e convenire a chi debba scrivere per un Giornale ».

Il giorno 28, lunedí di Pasqua, legge pubblicamente, nella sala dell'Accademia dei Felsinei, l'*Epistola al conte Carlo Pepoli*.

« Mi dicono che i miei versi facessero molto effetto, e che tutti, donne e uomini, li vogliono leggere » (al fratello Carlo, il 4 aprile 1826).

Aprile-maggio – Conosce la contessa Teresa Carniani-Malvezzi, nata a Firenze nel 1785 e sposatasi sedicenne col conte Francesco Malvezzi de' Medici di Bologna.

« Sono entrato con una donna, Fiorentina di nascita (maritata in una delle principali famiglie di qui), in una relazione che forma ora una gran parte della mia vita. Non è giovane, ma è di una grazia e di uno spirito che (credilo a me, che finora l'avevo creduto impossibile) supplisce alla gioventú, e crea una illusione maravigliosa. Nei primi giorni che la conobbi, vissi in una specie di delirio e di febbre. Non abbiamo mai parlato d'amore, se non per ischerzo, ma viviamo insieme in un'amicizia tenera e sensibile, con un interesse scambievole e un abbandono, che è come un amore senza inquietudini. Ha per me una stima altissima; se le leggo qualche mia cosa, spesso piange di cuore senza affettazione; le lodi degli altri non hanno per me nessuna sostanza: le sue mi si convertono tutte in sangue, e mi restano tutte nell'anima. Ama ed intende molto le lettere e la filosofia; non ci manca mai materia di discorso, e quasi ogni sera io sono con lei dall'avemmaria alla mezzanotte passata, e mi pare un momento. Ci confidiamo tutti i nostri segreti, ci riprendiamo, ci avvisiamo dei nostri difetti. Insomma questa conoscenza forma e formerà un'epoca ben marcata nella mia vita perché mi ha disingannato del disinganno, mi ha convinto che ci sono veramente al mondo dei piaceri che io credeva impossibili, e che io sono ancora capace di illusioni stabili, malgrado la cognizione e l'assuefazione contraria cosí radicata, e ha risuscitato il mio cuore, dopo un sonno, anzi una morte completa, durata per tant'anni » (allo stesso, il 30 maggio 1826).

Giugno – Appaiono pei tipi di A. F. Stella e figli, le *Rime* del Petrarca, « con l'interpretazione composta dal conte Giacomo Leopardi ».

Luglio – Continua a frequentare la casa della contessa Carniani-Malvezzi.

« Gentilissimo Leopardi, Iersera mi sono buscata una bella chiassata per avere avuto l'indiscrezione di trattenervi sino a mezza notte. La mia cara metà si adombra di tutte le visite che mi vengono fatte frequenti e lunghe. Ed io sono al mondo per soffrire una dose di piú degli altri viventi, e per tenermi sempre esercitata nella virtú dell'asino, nella santa pazienza. Avrò il bene di vedervi venerdí sera se vi accomoda, e cominceremo l'esame del mio poemettuccio, quando pur non vi dispiaccia. Serbatemi la vostra preziosa amicizia e credetemi in perpetuo vostra Serva ed Amica T.C.M. ».

« Vi ringrazio che iersera vi piaceste di venirmi a salutare; questi tratti di vostra cordiale amicizia li serbo nel cuore, e spero che ne vedrete la mia gratitudine. Se domattina non vi fosse incomodo, amerei di parlarvi... » (Teresa Carniani-Malvezzi).

Appare l'edizione bolognese dei *Versi*.

Luglio –

« Se a Dio piace, io non passerò mai piú l'inverno in climi piú freddi del mio nativo. Io conto, se la salute non me lo impedisse insuperabilmente, di essere in ogni modo costí nel primo entrar dell'autunno, e quanto al trattenermi, Ella disporrà di ciò a suo piacere. Intanto Ella non si dia pensiero alcuno circa la mia sicurezza. La frequenza degli omicidii in questi ultimi giorni è stata veramente orribile, ma io ho preso il partito di non andar mai di notte se non per le strade e i luoghi piú frequentati di Bologna; sicché, fintanto che non assassineranno in mezzo alla gente (nel qual caso il pericolo sarebbe altrettanto di giorno come di notte), non mi potrà succedere sicuramente nulla. Ho anche il vantaggio di abitare al centro della città e in faccia a un corpo di guardia, in modo che per tornare a casa non sono obbligato a traversar luoghi pericolosi... Qui, da piú d'una settimana abbiamo sereno e caldo. Il tempo ha favorito la festa degli addobbi, che a me, poco amante degli spettacoli, è parsa una cosa bella e degna di esser veduta, specialmente la sera, quando tutta una allegra contrada, illuminata a giorno, con lumiere di cristallo e specchi, apparata superbamente, ornata di quadri, piena di centinaia di sedie tutte occupate da persone vestite signorilmente, par trasformata in una vera sala di conversazione » (a Monaldo Leopardi, il 3 luglio 1826).

Agosto – Si reca a Ravenna, per alcuni giorni, ospite del marchese Cavalli. Torna a Bologna il giorno 13.

Ottobre – Scrive alla Carniani-Malvezzi, senza data [ma ottobre].

« Contessa mia. L'ultima volta che ebbi il piacere di vedervi, voi mi diceste cosí chiaramente che la mia conversazione da solo a sola vi annoiava, che non mi lasciaste luogo a nessun pretesto per ardire di continuarvi la frequenza delle mie visite. Non crediate ch'io mi chiami offeso; se volessi dolermi di qualche cosa, mi dorrei che i vostri atti, e le vostre parole, benché chiare abbastanza, non fossero anche piú chiare ed aperte. Ora vorrei dopo tanto tempo venire a salutarvi, ma non ardisco farlo senza vostra licenza. Ve la domando istantemente, desiderando assai di ripetervi a voce che io sono, come ben sapete, vostro vero e cordiale amico Giacomo Leopardi ».

Novembre – Abbandona Bologna il giorno 3, per tornare a Recanati, dove arriva il giorno 12.

1827 Febbraio – Inizia la correzione delle bozze delle *Operette morali*.

Appare il primo volume, edito dallo Stella, della *Crestomazia italiana*, dedicata alla prosa.

Aprile –

« Ogni ora mi par mill'anni di fuggir via da questa porca città, dove non so se gli uomini sieno piú asini o piú birbanti; so bene che tutti son l'uno e l'altro. Dico tutti, perché certe eccezioni che si conterebbero sulle dita, si possono lasciar fuori del conto. Dei preti poi, dico tutti assolutamente. Quanto a me, la prima volta che in Recanati sarò uscito di casa, sarà dopo dimani, quando monterò in legno per andarmene: sicché mi hanno potuto dare poco fastidio » (a Francesco Puccinotti, il 21 aprile 1827).

23 – Parte da Recanati, diretto a Bologna, dove arriva il giorno 26.

« Io sono qui alla locanda *della Pace* nel Corso, dove ho combinato una dozzina per un mese » (a Monaldo Leopardi, il 27 aprile 1827).

Giugno – Appaiono, stampate dallo Stella, le *Operette morali*.

20 – Parte da Bologna. Arriva a Firenze l'indomani e prende alloggio alla Locanda della Fontana.

26 – Interviene a un ricevimento dato dal Vieusseux in onore del commediografo Alberto Nota. Il letterato corcirese Mario Pieri lo descrive:

« ... giovane insomma singolare anche per l'età sua, la quale io non credo che oltrepassi l'anno 26; l'aria del sembiante è viva e gentile, il corpo è alquanto difettoso per altezza di spalle, il tratto dolce e modesto, parla ben poco, è tinto di pallore, e sembrami malinconico ».

Luglio –

« Memorie della mia vita. Cangiando spesse volte il luogo della mia dimora, e fermandomi dove piú dove meno o mesi o anni, m'avvidi che io non mi trovava mai contento, mai nel mio centro, mai naturalizzato in luogo alcuno, comunque per altro ottimo, finattantoché io non aveva delle rimembranze da attaccare a quel tal luogo, alle stanze dove io dimorava, alle vie, alle case che io frequentava; le quali rimembranze non consistevano in altro che in poter dire: qui fui tanto tempo fa; qui, tanti mesi sono, feci, vidi, udii la tal cosa; cosa che del resto non sarà stata di alcun momento; ma la ricordanza, il potermene ricordare, me la rendeva importante e dolce. Ed è manifesto che questa facoltà e copia di ricordanze annesse ai luoghi abitati da me, io non poteva averla se non con successo di tempo, e col tempo non mi poteva mancare. Però io era sempre tristo in qualunque luogo nei primi mesi, e coll'andar del tempo mi trovava sempre divenuto contento ed affezionato a qualunque luogo. (Firenze, 23 luglio 1827). Colla rimembranza egli mi diveniva quasi il luogo natio » (*Zibaldone*, 4286-87).

Settembre – Il giorno 3 interviene al ricevimento dato dal Vieusseux in onore del Manzoni.

« Nous sommes à mardi, 4. Manzoni est venu hier soir chez moi, depuis 7 h. jusqu'à 9: il a paru très content de la réunion, et beaucoup moins timide qu'on le dit: nous étions nombreux. Il a fait à Giordani un accueil très distingué, et leur empressement à s'aborder a été réciproque; mais Giordani gâtait tout par l'intempérance de sa langue en matière de religion; et Leopardi lui même en a été scandalisé pour sa part » (Vieusseux al Capponi).

« Me la passo con questi letterati, che sono tutti molto sociali, e generalmente pensano e valgono assai piú de' bolognesi. Tra' forestieri ho fatto conoscenza e amicizia col famoso Manzoni di Milano, della cui ultima opera tutta l'Italia parla, e che ora è qui colla sua famiglia » (a Monaldo Leopardi, l'8 settembre 1827).

« Quando in Firenze andavo a trovarlo, non mi parlava » (Giordani al Brighenti, da Parma, nel 1839, due anni dopo la morte di Giacomo; e nel 1840, allo stesso Brighenti: « Io credo che originalmente Giacomo avesse cuor buono ed affettuoso, ma credo che poi si fosse fatto molto egoista. Per me passò dalle smanie amorose a piú che indifferenza »).

Scrive il *Dialogo di Plotino e di Porfirio*.

Novembre – Il giorno 1 lascia Firenze, diretto a Pisa.

3 – Muore Maria Belardinelli, un'altra delle fanciulle recanatesi, come Teresa Fattorini o la Brini, vagheg-

giate insieme al fratello Carlo tanti anni prima. Ma ne avrà notizia solo un anno piú tardi, tornando a Recanati.

9 – Giunge a Pisa, di sera, dopo aver percorso le « cinquanta miglia » in una di quelle « *piccole diligenze* toscane, che fanno pagar meno che le vetture ».

« Sono rimasto incantato di Pisa per il clima: se dura cosí, sarà una beatitudine. Ho lasciato a Firenze il freddo di un grado sopra gelo; qui ho trovato tanto caldo, che ho dovuto gittare il ferraiuolo e alleggerirmi di panni. L'aspetto di Pisa mi piace assai piú di quel di Firenze. Questo *lung'Arno* è uno spettacolo cosí bello, cosí ampio, cosí magnifico, cosí gaio, cosí ridente, che innamora; non ho veduto niente di simile né a Firenze né a Milano né a Roma; e veramente non so se in tutta Europa si trovino molte vedute di questa sorta. Vi si passeggia poi nell'inverno, perché v'è quasi sempre un'aria di primavera: sicché in certe ore del giorno quella contrada è piena di mondo, piena di carrozze e di pedoni. Ho una camera a ponente, che guarda sopra un grand'orto, con una grande apertura, tanto che si arriva a veder l'orizzonte... » (alla sorella Paolina, il 12 novembre 1827).

« Quanto al clima, dopo tre o quattro giorni di straordinario freddo in novembre (molto minore però di quello che è stato altrove) qui per tutto dicembre abbiamo avuto e abbiamo una temperatura tale, che io mi debbo difendere dal caldo piú che dal freddo. Oltre la passeggiata del giorno, esco anche la sera, spesso senza ferraiuolo; leggo e scrivo a finestre aperte... » (a Monaldo Leopardi, il 24 dicembre 1827).

1828 Gennaio – Esce a Milano, presso lo Stella, il volume della *Crestomazia italiana poetica.*

« De' miei studi non saprei che mi vi dire, se non che io non istudio punto: solamente leggo per passatempo qualche poco, cioè quanto mi permettono gli occhi, i quali stanno meglio che questa estate, ma non però bene, e mostrano di voler tornare a stare assolutamente male in primavera... » (ad Antonietta Tommasini, il 31 gennaio 1828).

Febbraio 15 « ultimo venerdí di carnevale » – Scrive lo *Scherzo.*

« Io sogno sempre di voi altri, dormendo e vegliando: ho qui in Pisa una certa strada deliziosa, che io chiamo *Via delle rimembranze*: là vo a passeggiare quando voglio sognare a occhi aperti... » (alla sorella Paolina, il 25 febbraio 1828).

Aprile 7-13 – Scrive *Il risorgimento*.

19-20 – Scrive *A Silvia*.

« Io ho finita ormai la *Crestomazia poetica*: e dopo due anni, ho fatto dei versi quest'Aprile; ma versi veramente al-
l'antica, e con quel mio cuore d'una volta... » (alla sorella
Paolina, il 2 maggio 1828).

Maggio – Morte del fratello Luigi.

Giugno 10 – Torna a Firenze. Negli stessi giorni decide
di rifiutare la cattedra dantesca, propostagli dal Bunsen,
all'Università di Bonn.

« Io entro con tutta l'anima in ciascuna particolarità del dolor suo. Mi sarebbe impossibile di decidere se nella pena
che ho provata e che provo, abbia piú parte il sentimento
mio proprio della nostra disgrazia comune, o la riflessione
che fa nell'animo mio il dolor loro... Ho pianto macchinal-
mente, senza quasi sapere il perché, senza nessun pensiero
determinato che mi commovesse... Ho piacere che Ella abbia
veduto e gustato il romanzo cristiano di Manzoni. È veramente una bell'opera; e Manzoni è un bellissimo animo, e un
caro uomo » (a Monaldo Leopardi, il 17 giugno 1828).

« ... non vi posso esprimere quanto mi commuova l'affetto che
mi dimostrano le vostre care parole. Io non ho bisogno di
stima, né di gloria, né d'altre cose simili; ma ho bisogno
d'amore... Io sto non molto bene, e questa cosa mi dispiace,
perché non posso far nulla e non posso muovermi » (a Antonietta Tommasini, il 5 luglio 1828).

« La mia salute si va alternando tra i dolori e qualche inter-
vallo di riposo; nei quali intervalli mi pare di esser sanissimo,
e se fossero un poco piú lunghi, mi scorderei della malattia.
Mi dura ancora il buon appetito, che talvolta divien fame e
necessità di mangiare: ma gl'intestini continuano a non am-
metter cibo senza dolori: i quali sono tanto piú grandi, quanto maggiore è la quantità del cibo, benché questa non sia
mai superiore, anzi appena uguale, al bisogno. Anche Caz-
zaiti è di opinione che il mio male non consista in altro che
in una sensibilità estrema e straordinaria degl'intestini, combinata con una gagliarda corrispondenza del sistema nervoso »
(a Adelaide Maestri, il 29 luglio 1828).

« Quanto al venire a Bologna quest'autunno, vedremo quello
che si potrà combinare colla mia salute, e colla necessità
che ho di andare a Recanati. Non vi ho detto mai la ragione
di questa necessità, perché non me n'è bastato l'animo. Ora
vi dirò in due parole: ho perduto un fratello nel fior degli

anni: la mia famiglia in pianto, non aspetta altra consolazione possibile che il mio ritorno. Io mi vergognerei di vivere, se altro che una perfetta ed estrema impossibilità m'impedisse di andare a mescere le mie lagrime con quelle de' miei cari. Questa è la sola consolazione che resta anche a me » (a Antonietta Tommasini, il 5 agosto 1828).

Ottobre – Conosce, al Gabinetto Vieusseux, Vincenzo Gioberti.

Novembre –

« Io parto, se a Dio piace, dopo domani. A Perugia, potendo, vedrò certamente la Veglia. Arrivando a Recanati, avrò meco un giovine signore torinese, mio buon amico. Non potrò a meno di pregarlo a smontare a casa nostra, tanto piú ch'egli farà la via delle Marche, come fa il viaggio di Perugia, principalmente per tenermi compagnia. Spero che a lei non rincrescerà questa mia libertà. Egli si tratterrà in Recanati una sera, o una giornata al piú » (a Monaldo Leopardi, l'8 novembre 1828).

Il giorno 20 torna a Recanati, in compagnia del Gioberti, che vi si trattiene solo un giorno.

« Le mie nuove sono le solite: non posso né leggere, né scrivere, né pensare... Starò qui non so quanto, forse sempre: fo conto di aver terminato il corso della mia vita » (a Giovanni Rosini, il 28 novembre 1828).

Dicembre –

« Il soggiorno di Recanati non mi è caro certamente, e la mia salute ne patisce assai assai; ma mio padre non ha il potere o la volontà di mantenermi fuori di casa; fo conto che la mia vita sia terminata » (ad Antonio Papadopoli, il 17 dicembre 1828).

« Quanto a Recanati, vi rispondo ch'io ne partirò, ne scapperò, ne fuggirò subito ch'io possa; ma quando potrò?... Intanto siate certa che la mia intenzione non è di star qui, dove non veggo altri che i miei di casa, e dove morrei di rabbia, di noia e di malinconia, se di questi mali si morisse » (a Adelaide Maestri, il 31 dicembre 1828).

1829 Gennaio –

« La mia filosofia, non solo non è conducente alla misantropia, come può parere a chi la guarda superficialmente, e come molti l'accusano; ma di sua natura esclude la misantropia, di sua natura tende a sanare, a spegnere quel mal umore, quell'odio, non sistematico, ma pur vero odio, che tanti e tanti, i quali non sono filosofi, e non vorrebbero esser chiamati né creduti misantropi, portano però cordialmente a' loro simili, sia abitualmente, sia in occasioni particolari, a causa del male che, giustamente o ingiustamente, essi, come tutti gli altri, ricevono dagli altri uomini. La mia filosofia fa rea d'ogni cosa la natura, e discolpando gli uomini totalmente, rivolge l'odio, o se non altro il lamento, a principio piú alto, all'origine vera de' mali de' viventi ec. ec. (Recanati, 2 Gennaio 1829) » (*Zibaldone*, 4428).

Maggio –

« Trova un momento da venire; che, dopo sei mesi, io oda per la prima volta una voce d'uomo e d'amico. Non so se mi conoscerai piú: non mi riconosco io stesso, non son piú io; la mala salute e la tristezza di questo soggiorno orrendo mi hanno finito » (a Francesco Puccinotti, il 19 maggio 1829).

« Chi pratica cogli uomini, difficilmente è misantropo. I veri misantropi non si trovano nella solitudine, ma si trovano nel mondo. Lodan quella, sí bene; ma vivono in questo. E se un che sia tale si ritira dal mondo, perde la misantropia nella solitudine (21 Maggio) » (*Zibaldone*, 4513).

26 agosto - 12 settembre – Scrive *Le ricordanze*.

Settembre –

« Non solo i miei occhi, ma tutto il mio fisico, sono in istato peggiore che fosse mai. Non posso né scrivere, né leggere, né dettare, né pensare. Questa lettera sinché non l'avrò terminata, sarà la mia sola occupazione, e con tutto ciò non potrò finirla se non fra tre o quattro giorni. Condannato per mancanza di mezzi a quest'orribile e detestata dimora, e già morto ad ogni godimento e ad ogni speranza, non vivo che per patire, e non invoco che il riposo del sepolcro » (a Carlo Bunsen, il 5 settembre 1829).

17-20 – Scrive *La quiete dopo la tempesta*.

20-29 – Scrive *Il sabato del villaggio*.

Ottobre 22 – Inizia la composizione del *Canto notturno di un pastore errante dell'Asia*.

1830 Febbraio 9 – Adunanza dell'Accademia della Crusca per l'assegnazione del premio di mille scudi. Tredici giudici votano per la *Storia d'Italia* del Botta; uno per la *Sacra Scrittura* del Lanci; uno, Gino Capponi, per le *Operette morali*.

17 – Dopo mesi di silenzio, durati un intero inverno, scrive allo Stella: « Lo stato infelice della mia testa non mi permette né di scrivere né di dettare ».

Marzo – Implora da Vieusseux, in una lettera del giorno 21, un qualsiasi impiego a Firenze.

Riceve la lettera di Pietro Colletta, del 23 marzo:

« Sta a Voi venire a viver tra noi, provvedere alla vostra salute, compiacere i vostri amici. Mi diceste una volta che 18 francesconi al mese bastavano al vostro vivere: ebbene 18 francesconi al mese Voi avrete per un anno, a cominciare, se vi piace, dal prossimo aprile. Io passerò in vostre mani, con anticipazione da mese a mese, la somma suddetta: ma non avrò altro peso ed ufficio che passarla: nulla uscirà di mia borsa: chi dà, non sa a chi dà; e Voi che ricevete, non sapete da quali. Sarà prestito, qualora vi piaccia di rendere le ricevute somme; e sarà meno di prestito, se la occasione di restituire mancherà: nessuno saprebbe a chi chiedere, Voi non sapreste a chi rendere. Nessuna legge vi è imposta. Voglia il buon destino d'Italia che Voi, ripigliando salute, possiate scrivere opere degne del vostro ingegno; ma questa mia speranza non è obbligo vostro ».

Aprile – Risponde al Colletta, il giorno 2:

« Mio caro Generale. Né le condizioni mie sosterrebbero ch'io ricusassi il benefizio, d'onde e come che mi venisse, e voi e gli amici vostri sapete beneficare in tal forma, che ogni piú schivo consentirebbe di ricever benefizio da' vostri pari. Accetto pertanto quello che mi offerite, e l'accetto cosí confidentemente, che non potendo (come sapete) scrivere, e poco potendo dettare, differisco il ringraziarvi a quando lo potrò fare a viva voce, che sarà presto, perch'io partirò fra pochi giorni. Per ora vi dirò solo che la vostra lettera, dopo sedici mesi di notte orribile, dopo un vivere dal quale Iddio scampi i miei maggiori nemici, è stata a me come un raggio di luce, piú benedetto che non è il primo barlume del crepuscolo nelle regioni polari ».

29 – Parte da Recanati per Bologna. Arriva la sera del 3 maggio, scendendo alla Locanda della Pace in strada Santo Stefano. Riparte il giorno 9 alla volta di Firenze.

Maggio 10 – È a Firenze, alla Locanda della Fontana.

« Sono arrivato qui ier l'altro senza disgrazia, dopo aver passato la *tourmente* sugli Appennini. Mi trovo affollato di visite... » (a Monaldo Leopardi, il 12 maggio 1830).

18 – Manda alla sorella Paolina il proprio ritratto.

« È bruttissimo: nondimeno fatelo girare costí, acciocché i Recanatesi vedano cogli occhi del corpo (che sono i soli che hanno) che il *gobbo de Leopardi* è contato per qualche cosa nel mondo, dove Recanati non è conosciuta pur di nome... Pochi mesi fa, corse voce in Italia che io fossi morto, e questa nuova destò qui un dolore tanto generale, tanto sincero, che tutti me ne parlano ancora con tenerezza, e mi dipingono quei giorni come pieni d'agitazione e di lutto » (alla sorella Paolina, il 18 maggio 1830).

Giugno – Il giorno 10 lascia la locanda e si trasferisce in Borgo degli Albizi, a dozzina. Sul finire dell'estate, prenderà alloggio in via del Fosso.

« *Tutti* i miei organi, dicono i medici, son sani; ma *nessuno* può essere adoperato senza gran pena, a causa di una estrema, inaudita *sensibilità*, che da tre anni ostinatissimamente cresce *ogni giorno*; quasi ogni azione, e quasi ogni sensazione mi dà dolore... Son venuto qua (dove ho pur quantità di amici) per ragioni che sarebbe lungo a dire: starò finché dureranno i miei pochi danari; poi l'orrenda notte di Recanati mi aspetta » (a Antonietta Tommasini, il 19 giugno 1830).

Luglio – Viene diffuso il manifesto della prossima edizione dei *Canti*, per raccogliere le firme dei sottoscrittori.

Conosce, presentato a lei da Alessandro Poerio, Fanny Targioni-Tozzetti.

Novembre – Ha inizio il sodalizio con Antonio Ranieri. Il Ranieri (1806-88), allora ventiquattrenne, aveva incontrato la prima volta il Leopardi a Firenze il 26 giugno 1828. Esule dal Regno di Napoli, era in relazione col Troya e col Poerio: da quest'ultimo era stato presentato al Leopardi.

« Mio carissimo. Avrai camera nel mio piano, per poco prezzo. Vivine sicuro, e puoi smontar qui, se vuoi » (a Antonio Ranieri, il 30 ottobre 1830).

1831 Marzo 20 – Il Comitato del governo provvisorio di Recanati lo nomina deputato rappresentante nell'Assemblea Nazionale di Bologna. La nomina diviene ineseguibile per il ritorno in Bologna delle truppe austriache.

Aprile – Appare la prima edizione dei *Canti* (Piatti, Firenze 1831), preceduta dalla dedica « Agli amici suoi di Toscana ».

Estate – Forse scrive *Il pensiero dominante*, ispirato all'amore per la Targioni-Tozzetti.

Ottobre – Il primo del mese parte per Roma, per non dividersi da Ranieri, che, innamorato di Maria Maddalena Signorini in Pelzet, attrice della compagnia Mascherpa, vuole a tutti i costi seguirla.

Arriva a Roma la sera del 5. I due amici prendono alloggia in via delle Carrozze 63, al terzo piano.

« È naturale che tu non possa indovinare il motivo del mio viaggio a Roma, quando gli stessi amici di Firenze, che hanno pure molti dati che tu non hai, si perdono in congetture lontanissime. Dispensami, ti prego, dal raccontarti un lungo romanzo, molto dolore e molte lagrime. Se un giorno ci rivedremo, forse avrò la forza di narrarti ogni cosa. Per ora sappi che la mia dimora in Roma mi è come un esilio acerbissimo, e che al presto possibile tornerò a Firenze, forse a marzo, forse a febbraio, forse ancor prima » (al fratello Carlo, il 15 ottobre 1831).

« Se dessi ascolto alla noia che mi fanno questi costumi rancidi, e il veder far di cappello a preti, e il sentir parlar di eminenze e di santità, io sarei uomo da piantar qui tutte queste belle colonne e bei palazzi e belle passeggiate, e ritornarmene costí senza nemmeno aspettare il freddo » (a Carlotta Lenzoni, a Firenze, il 29 ottobre 1831).

Novembre – Si trasferisce, col Ranieri, nella casa di via Condotti 81.

« Abbiam una verissima primavera, tanto ch'io vo ancora precisamente vestito come quest'agosto, senza una menoma aggiunta » (alla sorella Paolina, l'11 novembre 1831).

« Io che non presumo di beneficare, e che non aspiro alla gloria, non ho torto di passare la mia giornata disteso su un sofà, senza battere una palpebra. E trovo molto ragionevole l'usanza dei Turchi e degli altri Orientali, che si contentano di sedere sulle loro gambe tutto il giorno, e guardare stupidamente in viso questa ridicola esistenza » (a Fanny Targioni-Tozzetti, il 5 dicembre 1831).

Vedono la luce i *Dialoghetti sulle materie correnti nell'anno 1831* di Monaldo Leopardi.

1832 Marzo – Il giorno 17 riparte da Roma, col Ranieri, per tornare a Firenze, dove giunge il giorno 22.

« Parto, del resto, senza aver riveduto San Pietro, né il Co-
losseo, né il Foro, né i Musei, né nulla: senza aver riveduta
Roma » (alla sorella Paolina, il 16 marzo 1832).

Maggio 12 – Smentisce di essere autore dei *Dialoghetti*
con una lettera al Vieusseux, pubblicata nell'« Antologia ».

« Lo stesso mio padre troverà giustissimo ch'io non mi usur-
pi l'onore ch'è dovuto a lui. D'altronde io non ne posso piú,
propriamente non ne posso piú. Non voglio piú comparire
con questa macchia sul viso, d'aver fatto quell'infame, in-
famissimo, scelleratissimo libro. Qui tutti lo credono mio:
perché Leopardi n'è l'autore, mio padre è sconosciutissimo,
e io sono conosciuto, dunque l'autore son io... A Milano si
dice in pubblico che l'autore sono io, che mi sono convertito
come il Monti » (a Giuseppe Melchiorri, il 15 maggio 1832).

Ribadisce al De Sinner la sua posizione, dopo gli articoli dello Henschel apparsi su di lui nell'« Hesperus »
di Stuttgart (nn. del 9 e 10 aprile).

« Voi dite benissimo ch'egli è assurdo l'attribuire ai miei
scritti una tendenza religiosa. Quels que soient mes malheurs,
qu'on a jugé à propos d'étaler et que peut-être on a un peu
exagérés dans ce journal, j'ai eu assez de courage pour ne
pas chercher à en diminuer le poid ni par de frivoles espérances d'une prétendue félicité future et inconnue, ni par une
lâche résignation. Mes sentiments envers la destinée ont été
et sont toujours ceux que j'ai exprimés dans *Bruto minore*.
Ç'a été par suite de ce même courage, qu'étant amené par
mes recherches à une philosophie désespérante, je n'ai pas hésité à l'embrasser toute entière; tandis que de l'autre côté
ce n'a été que par effet de la lâcheté des hommes, qui ont
besoin d'être persuadés du mérite de l'existence, que l'on
a voulu considérer mes opinions philosophiques comme le
résultat de mes souffrances particulières, et que l'on s'obstine à attribuer à mes circonstances matérielles ce qu'on ne
doit qu'à mon entendement. Avant de mourir, je vais protester contre cette invention de la faiblesse et de la vulgarité, et prier mes lecteurs de s'attacher à détruire mes observations et mes raisonnements plutôt que d'accuser mes maladies » (a Luigi De Sinner, il 24 maggio 1832).

Scrive, probabilmente, il *Dialogo di Tristano e di un
amico*. Resta solo a Firenze.

« Io *non penso piú alla salute*, perché di salute e di malattia
non m'importa piú nulla: del resto, specialmente quanto al-

l'applicare, sto presso a poco al solito, cangiato molto nel morale, non nel fisico » (alla sorella Paolina, il 26 giugno 1832).

Agosto –

« Ranieri è sempre a Bologna, e sempre occupato in quel suo amore, che lo fa per piú lati infelice. E pure certamente l'amore e la morte sono le sole cose belle che ha il mondo, e le sole solissime degne di essere desiderate. Pensiamo, se l'amore fa l'uomo infelice, che faranno le altre cose che non sono né belle né degne dell'uomo » (a Fanny Targioni-Tozzetti, il 16 agosto 1832).

Scrive, probabilmente, *Amore e Morte*.

« Ti ringrazio cento e cento volte della tua. Carlo e Paolina ti rammentano sempre e ti si raccomandano. Il povero, come altri dice, o, come dico io, il felicissimo Enrico terminò il dí 26 del passato la sua corta via. Studiare, bere, fumare e usar con donne l'hanno prestamente consumato, e ridotto a perire dopo due mesi di malattia non penosa. Savissimo nella pratica, e fortunatissimo fra mille giovani! Non parlerò mai della sua sorte senza un'infinita invidia... Non è impossibile che fra pochi giorni io parta di qua per Napoli. Ma ti prego a tener questa cosa secreta, massime se scrivi a Firenze. Pochissimo preme ad ognuno de' fatti miei, ma non tanto poco, che a me non piaccia meno di parteciparli agli altri... Tu ben sai che se mi scrivessi lungamente, mi daresti un immenso diletto, e non mi *seccheresti*, come ti piace di dire: ma ragionevolmente non hai di che scrivermi. Amami, come devi, se il riamare è ufficio degli animi ben nati. Io penso a te sempre, e ti adoro come il maggiore spirito ch'io conosca, e come il piú caro ch'io abbia. Addio addio » (a Pietro Giordani, il 6 settembre 1832).

« E di piú vi dico francamente, ch'io non mi sottometto alla mia infelicità, né piego il capo al destino, o vengo seco a patti, come fanno gli altri uomini; e ardisco desiderare la morte, e desiderarla sopra ogni cosa, con tanto ardore e con tanta sincerità, con quanta credo fermamente che non sia desiderata al mondo se non da pochissimi. Né vi parlerei cosí se non fossi ben certo che, giunta l'ora, il fatto non ismentirà le mie parole; perché quantunque io non vegga ancora alcun esito alla mia vita, pure ho un sentimento dentro, che quasi mi fa sicuro che l'ora ch'io dico non sia lontana. Troppo sono maturo alla morte, troppo mi pare assurdo e incredibile di dovere, cosí morto come sono spiritualmente,

cosí conchiusa in me da ogni parte la favola della vita, durare ancora quaranta o cinquant'anni, quanti mi sono minac-
ciati dalla natura. Al solo pensiero di questa cosa, io rabbri-
vidisco. Ma come ci avviene di tutti quei mali che vincono,
per cosí dire, la forza immaginativa, cosí questo mi pare un
sogno e un'illusione, impossibile a verificarsi. Anzi se qualcuno mi parla di un avvenire lontano come di cosa che mi
appartenga, non posso tenermi dal sorridere fra me stesso:
tanta confidenza ho che la via che mi resta a compiere non
sia lunga. E questo, posso dire, è il solo pensiero che mi
sostiene. Libri e studi, che spesso mi maraviglio d'aver tanto
amato, disegni di cose grandi, e speranze di gloria e d'immortalità, sono cose delle quali è anche passato il tempo di
ridere. Dei disegni e delle speranze di questo secolo non
rido: desidero loro con tutta l'anima ogni miglior successo
possibile, e lodo, ammiro ed onoro altamente e sincerissimamente il buon volere: ma non invidio però ai posteri, né
quelli che hanno ancora a vivere lungamente. In altri tempi
ho invidiato gli sciocchi e gli stolti, e quelli che hanno un
gran concetto di se medesimi; e volentieri mi sarei cambiato
con qualcuno di loro. Oggi non invidio piú né stolti né savi,
né grandi né piccoli, né deboli né potenti. Invidio i morti,
e solamente con loro mi cambierei. Ogni immaginazione piacevole, ogni pensiero dell'avvenire, ch'io fo, come accade,
nella mia solitudine, e con cui vo passando il tempo, consiste nella morte, e di là non sa uscire. Né in questo desiderio
la ricordanza dei sogni della prima età, e il pensiero d'esser
vissuto invano, mi turbano, piú, come solevano. Se ottengo la
morte morrò cosí tranquillo e cosí contento, come se mai
null'altro avessi sperato né desiderato al mondo. Questo è il
solo benefizio che può riconciliarmi al destino. Se mi fosse
proposta da un lato la fama e la fortuna di Cesare o di Alessandro netta da ogni macchia, dall'altro di morir oggi, e che
dovessi scegliere, io direi, morir oggi, e non vorrei tempo a
risolvermi » (*Dialogo di Tristano e di un amico*).

Rivede Stendhal, che aveva conosciuto in casa Vieusseux nel 1827.

Autunno – Scrive probabilmente il *Consalvo*.

Dicembre – Conchiude lo *Zibaldone*, con l'ultima annotazione.

« La cosa piú inaspettata che accada a chi entra nella vita
sociale, e spessissimo a chi v'è invecchiato, è di trovare il
mondo quale gli è stato descritto, e quale egli lo conosce
già e lo crede in teoria. L'uomo resta attonito di vedere ve-

rificata nel caso proprio la regola generale. (Firenze 4 Dicembre 1832) ».

1833 Gennaio 29 – A Ranieri, ancora lontano da Firenze:

« La Fanny è piú che mai tua e ti saluta sempre... Ella ha preso a farmi di gran carezze, perché io la serva presso di te: al che *sum paratus* ».

Primavera-estate – È gravemente ammalato agli occhi. Solo a Firenze, invoca il ritorno di Ranieri. Disperato amore per la Fanny. Scrive, forse, *A se stesso* e l'abbozzo dell'*Inno ad Arimane*.

« Una mia di *due* righe, sventuratamente equivoche, ad un mio amicissimo a Roma [il Ranieri], il quale corse qua col corriere, ha cagionato a voialtri quel che sapete, ed a me l'indicibile dolore di sentir la tua a Vieusseux. Care mie anime, vede Iddio ch'io non posso, non posso scrivere: ma siate tranquillissimi: io non posso morire: la mia macchina (cosí dice anche il mio eccellente medico) non ha vita bastante a concepire una malattia mortale » (alla sorella Paolina, il 6 maggio 1833).

Settembre – Parte il giorno 2, col Ranieri, che è tornato a riprenderlo a Firenze, alla volta di Napoli.

« Mio caro Papà. Alla mia salute, che non fu mai cosí rovinata, come ora, avendomi i medici consigliato come sommo rimedio l'aria di Napoli, un mio amicissimo che parte a quella volta ha tanto insistito per condurmi seco nel suo legno ch'io non ho saputo resistere e parto con lui domani. Provo un grandissimo dolore nell'allontanarmi maggiormente da lei; ed era mia intenzione di venire a passare questo inverno a Recanati. Ma sento pur troppo che quell'aria, che mi è stata sempre dannosa, ora mi sarebbe dannosissima; e d'altra parte la malattia de' miei occhi è troppo seria per confidarla ai medici ed agli speziali di costí » (a Monaldo Leopardi, il 1° settembre 1833).

Si ferma a Roma, col Ranieri, fino al giorno 30. Arrivano a Napoli il 2 ottobre.

Ottobre –

« Giunsi qua felicemente, cioè senza danno e senza disgrazie. La mia salute del resto non è gran cosa e gli occhi sono sempre nel medesimo stato. Pure la dolcezza del clima, la bellezza della città e l'indole amabile e benevola degli abitanti mi riescono assai piacevoli » (a Monaldo Leopardi, il 5 ottobre 1833).

Comincia, forse, a comporre i *Pensieri*.

1834 Va ad abitare nella Strada Nuova S.ª M.ª Ognibene 35, a mezza costa, sotto la Certosa di San Martino.

Aprile –

« Il giovamento che mi ha prodotto questo clima è appena sensibile: anche dopo che io sono passato a godere la migliore aria di Napoli abitando in un'altura a vista di tutto il golfo di Portici e del Vesuvio, del quale contemplo ogni giorno il fumo ed ogni notte la lava ardente. I miei occhi sono sotto una cura di sublimato corrosivo. La mia impazienza di rivederla è sempre maggiore, ed io partirò da Napoli il piú presto ch'io possa, non ostante che i medici dicano che l'utilità di quest'aria non si può sperimentare che nella buona stagione » (a Monaldo Leopardi, il 5 aprile 1834).

Scrive probabilmente *Aspasia*, l'ultimo dei canti ispirati all'amore per la Fanny.

Estate – Conosce Augusto von Platen.

« Il primo aspetto del Leopardi, presso il quale il Ranieri mi condusse il giorno stesso che ci conoscemmo, ha qualche cosa di assolutamente orribile, quando uno se l'è venuto rappresentando secondo le sue poesie. Leopardi è piccolo e gobbo, il viso ha pallido e sofferente, ed egli peggiora le sue cattive condizioni col suo modo di vivere, poiché fa del giorno notte e viceversa. Senza potersi muovere e senza potersi applicare, per lo stato dei suoi nervi, egli conduce una delle piú miserevoli vite che si possano immaginare. Tuttavia, conoscendolo piú da vicino, scompare quanto v'è di disaggradevole nel suo esteriore, e la finezza della sua educazione classica e la cordialità del suo fare dispongon l'animo in suo favore. Io lo visitai spesso » (Platen, *Diario*, 5 settembre 1834).

Forse in questo periodo lavora ai *Paralipomeni della Batracomiomachia*.

1835 Primavera – Scrive, probabilmente, la *Palinodia, Sopra un bassorilievo* e *Sopra il ritratto di una bella donna*.

Maggio – Si trasferisce in via Capodimonte.

« Circa un anno fa, sono venuto ad abitare in un luogo di questa città quasi campestre, molto alto, e d'aria asciuttissima, e veramente salubre. Vengo scrivacchiando, non quanto, per mio passatempo, vorrei; perché debbo assistere ad una raccolta che si fa qui delle mie bagattelle » (ad Adelaide Maestri, il 5 marzo 1835).

Estate – Escono presso Saverio Starita i *Canti*. L'edizione fu sequestrata, l'anno seguente, per ordine del governo borbonico.

1836 Gennaio – Escono presso lo Starita le *Operette morali*, anche queste sequestrate dal governo borbonico.

Aprile – Per fuggire alla minaccia di colera si trasferisce col Ranieri e la sorella di lui, Paolina, nella villa Ferrigni alle pendici del Vesuvio. Forse in questo periodo compone *Il tramonto della luna* e *La ginestra*.

Giugno-luglio – I due amici tornano a Napoli, ma nell'agosto si trasferiscono nuovamente in campagna, alla villa Ferrigni.

« Io ho notabilmente sofferto nella salute dall'umidità di questo casino nella cattiva stagione; né posso tornare a Napoli, perché chiunque v'arriva dopo una lunga assenza, è immancabilmente vittima della peste; la quale del rimanente ha guadagnato anche la campagna, e nelle mie vicinanze ne sono morte piú persone » (a Monaldo Leopardi, l'11 dicembre 1836).

1837 Marzo –

« Io, grazie a Dio, sono salvo dal cholèra, ma a gran costo. Dopo aver passato in campagna piú mesi tra incredibili agonie, correndo ciascun giorno sei pericoli di vita ben contati, imminenti e realizzabili d'ora in ora; e dopo aver sofferto un freddo tale, che mai nessun altro inverno, se non quello di Bologna, io aveva provato il simile; la mia povera macchina, con dieci anni di piú che a Bologna, non poté resistere, e fino dal principio di Decembre, quando la peste cominciava a declinare, il ginocchio colla gamba diritta mi diventò grosso il doppio dell'altro, facendosi di un colore spaventevole. Né si potevano consultar medici, perché una visita di medico in quella campagna lontana non poteva costar meno di 15 ducati. Cosí mi portai questo male fino alla metà di Febbraio, nel qual tempo, per l'eccessivo rigore della stagione, benché non uscissi punto di casa, ammalai di un attacco di petto con febbre, pure senza potere consultar nessuno. Passata la febbre da sé, tornai in città, dove subito mi riposi in letto, come convalescente, quale sono, si può dire, ancora, non avendo da quel giorno, a causa dell'orrenda stagione, potuto mai uscir di casa per ricuperare le forze con l'aria e col moto.

Nondimeno la bontà e il tepore dell'abitazione mi fanno sempre piú riavere » (a Monaldo Leopardi, il 9 marzo 1837).

Maggio –

« Se scamperò dal cholèra e subito che la mia salute lo permetterà, io farò ogni possibile per rivederla in qualunque stagione, perché ancor io mi do fretta, persuaso oramai dai fatti di quello che sempre ho preveduto che il termine prescritto da Dio alla mia vita non sia molto lontano. I miei patimenti fisici giornalieri e incurabili sono arrivati con l'età ad un grado tale che non possono piú crescere: spero che superata finalmente la piccola resistenza che oppone loro il moribondo mio corpo, mi condurranno all'eterno riposo che invoco caldamente ogni giorno non per eroismo, ma per il rigore delle pene che provo » (allo stesso, il 27 maggio 1837).

Giugno 14 –

« Si rallegrò del nostro arrivo, ci sorrise; e, benché con voce alquanto piú fioca e interrotta dell'usato, disputò dolcemente col Mannella del suo mal di nervi, della certezza di mitigarlo col cibo, della noia del latte d'asina, de' miracoli delle gite e del voler di presente levarsi per andarne alla villa. Ma il Mannella, tiratomi destramente da parte, mi ammoní di mandare incontanente per un prete; che di altro non v'era tempo. Ed io incontanente mandai e rimandai e tornai a rimandare al prossimo convento degli agostiniani scalzi. In questo mezzo, il Leopardi, mentre tutti i miei gli erano intorno, la Paolina gli sosteneva il capo e gli asciugava il sudore che veniva giú a goccioli da quell'ampissima fronte, ed io, veggendolo soprappreso da un certo infausto e tenebroso stupore, tentavo di ridestarlo con gli aliti eccitanti or di questa or di quella essenza spiritosa; aperti piú dell'usato gli occhi, mi guardò piú fisso che mai. Poscia: — Io non ti veggo piú, — mi disse come sospirando. E cessò di respirare; e il polso né il cuore non battevano piú: ed entrava in quel momento stesso nella camera frate Felice da Sant'Agostino agostiniano scalzo; mentre io, come fuori di me, chiamavo ad alta voce il mio amico e fratello e padre, che piú non mi rispondeva, benché ancora pareva che mi guardasse » (Antonio Ranieri, *Supplemento alla notizia intorno alla vita e agli scritti di Giacomo Leopardi*).

Nota bibliografica

Edizioni dei « Canti ».

Prima che nell'edizione fiorentina del 1831, nella quale apparvero sotto il titolo nuovo e definitivo di *Canti*, numerose composizioni del Leopardi, che furono poi riunite sotto questo titolo, videro via via la luce, fra il 1818 e il 1826, in raccolte parziali e in pubblicazioni periodiche.

Le due prime canzoni, *All'Italia* e *Sopra il monumento di Dante*, precedute da una lettera dedicatoria a Vincenzo Monti, furono stampate nel 1818. Il poeta ne aveva spedito il manoscritto all'abate Cancellieri, a Roma, il 20 novembre: « ... Ricorro alla usata benignità di Lei perché si voglia compiacere di darlo ad imprimere a mie spese. La carta vorrei che fosse mezzana, eccetto due o tre copie che bramerei stampate in carta velina o di simile qualità. Il sesto per risparmio di spesa vorrebb'essere di 16 o altro tale, di maniera che la stampa non passasse o passasse di poco un foglio, giacché, com'Ella vedrà, il numero delle pagine non può essere maggiore né minore di quello ch'è nel Ms.to, onde qualunque ampiezza di sesto accrescerebbe la spesa. E quanto ai caratteri, s'Ella non giudica altrimenti, desidererei che fossero del De Romanis. Ma in modo particolarissimo ardisco pregarla che voglia commettere la correzione della stampa a persona diligente, e che non trascuri né anche la punteggiatura del Ms.to, poich'Ella conosce ottimamente che in un libricciuolo cosí breve, anche i piccoli sbagli sarebbero vergognosi, e ridonderebbero in poco onor dell'autore ». L'opuscolo *Canzoni | di* | GIACOMO LEOPARDI | *Sull'Italia* | *Sul Monumento di Dante che si prepara in Firenze* | Roma MDCCCXVIII | Presso Francesco Bourlié. Pp. 28 in 16°, fu pronto in effetti solo agli inizi del 1819. Cfr. la lettera al Giordani del 18 gennaio: « Del Ms. vi mando una copia stampata in Roma, ed è quella che mi son fatta venire per la posta cosí slegata come vedete, perché le altre legate lo aspetto di giorno in giorno ma per anche non sono arrivate. E arrivate che saranno io le consegnerò immediatamente in anima e in corpo al

pizzicagnolo, non volendo che nessuno veda quest'obbrobrio di
stampa nella quale io medesimo leggendo i miei poveri versi,
me ne vergogno, che mi paiono, cosí vestiti di stracci, anche
peggio che non sono ».

Nel febbraio 1820, ultimata la canzone *Ad Angelo Mai*, il
Leopardi ne commise la stampa a Pietro Brighenti in Bologna.
Si vedano le numerose lettere a lui dirette dal 4 febbraio al
10 luglio. L'opuscolo che comprendeva, oltre alla cànzone, la
lettera dedicatoria al conte Trissino, vide la luce nel mese di
luglio (*Canzone | di* | GIACOMO LEOPARDI | *ad* | *Angelo Mai* |
Bologna MDCCCXX | Per le stampe di Jacopo Marsigli | con
approvazione. Pp. 16 in 16°) e il poeta ne scrisse subito al Brighenti (17 luglio): « Coll'ultimo ordinario ho ricevuto la sua
gentilissima 8 corrente, insieme colla nota stampa, della quale
sono soddisfattissimo, e la ringrazio cordialmente, in particolare
per la correzione che ho trovato esattissima, eccetto in un solo
luogo, cioè nell'ottavo verso dell'ultima strofe, dove si legge
seco è 'l sapiente, dovendo dire, *sceso è 'l sapiente* ».

A una prima raccolta compiuta delle canzoni composte fra
il 1818 e il 1823, il Leopardi pensò fin dall'autunno del 1823 e
ne affidò l'incarico allo stesso Brighenti (cfr. la lettera del 5 dicembre 1823). Il volume fu pronto nell'agosto del 1824 (*Can-
zoni | del conte | Giacomo Leopardi | Bologna | pei tipi del
Nobili e Comp.° | 1824*. Pp. 196, in 16° piccolo, con approva-
zione ecclesiastica del 2, del 6 e del 18 maggio 1824 e un *Errata-
corrige*) e comprendeva le dieci canzoni nell'ordine seguente:
All'Italia | canzone prima preceduta da una dedicatoria al Monti
in una nuova redazione; *Sopra il monumento di Dante | che si
prepara in Firenze | canzone seconda*; *Ad Angelo Mai | quan-
d'ebbe trovato i libri | di Cicerone | della Repubblica | can-
zone terza* preceduta dalla dedicatoria al Trissino nella nuova
redazione; *Nelle nozze | della sorella Paolina | canzone quarta*;
A un vincitore | nel pallone | canzone quinta; *Bruto minore |
canzone sesta |* preceduta dalla *Comparazione | delle sentenze |
di Bruto Minore | e di Teofrasto | vicini a morte*; *Alla Prima-
vera | o | delle favole antiche | canzone settima*; *Ultimo canto di
Saffo | canzone ottava*; *Inno ai Patriarchi | o | de' principii del
genere umano | canzone nona*; *Alla sua donna | canzone decima*.
L'edizione fu accolta dal Leopardi con entusiasmo, nonostante
vi fossero corsi numerosi errori tipografici. « Sono stato con-
tentissimo della stampa, — scriveva al Brighenti il 23 agosto, —
per la carta, i caratteri, e tutto. In quanto alla correzione, vedrete dalla noterella posta qui dietro, che sono corsi nell'edizione parecchi errori. Ho segnato quelli che sono d'importanza,
e che bisogna assolutamente notare in un *Errata* ». E a questo
proposito, mandandogliene l'elenco completo, ribadiva il 3 settembre: « Importa molto che quegli errori sieno corretti, e l'edi-

zione resterebbe troppo difettosa senza questo *Errata*». Il Brighenti preparò l'errata, nel quale peraltro non figuravano tutte le correzioni. In calce al volume, comparvero la prima volta le *Annotazioni alle Canzoni*, che furono poi ristampate a parte, ritoccate qua e là e precedute da un *Annuncio*, nel « Nuovo Ricoglitore » di Milano del 1825, numeri 9 e 11.

Nello stesso anno, nel periodico bolognese redatto dal Brighenti, « Notizie teatrali bibliografiche e urbane, ossia il Caffè di Petronio » (numero 33 del 13 agosto) uscí, anonimo, l'idillio *Il sogno*. Era una primizia dell'intera raccolta degli idilli che comparvero, nell'inverno successivo, nei numeri di dicembre e gennaio del « Nuovo Ricoglitore » di Milano: *Idilli e volgarizzamenti | di alcuni versi morali dal greco | del conte* GIACOMO LEOPARDI. Nel numero 12, del dicembre 1825, figuravano: *L'infinito | Idillio I* e *La sera del giorno festivo | Idillio II*; nel numero 13, del gennaio 1826: *La ricordanza | Idillio III*; *Il sogno | Idillio IV*; *Lo spavento notturno | Idillio V*; *La vita solitaria | Idillio VI*.

Il Brighenti, nel frattempo, preparava l'edizione dei *Versi*, che vide la luce in Bologna nel 1826 (*Versi | del conte* | GIACOMO LEOPARDI | Bologna 1826 | dalla stamperia delle Muse | Strada Stefano n. 76 | con approvazione. Pp. 88, in 16° piccolo). Il volumetto conteneva tutte le liriche non comprese nelle *Canzoni* del '24, e precisamente: gli *Idilli* | MDCCCXIX (*L'infinito, La sera del giorno festivo, La ricordanza, Il sogno, Lo spavento notturno, La vita solitaria*); le *Elegie* | MDCCCXVII (*Elegia I*: « Tornami a mente il dí che la battaglia »; *Elegia II*: « Dove son? dove fui? che m'addolora? »); i cinque *Sonetti* | in persona | di ser Pecora | fiorentino beccaio | MDCCCXVII, preceduti da un'avvertenza; l'*Epistola* | al conte Carlo Pepoli | MDCCCXXVI; i tre canti della *Guerra dei topi e delle rane* | MDCCCXV; il *Volgarizzamento | della satira di Simonide | sopra le donne* | MDCCCXXIII.

Cinque anni dopo, a Firenze, comparvero i *Canti*. L'edizione (*Canti | del conte* | GIACOMO LEOPARDI | Firenze | presso Guglielmo Piatti | 1831. Pp. 165, in 8° piccolo) curata da Antonio Ranieri sotto la guida del Leopardi, uscí nel marzo del 1831: comprendeva tutte le poesie originali « approvate e ricorrette », una parte delle *Annotazioni* del 1824 e si apriva con la dedica « Agli amici suoi | di Toscana ». Il poeta ne scrisse al De Sinner, nel maggio: « Vi ho spedito per la posta un esemplare de' miei *Canti* che contiene tutte le mie poesie originali *approvate* e ricorrette. Le altre che ho pubblicate in varii tempi sono da me *disapprovate* e rifiutate ». L'ordinamento dei « canti » è già vicino a quello definitivo. Alle prime nove canzoni seguono *Il primo amore* (che nei *Versi*, Bologna 1826, figurava col titolo *Elegia I*); *L'infinito*; *La sera del giorno festivo*; *Alla luna* (che nei *Versi* figurava col titolo *La ricordanza*); *Il sogno*; *La vita solitaria*; *Alla sua donna* (che nelle *Canzoni*, Bologna 1824, figurava come decima); *Al conte Carlo Pepoli*; *Il risorgimento*; *A Silvia*; *Le ricordanze*; *Canto notturno di un pastore vagante dell'Asia*; *La quiete dopo la tempesta* e *Il sabato del villaggio*.

La seconda edizione dei *Canti*, ultima in vita del poeta, fu curata dallo stesso Leopardi, coadiuvato dal Ranieri, e uscí a Napoli nel settembre 1835: *Canti* | *di* | GIACOMO LEOPARDI | Edizione corretta, accresciuta, | e sola approvata dall'autore. | Napoli, | presso Saverio Starita | Strada Quercia n. 14 | 1835. Pp. 177 in 16° piccolo. Precede un occhietto: *Opere* | *di* | *Giacomo Leopardi* | Vol. I. Il volume contiene tutti i canti, a eccezione naturalmente del *Tramonto della luna* e della *Ginestra*, nell'ordine seguente: I | *All'Italia*; II | *Sopra il monumento* | *di Dante* | *che si preparava in Firenze*; III | *Ad Angelo Mai,* | *quand'ebbe trovato i libri* | *di Cicerone* | *della Repubblica*; IV | *Nelle nozze* | *della sorella Paolina*; V | *A un vincitore nel pallone*; VI | *Bruto minore*; VII | *Alla Primavera,* | *o* | *delle favole antiche*; VIII | *Inno ai Patriarchi,* | *o de' principii del genere umano*; IX | *Ultimo canto* | *di Saffo*; X | *Il primo amore*; XI | *Il passero solitario*; XII | *L'infinito*; XIII | *La sera del dí di festa* intitolato nelle edizioni precedenti *La sera del giorno festivo*; XIV | *Alla luna*; XV | *Il sogno*; XVI | *La vita solitaria*; XVII | *Consalvo*; XVIII | *Alla sua donna*; XIX | *Al conte* | *Carlo Pepoli*; XX | *Il risorgimento*; XXI | *A Silvia*; XXII | *Le ricordanze*; XXIII | *Canto notturno* | *di un pastore errante dell'Asia*; XXIV | *La quiete dopo la tempesta*; XXV | *Il sabato* | *del villaggio*; XXVI | *Il pensiero dominante*; XXVII | *Amore e Morte*; XXVIII | *A se stesso*; XXIX | *Aspasia*; XXX | *Sopra* | *un basso rilievo antico sepolcrale,* | *dove una giovane morta* | *è rappresentata in atto di partire,* | *accommiatandosi dai suoi*; XXXI | *Sopra il ritratto* | *di una bella donna* | *scolpito nel monumento sepolcrale* | *della medesima*; XXXII | *Palinodia* | *al marchese Gino Capponi*; XXXIII | *Imitazione*; XXXIV | *Scherzo*; Frammenti: XXXV (pubblicato nei *Versi* col titolo *Lo spavento notturno* e non compreso nei *Canti* del '31); XXXVI | l'*Elegia II* pubblicata nei *Versi*, vv. 40-50; XXXVII | i vv. 1-76 della cantica *Appressamento della morte*; XXXVIII | *Dal greco di Simonide*; XXXIX | *Dello stesso*. In calce al volume figuravano un corredo di note, in parte nuove, in parte tratte dalle edizioni precedenti, e l'errata-corrige con l'avvertenza: « Salvo alcuni pochi, sono errori per lo piú tenuissimi: il notarli sia segno di diligenza ». Talune delle correzioni ivi contenute costituivano vere e proprie varianti.

Presso lo Starita apparve anche il secondo volume delle *Opere,* ma non ottenne il *publicetur* della censura e non fu posto in vendita. Ne scrisse il Leopardi al De Sinner (22 dicembre

1836): « L'edizione delle mie *Opere* è sospesa, e piú probabilmente abolita, dal secondo volume in qua, il quale ancora non
si è potuto vendere a Napoli pubblicamente, non avendo ottenuto il *publicetur*. La mia filosofia è dispiaciuta ai preti, i quali
e qui ed in tutto il mondo, sotto un nome o sotto un altro,
possono ancora e potranno eternamente tutto ». E nella stessa
lettera proponeva al De Sinner di interessarsi per la pubblicazione delle sue opere a Parigi: « Credete voi che mandando
costí un esemplare delle mie o poesie o prose, con molte correzioni ed aggiunte inedite, ovvero un libro del tutto inedito, si
troverebbe un libraio (come Baudry o altri) *che senza alcun mio
compenso pecuniario* ne desse un'edizione a suo conto? Io credo di no... » Le trattative col Baudry, che aveva già stampato
le opere di Foscolo, Pellico e Manzoni, furono portate avanti
dal De Sinner; ma prima interrotte dalla morte del poeta, poi
riprese, non furono piú concluse.

Dopo la pubblicazione dei *Canti* presso lo Starita, il Leopardi continuò, negli ultimi due anni di vita, a rivederne e cor-
reggerne il testo, anche in vista dell'edizione parigina. Quel-
l'estremo lavoro di revisione fu compiuto su un esemplare Starita, ora conservato alla Biblioteca Nazionale di Napoli, che è
stato la base di tutte le edizioni successive. Le correzioni sono
in parte di mano del poeta, in parte di mano del Ranieri, al
quale egli dovette forse dettarle durante gli ultimi giorni. Fon-
dandosi su quell'esemplare corretto, che rappresenta l'ultima,
definitiva lezione, il Ranieri dette alle stampe, nel 1845, l'edi-
zione completa dei « canti »: *Opere | di |* GIACOMO LEOPARDI |
Edizione accresciuta, ordinata e corretta, secondo l'ultimo inten-
dimento dell'autore, | da | ANTONIO RANIERI | Firenze, | Felice
Le Monnier, | 1845. Pp. 5+38+3 di note. In essa apparvero
per la prima volta, inseriti fra la *Palinodia* e l'*Imitazione* i due
« canti » composti nel '36: *Il tramonto della luna* e *La ginestra
| o | il fiore del deserto*.

All'edizione Ranieri si attennero, nell'ultimo Ottocento e
nel primo Novecento, tutti i numerosi editori e commentatori
dei *Canti*. Si ricordano: F. Sesler (Ascoli Piceno 1883); G. Chiarini (Firenze 1886); G. Mestica (Firenze 1886); A. Straccali (Firenze 1892; ristampato con aggiunte di O. Antognoni, *ibid.*
1913); M. Scherillo (Milano 1900); G. Tambara (Milano 1907);
M. Porena (Messina 1916; 2ª ed. 1924); A. Donati (Bari 1917);
G. A. Levi (Firenze 1921); V. Piccoli (Milano 1921); G. De
Robertis (Firenze 1925); C. Zacchetti (Bologna 1927); E. San-
tini (Napoli 1927).

È del 1927 la prima edizione critica, a cura di Francesco
Moroncini (*Canti di Giacomo Leopardi*, Cappelli, Bologna: voll.
I e II delle *Opere*), col corredo di tutte le varianti, delle cor-
rezioni e degli abbozzi e riproduzioni di autografi. Sulle orme

del Moroncini, risalendo cioè all'esemplare corretto della Nazionale di Napoli, condussero poi le loro edizioni R. Bacchelli e G. Scarpa (Milano 1935), G. De Robertis (Milano 1937-38: vol. I delle *Opere*), Leone Ginzburg (Bari 1938) e F. Flora (Milano 1940: vol. I delle *Opere complete*), nonché i sempre piú numerosi commentatori, dei quali si ricordano: A. Momigliano (Messina 1929); M. Fubini (Torino 1930); I. Sanesi (Firenze 1931); S. A. Nulli (Milano 1936); F. Flora (Milano 1937); E. M. Fusco (Bologna 1939); L. Russo (Firenze 1945); R. Bacchelli (Milano 1945); M. Apollonio (Milano 1945); C. Calcaterra (Torino 1947); E. Chiorboli (Bologna 1954); S. Solmi (Milano-Napoli 1956: vol. I delle *Opere*).

I « Canti » e la critica.

Per gli innumerevoli scritti apparsi per oltre un secolo sul Leopardi, si vedano i tre volumi della *Bibliografia leopardiana*: I (fino al 1898), a cura di G. Mazzatinti e M. Menghini, Firenze 1931; II (fino al 1930) a cura di G. Natali, *ibid.* 1932; III (fino al 1951) a cura di G. Natali e G. Musumarra, *ibid.* 1953; nonché le aggiunte di G. Fucilla (*Retrospettiva; pagine di bibliografia leopardiana*, Catanzaro 1937) e R. Frattarolo, *Studi leopardiani (1940-1949)* ne « L'Italia che scrive », 1950. Un'ottima storia ragionata della critica leopardiana è, infine, quella redatta da Emilio Bigi per *I classici italiani nella storia della critica* a cura di W. Binni, Firenze 1955. Diamo, tuttavia, alcune indicazioni che potranno servire al lettore meno informato.

Il primo a intendere, nella sua grandezza, la poesia dei *Canti*, fu il De Sanctis. Cfr. *Saggi critici*, ristampati a cura di L. Russo (Bari 1953), vol. I, l'*Epistolario di G. L., Alla sua donna*; vol. II, *Schopenhauer e L.* e *La prima canzone di G. L.*; vol. III, *La Nerina di G. L.* e *Le nuove canzoni di G. L.*; lo *Studio su G. L.* a cura di W. Binni (*ibid.* 1953), e la pagina folgorante contenuta nell'ultimo capitolo della *Storia della letteratura* (Torino 1957). Ma intuizioni e accenni felici erano già nei giudizi di Pietro Giordani (in *Scritti editi e postumi*, ed. Gussalli, Milano 1865; tomi IV, pp. 118-31 e XIV, pp. 488-89), del Gioberti (in *Pensieri e giudizi sulla letteratura italiana e straniera*, Firenze 1867), del Montani, che recensí nell'« Antologia » del dicembre 1824 le *Canzoni* e nell'aprile 1831 i *Canti*. Dei primi critici stranieri si ricordano L. De Sinner, la cui recensione ai *Canti* apparve ne « Le Siècle » del 1833; H. W. Schultz, *G. L. Sein Leben und sein Schrijten*, in « Italia », 1840 (cfr. « La Critica », 1932, pp. 65-71, dove il Croce ne pubblicò, tradotti, alcuni estratti); C.-A. Sainte-Beuve, autore del celebre *portrait* pubblicato nella « Revue des Deux Mondes » del 15 settembre

1844 e ristampato in *Portraits contemporains*, Paris 1855, e G. Gladstone, *G. L.*, in « Quarterly Review » del marzo 1850.

All'attività critica del De Sanctis intorno al Leopardi, durata un trentennio, seguirono nell'età positivistica ampie e scrupolose indagini storiche, oltre che sulla vita, sulla formazione culturale del poeta. Negli stessi anni venne concretandosi quell'utile lavoro di classificazione cronologica e di edizione critica degli scritti leopardiani già pubblicati e di quelli non pubblicati. E videro la luce altresí gli studi di G. Negri, *Divagazioni leopardiane*, voll. I-III, Pavia 1895-99; A. Graf, *Foscolo, Manzoni e L.*, Torino 1898; B. Zumbini, *Studi sul L.*, Firenze 1902-904 e G. Carducci, *Degli spiriti e delle forme nella poesia di G. L.* e gli altri scritti riuniti nel vol. XX dell'edizione delle *Opere* (Bologna 1937).

Un nuovo modo di accostarsi alla poesia leopardiana si delinea già nel primo decennio del Novecento, specialmente dopo la pubblicazione dello *Zibaldone* (1898). Si vedano, fra gli altri, gli studi di R. Giani, *L'estetica nei «Pensieri» di G. L.*, Torino 1904, 2ª ed. 1929; di G. A. Levi, *Storia del pensiero di G. L.*, Torino 1911 e *G. L.*, Messina 1931; gli scritti del Croce (*L.*, in *Poesia e non poesia*, Bari 1922 e le riletture di *Amore e Morte* e di *A se stesso* in *Poesia antica e moderna*, Bari 1941), di G. Gentile (*Manzoni e L.*, Milano 1928, e *Poesia e filosofia di G. L.*, Firenze 1939) e il *L.* di K. Vossler (München 1923; trad. it. Napoli 1925). Ricordiamo inoltre le letture pascoliane del *Sabato del villaggio* e della *Ginestra* (in *Pensieri e discorsi*, Bologna 1914), e il saggio di V. Cardarelli *La favola breve di L.*, in *Viaggi nel tempo*, Firenze 1920. Un lettore acuto e sensibile della poesia dei *Canti* è stato Giuseppe De Robertis (cfr. oltre alla scelta dello *Zibaldone* con saggio introduttivo, Firenze 1922, il *Saggio sul L.*, Firenze 1944, 3ª ed. 1952).

Della produzione critica dell'ultimo trentennio si vedano particolarmente: A. Zottoli, *Storia di un'anima*, Bari 1927; P. Bigongiari, *L'elaborazione della lirica leopardiana*, Firenze 1937; A. Momigliano, *Studi di poesia*, Bari 1938 e *Elzeviri*, Firenze 1945; L. Russo, *La carriera poetica di G. L.*, in *Ritratti e disegni storici*, Bari 1946; W. Binni, *La nuova poetica leopardiana*, Firenze 1947; G. Contini, *Implicazioni leopardiane*, in « Letteratura », 1947; C. Luporini, *L. progressivo*, in *Filosofi vecchi e nuovi*, Firenze 1947; F. Flora, *La poetica di L.*, in *Saggi di poetica moderna*, Messina 1949; N. Sapegno, in *Compendio di storia della letteratura*, vol. III, 5ª ed. Firenze 1955; E. Bigi, *Dal Petrarca al L.*, Milano-Napoli 1954; S. Timpanaro jr, *La filologia di G. L.*, Firenze 1955; S. Solmi, *G. L.*, introduzione alle *Opere di G. L.*, Milano-Napoli 1956.

Canti

Hanno questo di proprio le opere di genio, che quando anche rappresentino al vivo la nullità delle cose, quando anche dimostrino evidentemente e facciano sentire l'inevitabile infelicità della vita, quando anche esprimano le piú terribili disperazioni, tuttavia ad un'anima grande che si trovi anche in uno stato di estremo abbattimento, disinganno, nullità, noia e scoraggimento della vita, o nelle piú acerbe e *mortifere* disgrazie (sia che appartengano alle alte e forti passioni, sia a qualunque altra cosa); servono sempre di consolazione, raccendono l'entusiasmo, e non trattando né rappresentando altro che la morte, le rendono, almeno momentaneamente, quella vita che aveva perduta.

LEOPARDI

1. *All'Italia*

Composta a Recanati nel settembre del 1818 (si veda, fra gli abbozzi, l'*Argomento di una canzone sullo stato presente dell'Italia*). Pubblicata in Roma, presso F. Bourlié, ai primi del 1819 (con la data 1818) insieme con la canzone *Sopra il monumento di Dante* e una lettera dedicatoria a Vincenzo Monti. Fu ristampata nelle *Canzoni* (Bologna 1824) e accolta nei *Canti* (1831 e 1835).

Metro: canzone di sette strofe, ciascuna di venti versi. Le strofe pari hanno uno schema, le dispari un altro.

O patria mia, vedo le mura e gli archi
e le colonne e i simulacri e l'erme
torri degli avi nostri,
ma la gloria non vedo,
non vedo il lauro e il ferro ond'eran carchi   5
i nostri padri antichi. Or fatta inerme,
nuda la fronte e nudo il petto mostri.
Oimè quante ferite,
che lividor, che sangue! oh qual ti veggio,
formosissima donna! Io chiedo al cielo   10
e al mondo: dite dite;
chi la ridusse a tale? E questo è peggio,
che di catene ha carche ambe le braccia;
sí che sparte le chiome e senza velo
siede in terra negletta e sconsolata,   15
nascondendo la faccia
tra le ginocchia, e piange.

---

1. *archi*: trionfali: cfr. Fulvio Testi nell'ode a G. B. Ronchi *Sopra l'Italia*: « Ben molt'archi e colonne in piú d'un segno | serban del valor prisco alta memoria, | ma non si vede già per propria gloria | chi d'archi e di colonne ora sia degno ». 2. *simulacri*: statue. – *erme*: avvolte dal silenzio dei secoli. 3. *torri*: figurazione letteraria dei resti dell'antica grandezza. – *avi nostri*: i Romani. 5. *il lauro e il ferro*: la gloria delle armi. 6. *Or fatta inerme*: la personificazione dell'Italia, che di qui si prolunga fino alla terza strofa, si collega a una tradizione retorico-figurativa consacrata dal Petrarca, *Rime*, CXXVIII (e già in embrione in Dante, *Purg.*, VI, 78) e passata nella lirica civile italiana dal Cinquecento fino al Monti. Cfr. in particolare la canzone e i sonetti *All'Italia* del Filicaia e le prime terzine de *Il Beneficio* di Vincenzo Monti. 10. *formosissima*: bellissima. Cfr. Monti, *Il Beneficio*, v. 1: « Una donna di forme alte e divine ». 12. *a tale*: in tale stato. 14. *sparte*: sparse. – *senza velo*: come le schiave. Cfr. vv. 24 e 33.

Piangi, che ben hai donde, Italia mia,
le genti a vincer nata
e nella fausta sorte e nella ria.   20

Se fosser gli occhi tuoi due fonti vive,
mai non potrebbe il pianto
adeguarsi al tuo danno ed allo scorno;
che fosti donna, or sei povera ancella.
Chi di te parla o scrive,   25
che, rimembrando il tuo passato vanto,
non dica: già fu grande, or non è quella?
Perché, perché? dov'è la forza antica,
dove l'armi e il valore e la costanza?
chi ti discinse il brando?   30
chi ti tradí? qual arte o qual fatica
o qual tanta possanza
valse a spogliarti il manto e l'auree bende?
come cadesti o quando
da tanta altezza in cosí basso loco?   35
nessun pugna per te? non ti difende
nessun de' tuoi? L'armi, qua l'armi: io solo
combatterò, procomberò sol io.
Dammi, o ciel, che sia foco
agl'italici petti il sangue mio.   40

Dove sono i tuoi figli? Odo suon d'armi
e di carri e di voci e di timballi:

18. *ben hai donde*: rieccheggia Dante, *Purg.*, VI, 136: « Or ti fa lieta, che tu hai ben onde ». 19. *a vincer*: a dominare con le armi e col prestigio (*nella fausta sorte*), parimenti, *nella ria*, col solo prestigio. Cfr. *Paralipomeni della Batracomiomachia*, I, st. 27-29 e Monti, *Il Beneficio*. Ovvero, si può intendere: « a superare cosí nel grado della felicità come in quello della miseria le altre genti ». Cfr. l'*Argomento* cit. e l'*Appressamento della morte*, II, vv. 139-41. 21. *vive*: perenni. 24. *che*: perché. – *donna*: padrona, signora. 30. *discinse*: tolse dal fianco. 31. *arte o... fatica*: astuzia o sforzo. 32. *tanta*: cosí grande. – *possanza*: straniera. 33. *auree bende*: il diadema regale. 37. *L'armi, qua l'armi*: cfr. Virgilio, *Aeneis*, II, 668: « Arma, viri, ferte arma » e la traduzione giovanile dello stesso Leopardi: « Armi qua l'armi ». 38. *procomberò*: cadrò, con la faccia volta al nemico. 41. *Dove sono i tuoi figli?*: cfr. Foscolo, *Ortis*, lettera del 19-20 febbraio 1799: « Ove sono dunque i tuoi figli? » e l'appunto leopardiano: « Per un'ode lamentevole sull'Italia può servire quel pensiero di Foscolo nell'*Ortis*... » (*Zibaldone*, 58). 42. *timballi*: tamburi.

in estranie contrade
pugnano i tuoi figliuoli.
Attendi, Italia, attendi. Io veggio, o parmi,   45
un fluttuar di fanti e di cavalli,
e fumo e polve, e luccicar di spade
come tra nebbia lampi.
Né ti conforti? e i tremebondi lumi
piegar non soffri al dubitoso evento?   50
A che pugna in quei campi
l'itala gioventude? O numi, o numi:
pugnan per altra terra itali acciari.
Oh misero colui che in guerra è spento,
non per li patrii lidi e per la pia   55
consorte e i figli cari,
ma da nemici altrui
per altra gente, e non può dir morendo:
alma terra natia,
la vita che mi desti ecco ti rendo.   60

Oh venturose e care e benedette
l'antiche età, che a morte
per la patria correan le genti a squadre;
e voi sempre onorate e gloriose,
o tessaliche strette,   65
dove la Persia e il fato assai men forte
fu di poch'alme franche e generose!
Io credo che le piante e i sassi e l'onda
e le montagne vostre al passeggere
con indistinta voce   70
narrin siccome tutta quella sponda
coprír le invitte schiere
de' corpi ch'alla Grecia eran devoti.

---

43. *estranie contrade*: la Russia. Allude alla partecipazione degli italiani alla campagna napoleonica. 45. *Attendi*: ascolta. 49. *lumi*: occhi. 50. *dubitoso evento*: dubbio esito della battaglia. 53. *per altra
terra*: per la Francia. 59. *alma*: nutrice, materna. 61. *venturose*:
fortunate. 62. *che*: quando. 65. *tessaliche strette*: le Termopili. Cfr.
Petrarca, *Rime*, XXVIII, vv. 100-1: « ... le mortali strette | che difese il
leon con poca gente ». 66. *il fato*: avverso agli Spartani di Leonida.
Intendi: la morte. 67. *franche*: dal timore. Intrepide. 70. *indistinta*: arcana, sovrumana. 72. *coprír*: coprirono. 73. *eran devoti*: si
erano consacrati. Cfr. Orazio, *Carm.*, IV, 14: « devota morti pectora
liberae ».

Allor, vile e feroce,
Serse per l'Ellesponto si fuggia,   75
fatto ludibrio agli ultimi nepoti;
e sul colle d'Antela, ove morendo
si sottrasse da morte il santo stuolo,
Simonide salia,
guardando l'etra e la marina e il suolo.   80

E di lacrime sparso ambe le guance,
e il petto ansante, e vacillante il piede,
toglieasi in man la lira:
Beatissimi voi,
ch'offriste il petto alle nemiche lance   85
per amor di costei ch'al Sol vi diede;
voi che la Grecia cole, e il mondo ammira.
Nell'armi e ne' perigli
qual tanto amor le giovanette menti,
qual nell'acerbo fato amor vi trasse?   90
Come sí lieta, o figli,
l'ora estrema vi parve, onde ridenti
correste al passo lacrimoso e duro?
Parea ch'a danza e non a morte andasse
ciascun de' vostri, o a splendido convito: 95
ma v'attendea lo scuro
Tartaro, e l'onda morta;

74. *feroce*: torvo. 76. *agli ultimi nepoti*: ai suoi discendenti. 77. *Antela*: città nei pressi delle Termopili. 79. *Simonide* ecc.: di Ceo (556-468 a. C.). La figura del poeta greco, cantore di tutte le piú importanti vittorie dell'Ellade a lui contemporanee (Maratona, Artemisio, Salamina, Platea), è qui rievocata sulla base del celebre frammento dell'encomio per i caduti delle Termopili tramandato da Diodoro Siculo (XI, 11, 6). Cfr., in appendice, le *Annotazioni alle Canzoni*. Nella traduzione di Pietro Giordani il frammento suona: « De' morti alle Termopile gloriosa è la fortuna, bello il fine, altare la tomba, lode la sventura. La funeral veste di que' valorosi non sarà consumata né discolorata dal tempo che vince ogni cosa. La loro sepoltura contiene la gloria degli abitanti della Grecia. N'è testimonio Leonida re di Sparta, che lasciò gran bellezza di virtú e fama perenne ». Per il verso che precede (*si sottrasse da morte il santo stuolo*), cfr. il secondo distico dell'epigramma simonideo: « Οὐδὲ τεθνᾶσι θανόντες, ἐπεί σφ' ἀρετὴ καθύπερθεν κυδαίνουσ' ἀνάγει δώματος ἐξ Ἀΐδεω ». 80. *l'etra*: il cielo. 87. *cole*: onora. 90. *acerbo fato*: immatura morte. 93. *al passo*: della morte. 97. *Tartaro*: il regno dei morti. – *onda morta*: lo Stige.

né le spose vi foro o i figli accanto
quando su l'aspro lito
senza baci moriste e senza pianto.   100

Ma non senza de' Persi orrida pena
ed immortale angoscia.
Come lion di tori entro una mandra
or salta a quello in tergo e sí gli scava
con le zanne la schiena,   105
or questo fianco addenta or quella coscia;
tal fra le Perse torme infuriava
l'ira de' greci petti e la virtute.
Ve' cavalli supini e cavalieri;
vedi intralciare ai vinti   110
la fuga i carri e le tende cadute,
e correr fra' primieri
pallido e scapigliato esso tiranno;
ve' come infusi e tinti
del barbarico sangue i greci eroi,   115
cagione ai Persi d'infinito affanno,
a poco a poco vinti dalle piaghe,
l'un sopra l'altro cade. Oh viva, oh viva:
beatissimi voi
mentre nel mondo si favelli o scriva.   120

Prima divelte, in mar precipitando,
spente nell'imo strideran le stelle,
che la memoria e il vostro
amor trascorra o scemi.
La vostra tomba è un'ara; e qua mostrando   125
verran le madri ai parvoli le belle
orme del vostro sangue. Ecco io mi prostro,
o benedetti, al suolo,
e bacio questi sassi e queste zolle,

98. *vi foro*: vi furono. 99. *aspro lito*: il campo di battaglia. 108.
virtute: valore. Cfr. Foscolo, *Sepolcri*, 201: « la virtú greca e l'ira ».
110 sgg. Cfr. le *Annotazioni* cit. 115. *del barbarico sangue*: cfr. Petrarca, *Rime*, CXXVIII, 22: « del barbarico sangue si dipinga ». 117.
vinti dalle piaghe: dopo aver combattuto fino all'ultimo sangue: « dis-
sanguati ». 120. *mentre*: finché. 123-24. *il vostro amor*: l'amore per
voi. 125. *La vostra tomba* ecc.: traduce Simonide: βωμὸς δ'ὁ τάφος.
Cfr. la nota al v. 79.

che fien lodate e chiare eternamente   130
dall'uno all'altro polo.
Deh foss'io pur con voi qui sotto, e molle
fosse del sangue mio quest'alma terra.
Che se il fato è diverso, e non consente
ch'io per la Grecia i moribondi lumi   135
chiuda prostrato in guerra,
cosí la vereconda
fama del vostro vate appo i futuri
possa, volendo i numi,
tanto durar quanto la vostra duri.   140

---

130. *fien*: saranno. Per questo e il verso seguente, cfr. F. Testi, canzone *Stanno il pianto*: « Glorioso dall'uno all'altro polo ». 135. *moribondi lumi*: come al v. 49: gli occhi. Con fedeltà storica, Simonide è
raffigurato nella sua vecchiaia. Cfr. il v. 82. 137. *vereconda*: modesta, rispetto a quella degli eroi spartani. 138. *appo*: presso.

II. *Sopra il monumento di Dante*
che si preparava in Firenze

Composta a Recanati, « opera di dieci o dodici giorni », fra il settembre e l'ottobre del 1818. Il 18 luglio di quello stesso anno era stato pubblicato a Firenze il manifesto per l'erezione di un monumento a Dante. Tra i firmatari erano il conte Fossombroni e Gino Capponi. Il monumento, dello scultore Stefano Ricci, fu poi scoperto, come è noto, il 24 marzo 1830. La canzone fu stampata in Roma ai primi del '19, insieme alla precedente. Cfr. la nota relativa e l'*Argomento di una canzone sullo stato presente dell'Italia.*

Metro: canzone di dodici strofe, le prime undici di diciassette versi, l'ultima di tredici. Lo schema è diverso nelle strofe pari, nelle dispari e nell'ultima.

Perché le nostre genti
pace sotto le bianche ali raccolga,
non fien da' lacci sciolte
dell'antico sopor l'itale menti
s'ai patrii esempi della prisca etade   5
questa terra fatal non si rivolga.
O Italia, a cor ti stia
far ai passati onor; che d'altrettali
oggi vedove son le tue contrade,
né v'è chi d'onorar ti si convegna.   10
Volgiti indietro, e guarda, o patria mia,
quella schiera infinita d'immortali,
e piangi e di te stessa ti disdegna;
che senza sdegno omai la doglia è stolta:
volgiti e ti vergogna e ti riscuoti,   15
e ti punga una volta
pensier degli avi nostri e de' nepoti.

D'aria e d'ingegno e di parlar diverso
per lo toscano suol cercando gia

---

1. *Perché*: per quanto. 2. *pace*: ristabilita dal Congresso di Vien-
na (1814-15): la Restaurazione. 3. *fien*: saranno. 4. *antico*: secolare.
– *sopor*: del Sei e Settecento. 5. *ai patrii esempi*: della romanità e
della rinascita italiana dopo il Mille. – *prisca*: antica. 8. *ai passati*:
ai grandi del passato. 16. *una volta*: finalmente. 17. *de' nepoti*:
sottintendi: « nostri »: le generazioni avvenire. 18-22. Cfr. il manifesto per l'erezione del monumento a Dante: « È presso a compiersi il
quinto secolo da che fu Dante; e lo straniero che a noi si reca, tutto
compreso da venerazione pe' rari uomini, che in ogni tempo hanno
illustrato la Toscana, cerca ansioso il monumento di questo che sopra
tutti gli altri com'aquila vola; e non trovatolo ne fa altissime maraviglie, e ci rampogna ». 18. *aria, ingegno, parlar*: clima, indole, lingua.
19. *gia*: andava.

l'ospite desioso   20
dove giaccia colui per lo cui verso
il meonio cantor non è piú solo.
Ed, oh vergogna! udia
che non che il cener freddo e l'ossa nude
giaccian esuli ancora   25
dopo il funereo dí sott'altro suolo,
ma non sorgea dentro a tue mura un sasso,
Firenze, a quello per la cui virtude
tutto il mondo t'onora.
Oh voi pietosi, onde sí tristo e basso   30
obbrobrio laverà nostro paese!
Bell'opra hai tolta e di ch'amor ti rende,
schiera prode e cortese,
qualunque petto amor d'Italia accende.

Amor d'Italia, o cari,   35
amor di questa misera vi sproni,
ver cui pietade è morta
in ogni petto omai, perciò che amari
giorni dopo il seren dato n'ha il cielo.
Spirti v'aggiunga e vostra opra coroni   40
misericordia, o figli,
e duolo e sdegno di cotanto affanno
onde bagna costei le guance e il velo.
Ma voi di quale ornar parola o canto
si debbe, a cui non pur cure o consigli,   45
ma dell'ingegno e della man daranno

---

21. *colui*: Dante. 22. *meonio cantor*: Omero. Espressione oraziana e
ovidiana che già il Monti aveva fatto sua (*Alla Marchesa Malaspina*,
v. 122). *Meonio* nativo della Meonia o Lidia, in Asia minore. 24. *che
non che*: che non solo. 26. *sott'altro suolo*: a Ravenna. 27. *un sasso*: un monumento. 28. *virtude*: ingegno, genio. 30. *voi pietosi*:
amanti della patria: i firmatari del manifesto. – *onde*: per cui. 31.
nostro paese: soggetto. 32. *hai tolta*: hai assunto. – *di ch'*: per la
quale. 33. *prode e cortese*: virtuosa e nobile. 38. *perciò che*: causale
con sfumatura temporale: «poi che». 40. *Spirti v'aggiunga*: infonda
inoltre ardore in voi. – *coroni*: consacri. 43. *velo*: avanzo dell'antica
regalità. Cfr. invece *All'Italia*, v. 14. 44. *voi*: gli ideatori e scultori
del monumento. 44-48. «Ma con quali parole e quale metro dovreste
esser celebrati (*ornar... si debbe*) voi, ai quali non tanto la passione e
i propositi (*cure o consigli*) quanto gli impulsi dell'ispirazione (*del-
l'ingegno... i sensi*) e le facoltà artistiche (*della man... le virtudi*) messe
in atto e appariscenti nella bellezza dell'opera, daranno eterno vanto? »

i sensi e le virtudi eterno vanto
oprate e mostre nella dolce impresa?
Quali a voi note invio, sí che nel core,
sí che nell'alma accesa   50
nova favilla indurre abbian valore?

Voi spirerà l'altissimo subbietto,
ed acri punte premeravvi al seno.
Chi dirà l'onda e il turbo
del furor vostro e dell'immenso affetto?   55
chi pingerà l'attonito sembiante?
chi degli occhi il baleno?
qual può voce mortal celeste cosa
agguagliar figurando?
lunge sia, lunge alma profana. Oh quante   60
lacrime al nobil sasso Italia serba!
Come cadrà? come dal tempo rosa
fia vostra gloria o quando?
Voi, di ch'il nostro mal si disacerba,
sempre vivete, o care arti divine,   65
conforto a nostra sventurata gente,
fra l'itale ruine
gl'itali pregi a celebrare intente.

Ecco voglioso anch'io
ad onorar nostra dolente madre   70
porto quel che mi lice,
e mesco all'opra vostra il canto mio,
sedendo u' vostro ferro i marmi avviva.
O dell'etrusco metro inclito padre,

49. *note*: versi. – *invio*: dovrò inviare. 51. *indurre abbian valore*: possano introdurre, suscitare. 52. *spirerà*: ispirerà. Cfr. *Annotazioni alle
Canzoni*. 53. *ed acri punte*: « e suscìterà nel vostro cuore un'acuta e
stimolante commozione ». 54. *l'onda e il turbo*: la piena degli affetti e
il turbine della ispirazione. 56. *pingerà*: potrà descrivere. – *l'attonito
sembiante*: degli esecutori del monumento. *Attonito*: assorto nelle
sue visioni. 58. *celeste cosa*: l'ispirazione dell'artista, posseduto da
un furore divino. 60. Cfr. Virgilio: « Procul o procul este, profani »
(*Aeneis*, VI, 258). 61. *al nobil sasso*: al monumento di Dante. 63.
fia: sarà. 64. *di ch'*: grazie alle quali. – *si disacerba*: è consolato.
Cfr. Petrarca, *Rime*, XXXIII, 4: « perché cantando il duol si disacerba ». 71. *mi lice*: mi è lecito, mi è concesso. 73. *u'*: dove. – *ferro*:
scalpello. 74. *etrusco metro*: poesia toscana. – *padre*: Dante.

se di cosa terrena,   75
se di costei che tanto alto locasti
qualche novella ai vostri lidi arriva,
io so ben che per te gioia non senti,
che saldi men che cera e men ch'arena,
verso la fama che di te lasciasti   80
son bronzi e marmi; e dalle nostre menti
se mai cadesti ancor, s'unqua cadrai,
cresca, se crescer può, nostra sciaura,
e in sempiterni guai
pianga tua stirpe a tutto il mondo oscura.   85

Ma non per te; per questa ti rallegri
povera patria tua, s'unqua l'esempio
degli avi e de' parenti
ponga ne' figli sonnacchiosi ed egri
tanto valor che un tratto alzino il viso.   90
Ahi, da che lungo scempio
vedi afflitta costei, che sí meschina
te salutava allora
che di novo salisti al paradiso!
oggi ridotta sí che a quel che vedi,   95
fu fortunata allor donna e reina.
Tal miseria l'accora
qual tu forse mirando a te non credi.
Taccio gli altri nemici e l'altre doglie;
ma non la piú recente e la piú fera,   100
per cui presso alle soglie
vide la patria tua l'ultima sera.

76. *costei*: l'Italia.   77. *lidi*: dell'oltremondo.   80. *verso*: in confronto di.   82. *se mai... ancor*: se qualche volta in passato. – *unqua*: mai.
85. *stirpe*: italiana. – *oscura*: ignota, senza alcuna luce di gloria.   86.
per te: cfr. v. 78.   87. *s'unqua*: se mai.   88. *parenti*: padri.   89. *sonnacchiosi ed egri*: prede dell'*antico sopor* del v. 4.   90. *un tratto*: a
un tratto. – *viso*: sguardo.   92. *meschina*: infelice, dilaniata dalle con-
tese cittadine.   94. *di novo*: nuovamente, alla tua morte: dopo es-
serti salito con la fantasia.   95. *a quel*: a paragone di quello.   96.
donna: padrona, signora. Cfr. *All'Italia*, v. 24.   100. La dominazione
napoleonica. Nelle due prime edizioni (1818 e 1824): « ma non la
Francia scellerata e nera ». Si veda in proposito la lettera al Brighenti
del 21 aprile 1820.   101-2. *presso alle soglie... l'ultima sera*: avvici-
narsi la definitiva rovina. Cfr. Dante, *Purg.*, I, 58-59: « Questi non
vide mai l'ultima sera | ma per la sua follia le fu sí presso ».

Beato te che il fato
a viver non dannò fra tanto orrore;
che non vedesti in braccio   105
l'itala moglie a barbaro soldato;
non predar, non guastar cittadi e colti
l'asta inimica e il peregrin furore;
non degl'itali ingegni
tratte l'opre divine a miseranda   110
schiavitude oltre l'alpe, e non de' folti
carri impedita la dolente via;
non gli aspri cenni ed i superbi regni;
non udisti gli oltraggi e la nefanda
voce di libertà che ne schernia   115
tra il suon delle catene e de' flagelli.
Chi non si duol? che non soffrimmo? intatto
che lasciaron quei felli?
qual tempio, quale altare o qual misfatto?

Perché venimmo a sí perversi tempi?   120
perché il nascer ne desti o perché prima
non ne desti il morire,
acerbo fato? onde a stranieri ed empi
nostra patria vedendo ancella e schiava,
e da mordace lima   125
roder la sua virtú, di null'aita

103. Nell'edizione del '31 il Leopardi appose qui la nota, poi sop-
pressa nei *Canti* del '35: « L'autore, per quello che nei versi seguenti
(scritti in sua primissima gioventú) è detto in offesa degli stranieri,
avrebbe rifiutata tutta la canzone, se la volontà di alcuni amici, i
quali miravano solamente alla poesia, non l'avesse conservata ». 107.
colti: campi coltivati. 108. *peregrin furore*: cfr. Petrarca, *Rime*,
CXXVIII, 20 e 78: « pellegrine spade » e « furor di là su ». 110. *opre
divine*: le opere d'arte asportate in Francia. 111. *folti*: numerosi e
sovraccarichi. 112. *carri*: sui quali erano stipati i tesori dell'arte italiana. – *impedita*: ingombra. 113. *cenni*: di comando. – *superbi regni*: i dispotici regimi napoleonici. 114. *nefanda*: immonda. 115. *libertà*: tanto piú proclamata, quanto piú giovava a mascherare il feroce dispotismo degli invasori. – *ne*: ci. 118. *felli*: cfr. *empi* del
v. 123. 119. *misfatto*: da riferire, come *tempio* e *altare* a *intatto*
del v. 117: quale misfatto intentato. 125. *mordace*: corrosiva e lace-
rante. Cfr. *roder* del v. 126 e *stracciava* del v. 128. – *lima*: la corruzione napoleonica. L'immagine è in Dante (*Rime*, CIII, 22-23): « Ahi
angosciosa e dispietata lima | che sordamente la mia vita scemi » e in
Petrarca, *Rime*, LXV, vv. 5-7. 126. *di null'aita*: di nessun aiuto.

e di nullo conforto
lo spietato dolor che la stracciava
ammollir ne fu dato in parte alcuna.
Ahi non il sangue nostro e non la vita   130
avesti, o cara; e morto
io non son per la tua cruda fortuna.
Qui l'ira al cor, qui la pietade abbonda:
pugnò, cadde gran parte anche di noi:
ma per la moribonda   135
Italia no; per li tiranni suoi.

Padre, se non ti sdegni,
mutato sei da quel che fosti in terra.
Morian per le rutene
squallide piagge, ahi d'altra morte degni,   140
gl'itali prodi; e lor fea l'aere e il cielo
e gli uomini e le belve immensa guerra.
Cadeano a squadre a squadre
semivestiti, maceri e cruenti,
ed era letto agli egri corpi il gelo.   145
Allor, quando traean l'ultime pene,
membrando questa desiata madre,
diceano: oh non le nubi e non i venti,
ma ne spegnesse il ferro, e per tuo bene,
o patria nostra. Ecco da te rimoti,   150
quando piú bella a noi l'età sorride,
a tutto il mondo ignoti,
moriam per quella gente che t'uccide.

Di lor querela il boreal deserto
e conscie fur le sibilanti selve.   155

128. *stracciava*: straziava, lacerava. 129. *ammollir*: mitigare. 132.
per la tua cruda fortuna: per difenderti dai colpi della tua sorte av-
versa. 133. *Qui*: a questo pensiero. – *abbonda*: « trabocca ». Cfr. *Annotazioni*. 139. *rutene*: russe. 140. *squallide piagge*: desolate pianure: « la steppa ». 141. *fea*: faceva. – *l'aere e il cielo*: la rigidezza del
clima. 144. *maceri e cruenti*: scarni e insanguinati. 145. *egri*: ine-
betiti dai patimenti. 146. *traean l'ultime pene*: esalavano l'ultimo respiro, estenuati dalle fatiche. 147. *membrando*: rimembrando. – *madre*: patria. 148. *nubi... venti*: le tempeste di neve. Cfr. v. 141. 151.
quando: nel pieno della giovinezza. 153. *quella gente*: i francesi.
154. *Di lor querela*: dei loro lamenti. 155. *conscie fur*: furono testi-
moni quell'immensa solitudine nordica e le selve attraversate solo dal
vento.

Cosí vennero al passo,
e i negletti cadaveri all'aperto
su per quello di neve orrido mare
dilaceràr le belve;
e sarà il nome degli egregi e forti   160
pari mai sempre ed uno
con quel de' tardi e vili. Anime care,
bench'infinita sia vostra sciagura,
datevi pace; e questo vi conforti
che conforto nessuno   165
avrete in questa o nell'età futura.
In seno al vostro smisurato affanno
posate, o di costei veraci figli,
al cui supremo danno
il vostro solo è tal che s'assomigli.   170

Di voi già non si lagna
la patria vostra, ma di chi vi spinse
a pugnar contra lei,
sí ch'ella sempre amaramente piagna
e il suo col vostro lacrimar confonda.   175
Oh di costei ch'ogni altra gloria vinse
pietà nascesse in core
a tal de' suoi ch'affaticata e lenta
di sí buia vorago e sí profonda
la ritraesse! O glorioso spirto,   180

156. *al passo*: della morte. 158. *mare*: distesa. Corrisponde al latino
« aequor ». 159. *dilaceràr*: dilaniarono. 161. *uno*: tutt'uno. 162.
tardi: a esporre se stessi, a differenza degli *egregi* (v. 160), pronti a
slanciarsi nella mischia. 164-66. Cfr. Virgilio, *Aeneis*, II, 354: « Una
salus victis nullam sperare salutem ». Si vedano i vv. 105 sgg. della
canzone *Per una donna inferma di malattia lunga e mortale*, composta tra il marzo e l'aprile 1819, disapprovata poi dal Leopardi e ap-
parsa postuma a cura di Alessandro d'Ancona nel 1870 (da una copia
di mano di Paolina Leopardi) e a cura del Moroncini (dall'autografo)
nel 1931. E cfr. anche in *Epistolario* la lettera al Giordani del 26 luglio 1819. 168. *posate*: imperativo: riposate, giacete. – *costei*: la patria. – *veraci*: infelici allo stesso modo della loro madre. 169-70. Cfr.
Annotazioni. 172. *di chi*: l'imperialismo napoleonico. 173. *contra
lei*: contro i reali interessi dell'Italia, in modo tale da confermare ancora una volta la fatalità del suo sciagurato destino. 178. *affaticata e
lenta*: cfr. Petrarca, *Rime*, LIII, 12: « vecchia, ozïosa e lenta ». Piuttosto che « intorpidita », intendi « incapace di muoversi, anchilosata
dalle sofferenze ». 179. *vorago*: voragine. 180. *spirto*: Dante.

dimmi: d'Italia tua morto è l'amore?
di': quella fiamma che t'accese, è spenta?
di': né piú mai rinverdirà quel mirto
ch'alleggiò per gran tempo il nostro male?
nostre corone al suol fien tutte sparte?   185
né sorgerà mai tale
che ti rassembri in qualsivoglia parte?

In eterno perimmo? e il nostro scorno
non ha verun confine?
Io mentre viva andrò sclamando intorno,   190
volgiti agli avi tuoi, guasto legnaggio;
mira queste ruine
e le carte e le tele e i marmi e i templi;
pensa qual terra premi; e se destarti
non può la luce di cotanti esempli,   195
che stai? levati e parti.
Non si conviene a sí corrotta usanza
questa d'animi eccelsi altrice e scola:
se di codardi è stanza,
meglio l'è rimaner vedova e sola.   200

183. *mirto*: di gloria, di prestigio. 184. *alleggiò*: alleviò. Cfr. *Annotazioni*. 185. *corone*: di mirto, di gloria. – *fien*: saranno. – *sparte*: sparse. 187. *rassembri*: rassomigli. Cfr. *Annotazioni*. 190. *mentre viva*: finché vivrò. – *sclamando*: esclamando, gridando. 191. *guasto legnaggio*: il popolo degli italiani. 193. La letteratura, la pittura, la scultura e l'architettura. 196. *che stai?*: cfr. *Annotazioni*. – *levati e parti*: alzati e vattene, abbandonando il suolo d'Italia. 197. *usanza*: modo di vivere. 198. *altrice e scola*: madre e maestra. Cfr. *Annotazioni*. 200. *sola*: romita, disabitata. Cfr. *Annotazioni*.

quand'ebbe trovato i libri di Cicerone della « Repubblica »

Composta a Recanati, come « per miracolo », nel gennaio del 1820 (cfr. la lettera al Giordani del 20 maggio 1820, e la lettera al Mai del 27 ottobre dello stesso anno: « La canzone fu scritta nei primi giorni di quest'anno, mentre ferveva la fama del suo magnifico ritrovato ciceroniano »). Quando scrisse la presente canzone, il Leopardi era già da quasi quattro anni in relazione epistolare, sebbene assai parca e ufficiale, con Angelo Mai, il dotto e illustre gesuita bergamasco, infaticabile scopritore di antichi testi. Nato a Schilpario nel 1782, ordinato sacerdote nel 1808, il Mai era stato dal 1810 al 1819 scrittore della Biblioteca Ambrosiana, e, sul finire del 1819, era stato chiamato a Roma, prefetto della Vaticana. Eccellente antiquario e editore benemerito, anche se filologo non insigne, il Mai percorse una brillante carriera: eletto protonotario apostolico nel 1833, fu elevato nel 1838 alla dignità della porpora. Morí a Castel Gandolfo nel 1854. L'inizio della relazione epistolare di Giacomo Leopardi con il futuro cardinale risale al maggio 1816, quando il Leopardi, il quale era stato emozionato dalle importanti scoperte frontoniane del Mai (1815), inviò allo stesso Mai il proprio volgarizzamento delle reliquie di Frontone appena apparse, con il *Discorso* proemiale e il commentario. Il giovanile entusiasmo del Leopardi per la scoperta del Mai, che portava alla luce le opere di un autore, la cui produzione era andata tutta perduta, appare tanto piú giustificato quando si pensi che la scoperta del Mai concerneva un autore che il Leopardi, senza conoscerlo, amava, e al quale in precedenza aveva dedicato un commentario in latino nel giovanilissimo *De vitis et scriptis Rhetorum quorumdam, qui secundo post Christum saeculo, vel primo declinante floruerunt* (1814). A partire dal 1816, si può dire che quasi tutti i lavori propriamente filologici del Leopardi furono originati dalle scoperte o dalle edizioni del Mai: dopo la traduzione di Frontone e il *Discorso*, al quale fecero seguito due altre dissertazioni frontoniane, l'una rimasta incompiuta e l'altra allo stato di appunti (1818), seguirono la traduzione degli *excerpta* delle *Antichità romane* di Dionigi di Alicarnasso, con l'importante intervento relativo in forma di lettera al Giordani (1817), gli studi sulla *Cronaca* di Eusebio (1819-22), e infine quella progettata dissertazione nella quale sarebbero stati rifusi, con tutta probabilità, gli appunti, che si trovano manoscritti alla Nazionale di Firenze, su Simmaco, su Iseo, su Temistio, sull'*Epistola a Marcella* di Porfirio e sui frammenti della *Vidularia* di Plauto, e cioè « sul resto delle scoperte del Mai » (cfr. la lettera al Giordani del 19 marzo 1819). L'entusiasmo via via suscitato nell'animo del Leopardi dalle fortunate scoperte del dotto sacerdote non mancò di manifestarsi anche quando il Mai divulgò la nuova del ritrovamento, in un codice vaticano, del trattato ciceroniano *De re publica* (quasi tutti i primi due libri e ampi frammenti degli altri quattro); « ... il grido delle nuove meraviglie che V.S. sta operando non mi lascia piú forza di contenermi, né mentre tutta l'Europa sta per celebrare la sua preziosa scoperta, mi basta il cuore d'essere degli ultimi a rallegrarmene seco lei, e dimostrare la gioia che ne sento, non solo in comune con tutti gli studiosi, ma anche in particolare per la stima e rispettosa affezione che professo singolarmente a V.S. Ella è proprio un miracolo di mille cose, d'ingegno di gusto di dottrina di diligenza di studio infatigabile, di fortuna tutta nuova ed unica. In somma V.S. ci fa tornare ai tempi dei Petrarca e dei Poggi, quando ogni giorno era illustrato da una nuova scoperta classica, e la maraviglia e la gioia de' letterati non trovava riposo. Ma ora in tanta luce d'erudizione e di critica, in tanta copia di biblioteche, in tanta folla di filologi, V.S. sola, in codici esposti da piú secoli alle ricerche di qualunque studioso, in librerie frequentate da ogni sorta di dotti, scoprir tesori che si piangeano per ismarriti senza riparo sin dal primo rinascimento delle lettere, e il cui ritrovamento non ha avuto mai luogo neppure nelle piú vane e passeggere speranze de' letterati, è un prodigio che vince tutte le maraviglie del trecento e del quattrocento. È gran tempo ch'io avea preparato con grande amore e studio i materiali d'alcune lettere per dimostrare in maniera se non bella né buona, almeno mia propria, le vere ed intime utilità e pregi delle sue scoperte, con una quantità di osservazioni critiche sui particolari di ciascheduna. Ma la mia salute intieramente disfatta, e da nove mesi un'estrema imbecillità de' nervi degli occhi e della testa, che fino m'impedisce di fissare la mente in qualunque pensiero, m'ha levato il poter dar effetto ai miei disegni. A ogni modo, perché lo strepito e lo splendore dell'ultima sua scoperta è tale da risvegliare i piú sonnacchiosi e deboli, mi sono sentito anch'io stimolare dal desiderio di non restar negligente in un successo cosí felice. Ed essendo pur deliberato di raccogliere tutte le mie forze quasi spente per un qual-

che (forse l'ultimo) lavoro intorno alla grand'opera che V.S. sta
per pubblicare, mi fo animo di farle una domanda che a V.S.
non parrà verisimile, fuorché volendo considerare la confidenza
che m'ispira la sua straordinaria benignità, e le molte prove d'affetto ch'Ella non s'è sdegnata di darmi in vari tempi: ed è che
V.S. si voglia compiacere, quando l'opera starà sotto i torchi,
di spedirmene i fogli di mano in mano, acciò che la mia fatica
abbia piú spazio, non potendo essere altro che lentissima per le
cagioni che ho dette... » (Recanati, 10 gennaio 1820). Qualche
giorno dopo avere scritto questa lettera, abbiamo visto come il
Leopardi sfogasse poi il diverso e profondo tumulto del suo entusiasmo e del suo abbattimento nella presente canzone. Composta, come anche s'è visto, di getto, la canzone al Mai fu in-
viata per la stampa a Bologna, a Pietro Brighenti, il 4 febbraio
dello stesso anno, insieme con le due canzoni *Per una donna
inferma di malattia lunga e mortale* e *Nello strazio di una donna fatta trucidare col suo portato dal corruttore per mano ed
arte di un chirurgo*, entrambe composte nella primavera del
1819. In un primo tempo si profilò anche l'evenienza di una
pubblicazione che avrebbe raccolto, oltre alle tre canzoni inedite, anche le due in precedenza stampate a Roma; poi, per il
veto assoluto posto dal padre di Giacomo alla pubblicazione della canzone *Nello strazio di una donna fatta trucidare col suo
portato dal corruttore* e alla ristampa delle due canzoni già edite, il Leopardi si decise per la stampa, a sue spese, soltanto della canzone al Mai (cfr. le lettere di Giacomo a Pietro Brighenti,
dal febbraio al maggio del 1820). La canzone apparve nel luglio dello stesso anno, a Bologna, per i tipi di Jacopo Marsigli,
con una lettera dedicatoria al conte vicentino Leonardo Trissino. Ristampata nelle *Canzoni* (Bologna, 1824), fu poi accolta
nei *Canti*. Quanto al proposito espresso dal Leopardi al Mai, di
scrivere qualcosa intorno all'edizione del trattato ciceroniano,
esso fu in parte mantenuto. Ma il *De re publica* curato dal Mai
non vide la luce che due anni dopo, nel 1822, e quando il Leopardi poté vedere il trattato, durante il suo soggiorno a Roma
dal novembre 1822 all'aprile 1823, scriveva allora al padre:
« Non ho comprato la *Repubblica* del Mai (la quale ho avuto in
prestito e la sto leggendo): e se il mio giudizio è di niun valore,
io La consiglio a non prenderla. Il prezzo, in carta infima, è di
paoli trentatré: la materia non ha niente di nuovo, e le stesse
cose dice il medesimo Cicerone in cento altri luoghi. Di modo
che l'utilità reale di questo libro non vale il suo prezzo. Se si
trattasse di completare una biblioteca o una collezione, non direi cosí: ma noi non siamo nel caso (Roma, 20 dicembre 1822) ».
Ebbe poi in regalo una copia del trattato dallo stesso Mai, « cosa ch'è stata molto ammirata e invidiata » (scriveva al fratello

Carlo, il 10 gennaio 1823), e, nello stesso tempo, si decideva a
pubblicare nelle « Effemeridi letterarie », IX (1822), un articolo
di *Notae in M. T. Ciceronis De re publica*, puramente filologico
e costellato di congetture sicure e felici. « Ti mando uno degli
articoli da me pubblicati qui, — scriveva al fratello Carlo. —
Ti parrà una coglioneria; pur sappi che questo ha fatto che
il Ministro di Prussia desiderasse conoscermi » (12 maggio 1823).
Il Leopardi aveva anche in animo di scrivere una dissertazione
*Della falsa aspettativa di alcuni intorno ai libri di Cicerone del-
la repubblica*, che poi non scrisse, e forse « sarebbe stata in certo modo una palinodia della canzone al Mai » (Timpanaro).

Metro: canzone di dodici strofe, di quindici versi ciascuna,
tutte dello stesso schema.

Italo ardito, a che giammai non posi
di svegliar dalle tombe
i nostri padri? ed a parlar gli meni
a questo secol morto, al quale incombe
tanta nebbia di tedio? E come or vieni   5
sí forte a' nostri orecchi e sí frequente,
voce antica de' nostri,
muta sí lunga etade? e perché tanti
risorgimenti? In un balen feconde
venner le carte; alla stagion presente   10
i polverosi chiostri
serbaro occulti i generosi e santi
detti degli avi. E che valor t'infonde,
Italo egregio, il fato? O con l'umano
valor forse contrasta il fato invano?   15

1. *Italo ardito*: Angelo Mai (cfr. la nostra nota preliminare alla canzone). *Ardito*, a misurarsi con il passato. 3. *i nostri padri*: i padri della civiltà umana: i grandi del passato. – *gli meni*: li conduci. 4. *incombe*: cfr., in appendice, *Annotazioni* cit. 6. *sí forte... sí frequente*: intendi: per l'importanza e per il ritmo incalzante delle scoperte del Mai, le quali si succedevano talvolta a pochi mesi o giorni di distanza. Per i ritrovamenti del Mai che specialmente interessarono il Leopardi si veda la nostra nota preliminare. 7. *de' nostri*: padri: i grandi maestri della civiltà: gli scrittori classici. 9. *risorgimenti*: resurrezione di antichi testi, sepolti dalla dimenticanza dei secoli. 10. *venner*: alla luce. Il senso dell'espressione è però anche quello di « divennero », come si ricava dalla lettera al Mai del 10 gennaio 1820, piú sopra citata: nell'espressione *le carte* sono infatti da ravvisare i codici trascritti dagli amanuensi dell'età media, custoditi nelle biblioteche dei monasteri (*chiostri*) di tutta Europa, e fino alle scoperte del Mai passati inosservati. – *alla stagion presente*: dativo di vantaggio, retto da *serbaro*. 13. *avi*: come prima *padri* (v. 3). 13-15. *E che valor t'infonde* ecc.: « ed è la stessa legge delle cose umane a infondere in te stesso tanta capacità; o forse la legge della realtà, contraria per solito alle cose umane, combatte questa volta invano contro il tuo possente valore? » Cfr. Petrarca, *Rime*, LIII, 85-86: « Rade volte adiven ch'a l'alte imprese | fortuna ingiuriosa non contrasti ». Per l'espressione *il fato*, cfr. la canzone *All'Italia*, vv. 65-67. Per l'uso di « contrastare con », cfr. *Annotazioni* cit.

Certo senza de' numi alto consiglio
non è ch'ove piú lento
e grave è il nostro disperato obblio,
a percoter ne rieda ogni momento
novo grido de' padri. Ancora è pio   20
dunque all'Italia il cielo; anco si cura
di noi qualche immortale:
ch'essendo questa o nessun'altra poi
l'ora da ripor mano alla virtude
rugginosa dell'itala natura,   25
veggiam che tanto e tale
è il clamor de' sepolti, e che gli eroi
dimenticati il suol quasi dischiude,
a ricercar s'a questa età sí tarda
anco ti giovi, o patria, esser codarda.   30

Di noi serbate, o gloriosi, ancora
qualche speranza? in tutto
non siam periti? A voi forse il futuro
conoscer non si toglie. Io son distrutto
né schermo alcuno ho dal dolor, che scuro   35
m'è l'avvenire, e tutto quanto io scerno
è tal che sogno e fola
fa parer la speranza. Anime prodi,
ai tetti vostri inonorata, immonda
plebe successe; al vostro sangue è scherno   40

16-20. *Certo senza de' numi* ecc.: « Non è certo senza un provvidenzia-
le volere (*consiglio*) divino, che, ogni qualvolta piú profondo diviene il
nostro letargo, proprio allora l'incitamento dei nostri avi, che si rinnova continuamente, torna a riscuoterci ». Cfr. Monti, *Alla Marchesa Ma-
laspina*, vv. 6-7: « Non è, donna immortal, senza consiglio | che al tuo
nome li sacro ». 18. *obblio*: dei padri. 19. *rieda*: ritorni. – *ogni
momento*: ad ogni momento. 20-21. *pio... all'Italia*: pietoso dell'Italia. 23. *ch'*: in quanto. 24. *da ripor mano* ecc.: di metter nuovamente mano alla spada, di riattivare le facoltà arrugginite. 27. *clamor*: il grido del v. 20. 27-28. *sepolti... dimenticati*: cfr. i vv. 1-13.
29. *a ricercar*: dipende da *quasi dischiude* del verso precedente: la
terra sprigiona, disseppellisce, manda fuori gli eroi a ricercare, ecc. –
a questa età sí tarda: dopo cosí lungo corso di secoli. 30. *anco*: ancora. 34. *non si toglie*: non è *tolto*, non è vietato. – *Io son distrutto*:
cfr. le lettere a Pietro Giordani del 19 novembre e 17 dicembre del
1819 e quelle del 10 e 14 gennaio 1820. 36. *scerno*: riesco a distinguere. 37. *fola*: favola, illusione. 40. *al vostro sangue*: per i vostri discendenti. – *scherno*: oggetto di scherno.

e d'opra e di parola
ogni valor; di vostre eterne lodi
né rossor piú né invidia; ozio circonda
i monumenti vostri; e di viltade
siam fatti esempio alla futura etade.   45

Bennato ingegno, or quando altrui non cale
de' nostri alti parenti,
a te ne caglia, a te cui fato aspira
benigno sí che per tua man presenti
paion que' giorni allor che dalla dira   50
obblivione antica ergean la chioma,
con gli studi sepolti,
i vetusti divini, a cui natura
parlò senza svelarsi, onde i riposi
magnanimi allegrâr d'Atene e Roma.   55
Oh tempi, oh tempi avvolti

42-43. *di vostre*: « Al cospetto della vostra gloria nessuno arrossisce piú
di vergogna, per esserne indegno, né sente invidia per il desiderio di
emularla ». 43. *ozio*: l'indifferenza. 44. *i monumenti vostri*: le opere
che vi hanno reso immortali (*monumento*, dal latino « moneo », è
tutto ciò che è destinato a suscitare il ricordo). 46. *altrui non cale*:
a nessuno importa. 47. *parenti*: padri. 48. *aspira*: cfr. *Annotazioni*.
50. *giorni*: tempi, del Rinascimento. Cfr. la lettera al Mai citata nella
nota subito in testa alla canzone. – *dira*: funesta. 51. *antica*: sta per
« secolare ». Cfr. *Sopra il monumento di Dante*, v. 4. – *ergean la chioma*: risollevavano il capo: risorgevano. 53. *i vetusti*: i grandi del-
l'antichità. – *divini*: felici di una inconscia armonia e pienezza di vita.
54. *parlò*: ispirandolo. – *senza svelarsi*: senza rivelare la coperta e misteriosa nullità del destino umano. « Vuol dire che la natura non si
era svelata nella sua verità e nudità, e compariva vestita di tutte le sue
illusioni, che erano il suo velo ingannevole. La frase è troppo rapida
nella sua profondità; è un pensiero che balena e che sarà piú tardi la
base di un'altra canzone [*Alla primavera o delle favole antiche*] » (De
Sanctis). Cfr. l'*Annuncio delle Annotazioni*. 54-55. *i riposi magnanimi*: frapposti a grandi e nobili azioni. Da piú luoghi appare che il
Leopardi riconosceva la superiorità dell'agire rispetto al pensare. Cfr.
per esempio la dedicatoria della presente canzone: « Nondimeno re-
standoci in luogo d'affare quel che i nostri antichi adoperavano in
forma di passatempo, non tralasceremo gli studi, quando anche niuna
gloria ce ne debba succedere, e non potendo giovare altri colle azioni
applicheremo l'ingegno a dilettare colle parole ». – *d'Atene e Roma*:
dei Greci e dei Romani. « Quei popoli erano felici, perché natura parlava a loro velata, ed essi prendevano quel velo per la natura essa medesima » (De Sanctis). 56. *Oh tempi* ecc.: del Rinascimento, sepolti
per sempre.

in sonno eterno! Allora anco immatura
la ruina d'Italia, anco sdegnosi
eravam d'ozio turpe, e l'aura a volo
piú faville rapia da questo suolo.   60

Eran calde le tue ceneri sante,
non domito nemico
della fortuna, al cui sdegno e dolore
fu piú l'averno che la terra amico.
L'averno: e qual non è parte migliore   65
di questa nostra? E le tue dolci corde
susurravano ancora
dal tocco di tua destra, o sfortunato
amante. Ahi dal dolor comincia e nasce
l'italo canto. E pur men grava e morde   70
il mal che n'addolora
del tedio che n'affoga. Oh te beato,

59. *ozio turpe*: contrapposto a *riposi magnanimi* dei vv. 54-55. Cfr.
i vv. 43-44. 60. *piú faville*: prima che tutto diventasse cenere. 62-
63. *nemico della fortuna* ecc.: Dante (1265-1321). Cfr. *Inf.*, II, 61:
« L'amico mio e non della ventura ». 64. *L'averno*: l'inferno, per
dove si aggirò la fantasia di Dante. 65. *parte*: dell'universo. 66.
dolci corde: figuratamente, della poesia lirica. 68-69. *sfortunato amante*: Petrarca (1304-74). 70-72. *E pur* ecc.: « Il dolore o la disperazione che nasce dalle grandi passioni e illusioni o da qualunque sventura della vita, non è paragonabile all'affogamento che nasce dalla certezza e dal sentimento vivo della nullità di tutte le cose, e della
impossibilità di esser felice a questo mondo, e dalla immensità del
vuoto che si sente nell'anima. Le sventure o d'immaginazione o reali,
potranno anche indurre il desiderio della morte, o anche far morire,
ma quel dolore ha piú della vita, anzi, massimamente se proviene da
immaginazione e passione, è pieno di vita, e quest'altro dolore ch'io
dico è tutto morte; e quella medesima morte prodotta *immediatamente* dalle sventure è cosa piú viva, laddove quest'altra è piú sepolcrale, senz'azione senza movimento senza calore, e quasi senza dolore,
ma piuttosto con un'oppressione smisurata e un accoramento simile a
quello che deriva dalla paura degli spettri nella fanciullezza, o dal pensiero dell'inferno. Questa condizione dell'anima è l'effetto di somme
sventure reali, e di una grand'anima piena una volta d'immaginazione
e poi spogliatane affatto, e anche di una vita cosí evidentemente nulla e
monotona, che renda sensibile e palpabile la vanità delle cose, perché senza ciò la gran varietà delle illusioni che la misericordiosa natura
ci mette innanzi tuttogiorno, impedisce questa fatale e sensibile evidenza. E perciò non ostante che questa condizione dell'anima sia ra-
gionevolissima anzi la sola ragionevole, con tutto ciò essendo contra-
rissima anzi la piú direttamente contraria alla natura, non si sa se non
di pochi che l'abbiano provata, come del Tasso », *Zibaldone*, 140-41,
in data 27 giugno 1820.

a cui fu vita il pianto! A noi le fasce
cinse il fastidio; a noi presso la culla
immoto siede, e su la tomba, il nulla.   75

Ma tua vita era allor con gli astri e il mare,
ligure ardita prole,
quand'oltre alle colonne, ed oltre ai liti
cui strider l'onde all'attuffar del sole
parve udir su la sera, agl'infiniti   80
flutti commesso, ritrovasti il raggio
del Sol caduto, e il giorno
che nasce allor ch'ai nostri è giunto al fondo;
e rotto di natura ogni contrasto,
ignota immensa terra al tuo viaggio   85
fu gloria, e del ritorno
ai rischi. Ahi ahi, ma conosciuto il mondo
non cresce, anzi si scema, e assai piú vasto

74-75. *presso la culla... e su la tomba*: dalla nascita alla morte. 76. *Ma*:
avversativo dei vv. 73-75. 77. *prole*: Cristoforo Colombo (1447-1506).
78. *alle colonne*: d'Ercole. Lo stretto di Gibilterra. – *ai liti*: della pe-
nisola iberica. Cfr., in appendice, *Note ai Canti* e *Annotazioni* cit. Si
veda anche il *Saggio sopra gli errori popolari degli antichi*, cap. IX.
79. *strider*: cfr. Monti, *Musogonia*, vv. 359-60: « Là dove Atlante lo
stridore ascolta | del gran carro febeo che in mar dà volta ». Si veda
anche la canzone *All'Italia*, v. 122. 81. *ritrovasti*: agli antipodi. 83.
ai nostri: liti. 84. *rotto... ogni contrasto*: superato ogni ostacolo.
Quasi: infranta ogni legge. 87-90. *conosciuto il mondo* ecc.: cfr.
Zibaldone, 1464-65: « La scienza distrugge i principali piaceri del-
l'animo nostro, perché determina le cose e ce ne mostra i confini, benché in moltissime cose abbia materialmente ingrandito d'assaissimo le
nostre idee. Dico materialmente e non già spiritualmente, giacché, per
esempio, la distanza dal sole alla terra era assai maggiore nella mente
umana quando si credeva di poche miglia, né si sapeva quante, di
quello che ora che si sa essere di tante precise migliaia di miglia.
Cosí la scienza è nemica della grandezza delle idee, benché abbia smi-
suratamente ingrandito le opinioni naturali. Le ha ingrandite come
idee chiare, ma una piccolissima *idea confusa* è sempre maggiore di
una grandissima, affatto *chiara*. L'incertezza se una cosa sia o non sia
del tutto, è pur fonte di una grandezza, che vien distrutta dalla certezza che la cosa realmente è. Quanto maggiore era l'idea degli Antipodi, quando il Petrarca diceva *forse* esistono, di quello che appena
fu saputo che esistevano. Ciò che dico della scienza, dico dell'esperienza ec. ec. La maggiore anzi la sola grandezza di cui l'uomo possa
confusamente appagarsi, è l'indeterminata, come risulta pure dalla mia
teoria del piacere (7 agosto 1821). Quindi l'ignoranza, la quale sola
può nascondere i confini delle cose, è la fonte principale delle idee ec.
indefinite. Quindi è la maggior sorgente di felicità, e perciò la fan-

l'etra sonante e l'alma terra e il mare
al fanciullin, che non al saggio, appare.   90

Nostri sogni leggiadri ove son giti
dell'ignoto ricetto
d'ignoti abitatori, o del diurno
degli astri albergo, e del rimoto letto
della giovane Aurora, e del notturno   95
occulto sonno del maggior pianeta?
Ecco svaniro a un punto,
e figurato è il mondo in breve carta;
ecco tutto è simíle, e discoprendo,
solo il nulla s'accresce. A noi ti vieta   100
il vero appena è giunto,
o caro immaginar; da te s'apparta
nostra mente in eterno; allo stupendo
poter tuo primo ne sottraggon gli anni;
e il conforto perí de' nostri affanni.   105

Nascevi ai dolci sogni intanto, e il primo
sole splendeati in vista,
cantor vago dell'arme e degli amori,

ciullezza è l'età piú felice dell'uomo, la piú paga di se stessa, meno
soggetta alla noia. L'esperienza mostra necessariamente i confini di
molte cose anche all'uomo naturale e insocievole ». Il pensiero è svolto nella stanza seguente.   89. *etra sonante*: la sfera dell'aria, « la quale
si è l'elemento destinato al suono » (Leopardi). − *alma*: fertile, materna.   91. *Nostri*: della umanità. − *sogni*: immaginazioni. Per i versi
che seguono sui primi abitatori della terra, sulla dimora degli astri durante il giorno, del sole durante la notte, cfr. il *Saggio sopra gli errori
popolari* e le *Annotazioni*. − *giti*: andati.   95. *del notturno* ecc.: cfr.
Annotazioni.   97. *a un punto*: d'un tratto.   98. *carta*: geografica.
99. *tutto è simíle*: uniforme, parificato dall'obiettività, neutro e cimi-
teriale come se tutta la realtà fosse il museo di se stessa. − *discoprendo*: cfr. *Annuncio* cit.: « Piú scoperte si fanno nelle cose naturali, e
piú si accresce nella nostra immaginazione la nullità dell'universo ».
100. *ti vieta*: ti toglie.   102. *s'apparta*: si separa.   104. *ne*: ci.   105.
il conforto: il meraviglioso potere dell'illusione, cfr. è della giovinezza
dell'uomo e di quella del mondo. Il concetto è ampiamente svolto
nella canzone *Alla primavera*.   106. *Nascevi ai dolci sogni*: entravi
nell'età dei dolci sogni, e nello stesso tempo ti schiudevi ai dolci sogni
della tua poesia. − *intanto*: mentre Colombo scopriva l'America (1492).
Cfr. vv. 76-90.   107. *sole*: della gioventú. − *in vista*: allo sguardo.
108. *cantor vago*: Ludovico Ariosto (1474-1533). − *dell'arme e degli
amori*: cfr. *Orlando furioso*, I, 1: « Le donne, i cavalier, l'arme, gli
amori ». Il primo emistichio del verso trovasi ripreso al v. 112.

che in età della nostra assai men trista
empièr la vita di felici errori: 110
nova speme d'Italia. O torri, o celle,
o donne, o cavalieri,
o giardini, o palagi! a voi pensando,
in mille vane amenità si perde
la mente mia. Di vanità, di belle   115
fole e strani pensieri
si componea l'umana vita: in bando
li cacciammo: or che resta? or poi che il verde
è spogliato alle cose? Il certo e solo
veder che tutto è vano altro che il duolo.   120

O Torquato, o Torquato, a noi l'eccelsa
tua mente allora, il pianto
a te, non altro, preparava il cielo.
Oh misero Torquato! il dolce canto
non valse a consolarti o a sciorre il gelo   125
onde l'alma t'avean, ch'era sí calda,
cinta l'odio e l'immondo
livor privato e de' tiranni. Amore,
amor, di nostra vita ultimo inganno,
t'abbandonava. Ombra reale e salda   130
ti parve il nulla, e il mondo

110. *empièr*: riempirono. – *felici errori*: le favolose fantasie cavalleresche
e in genere i sogni che « rallegrano » la vita. 111. *nova speme*: ri-
tornante speranza. Riferito a *cantor vago* del v. 108. – *torri*: da riferire ad *arme*. – *celle*: stanze, segrete. Da riferire ad *amori*. Il mondo cavalleresco dell'*Orlando furioso*. 114. *vane*: illusorie. 115-16.
vanità... fole... pensieri: illusioni. – *strani*: stranieri, appartenenti a
una realtà portentosa: irreali e fantastici. 118. *il verde*: delle illusioni vivificanti: l'interpretazione metaforica della realtà. Quanto dire
il regno della speranza. 119. *Il certo e solo* ecc.: l'interpretazione
letterale della realtà, che parifica tutte le cose nel museo inerte del
nulla. Cfr. il v. 75: *immoto... il nulla* e 99: *ecco tutto è simile*.
120. *altro che il duolo*: fuor che il dolore. 121. *Torquato*: Tasso
(1544-95). 122. *allora*: al colmo del Rinascimento, quando ancora
viveva l'Ariosto. 124. *il dolce canto*: la tua poesia. 125. *sciorre*:
sciogliere. 126. *onde*: di cui. 127. *l'immondo* ecc.: la sorda e vile
invidia dei cortigiani e letterati, e degli stessi Estensi. L'immagine del
Tasso è ritratta secondo la tradizione. 129. *ultimo inganno*: l'ultima
delle illusioni. Sempre secondo la tradizione, riferendosi all'amore infelice del poeta per Eleonora d'Este. 130. *Ombra reale e salda* ecc.:
arrivasti a percepire la solida e squallida concretezza del nulla, e a
concepire tutto il mondo come un desolato fantasma. Cfr. la lettera al
Giordani del 6 marzo 1820: « Non c'è altro vero che il nulla » e

inabitata piaggia. Al tardo onore
non sorser gli occhi tuoi; mercè, non danno,
l'ora estrema ti fu. Morte domanda
chi nostro mal conobbe, e non ghirlanda.   135

Torna torna fra noi, sorgi dal muto
e sconsolato avello,
se d'angoscia sei vago, o miserando
esemplo di sciagura. Assai da quello
che ti parve sí mesto e sí nefando,   140
è peggiorato il viver nostro. O caro,
chi ti compiangeria,
se, fuor che di se stesso, altri non cura?
chi stolto non direbbe il tuo mortale
affanno anche oggidí, se il grande e il raro   145
ha nome di follia;
né livor piú, ma ben di lui piú dura
la noncuranza avviene ai sommi? o quale,
se piú de' carmi, il computar s'ascolta,
ti appresterebbe il lauro un'altra volta?   150

Da te fino a quest'ora uom non è sorto,
o sventurato ingegno,
pari all'italo nome, altro ch'un solo,

quella al Jacopssen del 13 giugno 1823: « Le néant des choses était
pour moi la seule chose qui existait. Il m'était toujours présent comme
un fantôme affreux; je ne voyais qu'un désert autour de moi ». E cfr.
anche *Zibaldone*, 85: « Io era spaventato nel trovarmi in mezzo al
nulla, un nulla io medesimo. Io mi sentiva come soffocare, considerando e sentendo che tutto è nulla, solido nulla ». 132. *tardo onore*:
l'incoronazione in Campidoglio coincisa con la sua morte. Cfr. *Note ai
Canti e Annotazioni* cit. 133. *non sorser*: non si levarono. – *mercè*:
dono del cielo. 135. *nostro mal*: l'umana miseria. – *e non ghirlanda*:
e non il lauro della gloria. 138. *vago*: desideroso. 142. *chi ti compiangeria*: chi potrebbe condividere il tuo affanno, intenderne il significato. 143. *se... cura*: cfr. la lettera al Brighenti del 28 agosto 1820:
« Tutte le classi sono appestate dall'egoismo distruttore di tutto il bello
e di tutto il grande ». 145. *il raro*: tutto ciò che è fuori dell'ordinario.
148. *avviene*: è data in sorte. – *quale*: chi. 149. *il computar*: cfr.
Zibaldone, 1378: « È vergognoso che il calcolo ci renda meno magnanimi, meno coraggiosi delle bestie. Da ciò si può vedere quanto la
grand'arte del computare, sí propria de' nostri tempi, giovi e pro-
muova la grandezza delle cose, delle azioni, della vita, degli avvenimenti, degli animi, dell'uomo (23 luglio 1821) ». 153. *pari all'italo
nome*: degno della gloria d'Italia.

solo di sua codarda etate indegno
Allobrogo feroce, a cui dal polo   155
maschia virtú, non già da questa mia
stanca ed arida terra,
venne nel petto; onde privato, inerme,
(memorando ardimento) in su la scena
mosse guerra a' tiranni: almen si dia   160
questa misera guerra
e questo vano campo all'ire inferme
del mondo. Ei primo e sol dentro all'arena
scese, e nullo il seguí, che l'ozio e il brutto
silenzio or preme ai nostri innanzi a tutto.   165

Disdegnando e fremendo, immacolata
trasse la vita intera,
e morte lo scampò dal veder peggio.
Vittorio mio, questa per te non era
età né suolo. Altri anni ed altro seggio   170
conviene agli alti ingegni. Or di riposo
paghi viviamo, e scorti
da mediocrità: sceso il sapiente
e salita è la turba a un sol confine,

155. *Allobrogo*: Vittorio Alfieri (1749-1803). Cfr. Parini, *Il Dono*, 1: « fero allobrogo ». Gli allobrogi, antico popolo delle Alpi occidentali: per estensione, i piemontesi. − *feroce*: fiero, magnanimo. − *dal polo*: dal cielo. Cfr. *Annotazioni* cit. 158. *privato*: cittadino. 159. *memorando ardimento*: cfr. lo stesso Alfieri, *Del Principe e delle lettere*, libro III: « Ispiratemi or voi non meno che salde ragioni, virile e memorando ardimento ». − *in su la scena*: in teatro, con le sue tragedie d'ispirazione civile. Cfr. Parini, *Il Dono*, 3-5: « Incise col terribile | odiator de' tiranni | pugnale ». 160. *si dia*: sia concessa. 161. *misera*: inerme: di parole. 162. *campo*: d'azione. − *all'ire inferme*: alle ire impotenti dell'uomo inerme, del « profeta disarmato ». Retto da *si dia*. 163. *all'arena*: nel vivo della lotta. Cfr. la lettera al Missirini del 15 gennaio 1825: « Quel grande scopo nazionale di Alfieri, del quale principalmente intesi parlare quando dissi che niuno era per anche sceso nell'arena dietro a quel tragico ». 164. *nullo*: nessuno. − *che*: poiché. 164-65. *il brutto silenzio*: il vergognoso silenzio che circonda le cose della patria. 165. *preme*: sta a cuore. − *ai nostri*: contemporanei. 166. *Disdegnando*: la tirannide e nello stesso tempo l'ignavia dei popoli. Cfr. Foscolo, *Sepolcri*, 190: « Irato a' patrii numi ». 168. *lo scampò dal*: cfr. *Annotazioni* cit. 169. *questa*: la presente: dell'Alfieri e, ancora piú misera dopo pochi decenni, del Leopardi. 170. *seggio*: sede, luogo. Corrisponde a *suolo*, come *anni* a *età*. 171. *riposo*: l'*ozio* del v. 164. 172. *scorti*: guidati. 173. *da*: dalla. 174. *a un sol confine*: allo stesso livello.

che il mondo agguaglia. O scopritor famoso,   175
segui; risveglia i morti,
poi che dormono i vivi; arma le spente
lingue de' prischi eroi; tanto che in fine
questo secol di fango o vita agogni
e sorga ad atti illustri, o si vergogni.   180

175. *O scopritor*: riprende a rivolgersi al Mai.   176. *segui*: prosegui
nella tua opera.   177. *arma*: ravviva. Cfr. i vv. 23-25.   178. *de'*
prischi eroi: dei grandi dell'antichità. – *in fine*: finalmente.   179.
secol di fango: cfr. il *secol morto* del v. 4. – *vita agogni*: desideri
tornare a vivere. Nella lettera al Brighenti del 28 agosto 1820: « Il
mondo senza entusiasmo, senza magnanimità di pensieri, senza nobiltà di azioni, è cosa piuttosto morta che viva ».   180. *o si vergogni*:
o almeno abbia vergogna della propria bassezza.

IV. *Nelle nozze della sorella Paolina*

Composta a Recanati fra l'ottobre e il novembre 1821, in occasione delle nozze, che poi non ebbero luogo, della sorella Paolina con un maturo benestante, Andrea Peroli, di Sant'Angelo in Vado. Cfr. la lettera al Giordani del 13 luglio 1821: « La mia Paolina questo gennaio sarà sposa in una città dell'Urbinate, non grande, non bella, ma con persona comoda [*agiata*], liberissima [*liberalissima*] e umana » e le lettere allo stesso Giordani del 6 agosto e del 26 ottobre di quell'anno. Era « un matrimonio alla moda, cioè d'interessi » (Leopardi). Paolina, minore di due anni di Giacomo (era nata il 6 ottobre 1800), sfumate questa e altre occasioni matrimoniali, morí nubile nel 1869. Era donna di temperamento tutt'altro che ordinario, appassionata di musica, e, probabilmente, molto intelligente: a lei quanto a Giacomo nocque certamente il chiuso e pretesco ambiente recanatese. Tradusse dal francese una *Vita di Mozart*, che fu sul punto di vedere la luce: « Poi la censura di costí ne tolse i piú piccanti pezzi e mi fece gran rabbia; la nipote di Mozart che trovavasi in Bologna ne volle copia da mio fratello e se la portò in Germania » (lettera all'amica Marianna Brighenti, del 18 luglio 1838). Attenta lettrice prediligeva, fra gli altri, i romanzi di Stendhal (« Ho riveduto qui il tuo Stendhal, che è console di Francia, come saprai, a Civitavecchia », le scrisse una volta Giacomo da Firenze, il 31 agosto 1832). Insieme al fratello Carlo fu compagna inseparabile dei giochi, delle finte battaglie e delle fantasticherie infantili di Giacomo e, come Carlo, avida ascoltatrice delle storie da lui inventate. L'« abatino » e « don Paolo » la chiamavano i due fratelli, per i suoi capelli corti e la veste scura. Ebbe per Giacomo (o, come ella era solito chiamarlo, il suo « Mucciaccio ») grande affetto e venerazione: e questi la ricambiò sempre con una profonda tenerezza. *Nelle nozze* fu pubblicata per la prima volta nelle *Canzoni* (Bologna 1824) e accolta nei *Canti* fin dalla prima edizione (Firenze 1831). Si vedano l'abbozzo *Dell'educare la gioventú italiana* e l'appunto del '21, conservato tra le carte napoletane: « A Virginia Romana Canzone dove si finga di vedere in sogno l'ombra di Lei, e di parlargli teneramente tanto sul suo fatto quanto sui mali presenti d'Italia ».

Metro: canzone di sette strofe, ciascuna di quindici versi. Lo schema è lo stesso in tutte, con una differenza in quella centrale.

Poi che del patrio nido
i silenzi lasciando, e le beate
larve e l'antico error, celeste dono,
ch'abbella agli occhi tuoi quest'ermo lido,
te nella polve della vita e il suono   5
tragge il destin; l'obbrobriosa etate
che il duro cielo a noi prescrisse impara,
sorella mia, che in gravi
e luttuosi tempi
l'infelice famiglia all'infelice   10
Italia accrescerai. Di forti esempi
al tuo sangue provvedi. Aure soavi
l'empio fato interdice

1. *Poi che*: dal momento che. – *dal patrio nido*: della casa paterna. 3. *larve*: sogni. – *antico error* ecc.: « Vuol dire le illusioni della
prima età » (Carlo Leopardi nella lettera a Prospero Viani del 13 agosto 1870, in *Appendice* all'*Epistolario*, a cura di P. Viani, Firenze
1878). 4. *quest'ermo lido*: questo luogo romito, circondato dal silenzio: Recanati. 5. *nella polve della vita e il suono*: nel frastuono e
nella polvere della vita. Nello stradone, nella carrozzabile della vita.
Cfr., in appendice, *Annotazioni* cit. 6. *tragge*: trae. – *l'obbrobriosa
etate*: presente: oziosa e vituperosa. Cfr. *Ad Angelo Mai*, vv. 4-5, 38-40,
57-59, 164-65 e 179. 7. *impara*: a conoscere. 8. *che*: tu che. 11-12.
Di forti... provvedi: impartisci ai tuoi figli un'educazione ispirata a
esempi di fortezza. 12-15. *Aure soavi* ecc.: « L'ingiustizia del destino
impedisce all'uomo virtuoso di navigare nel mare della vita spinto dal
favore del vento, e soltanto chi sia stato educato alla fortezza e pos-
sieda un cuore temprato è perciò in grado di mantenersi virtuoso ».
– *gracil*: da intendere soprattutto in un senso morale, che però non
contraddice a quell'idea espressa in piú luoghi dello *Zibaldone* sulla
necessità di una vigorosa educazione fisica. Cfr. *Zibaldone*, 115: « Gli
esercizi con cui gli antichi si procacciavano il vigore del corpo non
erano solamente utili alla guerra, o ad eccitare l'amor della gloria ecc.,
ma contribuivano, anzi erano necessari a mantenere il vigor dell'ani-

all'umana virtude,
né pura in gracil petto alma si chiude.   15

O miseri o codardi
figliuoli avrai. Miseri eleggi. Immenso
tra fortuna e valor dissidio pose
il corrotto costume. Ahi troppo tardi,
e nella sera dell'umane cose,   20
acquista oggi chi nasce il moto e il senso.
Al ciel ne caglia: a te nel petto sieda
questa sovr'ogni cura,
che di fortuna amici
non crescano i tuoi figli, e non di vile   25
timor gioco o di speme: onde felici
sarete detti nell'età futura:

mo, il coraggio, le illusioni, l'entusiasmo che non saranno mai in un
corpo debole (vedete gli altri miei pensieri) in somma quelle cose che
cagionano la grandezza e l'eroismo delle nazioni. Ed è cosa già osser-
vata che il vigor del corpo nuoce alle facoltà intellettuali, e favorisce
le immaginative, e per lo contrario l'imbecillità del corpo è favorevo-
lissima al riflettere (7 giugno 1820), e chi riflette non opera, e poco
immagina, e le grandi illusioni non sono fatte per lui »; e *ivi*, 255:
« Nel corpo debole non alberga coraggio, non fervore, non altezza di
sentimenti, non forza di illusioni ec. (30 settembre 1820). Nel corpo
servo anche l'anima è serva ». Per la metafora *Aure soavi* ecc., cfr.
Ad Angelo Mai, vv. 48-49. 16. *miseri*: infelici, ma virtuosi. – *codardi*: vili, ma fortunati. 17. *Miseri eleggi*: preferisci che siano infelici
e sfortunati, piuttosto che conformisti, arrendevoli al *corrotto costume* del v. 19. – *Immenso*: da riferire a *dissidio* del verso seguente:
incolmabile. 19. *il corrotto costume*: dell'età presente, il « secol morto », il « secol di fango » (cfr. *Ad Angelo Mai*, vv. 4 e 179). Sto-
ricizza l'*empio fato* del v. 13, in conformità di quell'idea della decadenza e del progressivo invecchiamento del genere umano, che è svi-
luppata nei versi che seguono e già si delinea con chiarezza nella
canzone al Mai. Si tenga inoltre ben a mente che il punto di vista
da cui Leopardi guarda al proprio secolo è l'età della Restaurazione
nello Stato pontificio. – *Ahi troppo tardi*: per essere al tempo stesso
virtuosi e felici. 20. *nella sera* ecc.: nel crepuscolo delle illusioni e
delle antiche immaginazioni dell'umanità, ormai prossima alle soglie
del nulla. Cfr. *Ad Angelo Mai*, vv. 115-20. 21. *acquista... il moto e
il senso*: comincia a vivere. Cfr. Rucellai, *Le api*, v. 690: « Avere il
moto, il senso e la ragione ». 22. *Al ciel ne caglia*: delle sorti del
genere umano si dia pensiero il cielo. – *sieda*: stia salda. 23. *questa*: prolessi: anticipa *che di fortuna* ecc. dei versi seguenti. 25-26.
non... gioco: sottintendi « crescano »: non divengano il trastullo della
mutevole fortuna. 26. *timor*: di perdere la fortuna. – *speme*: di ac-
crescerla. 26-27. *felici sarete detti*: sarete onorati, madre e figli. La
morte colmerà il divario inconciliabile tra la felicità e l'esercizio del-

poiché (nefando stile,
di schiatta ignava e finta)
virtú viva sprezziam, lodiamo estinta.   30

Donne, da voi non poco
la patria aspetta; e non in danno e scorno
dell'umana progenie al dolce raggio
delle pupille vostre il ferro e il foco
domar fu dato. A senno vostro il saggio   35
e il forte adopra e pensa; e quanto il giorno
col divo carro accerchia, a voi s'inchina.
Ragion di nostra etate
io chieggo a voi. La santa
fiamma di gioventú dunque si spegne   40
per vostra mano? attenuata e franta
da voi nostra natura? e le assonnate
menti, e le voglie indegne,
e di nervi e di polpe
scemo il valor natio, son vostre colpe?   45

Ad atti egregi è sprone
amor, chi ben l'estima, e d'alto affetto

la virtú. Riconosciuta la vostra virtú dopo la morte, sarete detti felici.
28. *nefando*: inqualificabile. – *stile*: usanza. 29. *ignava*: « Dà la
ragione del disprezzo, onde la presente età prosegue la virtú nei vivi; e il *finta* della lode, ond'essa la celebra negli estinti » (Straccali).
30. *virtú* ecc.: cfr. Orazio, *Carm.*, III, 24: « Quatenus (heu nefas!)
| virtutem incolumem odimus | sublatam ex oculis quaerimus invidi »;
e l'anonimo poeta greco, citato da Stobeo (125, 12): « Δεινοί γὰρ ἀνδρὶ
πάντες ἐσμὲν εὐκλεεῖ | ζῶντι φθονῆσαι, κατθανόντα δ'αἰνέσαι », che
nella traduzione del Franco suona: « Chi si acquista bel nome in-
vidi tutti | vivo sprezziamo e celebriamo estinto ». 33. *al dolce rag-
gio* ecc.: fu assegnato alla femminilità il sovrano potere della bellezza.
Cfr. l'anacreontica 24: « γυναιξὶν... | δίδωσι κάλλος | ἀντ'ἀσπίδων
ἀπασῶν, | ἀντ'ἐγχέων ἀπάντων· | νικᾷ δὲ καὶ σίδηρον | καὶ πῦρ
καλή τις οὖσα » (« Alle donne... diede la bellezza invece di ogni
scudo, invece di ogni lancia. Vince anche il ferro e il fuoco colei che
è bella »). 35. *A senno vostro* ecc.: il pensiero e l'azione degli uomini
sono guidati dalla vostra indole. Il *forte* opera e il *saggio* pensa, per
piacere a voi. 36. *quanto* ecc.: il mondo. 37. *divo carro*: del sole.
38. *Ragion*: dell'obbrobrio. Cfr il v. 6 e la nota relativa. 39. *La santa* ecc.: il disinteressato, ardente entusiasmo della gioventú. 41. *attenuata e franta*: indebolita e frantumata. 42. *assonnate*: cfr. *Ad Angelo
Mai*, v. 177. 44. *nervi... polpe*: energia e forza (*polpe*: muscoli). 45.
scemo: cfr. *Annotazioni alle Canzoni*. 46. *Ad atti egregi*: cfr. Foscolo, *Sepolcri*, v. 151: « A egregie cose il forte animo accendono ».
47. *chi ben l'estima*: cfr. Petrarca, *Rime*, CCCLX, v. 139.

maestra è la beltà. D'amor digiuna
siede l'alma di quello a cui nel petto
non si rallegra il cor quando a tenzone   50
scendono i venti, e quando nembi aduna
l'olimpo, e fiede le montagne il rombo
della proceila. O spose,
o verginette, a voi
chi de' perigli è schivo, e quei che indegno   55
è della patria e che sue brame e suoi
volgari affetti in basso loco pose,
odio mova e disdegno;
se nel femmineo core
d'uomini ardea, non di fanciulle, amore.   60

Madri d'imbelle prole
v'incresca esser nomate. I danni e il pianto
della virtude a tollerar s'avvezzi
la stirpe vostra, e quel che pregia e cole
la vergognosa età, condanni e sprezzi;   65
cresca alla patria, e gli alti gesti, e quanto
agli avi suoi deggia la terra impari.
Qual de' vetusti eroi
tra le memorie e il grido
crescean di Sparta i figli al greco nome;   70
finché la sposa giovanetta il fido

---

48. *beltà*: cfr. Testi, nella canzone *Alma io non ho di pietra*: «Beltà
ne l'arme spira | brame d'onor, fiamme di gloria e puote | a magnani-
mo cor dar forze ignote». 49. *siede*: sta, giace inerte. 50-52. *a
tenzone... nembi aduna... fiede le montagne*: la natura in tempesta.
Immagini e metafore della raffigurazione appartengono al repertorio
dei classici. 52. *olimpo*: cielo. – *fiede*: ferisce. 54. *a voi*: dipende
da *mova* del v. 58. 59-60. *se... ardea*: se è vero che nel cuore delle
donne è arso finora. 60. *fanciulle*: uomini effeminati. Cfr. Omero,
Iliade, II, 235: «Ἀχαιΐδες, οὐκέτ᾽ Ἀχαιοί»; Virgilio, *Aeneis*, IX,
617: «O vere Phrygiae, neque enim Phryges»; e Tasso, *Ger. Lib.*,
XI, 61: «O Franchi no, ma Franche». 61. *imbelle*: incapace di combattere. 64. *cole*: onora. 65. *età*: presente. Cfr. il v. 6. 66. *alla
patria*: dativo di vantaggio. – *gli alti gesti*: le grandi imprese. 67.
la terra: tutto il mondo. 68. *Qual*: dipende da *cresca* del v. 66.
– *de' vetusti eroi*: alla scuola dei memorandi esempi degli antichi eroi,
le grandi gesta e la fama dei quali non cessavano di risuonare. 70.
al greco nome: per la gloria dell'Ellade (*nome*: stirpe). 71. *finché*:
temporale: fino all'età in cui. 71-72. *il fido brando*: cfr. Ariosto, *Orl.
fur.*, XI, 83: «Spinge il cavallo, e piglia il brando fido».

brando cingeva al caro lato, e poi
spandea le negre chiome
sul corpo esangue e nudo
quando e' reddia nel conservato scudo.   75

Virginia, a te la molle
gota molcea con le celesti dita
beltade onnipossente, e degli alteri
disdegni tuoi si sconsolava il folle
signor di Roma. Eri pur vaga, ed eri   80
nella stagion ch'ai dolci sogni invita,
quando il rozzo paterno acciar ti ruppe
il bianchissimo petto,
e all'Erebo scendesti
volonterosa. A me disfiori e scioglia   85
vecchiezza i membri, o padre; a me s'appresti,
dicea, la tomba, anzi che l'empio letto
del tiranno m'accoglia.

72. *al caro lato*: al fianco dello sposo. 73. *chiome*: sciolte in segno
di lutto. 75. *e' reddia*: egli tornava, disteso nella cavità dello scudo.
« Era punto d'onore nelle truppe spartane il ritornare ciascuno col
proprio scudo. Circostanza materiale, ma utilissima e moralissima nel-
l'applicazione, non potendosi conservare il loro scudo amplissimo
(tanto che vi capiva la persona distesa), senza il coraggio di far torto,
e di non darsi mai alla fuga, che un tale scudo avrebbe impedita
(6 Maggio 1822) », *Zibaldone*, 2425. 76. *Virginia*: la fanciulla plebea,
che il padre Lucio Virginio, centurione romano, trafisse secondo la
leggenda con un rozzo coltello da beccaio, per sottrarla alle voglie del
decemviro Appio Claudio. Questi aveva profittato della carica per
instaurare in Roma una tirannide collegiale sotto la propria direzione.
La morte di Virginia provocò l'insurrezione di tutta la plebe romana,
che si ritirò sull'Aventino e sul Monte sacro, e il ritorno alla legalità
(449 a. C.). Cfr. Livio, III, 44 sgg. e Dionigi d'Alicarnasso, XI, 28 sgg.
Il Leopardi trasfigura alfierianamente la leggendaria fanciulla romana
in eroina della patria. – *molle*: dolce, tenera. 77. *molcea*: accarez-
zava. – *celesti*: divine. 79. *il folle*: Appio Claudio, invaghitosi della
fanciulla fino all'ossessione. 80. *vaga*: del tuo avvenire. Desiderosa
di vivere. 81. *stagion*: giovanile. 82-83. *ti ruppe* ecc.: cfr. Virgi-
lio, *Aeneis*, IX, 431-32: « sed viribus ensis adactus | transabiit costas
et candida pectora rumpit ». 84. *all'Erebo*: nell'Averno. 85. *volonterosa*: di tua volontà. – *scioglia*: « sciogliere le membra » è espressione classica, molto precisa, per indicare la morte. Cfr. per esempio
Virgilio, *Aeneis*, XII, 951: « ast illi solvuntur frigore membra ». 86.
vecchiezza: l'improvvisa vecchiaia di chi è sul punto di morire. 87.
anzi che: prima che, piuttosto che.

E se pur vita e lena
Roma avrà dal mio sangue, e tu mi svena.   90

O generosa, ancora
che piú bello a' tuoi dí splendesse il sole
ch'oggi non fa, pur consolata e paga
è quella tomba cui di pianto onora
l'alma terra nativa. Ecco alla vaga   95
tua spoglia intorno la romulea prole
di nova ira sfavilla. Ecco di polve
lorda il tiranno i crini;
e libertade avvampa
gli obbliviosi petti; e nella doma   100
terra il marte latino arduo s'accampa
dal buio polo ai torridi confini.
Cosí l'eterna Roma
in duri ozi sepolta
femmineo fato avviva un'altra volta.   105

89-90. *E se pur* ecc.: cfr. Alfieri, *Virginia*, atto III, scena III: « E se
a svegliar dal suo letargo Roma, | oggi è pur forza che innocente san-
gue, | ma non ancor contaminato, scorra, | padre, sposo, ferite: eccovi
il petto ». – *e*: ebbene, allora. 91-92. *ancora che*: ancorché, benché.
92. *piú bello* ecc.: cfr. i vv. 19 sgg. e le note relative. 94. *cui*: che.
Complemento oggetto di *onora*. 95. *alma*: piú di *nativa*: nutrice,
materna. – *vaga*: ancora avvolta dall'incanto della giovinezza. 96. *la
romulea prole*: la stirpe di Romolo: i Romani. 97. *di nova ira*: come
alla morte di Lucrezia, la vereconda e leggendaria matrona romana,
che si tolse la vita per onore e determinò col suo gesto la caduta della
monarchia. Cfr. Livio, I, 58 sgg. e Dionigi d'Alicarnasso, IV, 64 sgg.
98. *lorda*: verbo. Il soggetto è *romulea prole* del v. 96. – *i crini*:
complemento di limitazione: nei crini, nei capelli. 99. *avvampa*: infiamma. « *Avvampare* attivo è ottimo » (Leopardi al fratello Carlo, 18
gennaio 1823). 100. *e nella doma* ecc.: di lí in poi, dal giorno della
riconquistata libertà. 101. *il marte latino*: gli eserciti di Roma. –
arduo: invincibile. 102. *dal buio* ecc.: da settentrione a mezzogiorno:
per tutto il mondo. – *buio*, per le lunghe notti polari. – *confini*: della
zona equatoriale. 103. *l'eterna Roma*: complemento oggetto di *avviva*. 104. *in duri ozi*: nel torpore della schiavitú. 105. *femmineo
fato*: la morte di una donna. – *un'altra volta*: cfr. *Appressamento della morte*, II, vv. 37-39: « Appio è quel là che conto a voi fe' 'l drit-
to, | pel cui malvagio amore un'altra volta | Roma fu lieta e suo ti-
ranno afflitto ».

v. *A un vincitore nel pallone*

Composta a Recanati nello stesso periodo della precedente, fu terminata l'ultimo del mese di novembre del 1821. Apparve la prima volta nelle *Canzoni* (Bologna 1824) e fu accolta nei *Canti* fin dalla prima edizione (Firenze 1831). Ispirata dall'eccezionale bravura di un giovane giocatore di pallone, Carlo Didimi di Treia (1798-1877), che divenne poi un prestigioso campione di fama piú che regionale e fu anche patriota e carbonaro, la canzone si lega per piú di un motivo a quella per la sorella Paolina. Cfr. tra gli abbozzi, quello relativo e l'altro, comune alle due canzoni, *Dell'educare la gioventú italiana*. Per gli antecedenti letterari del genere nella tradizione poetica italiana, si vedano le tre odi di Gabriello Chiabrera sui giochi del pallone a Firenze (nel 1618 e nel 1619), in una delle quali è descritto il gioco, affine a quello iberico della *pelota* e a quello americano del *baseball*: « Spettacolo giocondo! | Trasvolare dell'aria ampio sentiero | cuoio grave ritondo | in cui soffio di vento è prigioniero; | lui precorre leggiero | il giuocator, mentr'ei ne vien dall'alto; | e col braccio guernito | d'orrido legno lo percuote ardito | e rimbombando lo respinge in alto ».

Metro: canzone di cinque strofe, di tredici versi ciascuna, tutte con lo stesso schema.

Di gloria il viso e la gioconda voce,
garzon bennato, apprendi,
e quanto al femminile ozio sovrasti
la sudata virtude. Attendi attendi,
magnanimo campion (s'alla veloce   5
piena degli anni il tuo valor contrasti
la spoglia di tuo nome), attendi e il core
movi ad alto desio. Te l'echeggiante
arena e il circo, e te fremendo appella
ai fatti illustri il popolar favore;   10
te rigoglioso dell'età novella
oggi la patria cara
gli antichi esempi a rinnovar prepara.

1. *viso... voce*: i lineamenti della gloria. La *gioconda voce* richiama gli applausi della folla. 2. *garzon*: giovane. – *bennato*: generoso, dotato da natura. Cfr. *Ad Angelo Mai*, v. 46. – *apprendi*: impara a conoscere. Come al v. 7 (« impara ») della canzone alla sorella Paolina. 3. *femminile*: effeminato. Cfr. la canzone al Mai, vv. 43-45. 4. *sudata*: faticosamente conquistata. – *Attendi* ecc.: ascolta. Come nella canzone *All'Italia*, v. 45. 5-7. *s'alla veloce*: in senso augurativo: « Possa il tuo valore strappare alla travolgente fiumana del tempo il tuo nome, che altrimenti ne diverrebbe preda (*spoglia*) ». 8. *movi:* indirizza. – *alto desio*: nell'abbozzo: « Impara a pensare a grandi imprese, al bene della patria ec. ». – *l'echeggiante*: di applausi. 9. *circo*: gli spalti dello stadio, la cerchia acclamante degli spettatori. – *fremendo*: d'entusiasmo. – *appella*: chiama. 10. *fatti illustri*: imprese gloriose. Cfr. il v. 8 e la nota relativa. 11. *rigoglioso* ecc.: nel rigoglio della gioventú. – *età novella*: giovinezza. Cfr. Dante, *Inf.*, XXXIII, v. 88: « Innocenti facea l'età novella ». 13. *antichi*: della Grecia. Cfr. il passo dello *Zibaldone*, 115, riportato in nota ai vv. 12-15 della canzone precedente.

Del barbarico sangue in Maratona
non colorò la destra   15
quei che gli atleti ignudi e il campo eleo,
che stupido mirò l'ardua palestra,
né la palma beata e la corona
d'emula brama il punse. E nell'Alfeo
forse le chiome polverose e i fianchi   20
delle cavalle vincitrici asterse
tal che le greche insegne e il greco acciaro
guidò de' Medi fuggitivi e stanchi
nelle pallide torme; onde sonaro
di sconsolato grido   25
l'alto sen dell'Eufrate e il servo lido.

Vano dirai quel che disserra e scote

14. *barbarico sangue*: persiano. Cfr. *All'Italia*, v. 115 e la nota relativa. – *in Maratona*: nella pianura di Maratona, sulla costa nord orientale dell'Attica, che nel 490 a. C. fu teatro della celebre battaglia combattuta fra Ateniesi e Persiani. Cfr. Erodoto, III, 105 sgg. 15. *non colorò la destra*: non si tinse la mano: non partecipò alla battaglia. 16. *quei che*: da unire a *stupido mirò* del verso seguente. – *il campo eleo*: lo stadio di Olimpia, lungo le rive dell'Alfeo, nell'Elide. Ogni quattro anni vi si disputavano le gare, alle quali partecipavano i campioni di tutti i popoli dell'Ellade. 17. *stupido*: indifferente, insensibile. – *l'ardua palestra*: il campo delle difficili prove. 18. *la palma*: concessa insieme a una corona d'olivo ai vincitori. – *beata*: che rende beato. Cfr. Orazio, *Carm.*, I, 1: « palmaque nobilis » e Parini, *La laurea*, v. 177: « Premio d'onor che l'uomo bea ». 19. *d'emula brama*: di desiderio d'emulazione. Cfr. Parini, *In morte di A. Sacchini*, vv. 27-28: « Tal che d'emula brama | arser per te le piú lodate genti ». – *nell'Alfeo*: nelle acque dell'Alfeo. 21. *asterse*: lavò. 22. *tal*: un campione, un eroe che. – *insegne... acciaro*: l'esercito dei Greci confederati. 23. *de' Medi*: dei Persiani. Dipende da *torme* del verso seguente. – *fuggitivi*: fuggiaschi. 24. *nelle pallide torme*: contro le estenuate orde dei barbari, selvagge come mandrie in fuga. Cfr. *All'Italia*, v. 107. – *sonaro*: risuonarono. 26. Le regioni del vasto impero persiano. – *alto sen*: le profonde acque, o forse meglio, l'alto corso. L'Eufrate ha le sue sorgenti nelle montagne del Tauro in Asia Minore. – *servo lido*: la Persia. 27-39. « Serie di angosciose domande. Non è vano cercar di raccendere le quasi estinte faville della virtú? e non è vano proporsi di ravvivare negli egri petti, ossia negli animi ammalati e giacenti, la fiacca energia spirituale? e non è vano tutto ciò che gli uomini operarono e operano, da quando Febo Apollo spinse mesto il suo carro a traverso i campi del cielo, ossia da quando il sole incominciò a illuminare melanconicamente la nostra terra? e non è vana la stessa verità al pari della menzogna? » (Sanesi). 27. *quel che*: tutto ciò che. Nella fattispecie, l'educazione fisica e sportiva. – *disserra e scote*: dischiude e scuote, mette in movimento.

della virtú nativa
le riposte faville? e che del fioco
spirto vital negli egri petti avviva   30
il caduco fervor? Le meste rote
da poi che Febo instiga, altro che gioco
son l'opre de' mortali? ed è men vano
della menzogna il vero? A noi di lieti
inganni e di felici ombre soccorse   35
natura stessa: e là dove l'insano

28. *della virtú* ecc.: la vitalità latente, sepolta, delle facoltà naturali e
umane. 29-31. *e che del fioco* ecc.: e tutto ciò che accende nell'animo
umano, debole, malato, insidiato dalla morte (*negli egri petti*), le fiam-
mate dell'entusiasmo, dell'energia e della voglia di vita, continuamente
soffocati dalla naturale tendenza alla morte (*del fioco spirto... il caduco
fervor*). 32. *altro che gioco* ecc.: interrogativo da pronunciarsi con la
stessa intonazione dei precedenti. – *gioco*: illusione. Cfr. *Zibaldone*,
99: « Pare un assurdo, e pure è esattamente vero, che, tutto il reale
essendo un nulla, non v'è altro di reale né altro di sostanza al mondo
che le illusioni »; e la lettera al Giordani del 30 giugno 1820: « Io non
tengo le illusioni per mere vanità, ma per cose in certo modo sostan-
ziali, giacché non sono capricci particolari di questo o di quello, ma
naturali e ingenite essenzialmente in ciascheduno, e compongono tutta
la nostra vita ». 33. *ed è men vano* ecc.: interrogativo con intonazione
retorica doppia, ovvero in qualche modo responsivo delle interrogazio-
ni formulate nei versi precedenti. L'interrogativo *ed è men vano* ecc.
starebbe sulla stessa linea dei precedenti se il Leopardi avesse scritto:
« ed è piú vano » ecc. Per il Leopardi il vero è vano né piú né meno
delle illusioni, al pari delle illusioni: che è precisamente la direzione
verso cui lucidamente si inoltrano i suoi pensieri nell'anno 1820, dopo
la canzone *Ad Angelo Mai*. Cfr. *Zibaldone*, 272: « Tutti i piaceri sono
illusioni o consistono nell'illusione, e di queste illusioni si forma e si
compone la nostra vita. Ora se io non posso averne, che piacere mi
resta? e perché vivo? Nella stessa maniera dico io delle antiche istituzioni, ec., tendenti a fomentare l'entusiamo, le illusioni, il coraggio,
l'attività, il movimento, la vita. Erano illusioni, ma toglietele, come
son tolte. Che piacere rimane? e la vita che cosa diventa? Nella stessa
maniera dico: la virtú, la generosità, la sensibilità, la corrispondenza
vera in amore, la fedeltà, la costanza, la giustizia, la magnanimità ec.,
umanamente parlando sono enti immaginari. E tuttavia l'uomo sensibile se ne trovasse frequentemente nel mondo, sarebbe meno infelice »; e 339: « Tale era l'idea che gli antichi si formavano della felicità ed infelicità. Cioè l'uomo privo di quei tali vantaggi della vita
benché illusorii, lo consideravano come infelice realmente, e cosí viceversa. E non si consolavano mai col pensiero che queste fossero illusioni, conoscendo che in esse consiste la vita, o considerandole come
tali o come realtà. E non tenevano la felicità e l'infelicità per cose
immaginarie e chimeriche, ma solide e solidamente opposte fra loro ».
36. *e là dove* ecc.: quando il corrotto modo di concepire la vita nel
mondo moderno non alimentò piú le illusioni magnanime (i *forti er-*

costume ai forti errori esca non porse,
negli ozi oscuri e nudi
mutò la gente i gloriosi studi.

Tempo forse verrà ch'alle ruine   40
delle italiche moli
insultino gli armenti, e che l'aratro
sentano i sette colli; e pochi Soli
forse fien volti, e le città latine
abiterà la cauta volpe, e l'atro   45
bosco mormorerà fra le alte mura;
se la funesta delle patrie cose
obblivion dalle perverse menti
non isgombrano i fati, e la matura
clade non torce dalle abbiette genti   50
il ciel fatto cortese
dal rimembrar delle passate imprese.

Alla patria infelice, o buon garzone,

rori). Si veda la *Comparazione delle sentenze di Bruto minore e di
Teofrasto vicini a morte*. 38. *ozi oscuri e nudi*: ingloriosi e squallidi.
Cfr. la canzone al Mai, v. 59: *l'ozio turpe*. 39. *studi*: occupazioni. 40. *Tempo forse* ecc.: cfr. Petrarca, *Rime*, CXXVI, v. 27: « Tempo verrà ancor forse ». 41. *italiche moli*: gli edifici dell'antica gran-
dezza. Cfr. Orazio, *Carm.*, II, 15: « Iam pauca aratro iugera regiae |
moles relinquent ». 42. *insultino*: saltino sopra. Cfr. Orazio, *Carm.*,
III, 3: « Insultet armentum et catulos ferae | celent inultae »; e F. Te-
sti, la canzone a G. B. Ronchi *Sopra l'Italia*: « Miri | ove un tempo
s'alzar templi e teatri | or armenti muggir, stridere aratri ». Nell'ab-
bozzo *Dell'educare la gioventú italiana*: « Si può usare il pensiero del
Foscolo che ho segnato nei miei: " Verrà forse tempo che l'armento
insulterà alle ruine de' nostri antichi sommi edifizi " ». 43. *sentano*:
cfr. Orazio, *Ars poet.*, 66: « grave sentit aratrum ». – *i sette colli*: di
Roma. – *pochi Soli* ecc.: nel volgere di pochi anni. Cfr. *Annotazioni* cit. 44. *fien*: saranno. 45. *la cauta volpe*: cfr. la nota al v. 42.
– *atro*: oscuro, per la densità del fogliame. In Virgilio, *Aeneis*, I,
165: « atrum nemus ». 46. *mormorerà*: al vento. – *le alte mura*: di
Roma. Per una analoga raffigurazione della città distrutta, cfr. Orazio, *Epod.*, XVI, 10 sgg.: « ferisque rursus occupabitur solum ». 47.
funesta ecc.: il mortale oblio della patria. Complemento oggetto di
isgombrano del v. 49. 48. *perverse*: pervertite, corrotte. 49-50. *matura clade*: la rovina ormai imminente. Complemento oggetto di *torce*: allontana, devia. 50. *abbiette genti*: la decaduta, prostrata stirpe
italiana. 51. *il ciel*: il destino. – *cortese*: benigno. 53. *buon*: cfr.
bennato del v. 2.

    sopravviver ti doglia.
    Chiaro per lei stato saresti allora   55
    che del serto fulgea, di ch'ella è spoglia,
    nostra colpa e fatal. Passò stagione;
    che nullo di tal madre oggi s'onora:
    ma per te stesso al polo ergi la mente.
    Nostra vita a che val? solo a spregiarla: 60
    beata allor che ne' perigli avvolta,
    se stessa obblia, né delle putri e lente
    ore il danno misura e il flutto ascolta;
    beata allor che il piede
    spinto al varco leteo, piú grata riede.   65

---

54. *ti doglia*: ti dispiaccia. Nella decadenza della patria preferisci morire anche tu.   55. *Chiaro*: famoso. – *per lei*: per la gloria della patria.   55-56. *allora che*: allorché, quando.   56. *del serto*: di regina.   57.
nostra colpa e fatal: apposizione: « colpa nostra e del fato » (Leopardi). Cfr. *Annotazioni* cit. e Fulvio Testi, canzone cit.: « Nostra
colpa ben è ch'oggi non viva | chi de l'antica Roma i figli imita ».
– *Passò stagione*: cfr. « l'età sí tarda » della canzone al Mai, v. 29 e
Zibaldone, 3029: « La vita umana non fu mai piú felice che quando
fu stimato poter esser bella e dolce anche la morte, né mai gli uomini
vissero piú volentieri che quando furono apparecchiati e desiderosi di
morire per la patria e per la gloria. (25 Luglio, dí di San Giacomo,
1823) ».   58. *nullo*: nessuno. – *di tal madre*: l'Italia.   59. *per te
stesso*: per la tua propria gloria. – *al polo*: al cielo. Cfr. *alto desio* del v. 8.   62. *putri*: putride. Come le acque limacciose di un
fiume.   63. *il flutto ascolta*: avverte il lento scorrere delle ore.   65. *al
varco leteo*: fino al passo del Lete, il fiume dell'oblio: alle soglie della
morte. – *piú grata riede*: torna, dopo il pericolo, « piú cara e pregiata
che innanzi » (Leopardi). Cfr. *Zibaldone*, 82: « Io era oltremodo an-
noiato della vita, sull'orlo della vasca del mio giardino, e guardando
l'acqua e curvandomici sopra con un certo fremito, pensava: S'io mi
gittassi qui dentro, immediatamente venuto a galla, mi arrampicherei
sopra quest'orlo, e sforzatomi di uscir fuori dopo aver temuto assai di
perdere questa vita, ritornato illeso, proverei qualche istante di contento per essermi salvato, e di affetto a questa vita che ora tanto disprezzo, e che allora mi parrebbe piú pregevole. La tradizione intorno
al salto di Leucade poteva avere per fondamento un'osservazione simile
a questa ».

Composta a Recanati, in venti giorni, nel dicembre 1821. Pubblicata per la prima volta nelle *Canzoni* (Bologna 1824), insieme alla *Comparazione delle sentenze di Bruto minore e di Teofrasto vicini a morte*, scritta nel marzo 1822 e ristampata dal Ranieri fra le prose, fu accolta nei *Canti* fin dalla prima edizione. Una prima idea di una canzone dedicata alla figura di Bruto è in un appunto delle carte napoletane, dove compare accanto al tema di una canzone a Virginia Romana (cfr. la nostra nota preliminare a *Nelle nozze della sorella Paolina*): « A Bruto, come sopra, e notando e compiangendo l'abiura da lui fatta della virtú. Cosí anche a qualche altro fautore della libertà ». Ma il senso di quell'abiura era già balenato alla fantasia del giovane Leopardi. Cfr. la lettera a Pietro Giordani del 26 aprile 1819: « Questa medesima virtú quante volte io sono quasi strascinato di malissimo grado a bestemmiare con Bruto moribondo. Infelice, che per quel detto si rivolge in dubbio la sua virtú, quand'io veggo per esperienza e mi persuado che sia la prova piú forte che ne potesse dar egli, e noi recare in favor suo ». E circa un anno avanti la composizione della canzone, nello *Zibaldone*, 523, è riportato il passo di Floro: « Sed quanto efficacior est fortuna quam virtus et quam verum est quod moriens (Brutus) efflavit, *non in re, sed in verbo tantum, esse virtutem* (Floro, IV, 7) ». Il Leopardi vide e sentí in Bruto il simbolo di una posizione morale e intellettuale e molti anni piú tardi, il 24 maggio 1832, protestando contro un recensore tedesco, lo Henschel, il quale nell'« Hesperus » di Stuttgart aveva individuato nelle sue opere « una tendenza religiosa » e attribuito ai mali fisici il suo credo disperato, scriveva da Firenze al De Sinner: « Mes sentiments envers la destinée ont été et sont toujours ceux que j'ai exprimés dans *Bruto Minore*. Ç'a été par suite de ce même courage, qu'étant amené par mes recherches à une philosophie désespérante, je n'ai hésité à l'embrasser toute entière; tandis que de l'autre côté ce n'a été que par effet de la lâcheté des hommes, qui ont besoin d'être persuadés du mérite de l'existence, que l'on a voulu considérer mes opinions philosophiques comme le résultat de mes souffrances particulières, et que l'on s'obstine à attribuer à mes circonstances matérielles ce qu'on ne doit qu'à mon entendement. Avant de mourir, je vais protester contre cette invention de la faiblesse et de la vulgarité, et prier mes lecteurs de s'attacher à détruire mes observations et mes raisonnements plûtot que d'accuser mes maladies ».

Metro: canzone di otto strofe, di quindici versi ciascuna, e tutte con lo stesso schema.

Poi che divelta, nella tracia polve
giacque ruina immensa
l'italica virtute, onde alle valli
d'Esperia verde, e al tiberino lido,
il calpestio de' barbari cavalli   5
prepara il fato, e dalle selve ignude
cui l'Orsa algida preme,
a spezzar le romane inclite mura
chiama i gotici brandi;

1. *divelta*: sradicata, abbattuta. – *nella tracia polve*: dopo la battaglia di Filippi, dove nel 42 a. C. Ottaviano e Antonio sconfissero i
partigiani della libertà e della repubblica guidati da Cassio e da Marco
Giunio Bruto. Per *tracia* in luogo di macedone, si veda la precisazione
dello stesso Leopardi nelle *Note ai Canti*. 2. *ruina immensa*: apposizione di *italica virtute*. 4. *d'Esperia*: d'Italia. – *tiberino lido*: Roma. 5. *il calpestio* ecc.: complemento oggetto di *prepara*. Cfr. Monti, *Bardo della selva nera*, c. I, riportato dal Leopardi nella *Cre-
stomazia poetica*: « e un calpestio di cavalli | e di fanti », e Orazio
(*Epod.*, XVI): « Barbarus heu cineres insistet victor et urbem | eques
sonante verberabit ungula ». 6. *prepara*: cfr., in appendice, *Annotazioni* cit. – *dalle selve*: da settentrione. – *ignude*: spoglie. 7. *cui l'Orsa algida preme*: che sovrasta la gelida, settentrionale costellazione
dell'Orsa. 8. *inclite*: venerande. 9. *chiama*: retto da *il fato* del v. 6.
– *gotici brandi*: le armi dei popoli germanici. Il *calpestio* ecc. del
v. 5 e i *gotici brandi* raffigurano metaforicamente le invasioni bar-
bariche del medio evo, le quali distruggeranno definitivamente la vacillante potenza di Roma, già decadente a partire dalla fine delle istituzioni repubblicane, quando *giacque... l'italica virtute*. Cfr. *Zibaldone*, 22-23: « Cicerone predicava indarno, non c'erano piú le illusioni d'una volta, era venuta la ragione, non importava un fico la patria la gloria il vantaggio degli altri dei posteri ec., eran fatti egoisti,
pesavano il proprio utile, consideravano quello che in un caso poteva
succedere, non piú ardore, non impeto, non grandezza d'animo, l'esempio de' maggiori era una frivolezza in quei tempi tanto diversi: cosí
perderono la libertà, non si arrivò a conservare e difendere quello che
pur Bruto per un avanzo d'illusioni aveva fatto, vennero gl'impera-
tori, crebbe la lussuria e l'ignavia, e poco dopo con tanto piú filosofia, libri scienza esperienza storia, erano barbari ».

sudato, e molle di fraterno sangue,   10
Bruto per l'atra notte in erma sede,
fermo già di morir, gl'inesorandi
numi e l'averno accusa,
e di feroci note
invan la sonnolenta aura percote.   15

Stolta virtú, le cave nebbie, i campi
dell'inquiete larve

10. *molle*: intriso. – *di fraterno sangue*: degli stessi Romani. 11. *per l'atra notte*: cfr. Virgilio, *Aeneis*, I, 89: « nox incubat atra ». – *atra*: buia. – *erma*: circondata dal silenzio, nella spettrale solitudine del campo devastato dalla battaglia. 12. *fermo*: risoluto. È il « certa mori » di Didone in Virgilio (*Aeneis*, IV), tradotto dal Caro: «Certa già di morire ». Ma cfr. anche Orazio, *Carm.*, I, 37: « deliberata morte ferocior ». – *inesorandi*: inesorabili. 13. *e l'averno*: le divinità della morte. 14. *note*: grida, parole. Per *feroci*, cfr. la nota al v. 12 e *Zibaldone*, 503-4: « In luogo che un'anima grande ceda alla necessità, non è forse cosa che tanto la conduca all'odio atroce, dichiarato, e selvaggio contro se stesso, e la vita, quanto la considerazione della necessità e irreparabilità de' suoi mali, infelicità, disgrazie ec. Soltanto l'uomo vile, o debole, o non costante, o senza forza di passioni, sia per natura, sia per abito, sia per lungo uso ed esercizio di sventure e patimenti ed esperienza delle cose e della natura del mondo, che l'abbia domato e mansuefatto; soltanto costoro cedono alla necessità, e se ne fanno anzi un conforto nelle sventure, dicendo che sarebbe da pazzo il ripugnare e combatterla ec. Ma gli antichi, sempre piú grandi, magnanimi e forti di noi, nell'eccesso delle sventure, e nella considerazione della necessità di esse, e della forza invincibile che li rendeva infelici e gli stringeva e legava alla loro miseria senza che potessero rimediarvi e sottrarsene, concepivano odio e furore contro il fato, e bestemmiavano gli Dei, dichiarandosi in certo modo nemici del cielo, impotenti bensí, e incapaci di vittoria o di vendetta, ma non perciò domati, né ammansati, né meno, anzi tanto piú desiderosi di vendicarsi, quanto la miseria e la necessità era maggiore. (15 Gennaio 1821) ». 15. *sonnolenta*: avvolta nell'oscurità della morte; cfr. Menzini, *Canzone a Francesco Riccardi*: « e di piú gravi note | la dolce aura percote ». 16. *Stolta* ecc.: ha inizio il monologo di Bruto. Molti anni piú tardi, nei *Paralipomeni della Batracomiomachia*, c. V, 47-48: « Bella virtú, qualor di te s'avvede, | come per lieto avvenimento esulta | lo spirto mio: né da sprezzar ti crede | se in topi anche sii tu nutrita e culta. | Alla bellezza tua ch'ogni altra eccede, | o nota e chiara o ti ritrovi occulta, | sempre si prostra: e non pur vera e salda | ma imaginata ancor, di te si scalda. | Ahi, ma dove sei tu? sognata o finta | sempre? vera nessun giammai ti vide? » – *cave*: vuote. Cfr. Virgilio, *Aeneis*, X, 636. – *i campi* ecc.: dei fantasmi e delle allucinazioni: i sogni. Cfr. Virgilio, *Aeneis*, X, 642: « quae sopitos deludunt somnia sensus ». 17. *larve*: cfr. *Annotazioni* cit.

son le tue scole, e ti si volge a tergo
il pentimento. A voi, marmorei numi
(se numi avete in Flegetonte albergo   20
o su le nubi), a voi ludibrio e scherno
è la prole infelice
a cui templi chiedeste, e frodolenta
legge al mortale insulta.
Dunque tanto i celesti odii commove   25
la terrena pietà? dunque degli empi
siedi, Giove, a tutela? e quando esulta
per l'aere il nembo, e quando
il tuon rapido spingi,
ne' giusti e pii la sacra fiamma stringi?   30

Preme il destino invitto e la ferrata
necessità gl'infermi
schiavi di morte: e se a cessar non vale
gli oltraggi lor, de' necessarii danni
si consola il plebeo. Men duro è il male   35
che riparo non ha? dolor non sente
chi di speranza è nudo?

18. *son le tue scole*: sono i tuoi luoghi, nei quali abitando cresci e vieni allevata. 19. *marmorei*: duri come il marmo. Cfr. *sordi* del v.
106. 20. *se numi*: se come numi. – *Flegetonte*: uno dei mitici fiumi
infernali. 21. *o su le nubi*: in cielo. Cfr. i vv. 12-13. – *ludibrio e
scherno*: oggetto di gioco e di scherno. Cfr. Caro, *Eneide*, I, 862:
« Noi miseri Troiani, a tutti i venti | a tutti i mari ormai ludibrio e
scherno ». 22. *la prole*: l'umanità. 23. *e frodolenta*: e una fraudo-
lenta. 24. *insulta*: reca ingiuria. 25. *tanto i celesti odii*: cfr. *Aeneis*, I, 11: « tantaene animis caelestibus irae? » – *commove*: provoca.
26. *la terrena pietà*: la religione degli uomini. 27. *esulta*: trabalza,
infuria. 29. *il tuon rapido*: cfr. Virgilio, *Aeneis*, I, 42: « Ipsa
Iovis rapidum iaculata e nubibus ignem ». – *spingi*: scagli. 30. *ne'
giusti*: contro i giusti. – *la sacra fiamma stringi*: brandisci la folgore.
31. *Preme*: opprime. – *invitto*: invincibile. – *ferrata*: ferrea. Cfr.
Orazio, *Carm.*, I, 35: « saeva necessitas » e *Annotazioni* cit. 32-33.
gl'infermi ecc.: l'umanità: *di morte* si riferisce a *schiavi*. 33. *se a
cessar* ecc.: se non può far cessare, se non è in grado di allontanare.
Cessar è usato transitivamente. 34. *lor*: del destino e della necessità:
della legge della realtà. – *necessarii*: inevitabili. 35. *il plebeo*: d'animo vile, contrapposto a *prode* del v. 39. Cfr. *Ad Angelo Mai*, vv. 38-
40. 38. *Guerra mortale* ecc.: cfr. il *Preambolo* al *Manuale di Epit-
teto*: « È proprio degli spiriti grandi e forti... il contrastare, almeno
dentro se medesimi, alla necessità, e far guerra feroce e mortale al destino, come i sette a Tebe di Eschilo, e come gli altri magnanimi degli
antichi tempi ».

Guerra mortale, eterna, o fato indegno,
teco il prode guerreggia,
di cedere inesperto; e la tiranna   40
tua destra, allor che vincitrice il grava,
indomito scrollando si pompeggia,
quando nell'alto lato
l'amaro ferro intride,
e maligno alle nere ombre sorride.   45

Spiace agli Dei chi violento irrompe

38-39. *Guerra... guerreggia*: cfr. Omero, *Iliade*, II, 121: « πόλεμον πολεμίζειν », reso dal Monti (v. 161) « guerra guerreggi ». 40. *di cedere inesperto*: cfr. Orazio, *Carm.*, I, 6: « cedere nescii ». – *e la tiranna* ecc.: complemento oggetto di *scrollando*. 41. *il grava*: lo opprime. 42. *indomito*: si riferisce a *scrollando*, non a *si pompeggia*. – *si pompeggia*: da riferire a *quando* del verso seguente: fa pompa di se stesso, si erge, ecc. 43. *nell'alto lato*: nel profondo del fianco. 44. *intride*: bagna del proprio sangue. 45. *e maligno*: cfr. Zibaldone, 87: « Quando l'uomo veramente sventurato si accorge e sente profondamente l'impossibilità d'esser felice, e la somma e certa infelicità dell'uomo, comincia dal divenire indifferente intorno a se stesso, come persona che non può sperar nulla, né perdere e soffrire piú di quello ch'ella già preveda e sappia. Ma se la sventura arriva al colmo, l'indifferenza non basta, egli perde quasi affatto l'amor di sé (ch'era già da questa indiffenza cosí violato), o piuttosto lo rivolge in un modo tutto contrario al consueto degli uomini, egli passa ad odiare la vita l'esistenza e se stesso, egli si abborre come un nemico, e allora è quando l'aspetto di nuove sventure, o l'idea e l'atto del suicidio gli danno una terribile e quasi barbara allegrezza, massimamente se egli pervenga ad uccidersi essendone impedito da altrui; allora è il tempo di quel *maligno* amaro e ironico sorriso simile a quello della vendetta eseguita da un uomo crudele dopo forte lungo e irritato desiderio, il qual sorriso è l'ultima espressione della estrema disperazione e della somma infelicità. Vedi Staël, *Corinne*, 1.17, ch. 4, 5me édition, Paris 1812, p. 184, 185, t. III ». – *nere ombre*: della morte. 46. *violento*: a viva forza, togliendosi la vita. In una postilla all'autografo il Leopardi annotò: « Che il suicidio fosse condannato anche dall'antica teologia, vedi il VI dell'*Eneide* ». Cfr. *Zibaldone*, 815-17: « Io so bene che la natura ripugna con tutte le sue forze al suicidio, so che questo rompe tutte le di lei leggi piú gravemente che qualunque altra colpa umana; ma da che la natura è del tutto alterata, da che la nostra vita ha cessato di essere naturale, da che la felicità che la natura ci avea destinata è fuggita per sempre, e noi siam fatti incurabilmente infelici, da che quel desiderio della morte, che non dovevamo mai, secondo natura, neppur concepire, in dispetto della natura, e per forza di ragione, s'è anzi impossessato di noi, perché questa stessa ragione c'impedisce di soddisfarlo, e di riparare nell'unico modo possibile ai danni che la stessa e sola ci ha fatti?... La ripugnanza naturale alla morte è distrutta negli estremamente infelici, quasi del tutto. Perché dunque debbono astenersi dal morire per ubbidienza alla natura? Il fatto è questo. Se la Religione

nel Tartaro. Non fora
tanto valor ne' molli eterni petti.
Forse i travagli nostri, e forse il cielo
i casi acerbi e gl'infelici affetti   50
giocondo agli ozi suoi spettacol pose?
Non fra sciagure e colpe,
ma libera ne' boschi e pura etade
natura a noi prescrisse,
reina un tempo e Diva. Or poi ch'a terra   55
sparse i regni beati empio costume,
e il viver macro ad altre leggi addisse;
quando gl'infausti giorni
virile alma ricusa,
riede natura, e il non suo dardo accusa?   60

non è vera, s'ella non è se non un'idea concepita dalla nostra misera
ragione, quest'idea è la piú barbara cosa che possa esser nata nella
mente dell'uomo: è il parto mostruoso della ragione il piú spietato;
è il massimo dei danni di questa nostra capitale nemica, dico la ragione, la quale avendo scancellato dalla mente dall'immaginativa e dal
cuor nostro tutte le illusioni che ci avrebbero fatti e ci faceano beati;
questa sola ne conserva, questa sola non potrà mai cancellare se non
con un intiero dubbio (che è tutt'uno, e ragionevolmente deve produrre in tutta la vita umana gli stessi effetti né piú né meno che la
certezza), questa sola che mette il colmo alla disperata disperazione del-
l'infelice». 47. *nel Tartaro*: nell'abisso infernale. – *Non fora*: non
sarebbe: «non si troverebbe». 48. *ne' molli eterni petti*: degli dèi,
«ammolliti dall'ozio e dalla felicità» (Straccali). 51. *giocondo*: da
unire a *spettacol*. – *pose*: destinò. 53. *libera... e pura etade*: una
vita libera dalle *sciagure* e incontaminata dalle *colpe*. 55. *reina...
e Diva*: apposizioni di *natura* del v. 54. 55-56. *a terra sparse*: di-
strusse. 56. *empio costume*: la civiltà. Cfr. «insano costume», *A un
vincitore nel pallone*, vv. 36-37. 57. *il viver macro*: complemento
oggetto di *addisse*. – *macro*: cioè divenuto gramo e povero: è una
prolessi. – *ad altre leggi*: civili, ma innaturali. – *addisse*: assoggettò. 58. *gl'infausti giorni*: la vita infelice. Complemento oggetto-
to di *ricusa*. 59. *ricusa*: rifiuta. 60. *riede*: ritorna, risorge. – *e il
non suo dardo accusa*: e rimprovera quella morte violenta, non pro-
curata da lei, e, quindi, innaturale. «Il Leopardi vuol dire che quando alcuno si procaccia volontariamente la morte, noi non possiamo
piú condannarlo in nome della natura; poiché la natura non è piú,
come fu una volta, la ispiratrice e la norma delle azioni umane»
(Straccali). Cfr. il passo dello *Zibaldone* citato nella nota al v. 46 e
Zibaldone, 1978-79: «Il suicidio è contro natura. Ma viviamo noi
secondo natura? Non l'abbiamo del tutto abbandonata per seguir la
ragione? Non siamo animali ragionevoli, cioè diversissimi dai naturali? La ragione non ci mostra ad evidenza l'utilità di morire? Desidereremmo noi di ucciderci, se non conoscessimo altro movente, altro
maestro della vita che la natura, e se fossimo ancora, come già fummo,

Di colpa ignare e de' lor proprii danni
le fortunate belve
serena adduce al non previsto passo
la tarda età. Ma se spezzar la fronte
ne' rudi tronchi, o da montano sasso   65
dare al vento precipiti le membra,

nello stato naturale? Perché dunque dovendo vivere contro natura,
non possiamo morire contro natura? perché se quello è ragionevole,
questo non lo è? perché se la ragione ci ha da esser maestra della vita,
l'ha da determinare, regolare, predominare, non l'ha da essere, non
può fare altrettanto della morte? Misuriamo noi il bene o il male delle nostre azioni dalla natura? no ma dalla ragione. Perché tutte le
altre dalla ragione e questa dalla natura? »; e 2402-4: « La natura
vieta il suicidio. Qual natura? Questa nostra presente? Noi siamo di
tutt'altra natura da quella ch'eravamo. Paragoniamoci colle nazioni
naturali, e vediamo se quegli uomini si possono stimare d'una stessa
razza con noi. Paragoniamoci con noi medesimi fanciulli, e avremo lo
stesso risultato. L'assuefazione è una seconda natura, massime l'assuefazione cosí radicata, cosí lunga, e cominciata in sí tenera età, com'è
quell'assuefazione (composta di assuefazioni infinite e diversissime)
che ci fa esser tutt'altri che uomini naturali, o conformi alla prima
natura dell'uomo, e alla natura generale degli esseri terrestri. Basti
dire che volendo con ogni massimo sforzo rimetterci nello stato naturale, non potremmo, né quanto al fisico, che non lo sopporterebbe in
verun modo, né posto che si potesse quanto al fisico ed esternamente,
si potrebbe quanto al morale ed internamente; il che viene ad esser
tutt'uno, non potendo noi esser piú partecipi della felicità destinata
all'uomo naturalmente, perché l'interno nostro, che è la parte principale di noi, non può tornar qual era, per nessuna cagione o arte.
Che ha dunque a fare in questa quistione del suicidio, e in ogni altra
cosa che ci appartenga, la legge o l'inclinazione di una natura, che
non solo non è nostra, ma anche volendo noi e procurandolo per ogni
verso, non potrebbe piú essere? Il punto dunque sta qual sia l'inclinazione e il desiderio di questa seconda natura, ch'è veramente nostra e
presente. E questa invece d'opporsi al suicidio, non può far che non lo
consigli, e non lo brami intensamente: perché anch'ella odia soprattutto l'infelicità, e sente che non la può fuggire se non colla morte, e
non tollera che la tardanza di questa allunghi i suoi patimenti. Dunque la vera natura nostra, che non abbiamo da far nulla cogli uomini
del tempo di Adamo, permette, anzi richiede il suicidio. Se la nostra
natura, fosse la prima natura umana, non saremmo infelici, e questo
inevitabilmente, e irrimediabilmente; e non desidereremmo, anzi ab-
borriremmo la morte. (29 Aprile 1822) ». 61. *Di colpa* ecc.: innocenti
e felici nella loro ignoranza del futuro. 62. *belve*: tutti gli animali.
Complemento oggetto di *adduce* del verso successivo. 63. *serena*: predicativo del soggetto *la tarda età* del v. 64. – *adduce*: porta. – *passo*:
della morte. 64. *se spezzar*: retto da *suadesse* del v. 67. 65. *ne'*:
contro i. – *da montano sasso*: da una rupe. 66. *dare... precipiti*: cfr.
Orazio, *Serm.*, 1, 2: « Hic se praecipitem tecto dedit ».

lor suadesse affanno;
al misero desio nulla contesa
legge arcana farebbe
o tenebroso ingegno. A voi, fra quante   70
stirpi il cielo avvivò, soli fra tutte,
figli di Prometeo, la vita increbbe;
a voi le morte ripe,
se il fato ignavo pende,
soli, o miseri, a voi Giove contende.   75

E tu dal mar cui nostro sangue irriga,
candida luna, sorgi,
e l'inquieta notte e la funesta
all'ausonio valor campagna esplori.
Cognati petti il vincitor calpesta,   80
fremono i poggi, dalle somme vette
Roma antica ruina;
tu sí placida sei? Tu la nascente
lavinia prole, e gli anni
lieti vedesti, e i memorandi allori;   85
e tu su l'alpe l'immutato raggio
tacita verserai quando ne' danni

67. *lor suadesse*: li persuadesse. Cfr. *Annotazioni* cit. 68. *al misero desio*: al proposito infelice di porre fine alla vita. 68-69. *nulla contesa... farebbe*: non sarebbe di ostacolo. – *nulla*: nessuna. 69. *legge arcana*: l'oscuro divieto di togliersi la vita che il cielo ha imposto agli uomini. 70. *tenebroso ingegno*: le cupe elucubrazioni filosofiche sull'oltretomba. – *voi*: da unire a *figli di Prometeo* del v. 72. 70-71. *quante... avvivò*: cui il cielo dette vita. 72. *figli di Prometeo*: gli uomini. Secondo l'antico mito, distrutta l'umanità dal diluvio, Prometeo dette inizio a una nuova generazione. – *increbbe*: fu di peso. 73. *le morte ripe*: le rive dei fiumi infernali. I regni della morte. Complemento oggetto di *contende* del v. 75. 74. *ignavo pende*: incombe ozioso, indolente. Intendi: « se la morte tarda a venire ». 75. *a voi Giove contende*: il cielo vi nega, vi proibisce. 76. *cui*: che. – *irriga*: tinge. 78. *funesta*: da unire a *campagna*. 79. *all'ausonio valor*: all'*italica virtude* (cfr. v. 3). – *esplori*: contempli. 80. *Cognati*: fraterni. – *il vincitor*: l'esercito di Ottaviano. 81. *fremono*: percorsi da brividi. – *i poggi*: circostanti la pianura di Filippi. – *dalle somme vette*: cfr. Virgilio, *Aeneis*, II, 290: « ruit alto a culmine Troia ». 82. *antica*: delle libere istituzioni repubblicane. – *ruina*: precipita. 83. *tu*: o luna. 84. *lavinia prole*: la stirpe romana, discendente da Lavinia e da Enea. 85. *allori*: trionfi. 86. *e tu*: e tu stessa. 87. *verserai*: seguiterai a versare. – *ne' danni*: ai danni.

del servo italo nome,
sotto barbaro piede
rintronerà quella solinga sede.   90

Ecco tra nudi sassi o in verde ramo
e la fera e l'augello,
del consueto obblio gravido il petto,
l'alta ruina ignora e le mutate
sorti del mondo: e come prima il tetto   95
rosseggerà del villanello industre,
al mattutino canto
quel desterà le valli, e per le balze
quella l'inferma plebe
agiterà delle minori belve.   100
Oh casi! oh gener vano! abbietta parte
siam delle cose; e non le tinte glebe,
non gli ululati spechi
turbò nostra sciagura,
né scolorò le stelle umana cura.   105

Non io d'Olimpo o di Cocito i sordi
regi, o la terra indegna,
e non la notte moribondo appello;
non te, dell'atra morte ultimo raggio,

88. *italo nome*: la nazione italiana. 90. *quella solinga sede*: dell'Alpe (cfr. v. 86). I deserti valichi alpini, che i barbari varcheranno.
91. *nudi sassi*: antri rocciosi. 93. *del consueto obblio*: immersi nel
consueto sonno notturno. Cfr. Virgilio, *Aeneis*, IV, 528: «corda obli-
ta laborum». - *il petto*: complemento di relazione. 94. *l'alta ruina*:
di Roma. Cfr. v. 82. 95. *e come prima*: e non appena. 96. *rosseggerà*: ai raggi del sole. 98. *quel*: l'augello. 99. *quella*: la fera (v. 92).
- *l'inferma plebe*: la debole moltitudine. 100. *agiterà*: inseguirà,
dando loro la caccia. 101. *gener*: umano. - *abbietta*: spregevole.
102. *le tinte glebe*: le zolle intrise di sangue. Complemento oggetto,
come *ululati spechi* del verso successivo, di *turbò*. 103. *ululati spechi*: gli antri riecheggianti dei gridi di dolore dei moribondi, caduti
in battaglia. - *ululati*: usato passivamente, secondo l'uso latino. Cfr.
Stazio, *Theb.*, I, 328: «Ogygiis ululata furoribus antra ». 105. *né
scolorò*: né il dolore di un uomo fece mai oscurare il sole o le stelle.
106. *d'Olimpo o di Cocito* ecc.: gli dèi del cielo e dell'abisso (cfr.
vv. 20-21). Il Cocito è un altro dei mitici fiumi infernali. - *sordi*:
ai lamenti umani. 107. *indegna*: ingiusta. 108. *moribondo*: deciso
a morire. Come Didone in Virgilio (*Aeneis*, IV, 323): «Cui me mori-
bundam deseris, hospes? » - *appello*: invoco. 109. *atra*: buia. 109-10.
non te ecc.: «non te, o posterità, il cui riconoscimento costituisce l'e-

conscia futura età. Sdegnoso avello   110
placàr singulti, ornàr parole e doni
di vil caterva? In peggio
precipitano i tempi; e mal s'affida
a putridi nepoti
l'onor d'egregie menti e la suprema   115
de' miseri vendetta. A me dintorno
le penne il bruno augello avido roti;
prema la fera, e il nembo
tratti l'ignota spoglia;
e l'aura il nome e la memoria accoglia.   120

stremo conforto e l'ultima speranza di chi muore». Come Turno in
Virgilio (*Aeneis*, x, 678-79): «Ferte ratem saevisque vadis immittite
syrtis, | quo neque me Rutuli nec conscia fama sequatur». 110. *Sde-
gnoso avello*: in disprezzo del mondo. Complemento oggetto di *placàr*.
111. *singulti... parole e doni*: lacrime, lodi e offerte votive. 112. *di
vil caterva*: di una ignobile turba. – *In peggio* ecc.: cfr. Virgilio,
Georg., I, 199: «sic omnia fatis | in peius ruere». 113. *mal*: inu-
tilmente. 114. *putridi*: corrotti. 115. *l'onor* ecc.: il compito di rendere onore alla memoria dei grandi perseguitati dalla sorte e di vendi-
care cosí la loro infelicità. 116. *A me*: alla mia *ignota spoglia* del
v. 119. 117. *il bruno augello*: il corvo. 118. *prema*: calpesti. – *il
nembo*: la furia della tempesta. 119. *tratti*: agiti, travolga. 120. *e
l'aura* ecc.: «e al vento si disperdano il mio nome e la mia memoria».

VII.   *Alla primavera*

o delle favole antiche

Composta a Recanati, in undici giorni del gennaio 1822, pubblicata per la prima volta nelle *Canzoni* (Bologna 1824) e accolta nei *Canti* fin dalla prima edizione (Firenze 1831). Ma riflette atteggiamenti e motivi che si trovano già nello *Zibaldone* sul finire del '19 e nel *Discorso di un Italiano intorno alla poesia romantica*. Cfr. *Zibaldone*, 63-64: « Che bel tempo era quello nel quale ogni cosa era viva secondo l'immaginazione umana e viva umanamente cioè abitata o formata di esseri uguali a noi! quando nei boschi desertissimi si giudicava per certo che abitassero le belle Amadriadi e i fauni e i silvani e Pane ec. ed entrandoci e vedendoci tutto solitudine pur credevi tutto abitato e cosí de' fonti abitati dalle Naiadi ec. E stringendoti un albero al seno te lo sentivi quasi palpitare fra le mani, credendolo un uomo o donna come Ciparisso ec.! E cosí de' fiori ec. come appunto i fanciulli »; e il *Discorso* cit.: « Quello che furono gli antichi siamo stati noi tutti, e quello che fu il mondo per qualche secolo, siamo stati noi per qualche anno, dico fanciulli e partecipi di quella ignoranza e di quei timori e di quei diletti e di quelle credenze e di quella sterminata operazione della fantasia; quando il tuono e il vento e il sole e gli astri e gli animali e le piante e le mura dei nostri alberghi, ogni cosa ci appariva o amica o nemica nostra, indifferente nessuna, insensata nessuna, quando ciascun oggetto che vedevamo ci pareva che in certo modo accennando, quasi mostrasse di volerci favellare; quando in nessun luogo soli, interrogavamo le immagini e le pareti e gli alberi e i fiori e le nuvole, e abbracciavamo sassi e legni, e quasi ingiuriati malmenavamo e quasi beneficati carezzavamo cose incapaci d'ingiuria e di benefizio; quando la maraviglia tanto grata a noi che spessissimo desideriamo di poter credere per poterci maravigliare, continuamente ci possedeva, quando i colori delle cose quando la luce quando le stelle quando il fuoco quando il volo degl'insetti quando il canto degli uccelli quando la chiarezza dei fonti tutto ci era nuovo o disusato, né trascuravamo nessun accidente come ordinario, né sapevamo il perché di nessuna cosa, e ce lo fingevamo a talento nostro, e

a talento nostro l'abbellivamo; quando le lagrime erano giorna-
liere, e le passioni indomite e svegliatissime, né si reprimevano
forzatamente e prorompevano arditamente. Ma qual era in quel
tempo la fantasia nostra, come spesso e facilmente s'infiammava,
come libera e senza freno, impetuosa e instancabile spaziava.
come ingrandiva le cose piccole, e amava le disadorne, e illumi-
nava le oscure, che simulacri vivi e spiranti che sogni beati che
vaneggiamenti ineffabili che magie che portenti che paesi ameni
che trovati romanzeschi, quanta materia di poesia, quanta ricchezza quanto vigore quant'efficacia quanta commozione quanto
diletto ».

Metro: canzone di cinque strofe, di diciannove versi ciascuna, e tutte con lo stesso schema.

Perché i celesti danni
ristori il sole, e perché l'aure inferme
zefiro avvivi, onde fugata e sparta
delle nubi la grave ombra s'avvalla;
credano il petto inerme   5
gli augelli al vento, e la diurna luce
novo d'amor desio, nova speranza
ne' penetrati boschi e fra le sciolte
pruine induca alle commosse belve;
forse alle stanche e nel dolor sepolte   10
umane menti riede
la bella età, cui la sciagura e l'atra

1. *Perché*: per quanto. – *i celesti danni*: i danni che il cielo
produce durante l'inverno. Complemento oggetto di *ristori*. Riecheg-
gia Orazio, *Carm.*, IV, 7: «Damna tamen celeres reparant coelestia
lunae». 2. *ristori*: ripari. – *l'aure inferme*: l'insalubre atmosfera invernale. 3. *zefiro*: il vento della primavera. – *onde*: dal quale. –
fugata e sparta: messa in fuga e dispersa. 4. *la grave ombra*: la
pesante cortina. – *s'avvalla*: si perde a valle. 5. *credano*: sottintendi
perché del v. 1: per quanto affidino. Cfr., in appendice, *Annotazioni*
cit. – *inerme*: indifeso. 7. *novo d'amor desio*: cfr. Petrarca, *Rime*,
CCCX, 8: «Ogni animal d'amar si riconsiglia». – *speranza*: di vita.
8. *penetrati*: dalla *diurna luce*. 8-9. *sciolte pruine*: le nevi disciolte.
9. *induca alle*: infonda nelle. – *belve*: come nel *Bruto Minore* (v. 62),
sta per animali in genere. – *commosse*: dal *novo d'amor desio* e dalla
nova speranza. 11. *riede*: torna. 12. *la bella età*: giovanile. Spesso
il Leopardi si compiace di assimilare le età della storia a quelle del-
l'uomo e viceversa: tutta l'umanità traspare adombrata nella figura di
un uomo vecchio, incapace di rinascere al soffio della primavera, stanco
e inaridito dalla conoscenza della realtà (vv. 10-11). Per l'idea del
progressivo invecchiamento dell'umanità, cfr. la canzone al Mai, *pas-
sim*, e *Nelle nozze della sorella Paolina*, v. 20. – *cui*: che. 12-13.
l'atra face del ver: la lugubre luce del vero. Cfr. la canzone al Mai,
vv. 102-5.

face del ver consunse
innanzi tempo? Ottenebrati e spenti
di febo i raggi al misero non sono   15
in sempiterno? ed anco,
primavera odorata, inspiri e tenti
questo gelido cor, questo ch'amara
nel fior degli anni suoi vecchiezza impara?

Vivi tu, vivi, o santa   20
natura? vivi e il dissueto orecchio
della materna voce il suono accoglie?
Già di candide ninfe i rivi albergo,
placido albergo e specchio
furo i liquidi fonti. Arcane danze   25
d'immortal piede i ruinosi gioghi
scossero e l'ardue selve (oggi romito
nido de' venti): e il pastorel ch'all'ombre
meridiane incerte ed al fiorito
margo adducea de' fiumi   30

---

14. *innanzi tempo*: « Innanzi tempo, perché natura, nel togliere all'uomo le illusioni, doveva privarlo anche del sentimento; in parte lo ha
fatto, ma non proporzionatamente: le illusioni ha levato d'un tratto, il
sentimento per gradi. Si presente che verrà tempo in cui il cuore del-
l'uomo sarà gelido al tutto; ora per non esserlo a tal grado, egli soffre » (Antognoni). 15. *di febo*: del sole. – *al misero*: mortale. 16.
ed anco: e ancora, e tuttavia. 17. *odorata*: odorosa. – *tenti*: tocchi.
18-19. *questo ch'amara* ecc.: cfr. la lettera a Giulio Perticari del 30
marzo 1821: « La fortuna ha condannato la mia vita a mancare di gioventú: perché dalla fanciullezza io sono passato alla vecchiezza di salto,
anzi alla decrepitezza sí del corpo come dell'animo. Non ho provato
mai da che nacqui un diletto solo; la speranza alcuni anni; da molto
in qua neppur questa. E la mia vita esteriore ed interiore è tale, che
sognandola solamente, agghiaccerebbe gli uomini di paura ». 21. *dissueto*: disavvezzo. Cfr. Virgilio, *Aeneis*, I, 722: « desuetaque corda »
e *Annotazioni* cit. 22. *materna voce*: della natura. 23. *Già*: un tempo. – *candide ninfe*: le Naiadi, mitiche abitatrici delle sorgenti e dei
fiumi. – *albergo*: dimora. Cfr. Virgilio, *Aeneis*, I, 166-68: « antrum, |
intus aquae dulces vivoque sedilia saxo, | nympharum domus ». 25.
furo: furono. – *liquidi*: limpidi. Sempre Virgilio, « liquidi fontes ».
26. *immortal*: divino. Delle Oreadi, ninfe dei monti, e delle Driadi,
abitatrici dei boschi. – *ruinosi gioghi*: le cime scoscese dei monti. 27.
l'ardue selve: i boschi irraggiungibili sotto le cime, e invalicabili da
piede mortale. 28. *all'ombre*: sotto le ombre. Per questi e per i versi
che seguono cfr. *Annotazioni* cit. 29. *incerte*: tremule, per il vento.
Cfr. Virgilio, *Ecl.*, v, 5: « Sive sub incertas zephiris motantibus umbras ». 30. *margo*: margine, riva. Cfr. *Annotazioni* cit. – *adducea*:
conduceva.

le sitibonde agnelle, arguto carme
sonar d'agresti Pani
udí lungo le ripe; e tremar l'onda
vide, e stupí, che non palese al guardo
la faretrata Diva   35
scendea ne' caldi flutti, e dall'immonda
polve tergea della sanguigna caccia
il niveo lato e le verginee braccia.

Vissero i fiori e l'erbe,
vissero i boschi un dí. Conscie le molli   40
aure, le nubi e la titania lampa
fur dell'umana gente, allor che ignuda
te per le piagge e i colli,
ciprigna luce, alla deserta notte
con gli occhi intenti il viator seguendo,   45
te compagna alla via, te de' mortali
pensosa immaginò. Che se gl'impuri
cittadini consorzi e le fatali
ire fuggendo e l'onte,
gl'ispidi tronchi al petto altri nell'ime   50
selve remoto accolse,
viva fiamma agitar l'esangui vene,

31. *arguto*: canoro. Espressione topica per il suono della zampogna.
32. *Pani*: divinità silvane, dall'originario Pan, dio delle greggi e dei
boschi. 33. *ripe*: rive. 34. *che*: poiché. 35. *faretrata*: epitetico di
Artemide o Diana, dea della caccia. 36. *caldi*: per l'ora meridiana.
37. *sanguigna*: sanguinosa. 38. *niveo lato*: il candido fianco. Cfr.
Orazio, *Carm.*, III, 27: « niveum latus ». – *verginee*: cfr. Ovidio,
Metam., III, 163: « Hic dea silvarum venatu fessa solebat | virgineos
artus liquido perfundere rore ». 40. *Conscie*: da unire a *fur* (v. 42).
41. *la titania lampa*: del Sole, figlio del titano Iperione. 42. *fur*: furono. 42-44. *ignuda... luce*: Espero, la stella di Venere (come nel-
l'ottavo idillio di Mosco, tradotto dal giovane Leopardi) o, piú probabilmente, la luna, come confermano le lezioni anteriori, « roscida
luna », « deliaca luna ». La luna ebbe anch'essa, dagli antichi, il nome
di Venere. 43. *le piagge*: le pianure declinanti. 44. *ciprigna*: dal-
l'isola di Cipro, sacra alla dea. – *alla*: nella. 46. *de' mortali*: della
sorte dei mortali. 47-48. *impuri cittadini consorzi*: la corrotta vita
sociale. 48-49. *le fatali ire... e l'onte*: gli odi mortali e gli oltraggi della società. 50. *ispidi*: ruvidi. 50-51. *nell'ime selve*: nel profondo dei
boschi. – *remoto*: da concordare con *altri* (v. 50): in solitudine, lontano dai propri simili. – *al petto... accolse*: strinse al petto, abbracciò.
52. *viva fiamma*: il calore della vita. – *agitar*: dipende, come gli altri
infiniti dei versi seguenti, da *credé* (v. 56). – *l'esangui vene*: dei tronchi, nelle quali non scorre sangue, ma linfa.

spirar le foglie, e palpitar segreta
nel doloroso amplesso
Dafne o la mesta Filli, o di Climene   55
pianger credé la sconsolata prole
quel che sommerse in Eridano il sole.

Né dell'umano affanno,
rigide balze, i luttuosi accenti
voi negletti ferír mentre le vostre   60
paurose latebre Eco solinga,
non vano error de' venti,
ma di ninfa abitò misero spirto,
cui grave amor, cui duro fato escluse
delle tenere membra. Ella per grotte,   65
per nudi scogli e desolati alberghi,
le non ignote ambasce e l'alte e rotte
nostre querele al curvo
etra insegnava. E te d'umani eventi
disse la fama esperto,   70
musico augel che tra chiomato bosco

53. *spirar*: respirare. – *segreta*: chiusa nel tronco. Predicativo di
Dafne. 54. *nel doloroso amplesso*: nell'abbraccio, cui lo spingeva il
dolore. 55. *Dafne o... Filli*: la prima trasformata da Apollo in alloro
(cfr. Ovidio, *Metam.*, 1, 452-567); la seconda, impiccatasi per amore di
Demofoonte, fu convertita in mandorlo. 55-56. *di Climene... la...
prole*: le figlie di Climene e di Apollo, sorelle di Fetonte, che quando questi precipitò col carro del Sole nel Po (*Eridano*), furono mutate
in pioppi e seguitarono a piangere la sua morte stillando resina dalla
corteccia. Cfr. Ovidio, *Metam.*, 11, 364-66. 58. *dell'umano affanno*:
del dolore dell'uomo. Dipende da *i luttuosi accenti* (v. 59). 59. *rigide balze*: rupi scoscese. 60. *negletti*: inascoltati, vani. Riferito a
luttuosi accenti. – *ferír*: ferirono. – *mentre*: finché. 61. *latebre*: antri. Complemento oggetto di *abitò* (v. 63). – *Eco*: figlia dell'Aria e
della Terra, la ninfa Eco morí consunta d'amore per Narciso. Di lei
sopravvisse solo la voce, che seguitò a piangere tra i gioghi dei monti.
Cfr. Ovidio, *Metam.*, 111, 339-401. Soggetto di *abitò*. 62. *non vano
error*: apposizione di *Eco*: gioco illusorio. 63. *misero spirto*: apposizione di *Eco*. 64. *cui*: che. – *grave*: angoscioso. – *duro fato*: una
dolorosa e lenta morte. – *escluse*: fece uscire. 65. *delle*: dalle. 66.
per nudi scogli ecc: fra le rocce e inaccessibili dimore. 67. *non ignote*: a lei. – *alte*: acute. – *rotte*: dal pianto. 68. *nostre*: del genere
umano. 68-69. *al curvo etra*: al concavo cielo. 69. *insegnava*: faceva
conoscere. Cfr. Virgilio, *Ecl.*, 1, 5: « formosam resonare doces Ama-
ryllida silvas ». – *te*: da concordare con *musico augel* (v. 71). 71.
musico augel: l'usignolo. Secondo l'antica favola, una giovinetta aman-

or vieni il rinascente anno cantando,
e lamentar nell'alto
ozio de' campi, all'aer muto e fosco,
antichi danni e scellerato scorno,   75
e d'ira e di pietà pallido il giorno.

Ma non cognato al nostro
il gener tuo; quelle tue varie note
dolor non forma, e te di colpa ignudo,
men caro assai la bruna valle asconde.   80
Ahi ahi, poscia che vote
son le stanze d'Olimpo, e cieco il tuono
per l'atre nubi e le montagne errando,
gl'iniqui petti e gl'innocenti a paro
in freddo orror dissolve; e poi ch'estrano   85
il suol nativo, e di sua prole ignaro
le meste anime educa;
tu le cure infelici e i fati indegni
tu de' mortali ascolta,

te del canto, Filomela, fu sedotta da Tereo, re di Tracia e marito
di sua sorella Procne. Dopo l'oltraggio, Tereo le recise la lingua, perché serbasse il segreto. Ma ricamando una tela, Filomela rivelò il misfatto a Procne, che, per vendicarsi, imbandí al marito le carni del figlio Iti. Filomela, che secondo il racconto di Ovidio (*Metam.*, VI, 643)
aveva preso parte alla vendetta, fu trasformata dagli dèi in usignolo,
mentre Procne, Tereo e Iti assunsero rispettivamente le forme della
rondine, dell'upupa e del pettirosso. – *chiomato*: fitto, frondoso. Cfr.
Catullo, IV, 11: « comata silva ». 72. *il rinascente anno*: la primavera.
73-74. *nell'alto ozio*: in mezzo alla profonda quiete. 74. *all'aer muto
e fosco*: nel silenzio notturno. 75. *danni*: le sciagure sofferte. – *scellerato scorno*: l'infame vendetta. Complementi oggetto di *lamentar*
(v. 73). 76. *pallido il giorno*: oscurata la luce del giorno. Altro complemento oggetto di *lamentar*. 77. *Ma non cognato* ecc.: « ma tu
non sei, usignolo, una creatura umana ». 78. *varie*: modulate. 79.
dolor non forma: cfr. *Annotazioni* cit. e Fulvio Testi, canzone *Labbri
soavi*: « Voi formate quei canti, | quelle musiche note ». – *di colpa
ignudo*: innocente. 80. *men caro*: di quanto saresti se il tuo canto
lamentasse il dolore di una storia umana. – *bruna*: notturna, o anche
semplicemente, buia. 81. *poscia che*: morte le antiche immaginazioni.
82. *cieco*: non piú guidato da Giove. 83. *atre*: plumbee. 85. *in
freddo orror* ecc.: cfr. Virgilio, *Aeneis*, III, 29-30: « Mihi frigidus
horror | membra quatit » e I, 92: « Extemplo Aeneae solvuntur frigore
membra ». – *estrano*: insensibile. 86. *il suol nativo*: la terra. 87.
educa: alleva. 88. *cure*: affanni. – *fati indegni*: le sventure che muo-
vono a sdegno.

vaga natura, e la favilla antica   90
rendi allo spirto mio; se tu pur vivi,
e se de' nostri affanni
cosa veruna in ciel, se nell'aprica
terra s'alberga o nell'equoreo seno,
pietosa no, ma spettatrice almeno.   95

---

90. *la favilla*: del sentire e dello sperare. – *antica*: degli anni giovanili, come della giovinezza del mondo. 91-95. *se tu pur vivi* ecc.:
« se tu vivi ancora, e se qualcosa c'è in cielo, nella terra e nel mare
che possa in qualche modo rappresentare la metafora della nostra
vita ». 94. *s'alberga*: cfr. *Annotazioni* cit. – *equoreo seno*: le profondità del mare.

VIII. *Inno ai Patriarchi*

o de' principii del genere umano

Composta a Recanati, in diciassette giorni del luglio 1822, fu pubblicata la prima volta nelle *Canzoni* (Bologna 1824) e accolta poi nei *Canti* fin dalla prima edizione (Firenze 1831). Si veda il particolareggiato abbozzo fra le carte napoletane. Per l'idea centrale svolta nel canto, cfr. *Zibaldone*, 2939: « Dalle lunghe considerazioni da me fatte circa quello che voglia significare nella Genesi l'albero della scienza ec., dalla favola di Psiche della quale ho parlato altrove, e da altre o favole o dogmi ecc. antichissimi, che mi pare avere accennato in diversi luoghi, si può raccogliere non solo quello che generalmente si dice, che la corruzione e decadenza del genere umano da uno stato migliore, sia comprovata da una remotissima, universale, costante e continua tradizione, ma che eziandio sia comprovato da una tal tradizione e dai monumenti della più antica storia e sapienza, che questa corruttela e decadimento del genere umano da uno stato felice, sia nato dal sapere, e dal troppo conoscere, e che l'origine della sua infelicità sia stata la scienza e di se stesso e del mondo, e il troppo uso della ragione (11 luglio 1823) ». Fin dal 1819 il Leopardi aveva progettato di comporre una serie di *Inni cristiani* (a Dio, al Redentore, agli Angeli, a Maria, ai Patriarchi, a Mosè, ai Profeti, agli Apostoli, ai Martiri, ai Solitari): ma scrisse soltanto quello ai patriarchi, e per gli altri si limitò a fissare alcuni appunti in prosa, che risalgono tutti a quell'estate o all'autunno. L'insieme degli *Inni* avrebbe dovuto essere preceduto da un *Discorso intorno agl'inni e alla poesia cristiana*, per il quale il Leopardi aveva altresí fermato, nello stesso anno, una succinta nota. Gioverà inoltre tenere presente che Giacomo ammirava il gran libro del popolo ebraico, la *Bibbia*, allo stesso modo in cui ammirava i due poemi di Omero: « non per altro se non perch'essendo i piú antichi libri, sono i piú vicini alla natura, sola fonte del bello, del grande, della vita, della varietà » (*Zibaldone*, 1028, 11 maggio 1821).

Metro: endecasillabi sciolti: « Chiamo quest'Inno, Canzone, per essere poema lirico, benché non abbia stanze né rime, ed atteso anche il proprio significato della voce *canzone*, la quale importa il medesimo che la voce greca *ode*, cioè *cantico* ». Cfr., in appendice, *Annotazioni* cit.

E voi de' figli dolorosi il canto,
voi dell'umana prole incliti padri,
lodando ridirà; molto all'eterno
degli astri agitator piú cari, e molto
di noi men lacrimabili nell'alma   5
luce prodotti. Immedicati affanni
al misero mortal, nascere al pianto,
e dell'etereo lume assai piú dolci
sortir l'opaca tomba e il fato estremo,
non la pietà, non la diritta impose   10
legge del cielo. E se di vostro antico

1. *E*: anche. Forse ricollegandosi alla canzone *Alla primavera* scritta qualche mese prima, e della quale viene ripreso e svolto il tema dominante della primitiva felicità del mondo. – *voi*: oggetto di *ridirà*
(v. 3): i patriarchi: i primi padri dell'umanità secondo il racconto
della *Genesi*, da Adamo a Giuseppe, il quale, « ultimo de' patriarchi nati pastori, entra finalmente nelle Corti » (cosí il Leopardi nel-
l'abbozzo cit.). – *de' figli dolorosi*: retto da *incliti padri* (v. 2). –
il canto: il mio canto. 2. *incliti*: venerandi. 4. *degli astri agitator*:
Dio. Cfr. Petrarca, *Rime*, LXXII, 17: « ... 'l motor eterno de le stelle ».
4-5. *e molto di noi* ecc.: e sortiti a una vita molto meno compas-
sionevole della nostra. 5-6. *nell'alma luce*: del sole. Cfr. Virgilio,
Aeneis, VIII, 455: « lux... alma ». 6-11. *Immedicati affanni* ecc.:
« non fu una legge naturale e divina a imporre all'umanità di soffrire mali incurabili, di nascere per soffrire, di gioire piuttosto della
morte che della vita ». 8. *etereo lume*: il Leopardi in margine all'autografo: « etereo lume, cioè che sta nell'etere, celeste ». 9. *sortir*:
avere in sorte. – *l'opaca tomba e il fato estremo*: endiadi: la morte. –
opaca: oscura. Cfr. Ovidio, *Metam.*, X, 20-21: « opaca Tartara », e
Virgilio, *Aeneis*, X, 161-62: « opacae noctis iter ». 11-18. *E se di
vostro* ecc.: e se una fama secolare (*grido antico*) ragiona di un vostro
antico error (il peccato originale) « che espose la progenie umana alla
potenza tirannica delle malattie e della sventura, altre piú funeste
colpe dei figli e uno spirito incontentabile e una stoltezza maggiore

error che l'uman seme alla tiranna
possa de' morbi e di sciagura offerse,
grido antico ragiona, altre piú dire
colpe de' figli, e irrequieto ingegno,   15
e demenza maggior l'offeso Olimpo
n'armaro incontra, e la negletta mano
dell'altrice natura; onde la viva
fiamma n'increbbe, e detestato il parto
fu del grembo materno, e violento   20
emerse il disperato Erebo in terra.

Tu primo il giorno, e le purpuree faci
delle rotanti sfere, e la novella
prole de' campi, o duce antico e padre
dell'umana famiglia, e tu l'errante   25
per li giovani prati aura contempli:
quando le rupi e le deserte valli
precipite l'alpina onda fería
d'inudito fragor; quando gli ameni
futuri seggi di lodate genti   30
e di cittadi romorose, ignota
pace regnava; e gl'inarati colli
solo e muto ascendea l'aprico raggio
di febo e l'aurea luna. Oh fortunata,

di quella dimostrata col primo fallo ci inimicarono il cielo e la mano, da noi trascurata, della madre natura » (Calcaterra). 18. *onde*: per nostra colpa, ingegno e demenza. 18-19. *la viva fiamma*: il calore della vita. 19. *n'increbbe*: ci venne in odio. 20. *e violento* ecc.: e il vivere divenne non dissimile dal vivere in un inferno (*Erebo*). 22. *Tu primo*: tu per primo: Adamo. – *faci*: fiaccole, per « luci ». 23. *sfere*: stelle, o, forse, cieli. Nell'abbozzo: « la purpurea luce del sole, e la volta dei cieli ». – *e la novella* ecc.: la vegetazione appena creata. 26. *aura contempli*: « figura di zeugma, essendo riferito anche al vento, il quale non si vede, il verbo *contemplare*, proprio della vista. Puoi anche intendere collo Straccali: contempli la giovine vegetazione dei prati, mossa dall'errante venticello » (Fornaciari ». 28. *fería*: feriva. Feriva il silenzio dei monti e delle valli. 29. *inudito*: nell'abbozzo: « che nessun orecchio riceveva ». 29-32. *quando* ecc.: « quando una pace infinita, *ignota* agli uomini, non ancora creati, regnava sui luoghi del mondo destinati in sede (*futuri seggi*) a genti famose e a rumorose città ». 32. *regnava*: è transitivo. – *inarati*: non ancora coltivati. 33. *solo e muto*: non seguito da alcuno sguardo, né parlante all'animo di nessuno. – *ascendea*: cfr. *Annotazioni* cit. – *l'aprico*: il caldo. 34. *di febo*: del sole. – *aurea*: fulgente.

di colpe ignara e di lugubri eventi, 35
erma terrena sede! Oh quanto affanno
al gener tuo, padre infelice, e quale
d'amarissimi casi ordine immenso
preparano i destini! Ecco di sangue
gli avari colti e di fraterno scempio 40
furor novello incesta, e le nefande
ali di morte il divo etere impara.
Trepido, errante il fratricida, e l'ombre
solitarie fuggendo e la secreta
nelle profonde selve ira de' venti, 45
primo i civili tetti, albergo e regno
alle macere cure, innalza; e primo
il disperato pentimento i ciechi

36. *erma*: circondata dal silenzio. 39-40. *di sangue... e di fraterno
scempio*: il delitto di Caino (*Genesi*, IV, 8). 40. *gli avari colti*: i
campi coltivati, « fatti *avari* dopo il peccato originale » (Leopardi).
41. *novello*: fino allora ignorato. – *incesta*: contamina. Cfr. Virgilio,
Aeneis, VI, 150: « totamque incestat funere classem ». 41-42. *le nefande ali*: il funesto trasvolare della morte. 42. *il divo etere*: il cielo.
– *impara*: a conoscere. 43. *Trepido*: tremante. – *il fratricida*: cfr.
Annotazioni cit. 43-44. *l'ombre solitarie*: complemento oggetto di
fuggendo, è da riferire, come la *secreta... ira de' venti* (vv. 44-45) a
nelle profonde selve del verso successivo: le ombre dei boschi nella
profonda solitudine della natura. *Solitarie* è forse anche un'enallage:
« fuggendo solitario ». 44. *secreta*: nascosta. 46-47. *primo... innalza*: cfr. *Genesi*, IV, 16-17, citato dal Leopardi in *Annotazioni*: « Egressusque Cain a facie Domini, habitavit profugus in terra ad orientalem
plagam Eden. Et aedificavit civitatem ». Cfr. inoltre *Zibaldone*, 191,
2: « Il primo autore della città, vale a dire della società, secondo la
Scrittura, fu il primo riprovato, cioè Caino, e questo dopo la colpa, la disperazione e la riprovazione. Ed è bello il credere che la corruttrice
della natura umana e la sorgente della massima parte de' nostri vizi e
scelleraggini sia stata in certo modo effetto e figlia e consolazione della
colpa. E come il primo riprovato fu il primo fondatore della società,
cosí il primo che definitivamente la combatté e la maledisse fu il redentore della colpa, cioè Gesú Cristo. (29 luglio 1820) ». 46. *albergo
e regno*: apposizione di *civili tetti*: gli agglomerati urbani offrono o-
spitalità a genti logorate dagli affanni, e, nello stesso tempo, sono
il regno di quegli affanni, prosperano nella sofferenza. 47. *primo*: il
soggetto non è piú Caino, ma il *disperato pentimento* del verso seguente. L'astratto per il concreto, o, meglio, la realtà psicologica di
Caino. 48. *il disperato pentimento*: il pentimento senza speranza,
senza sfogo; il rimorso. Il bisogno di fuggire da se stessi, e il bisogno
incessante, disumano (*egro*), affannoso (*anelante*), di cercare la compagnia degli altri per placare il proprio tormento. – *ciechi*: paurosi di
vedere. Cfr. Giovanni, III, 19: « E gli uomini vollero piuttosto le
tenebre che la luce ».

mortali egro, anelante, aduna e stringe
ne' consorti ricetti: onde negata   50
l'improba mano al curvo aratro, e vili
fur gli agresti sudori; ozio le soglie
scellerate occupò; ne' corpi inerti
domo il vigor natio, languide, ignave
giacquer le menti; e servitú le imbelli   55
umane vite, ultimo danno, accolse.

E tu dall'etra infesto e dal mugghiante
su i nubiferi gioghi equoreo flutto
scampi l'iniquo germe, o tu cui prima
dall'aer cieco e da' natanti poggi   60
segno arrecò d'instaurata spene
la candida colomba, e delle antiche
nubi l'occiduo Sol naufrago uscendo,

50. *ne' consorti ricetti*: nelle città. Cfr. Virgilio, *Georg.*, IV, 153: «consortia tecta urbis ». – *onde*: per la fondazione delle città. – *negata*: sottintendi un « fu » che si ricava espressamente da *fur* (v. 52). 51. *improba*: impura. Cfr. *Annotazioni* cit. – *curvo*: epitetico dell'aratro, in tutta la poesia classica. 52. *fur*: divennero. – *gli agresti sudori*: le fatiche dell'agricoltura. – *le soglie*: delle abitazioni cittadine. 54. *domo il vigor natio*: cfr. *Nelle nozze della sorella Paolina*, v. 45: « scemo il valor natio ». – *languide, ignave*: pigre, indifferenti. 55. *servitú*: ai pregiudizi collettivi. La deficienza di energia e di fiducia in se stessi produce il timore della libertà. – *imbelli*: incapaci di lottare, e perciò destinate a cadere nel grembo (*accolse*) della servitú. 57. *E tu*: « è in relazione col *Tu* (Adamo), onde principia il capoverso che precede » (Straccali). 57-58. *dall'etra infesto* ecc.: dal diluvio universale. Cfr. *Genesi*, VI-VIII. I *nubiferi gioghi* sono le cime delle montagne sommerse dalle acque. Cfr. *Genesi*, VII, 19: « Et aquae prevaluerunt nimis super terram: opertique sunt omnes montes excelsi sub universo coelo ». *Nubiferi* è epitetico. 59. *l'iniquo germe*: i cattivi semi dell'umanità. Per l'aggettivo *iniquo* il Leopardi si ricordò forse, come suggerisce il Calcaterra, di un versetto biblico, *Genesi*, VI, 11: « Corrupta est autem terra coram Deo, et repleta est iniquitate ». – *cui*: al quale, e, riferito a *dipinse* (v. 64), « agli occhi del quale ». – *prima*: da riferire a *colomba* (v. 62): per prima, dopo l'esperimento del corvo (*Genesi*, VIII, 7-11). 60. *cieco*: ottenebrato dalle nuvole. – *da' natanti poggi*: cfr. *Genesi*, VIII, 5: « At vero aquae ibant et decrescebant usque ad decimum mensem; decimo enim mense, prima die mensis apparuerunt cacumina montium ». 61. *segno*: il ramo d'olivo (*Genesi*, VIII, 11). – *instaurata*: rinnovata, ricostituita; cfr. *Annotazioni* cit. 62. *delle*: dalle. – *antiche*: sta per indicare i lunghi mesi di oscurità. 63. *occiduo*: declinante. « La ragione di quest'aggiunta sta nell'*ad vesperam* del sacro testo » (Fornaciari), che nel racconto biblico si riferisce soltanto al ritorno della colomba (*Genesi*, VIII, 11). – *naufrago*: nelle acque del diluvio.

l'atro polo di vaga iri dipinse.
Riede alla terra, e il crudo affetto e gli empi   65
studi rinnova e le seguaci ambasce
la riparata gente. Agl'inaccessi
regni del mar vendicatore illude
profana destra, e la sciagura e il pianto
a novi liti e nove stelle insegna.   70

Or te, padre de' pii, te giusto e forte,
e di tuo seme i generosi alunni
medita il petto mio. Dirò siccome
sedente, oscuro, in sul meriggio all'ombre
del riposato albergo, appo le molli   75
rive del gregge tuo nutrici e sedi,
te de' celesti peregrini occulte
beàr l'eteree menti; e quale, o figlio
della saggia Rebecca, in su la sera,
presso al rustico pozzo e nella dolce   80

64. *l'atro polo*: il cielo buio. – *vaga iri*: l'arcobaleno (*Genesi*, IX, 12-17). 65-68. *Riede* ecc.: « la stirpe umana, rinnovandosi, ritorna a popolare la terra » (Leopardi). 65. *il crudo affetto* ecc.: le stesse selvagge passioni, le stesse disumane e industriose occupazioni di prima, e la stessa conseguente angoscia. 67. *riparata*: « cioè *rinnovata* » (Leopardi). – *inaccessi*: inaccessibili. 68. *vendicatore*: « alludendo al diluvio, e a quel che s'è detto del mare nei versi di sopra » (Leopardi). – *illude*: irride. 69. *profana destra*: la mano dell'uomo, empia e ingegnosa costruttrice delle navi. Ma « profana manus » è espressione ovidiana; cfr. inoltre Orazio, *Carm.*, I, 3: « impiae | non tangenda rates transiliunt vada ». 70. *a novi liti* ecc.: ad altre genti, che vivono in terre vergini, e sotto un altro cielo. 71. *te*: retto da *medita*, transitivo (v. 73): Abramo. – *padre de' pii*: progenitore di Israele. 72. *i generosi alunni*: i magnanimi discendenti. 74. *sedente*: sulla soglia della sua tenda: « sedenti in ostio tabernaculi sui in ipso fervori diei » (*Genesi*, XVIII, 1). – *oscuro*: appartato. Leopardi, in margine: « perché nell'ombra ». – *all'ombre* ecc.: nella quiete ombrosa e riposante della propria tenda. 75. *appo*: presso. 75-76. *le molli rive*: i campi ricchi d'acque. 76. *nutrici e sedi*: pascoli. 77-78. *te... beàr*: dipende da *Dirò siccome* (v. 73): « come ti felicitarono, come ti resero felice, annunziandoti la prossima nascita di Isacco, i tre angeli del Signore in veste di viandanti (*de' celesti peregrini... l'eteree menti*) ». Cfr. *Genesi*, XVIII, 1-22. 77. *occulte*: « nascoste sotto la forma di peregrini, cioè forestieri » (Leopardi). 78. *e quale*: da unire a *amor ti punse* (v. 82), dipende da *Dirò* (v. 73). – *o figlio* ecc.: Giacobbe, innamoratosi della figlia di Labano, Rachele, cosí profondamente e tenacemente da sopportare quattordici anni di servitú pur di farla sua (*Genesi*, XXIX).

di pastori e di lieti ozi frequente
aranitica valle, amor ti punse
della vezzosa Labanide: invitto
amor, ch'a lunghi esigli e lunghi affanni
e di servaggio all'odiata soma   85
volenteroso il prode animo addisse.

Fu certo, fu (né d'error vano e d'ombra
l'aonio canto e della fama il grido
pasce l'avida plebe) amica un tempo
al sangue nostro e dilettosa e cara   90
questa misera piaggia, ed aurea corse
nostra caduca età. Non che di latte
onda rigasse intemerata il fianco
delle balze materne, o con le greggi
mista la tigre ai consueti ovili   95
né guidasse per gioco i lupi al fonte
il pastorel; ma di suo fato ignara
e degli affanni suoi, vota d'affanno
visse l'umana stirpe; alle secrete

81. *frequente*: popolosa. 82. *aranitica valle*: la valle di Haran. 85.
odiata: odiosa. 86. *addisse*: assoggettò. 87. *Fu certo* ecc.: cfr. *Zibaldone*, 2250-51: « Quell'antica e sí famosa opinione del secol d'oro, della perduta felicità di quel tempo, dove i costumi erano semplicissimi e rozzissimi, e non pertanto gli uomini fortunatissimi, di quel tempo, dove i soli cibi erano quelli che dava la natura, le ghiande *le quai fuggendo tutto 'l mondo onora*, ec. ec., quest'opinione sí celebre presso gli antichi e i moderni poeti, ed anche fuor della poesia, non può ella molto bene servire a conferma del mio sistema, a dimostrare l'antichissima tradizione di una degenerazione dell'uomo, di una felicità perduta dal genere umano, e felicità non consistente in altro che in uno stato di natura e simile a quello delle bestie, e non goduta in altro tempo che nel primitivo, e in quello che precedette i cominciamenti della civilizzazione, anzi le prime alterazioni della natura umana derivate dalla società? (13 Dicembre 1821) ». – *d'error vano e d'ombra*: di favole e di menzogne. 88. *l'aonio canto* ecc.: « un'antica tradizione poetica ». L'Aonia è l'antico nome della Beozia, dove sorge l'Elicona, il monte sacro alle Muse e ad Apollo. 90. *al sangue nostro*: alla nostra stirpe: all'umanità. 91. *piaggia*: terrestre. – *aurea corse*: rifulse di felicità. 92. *nostra caduca età*: la nostra vita. 92-97. *Non che* ecc.: « Non che siano vere le favole, tramandate dai poeti, dei fiumi di latte e della antica mansuetudine delle belve ». 93. *intemerata*: incorrotta. 97. *ignara*: inconscia. 99-100. *alle secrete leggi... indutto*: apposizione di *error* e di *velo* dei versi seguenti: le dolci, antiche e ingannevoli illusioni tenevano nascosta, velavano la realtà delle cose. Cfr. la can-

leggi del cielo e di natura indutto   100
valse l'ameno error, le fraudi, il molle
pristino velo; e di sperar contenta
nostra placida nave in porto ascese.

Tal fra le vaste californie selve
nasce beata prole, a cui non sugge   105
pallida cura il petto, a cui le membra
fera tabe non doma; e vitto il bosco,
nidi l'intima rupe, onde ministra
l'irrigua valle, inopinato il giorno
dell'atra morte incombe. Oh contra il nostro   110
scellerato ardimento inermi regni
della saggia natura! I lidi e gli antri
e le quiete selve apre l'invitto
nostro furor; le violate genti
al peregrino affanno, agl'ignorati   115
desiri educa; e la fugace, ignuda
felicità per l'imo sole incalza.

zone al Mai, vv. 53-54. 100. *indutto*: sovrapposto, vestito. È un lati-
nismo. 101. *valse*: poté, ebbe forza. 102. *di sperar contenta*: piena
di speranza. 103. *nave*: della vita. – *in porto ascese*: approdava alla
morte. 104. *fra le vaste californie selve*: cfr., oltre all'abbozzo, *Annotazioni* e *Note ai Canti*. 105. *nasce* ecc.: vive ancora una umanità
felice. – *sugge*: succhia, divora. 106. *pallida cura*: una angoscia mortale. 107. *fera tabe*: implacabile malattia. – *doma*: fiacca. 107-9.
vitto... nidi... onde: complemento oggetto di *ministra*, di cui sono
soggetti, rispettivamente, *bosco*, *rupe* e *valle*. 108. *l'intima rupe*: l'interno delle rupi: le grotte. 109. *inopinato*: inaspettato. 110. *atra*:
epitetico: nera. 113. *apre*: viola. – *invitto*: instancabile. 114. *furor*:
di conoscere e di sapere. 115. *peregrino*: sconosciuto. 116. *desiri*:
desideri. – *fugace*: «cioè *fuggente*; *ignuda*: cioè inerme; e però facile
a vincere, ch'è appunto quello che voglio dire; ovvero spogliata di
tutti i suoi possedimenti ec.; ovvero misera, povera ec.» (Leopardi).
117. *per l'imo sole*: gli estremi confini del mondo. «Vedi in Virgilio
plaga solis e altri luoghi dove i poeti definiscono o accennano la terra,
il clima ec. pigliando i nomi dal cielo» (Leopardi). – *incalza*: perseguita.

IX. *Ultimo canto di Saffo*

Composta a Recanati dal 13 al 19 maggio 1822. Pubblicata la prima volta nelle *Canzoni* (Bologna 1824) e accolta, poi, nei *Canti* fin dalla prima edizione (Firenze 1831). Lo stesso Leopardi nell'*Annuncio delle Canzoni*: « Intende di rappresentare la infelicità di un animo delicato, tenero, sensitivo, nobile e caldo, posto in un corpo brutto e giovane... » Si vedano, tra gli argomenti e abbozzi, la *Premessa* e la *Postilla all'Ultimo canto di Saffo*.

Metro: canzone di quattro strofe, di diciotto versi ciascuna, tutte con lo stesso schema.

Placida notte, e verecondo raggio
della cadente luna; e tu che spunti
fra la tacita selva in su la rupe,
nunzio del giorno; oh dilettose e care
mentre ignote mi fur l'erinni e il fato,   5
sembianze agli occhi miei; già non arride
spettacol molle ai disperati affetti.
Noi l'insueto allor gaudio ravviva
quando per l'etra liquido si volve

1. *verecondo*: cfr. Monti, *Bassvilliana*, IV, 199-200: « La luna il raggio... | pauroso mandava e verecondo ». 2. *tu*: la stella di Venere: Lucifero, quando annuncia il mattino. 3. *tacita selva*: cfr. Virgilio, *Aeneis*, VI, 386: « tacitum nemus » e VII, 505: « tacitis silvis ». – *in su la rupe*: di Leucade, sul mar Jonio. Secondo un'antica leggenda la poetessa si sarebbe gettata da quella rupe per amor di Faone, cercando di placare nella morte il proprio dolore. 5. *mentre... mi fur*: quando mi erano. – *l'erinni*: i tormenti dell'amore. Le Erinni, indifferentemente una o molte, erano in origine personificazione della nuvola tempestosa, dal pestifero fiato, apportatrici di morte. – *il fato*: la crudeltà del fato, l'aspetto della morte. 6. *sembianze*: della natura: la quiete notturna, immersa nella luce della luna. – *già non arride*: ormai non piace. 7. *spettacol molle*: il Leopardi annotò in margine all'autografo: « *Spettacol molle*. È ben detto *spettacol dolce, dolce vista, dolce sguardo* ec.? Perché dunque si può trasportare una voce dal palato agli occhi, e dal tatto agli occhi non si potrà? Consento che la metafora sia ardita, ma quante n'ha Orazio delle piú ardite. E se il poeta, massime il lirico, non è ardito nelle metafore, e teme l'insolito, sarà anche privo del nuovo ». 8. *Noi*: « Il *noi* anche negli ottimi tempi in latino e in greco si usava in senso singolare » (*Zibaldone*, 2890, 5 luglio 1823). – *allor*: da riferire a *quando* del verso seguente: allorquando. 9. *per l'etra liquido*: nel cielo. Cfr. Virgilio, *Aeneis*, VII, 65: « liquidum trans aethera »; Orazio, *Carm.*, II, 20: « per liquidum aethera »; Tasso, *Ger. Lib.*, IX, 62: « liquido sereno »; e Parini, *Notte*, v. 705: « liquid'aere ». 9-10. *si volve... il flutto*: turbinano i venti fluttuando e sollevando la polvere. Il Noto, o Au-

e per li campi trepidanti il flutto   10
polveroso de' Noti, e quando il carro,
grave carro di Giove a noi sul capo,
tonando, il tenebroso aere divide.
Noi per le balze e le profonde valli
natar giova tra' nembi, e noi la vasta   15
fuga de' greggi sbigottiti, o d'alto
fiume alla dubbia sponda
il suono e la vittrice ira dell'onda.

Bello il tuo manto, o divo cielo, e bella
sei tu, rorida terra. Ahi di cotesta   20
infinita beltà parte nessuna
alla misera Saffo i numi e l'empia
sorte non fenno. A' tuoi superbi regni
vile, o natura, e grave ospite addetta,
e dispregiata amante, alle vezzose   25
tue forme il core e le pupille invano
supplichevole intendo. A me non ride

stro, è propriamente il vento che soffia da mezzogiorno. Cfr. Dante, *Inf.*, III, 28-30: « ... un tumulto il quale s'aggira... | come la rena quando turbo spira » e IX, 71-72: « dinanzi polveroso va superbo | e fa fuggir le fiere e li pastori ». 10. *per li campi trepidanti*: sulla terra ondeggiante di messi. 11. *il carro* ecc.: cfr. il *Saggio sopra gli errori popolari degli antichi*, cap. XIII: « Comunemente soleasi dai poeti riguardare il tuono come il carro di Giove ». Cfr. Orazio, *Carm.*, I, 12: « Tu gravi curru quaties Olympum » e I, 34: « Namque Diespiter | igni corusco nubila dividens | plerumque per purum tonantes | egit equos volucremque currum », citati dallo stesso Leopardi nel passo suindicato del *Saggio*. 13. *il tenebroso aere divide*: come se squarciasse. Cfr. Virgilio, *Aeneis*, V, 839: « aëra dimovit tenebrosum ». 14-15. *Noi... giova*: a noi piace. Cfr., in appendice, *Annotazioni* cit. 15. *natar... tra' nembi*: sprofondare nel gorgo degli elementi. – *natar*: nuotare. – *e noi*: sottintendi *giova*: e a noi piace, ci è congeniale. – *vasta*: sparsa in ogni direzione per tutta la vastità della campagna. 16. *sbigottiti*: dalla tempesta. – *alto*: profondo, gonfio. 17. *alla dubbia*: presso la malsicura. Il Leopardi in margine: « cioè lubrica, o mal sicura che il fiume non la sormonti, cioè *pericolosa* ». 18. *vittrice*: vittoriosa, travolgente. Cfr. Ovidio, *Metam.*, XI, 553: « unda, velut victrix, sinuataque despicit umbras ». 20. *rorida*: rugiadosa. Come appare, nel primo mattino, agli occhi di Saffo. 22. *empia*: ingiusta. 23. *fenno*: fecero. 23-24. *A' tuoi superbi regni... addetta*: destinata a obbedire alla tua dispotica legge. 24. *vile... e grave*: spregevole e incomoda. Pesante, sgradita. 25. *vezzose*: eleganti, piene di grazia. 27. *intendo*: rivolgo. « Piace l'essere spettatore di cose vigorose ec. ec. non

l'aprico margo, e dall'eterea porta
il mattutino albor; me non il canto
de' colorati augelli, e non de' faggi   30
il murmure saluta: e dove all'ombra
degl'inchinati salici dispiega
candido rivo il puro seno, al mio
lubrico piè le flessuose linfe

solo relative agli uomini, ma comunque. Il tuono, la tempesta, la
grandine, il vento gagliardo, veduto o udito, e i suoi effetti ec. Ogni
sensazione viva porta seco nell'uomo una vena di piacere, quantunque
ella sia per se stessa dispiacevole, o come formidabile, o come dolorosa ec. ». Cfr. *Zibaldone*, 2118 (18 novembre 1821) e particolarmente
il pensiero registrato *ibid.*, 718-19 in data 5 marzo 1821: « L'uomo
d'immaginazione di sentimento e di entusiasmo, privo della bellezza del
corpo, è verso la natura appresso a poco quello ch'è verso l'amata un
amante ardentissimo e sincerissimo, non corrisposto nell'amore. Egli si
slancia fervidamente verso la natura, ne sente profondissimamente
tutta la forza, tutto l'incanto, tutte le attrattive, tutta la bellezza, l'ama
con ogni trasporto, ma quasi che egli non fosse punto corrisposto, sente
ch'egli non è partecipe di questo bello che ama ed ammira, si vede
fuor della sfera della bellezza, come l'amante escluso dal cuore, dalle
tenerezze, dalle compagnie dell'amata. Nella considerazione e nel sentimento della natura e del bello, il ritorno sopra se stesso gli è sempre penoso. Egli sente subito e continuamente che quel bello, quella
cosa ch'egli ammira ed ama e sente, non gli appartiene. Egli prova
quello stesso dolore che si prova nel considerare o nel vedere l'amata
nelle braccia di un altro, o innamorata di un altro, e del tutto noncu-
rante di voi. Egli sente quasi che il bello e la natura non è fatta per
lui, ma per altri (e questi, cosa molto più acerba a considerare, meno
degni di lui, anzi indegnissimi del godimento del bello e della natura,
incapaci di sentirla e di conoscerla ec.): e prova quello stesso disgusto
e finissimo dolore di un povero affamato, che vede altri cibarsi dilica-
tamente, largamente e saporitamente, senza speranza nessuna di poter
mai gustare altrettanto. Egli in somma si vede e conosce escluso senza
speranza, e non partecipe dei favori di quella divinità che non solamente, ma gli è anzi così presente così vicina, ch'egli la sente come
dentro se stesso, e vi s'immedesima, dico la bellezza astratta, e la natura ». 28. *aprico margo*: la verde campagna aperta al sole. Il Leopardi in margine: « Così *ora* in latino, ch'è lo stesso di *margo*, s'adopra per *ogni luogo*, e così da noi *lido, piaggia, riva*, ec. ». – *eterea
porta*: del cielo. 30. *colorati augelli*: cfr. Virgilio, *Georg.*, III, 243 e
Aeneis, IV, 525: « pictaeque volucres ». 32. *inchinati*: incurvati dal
pesante fogliame. Sono i salici comuni: « I salici piangenti son piante
d'Egitto, e non credo note agli antichi » (Leopardi). 33. *candido*:
chiaro, luminoso. – *il puro seno*: complemento oggetto di *dispiega*:
le limpide acque del proprio alveo. 34. *lubrico*: sdrucciolevole, sul
molle terreno. – *flessuose linfe*: le acque « tortuose, sinuose » (Leopardi). Cfr. Virgilio, *Georg.*, III, 14: « tardis ingens ubi flexibus errat
Mincius ».

disdegnando sottragge,   35
e preme in fuga l'odorate spiagge.

Qual fallo mai, qual sí nefando eccesso
macchiommi anzi il natale, onde sí torvo
il ciel mi fosse e di fortuna il volto?
in che peccai bambina, allor che ignara   40
di misfatto è la vita, onde poi scemo
di giovanezza, e disfiorato, al fuso
dell'indomita Parca si volvesse
il ferrigno mio stame? Incaute voci
spande il tuo labbro: i destinati eventi   45
move arcano consiglio. Arcano è tutto,
fuor che il nostro dolor. Negletta prole
nascemmo al pianto, e la ragione in grembo
de' celesti si posa. Oh cure, oh speme
de' piú verd'anni! Alle sembianze il Padre,   50
alle amene sembianze eterno regno
diè nelle genti; e per virili imprese,
per dotta lira o canto,
virtú non luce in disadorno ammanto.

35. *sottragge*: sottrae, ritira. 36. *preme*: sugli argini. Piega, scorrendo. – *l'odorate spiagge*: le rive erbose e fiorite. 37. *nefando*: incon-
fessabile. 38. *macchiommi anzi il natale*: mi macchiò prima di nascere: di quale misfatto posso essere colpevole. 41. *scemo*: « Qui non
vuol dire *diminuito*, ma assolutamente *mancante* » (Leopardi). 43. *indomita*: inflessibile. « Indomita si può dire chiamare anche Lachesi,
giacché gli antichi attribuivano alle Parche il governo del mondo »
(Leopardi). Lachesi era la parca che filava la vita di ciascun uomo,
avvolgendo intorno al fuso lo stame del destino. 44. *ferrigno*: « cioè
del colore della ruggine, oscuro » (Leopardi). – *Incaute*: sconsiderate.
45. *il tuo labbro*: rivolgendosi a se stessa. 46. *arcano consiglio*: un
oscuro, coperto volere. 47. *fuor che il nostro dolor*: cfr. *Ad Angelo
Mai*, v. 120. – *prole*: creatura. 48. *nascemmo*: nacqui. Cfr. il v. 8
e la nota relativa. – *la ragione*: della vita e del mio dolore. – *in grembo* ecc.: « Omero ed altri poeti greci in piú luoghi: Θεῶν ἐπὶ γούνασι
κεῖται [posa sulle ginocchia degli dèi] » (Leopardi). Cfr. anche la lettera al Giordani del 6 agosto 1821. 49. *cure*: desideri. 50. *il Padre*:
Zeus. 52. *per* ecc.: per quanto potere abbiano. 53. *dotta lira o
canto*: la musica e la poesia. La poesia greca era canto accompagnato
dalla musica. 54. *non luce*: non splende. – *ammanto*: dell'anima: il
corpo. Cfr. la lettera al Giordani del 2 marzo 1818: « ... Chicchessia è
costretto a desiderare che la virtú non sia senza qualche ornamento
esteriore, e trovandonela nuda affatto, s'attrista, e per forza di natura
che nessuna sapienza può vincere, quasi non ha coraggio d'amare quel
virtuoso in cui niente è bello fuorché l'anima ».

Morremo. Il velo indegno a terra sparto,   55
rifuggirà l'ignudo animo a Dite,
e il crudo fallo emenderà del cieco
dispensator de' casi. E tu cui lungo
amore indarno, e lunga fede, e vano
d'implacato desio furor mi strinse,   60
vivi felice, se felice in terra
visse nato mortal. Me non asperse
del soave licor del doglio avaro
Giove, poi che perír gl'inganni e il sogno
della mia fanciullezza. Ogni piú lieto   65
giorno di nostra età primo s'invola.
Sottentra il morbo, e la vecchiezza, e l'ombra
della gelida morte. Ecco di tante
sperate palme e dilettosi errori,
il Tartaro m'avanza; e il prode ingegno   70
han la tenaria Diva,
e l'atra notte, e la silente riva.

55. *Morremo*: come Didone in Virgilio. Cfr. *Aeneis*, IV, 547: « more-
re... ferroque averte dolorem » e 659-60: « Moriemur inultae, sed mo-
riamur ». – *velo*: corpo. – *indegno*: dell'anima. – *a terra sparto*: getta-
to, sparso a terra, distrutto. 56. *rifuggirà*: fuggirà via, e forse anche
« cercherà rifugio ». – *a Dite*: negli abissi infernali. Dite è la traduzione latina del greco Plutone. 57. *crudo fallo*: crudele ingiustizia. –
cieco ecc.: il fato. 58. *tu*: Faone. Cfr. la nota al v. 3. 59. *indarno*:
invano. – *fede*: ossessiva. 60. *furor*: cfr. il v. 5. 61. *vivi felice*: cfr.
Alfieri, *Saul*, V, 1: « Ma pure, | io no, non bramo il morir tuo: felice |
vivi; vivi, se il puoi ». 62. *nato mortal*: il Leopardi in margine: « Gli
dèi secondo gli antichi erano nati e non mortali, e parecchi di questi
erano vissuti alcun tempo in terra; e molti erano terrestri, e v'abita-
vano sempre, come le ninfe de' boschi, fiumi, mari, ec., Pani, i Silvani, ec. ». 63. *doglio*: « Vuole intendere di quel vaso pieno di felicità
che Omero pone in casa di Giove », *Iliade*, XXIV, 527-30 (Leopardi).
Cfr., in appendice, *Annotazioni* cit. 66. *primo*: « Dipende da *età* o
spetta a *s'invola*? Domandatelo a Virgilio, *Georg.*, III, 66-69 » (Leopardi). Si veda la nota seguente. 68. *gelida morte*: traduce Ovidio
(*Amores*, II, 9): « gelidae mortis imago ». Ma cfr. i versi di Virgilio
(*Georg.*, III, 66), cui lo stesso Leopardi fa riferimento: « Optima quae-
que dies miseris mortalibus aevi | prima fugit, subeunt morbi tristis-
que senectus | et labor, et durae rapit inclementia mortis ». 68-70.
Con ironia. Cfr., in appendice, *Postilla* cit. 70. *Tartaro*: il mitico regno dei morti. – *prode*: nobile. 71. *han*: accolgono. – *tenaria Diva*:
Ecate o Proserpina, dea dell'Averno: la porta del quale, nella leggenda,
si apriva presso il capo Tenaro, oggi Matapan. 72. *atra*: nera. – *riva*:
dei fiumi infernali.

x. *Il primo amore*

Composto dal 14 al 16 dicembre 1817 e probabilmente rifatto in seguito, apparve la prima volta, col titolo di *Elegia I*, nella edizione bolognese dei *Versi* (1826) e col titolo definitivo nei *Canti* (1831). Fu scritto « con grandissima avidità » di comporre e nel « caldo della malinconia », dopo la partenza da Recanati di Geltrude Cassi-Lazzari, cugina di Monaldo. Per quel giovanile amore, rievocato con cocente lucidità nelle pagine delle *Memorie del primo amore* (14-23 dicembre 1817), cfr. il frammento XXXVIII tratto dall'*Elegia II*, non compresa nei *Canti*. Si vedano inoltre, fra gli abbozzi, gli argomenti di elegie. Numerosi problemi relativi alla giovanile esperienza « elegiaca » del Leopardi sono stati chiarificati da M. Porena, *Le elegie di G. L.* nei « Rendiconti dell'Accademia dei Lincei », XX, serie V, fascicolo 6 (18 giugno 1911), pp. 278-314.

Metro: terza rima.

Tornami a mente il dí che la battaglia
d'amor sentii la prima volta, e dissi:
oimè, se quest'è amor, com'ei travaglia!   3

Che gli occhi al suol tuttora intenti e fissi,
io mirava colei ch'a questo core
primiera il varco ed innocente aprissi.   6

Ahi come mal mi governasti, amore!
Perché seco dovea sí dolce affetto
recar tanto desio, tanto dolore?   9

E non sereno, e non intero e schietto,
anzi pien di travaglio e di lamento
al cor mi discendea tanto diletto?   12

Dimmi, tenero core, or che spavento,
che angoscia era la tua fra quel pensiero
presso al qual t'era noia ogni contento?   15

1. *Tornami a mente*: cfr. Petrarca, *Rime*, cccxxxvi: « Tornami a
mente, anzi v'è dentro, quella » e F. Zappi, sonetto xlii: « Tornami
a mente quella trista e nera ». – *battaglia*: cfr. Petrarca, *Rime*, civ, 2:
« quando Amor cominciò darvi battaglia ». 4. *Che*: coordinato: « il
dí che ». – *tuttora*: sempre. 5. *mirava*: con l'animo. 6. *ed innocente*: inconsapevolmente. 7. *mal*: per mia sventura. – *mi governasti*:
cfr. Petrarca, *Rime*, lxxix, 5-7: « Amor... tal mi governa ». 13. *spavento*: della propria emozione. 14. *fra*: mentre eri immerso in. 15.
presso al qual: rispetto a cui. – *noia*: fastidio. – *ogni contento*: ogni
altro bene. Cfr. *Zibaldone*, 59: « Quando l'uomo concepisce amore
tutto il mondo si dilegua dagli occhi suoi, non si vede piú se non l'oggetto amato, si sta in mezzo alla moltitudine alle conversazioni ec. come si stasse in solitudine, astratti e facendo quei gesti che v'ispira il
vostro pensiero sempre immobile e potentissimo senza curarsi della meraviglia né del disprezzo altrui, tutto si dimentica e riesce noioso ec.
fuorché quel solo pensiero e quella vista ».

quel pensier che nel dí, che lusinghiero
ti si offeriva nella notte, quando
tutto queto parea nell'emisfero: 18

tu inquieto, e felice e miserando,
m'affaticavi in su le piume il fianco,
ad ogni or fortemente palpitando.   21

E dove io tristo ed affannato e stanco
gli occhi al sonno chiudea, come per febre
rotto e deliro il sonno venia manco.   24

Oh come viva in mezzo alle tenebre
sorgea la dolce imago, e gli occhi chiusi
la contemplavan sotto alle palpebre!   27

oh come soavissimi diffusi
moti per l'ossa mi serpeano, oh come
mille nell'alma instabili, confusi   30

pensieri si volgean! qual tra le chiome
d'antica selva zefiro scorrendo,
un lungo, incerto mormorar ne prome.   33

E mentre io taccio, e mentre io non contendo,
che dicevi, o mio cor, che si partia
quella per che penando ivi e battendo?   36

Il cuocer non piú tosto io mi sentia
della vampa d'amor, che il venticello
che l'aleggiava, volossene via.   39

---

22. *dove*: quando. 26. *la dolce imago*: della donna amata. 29. *mi serpeano*: mi si insinuavano. 32. *antica*: folta. – *zefiro*: il tiepido vento della primavera. 33. *ne*: dalla selva. – *prome*: trae fuori, fa uscire. Cfr. Dante, *Par.*, xx, 93: « veder non può se altri non la prome ». 34. *taccio... contendo*: presenti narrativi. – *non contendo*: non mi opponevo alla partenza di lei. 36. *per che*: per la quale. – *penando ivi e battendo*: andavi battendo, palpitavi affannosamente. 37. *non piú tosto io mi sentia*: non feci in tempo a sentire. 38. *il venticello*: spirante dalla donna amata. 39. *l'aleggiava*: vi soffiava sopra.

Senza sonno io giacea sul dí novello,
e i destrier che dovean farmi deserto,
battean la zampa sotto al patrio ostello.   42

Ed io timido e cheto ed inesperto,
ver lo balcone al buio protendea
l'orecchio avido e l'occhio indarno aperto,   45

la voce ad ascoltar, se ne dovea
di quelle labbra uscir, ch'ultima fosse;
la voce, ch'altro il cielo, ahi, mi togliea.   48

Quante volte plebea voce percosse
il dubitoso orecchio, e un gel mi prese,
e il core in forse a palpitar si mosse!   51

E poi che finalmente mi discese
la cara voce al core, e de' cavai
e delle rote il romorio s'intese;   54

orbo rimaso allor, mi rannicchiai
palpitando nel letto e, chiusi gli occhi,
strinsi il cor con la mano, e sospirai.   57

Poscia traendo i tremuli ginocchi
stupidamente per la muta stanza,
ch'altro sarà, dicea, che il cor mi tocchi?   60

Amarissima allor la ricordanza
locommisi nel petto, e mi serrava
ad ogni voce il core, a ogni sembianza.   63

---

40. *sul dí novello*: sul far del giorno. 41. *farmi deserto*: inoltrarmi
nella solitudine. 42. *battean la zampa*: scalpitavano in attesa della
corsa. – *sotto al patrio ostello*: nel cortile della casa paterna. 43. *timido e cheto ed inesperto*: tremante, senza fiato, sopraffatto dall'emozione. 44. *ver*: verso. – *balcone*: finestra. 45. *indarno*: invano.
46-47. *se ne dovea... uscir*: se mai era destino che dovesse uscir una
voce. 47. *di*: da. – *ch'ultima fosse*: che sarebbe stata l'ultima e nello stesso tempo fosse un ultimo segno di lei. 48. *ch'altro*: la donna stessa e tutto con lei. – *il cielo*: la sorte. 49. *plebea*: dei servi.
50. *dubitoso*: attento a spiare la voce di lei, come temendo di udirla.
53. *cavai*: cavalli. 58. *traendo*: trascinando. 59. *stupidamente*: istu-
pidito.

E lunga doglia il sen mi ricercava,
com'è quando a distesa Olimpo piove
malinconicamente e i campi lava.   66

Ned io ti conoscea, garzon di nove
e nove Soli, in questo a pianger nato
quando facevi, amor, le prime prove.   69

Quando in ispregio ogni piacer, né grato
m'era degli astri il riso, o dell'aurora
queta il silenzio, o il verdeggiar del prato.   72

Anche di gloria amor taceami allora
nel petto, cui scaldar tanto solea,
che di beltade amor vi fea dimora.   75

Né gli occhi ai noti studi io rivolgea,
e quelli m'apparian vani per cui
vano ogni altro desir creduto avea.   78

Deh come mai da me sí vario fui,
e tanto amor mi tolse un altro amore?
Deh quanto, in verità, vani siam nui!   81

Solo il mio cor piaceami, e col mio core
in un perenne ragionar sepolto,
alla guardia seder del mio dolore.   84

---

64. *mi ricercava*: mi penetrava dentro, nel fondo del cuore. Cfr. Pe-
trarca, *Rime*, CLV, 7-8: « Per colmarmi di doglia e di desire | e ricer-
carmi la medolla e gli ossi ». 65. *Olimpo*: il cielo. 67-69. « Né io,
giovane di diciotto anni, ti conoscevo, o amore, quando cominciavi a
esercitarti contro di me, nato per soffrire (*in questo a pianger nato*) ».
Cfr. Petrarca, *Rime*, CXXX, 6: « e di lacrime vivo, a pianger nato ».
70. *Quando*: coordinato di *quando* (v. 69). – *in ispregio*: enumera
gli effetti dell'amore. 71. *riso*: splendore. 74. *cui*: che. 75. *che*:
poiché. – *beltade*: della donna amata. – *fea*: faceva. 79. *sí vario fui*:
potei a tal punto divenire un altro. 80. *tanto amor*: un cosí grande
amore di gloria e di studi. Complemento oggetto di *mi tolse*. 81.
vani: inconsistenti e mutevoli. – *nui*: noi. 84. *alla guardia seder*
ecc.: custodire gelosamente il mio dolore. – *seder*: sottintendi: *piaceami*.

E l'occhio a terra chino o in se raccolto,
di riscontrarsi fuggitivo e vago
né in leggiadro soffria né in turpe volto: 87

che la illibata, la candida imago
turbare egli temea pinta nel seno,
come all'aure si turba onda di lago.   90

E quel di non aver goduto appieno
pentimento, che l'anima ci grava,
e il piacer che passò cangia in veleno,   93

per li fuggiti dí mi stimolava
tuttora il sen: che la vergogna il duro
suo morso in questo cor già non oprava.   96

Al cielo, a voi, gentili anime, io giuro
che voglia non m'entrò bassa nel petto,
ch'arsi di foco intaminato e puro.   99

Vive quel foco ancor, vive l'affetto,
spira nel pensier mio la bella imago,
da cui, se non celeste, altro diletto   102

giammai non ebbi, e sol di lei m'appago.

---

85. *in se raccolto*: cfr. Petrarca, *Rime*, xi, 10: « e l'amoroso sguardo
in sé raccolto ». 86. *di riscontrarsi*: di incontrarsi. – *fuggitivo e
vago*: errante intorno ai lineamenti della donna amata, sfuggente ed
elusivo della realtà. 88. *che*: poiché. – *imago*: l'immagine della donna amata. 89. *pinta nel seno*: cfr. Petrarca, *Rime*, xcvi, 5-6: « Ma
'l bel viso leggiadro che depinto | porto nel petto... » 90. *aure*:
brezza. – *si turba*: s'intorbida. 91. *quel*: da riferire a *pentimento*
del verso seguente. 94. *per li fuggiti dí*: a causa di quei giorni non
abbastanza goduti e ormai dileguati. – *mi stimolava*: mi pungeva. 95.
tuttora: continuamente. – *che*: poiché. 95-96. *il duro suo morso...
non oprava*: non rimordeva. 96. *già*: rafforza la negazione. Rimordeva
il pentimento di non aver goduto abbastanza, non già la vergogna di
basse voglie. 97. *a voi, gentili anime*: a chiunque abbia un'anima nobile. 99. *intaminato*: incontaminato. 101. *spira*: respira, è ancor
viva. 102. *celeste*: puro. 103. *di lei*: dell'immagine della donna
amata. – *m'appago*: cfr. Petrarca, *Rime*, cxxix, 37: « che del suo proprio error l'alma s'appaga ».

Concepito forse nel 1819, nella stagione degli *Idilli* (cfr., fra gli abbozzi, gli *Argomenti di idilli*), fu ripreso probabilmente a Recanati fra il 1829 e il '30, e portato a termine a Firenze nell'autunno del '30, se non anche piú tardi. Apparve infatti la prima volta nella seconda edizione dei *Canti* (Napoli 1835), collocato come prefazione ai cinque idilli che seguono (*L'infinito, La sera del dí di festa, Alla luna, Il sogno, La vita solitaria*). Ragioni metriche e stilistiche inducono a datarne la definitiva stesura non prima del 1828: piuttosto che ai cinque idilli giovanili, il canto si apparenta ai grandi idilli (*Quiete dopo la tempesta* e *Sabato del villaggio*) e presenta un qualche motivo affine alle *Ricordanze*.

Metro: canzone fuori da ogni schema.

D'in su la vetta della torre antica,
passero solitario, alla campagna
cantando vai finché non more il giorno;
ed erra l'armonia per questa valle.
Primavera dintorno   5
brilla nell'aria, e per li campi esulta,
sí ch'a mirarla intenerisce il core.
Odi greggi belar, muggire armenti;
gli altri augelli contenti, a gara insieme
per lo libero ciel fan mille giri,   10
pur festeggiando il lor tempo migliore:
tu pensoso in disparte il tutto miri;
non compagni, non voli,

1. *torre*: il campanile della chiesa di Sant'Agostino, a ponente di
Recanati. «Domina la Marca occidentale e piú da vicino la valle sottoposta; maggiormente poi la dominava a' tempi di Giacomo per l'alto
suo cono, che, quindi, a causa dei fulmini che attirava, è stato abbat-
tuto. In cima a quel cono v'era una croce, dove spesso vedevasi po-
sato un passero solitario » (Mestica). 2. *passero solitario*: di proporzioni maggiori del passero comune e di un colore azzurrino. Non cin-
guetta, ma canta melodiosamente, e non vive a branchi. Cfr. *Salmi*,
CI, 8: «Vigilavi et factus sum sicut passer solitarius in tecto», e Pe-
trarca, *Rime*, CCXXVI: «Passer mai solitario in alcun tetto | non fu
quant'io ». – *alla*: complemento di *cantando* (v. 3). Il passero solitario canta rivolto alla campagna che si stende subito oltre il campanile. 3. *cantando vai*: cfr. Petrarca, *Rime*, CCCLIII, 1: «Vago augel-
letto che cantando vai ». – *finché* ecc.: cfr. Dante, *Purg.*, VIII, vv. 1-6:
« ... che paia il giorno pianger che si more ». 6. *esulta*: tripudia,
trionfa. 7. *intenerisce*: s'intenerisce. Cfr. Dante, *Purg.*, VIII, v. 2:
« ... e intenerisce il core ». 8. *Odi* ecc.: cfr. Poliziano, *Stanze*, I, 18:
« Veder cozzar monton, vacche mugghiare », Ariosto, *Orl. fur.*, XXIII,
115: « Senti cani abbaiar, mugghiare armenti » e Annibal Caro, *Eneide*, VIII, 553: « Udian greggi belar, mugghiare armenti ». 10. *libero*:
sgombro, sereno. 11. *pur*: a loro volta, come i greggi e gli armenti. –
migliore: la primavera e, che è lo stesso, la giovinezza. Cfr. il v. 16.

non ti cal d'allegria, schivi gli spassi;
canti, e cosí trapassi   15
dell'anno e di tua vita il piú bel fiore.

Oimè, quanto somiglia
al tuo costume il mio! Sollazzo e riso,
della novella età dolce famiglia,
e te german di giovinezza, amore,   20
sospiro acerbo de' provetti giorni,
non curo, io non so come; anzi da loro
quasi fuggo lontano;
quasi romito, e strano
al mio loco natio,   25
passo del viver mio la primavera.
Questo giorno ch'omai cede alla sera,
festeggiar si costuma al nostro borgo.
Odi per lo sereno un suon di squilla,
odi spesso un tonar di ferree canne,   30
che rimbomba lontan di villa in villa.
Tutta vestita a festa
la gioventú del loco
lascia le case, e per le vie si spande;
e mira ed è mirata, e in cor s'allegra.   35
Io solitario in questa

---

14. *non ti cal*: non t'importa. 18. *costume*: modo d'essere e di vivere. 19. *famiglia*: apposizione di *Sollazzo e riso* (v. 18); generati dalla giovinezza. Cfr. Petrarca, *Rime*, CCCX, 1-2: «Zefiro torna, e 'l bel tempo
rimena | e i fiori e l'erbe, sua dolce famiglia». 20. *german*: fratello. 21.
provetti: avanzati, inoltrati al di là della giovinezza. 24. *strano*: straniero. 28. *festeggiar*: forse il giorno di San Vito, patrono di Recanati,
celebrato il 15 giugno. In base a questo accenno e in considerazione del
fatto che Leopardi, a partire dal luglio 1825, passò a Recanati soltanto
i mesi dal novembre 1826 all'aprile 1827 e dal novembre 1828 all'aprile 1830, si ritiene generalmente che il canto sia stato composto poco
dopo il giugno 1829. O forse allude alla festa dell'Annunciazione, del
25 marzo, celebrata solennemente a Recanati; se non a una qualsiasi
delle ricorrenze che si festeggiavano nella contrada Morello, all'estremità di Recanati, dove su umili case domina il palazzo Leopardi. «Esclu-
do si accenni alla festa di San Vito, che, cadendo il 15 giugno, è piuttosto alle soglie dell'estate che non del giocondo *brillare* della primavera» (Moroncini). – *si costuma*: si suole. – *borgo*: Recanati. O forse,
piú particolarmente, la contrada o borgo Morello. 29. *squilla*: campana a festa. 30. *di ferree canne*: di fucili che sparano a festa. 31. *di
villa in villa*: da un gruppo all'altro delle case sparse per la campagna.
Di contrada in contrada. 36-37. *questa... parte*: a occidente della città.

rimota parte alla campagna uscendo,
ogni diletto e gioco
indugio in altro tempo: e intanto il guardo
steso nell'aria aprica   40
mi fere il Sol che tra lontani monti,
dopo il giorno sereno,
cadendo si dilegua, e par che dica
che la beata gioventú vien meno.

Tu, solingo augellin, venuto a sera   45
del viver che daranno a te le stelle,
certo del tuo costume
non ti dorrai; che di natura è frutto
ogni vostra vaghezza.
A me, se di vecchiezza   50
la detestata soglia
evitar non impetro,
quando muti questi occhi all'altrui core,
e lor fia vòto il mondo, e il dí futuro
del dí presente piú noioso e tetro,   55
che parrà di tal voglia?
che di quest'anni miei? che di me stesso?
Ahi pentirommi, e spesso,
ma sconsolato, volgerommi indietro.

Cfr. nota al v. 1. 37. *alla campagna*: verso la campagna. 39. *indugio*:
rinvio. – *il guardo*: gli occhi. Complemento oggetto di *mi fere* (v. 41).
41. *mi fere*: mi ferisce, abbaglia. – *monti*: dell'Appennino. 45. *venuto a sera*: al tramonto della vita. 46. *le stelle*: il destino. 47. *costume*: modo d'essere e di vivere. 48. *che*: poiché. – *natura... frutto*: naturale, istintiva. 49. *vaghezza*: inclinazione. 50-52. *di vecchiezza*
ecc.: « se non ottengo di morir giovane ». 53. *muti* ecc.: « È ben trista quella età nella quale l'uomo sente di non ispirar piú nulla » (*Zibaldone*, 4284, 1º luglio 1827). Cfr. anche *Pensieri*, LXI. 54. *lor*: a
loro, per loro. – *fia*: sarà. 56. *voglia*: inclinazione. Alla solitudine.
59. *volgerommi indietro*: rimpiangerò il passato. « Sempre mi desteran-
no dolore quelle parole che soleva dirmi l'Olimpia Basvecchi riprenden-
domi del mio modo di passare i giorni della gioventú, in casa, senza vedere alcuno: che gioventú! che maniera di passare cotesti anni!... »
(*Zibaldone*, 4421, 2 dicembre 1828). Si veda anche la lettera al Vieusseux del 4 marzo 1826: « La mia vita, prima per necessità di circostanze
e contro mia voglia, poi per inclinazione nata dall'abito convertito in
natura e divenuto indelebile, è stata sempre, ed è, e sarà perpetuamente solitaria, anche in mezzo alla conversazione, nella quale, per dirla
all'inglese, io sono piú *absent* di quel che sarebbe un cieco e sordo ».

XII. *L'infinito*

È il primo dei sei *Idilli* (*L'infinito, La sera del dì di festa, Alla luna, Il sogno, La vita solitaria* e il *Frammento* XXXVII): i cosiddetti « primi idilli ». Composto a Recanati tra la primavera e l'autunno del 1819, fu pubblicato la prima volta nel « Nuovo Ricoglitore » di Milano del dicembre 1825, e, subito dopo, nell'edizione bolognese dei *Versi* (1826). Accolto nei *Canti* fin dalla prima edizione (Firenze 1831). Si vedano, in appendice, fra gli *Argomenti di Idilli*, gli abbozzi 1-4.

Metro: endecasillabi sciolti.

Sempre caro mi fu quest'ermo colle,
e questa siepe, che da tanta parte
dell'ultimo orizzonte il guardo esclude.
Ma sedendo e mirando, interminati
spazi di là da quella, e sovrumani   5
silenzi, e profondissima quiete
io nel pensier mi fingo; ove per poco
il cor non si spaura. E come il vento

1. *ermo*: romito, disabitato. – *colle*: « Uscendo dalla città per la Porta di Monte Morello, la piú vicina al palazzo Leopardi, Giacomo, quando facea la passeggiata a ponente, solea recarsi per un piccolo sentiero al colle detto popolarmente Monte Tabor che signoreggia la valle sottoposta e tutta la Marca occidentale fino agli Appennini... A' tempi del poeta era veramente *ermo*, folto di alberi e irto di sterpi a maniera di siepi » (Mestica). 2-3. *da tanta parte... il guardo esclude*: preclude allo sguardo tanta parte. 3. *ultimo*: l'orizzonte terrestre, che a occhio umano appare come la linea piú lontanamente visibile. L'orizzonte reale, cioè, non quello finto disegnato dalla siepe. 4. *mirando*: fissando il limitare della siepe col cielo. « Circa le sensazioni che piacciono pel solo indefinito puoi vedere il mio idillio sull'*Infinito*, e richiamar l'idea di una campagna arditamente declive in guisa che la vista in certa lontananza non arrivi alla valle; e quella di un filare d'alberi, il cui fine si perda di vista, o per la lunghezza del filare, o perch'esso pure sia posto in declivio ec. ec. ec. Una fabbrica una torre ec. veduta in modo che ella paia innalzarsi sola sopra l'orizzonte, e questo non si veda, produce un contrasto efficacissimo e sublimissimo tra il finito e l'indefinito ec. ec. (1 agosto 1821) », *Zibaldone*, 1430-31. 5. *quella*: siepe. 7. *nel pensier mi fingo*: cerco di immaginare con la mia fantasia. Cfr. le *Annotazioni* alla canzone *Alla primavera*, a str. v, v. 2). – *ove*: riferito a *spazi* (v. 5), *silenzi* (v. 6), *quiete* (v. 6): nell'immensità dell'infinito. Ma ha anche un implicito valore consecutivo: « tanto che »; e significa anche, evidentemente: « nel quale pensiero, nella quale immaginazione » (dell'infinito, altrimenti inconcepibile). 8. *si spaura*: per la sensazione, istantanea e inesprimibile, che all'infinito, l'infinito coincida col nulla. – *come*: temporale e modale: non appena, se per avventura.

odo stormir tra queste piante, io quello
infinito silenzio a questa voce   10
vo comparando: e mi sovvien l'eterno,
e le morte stagioni, e la presente
e viva, e il suon di lei. Cosí tra questa
immensità s'annega il pensier mio:
e il naufragar m'è dolce in questo mare.   15

---

10. *voce*: del vento.   11. *e mi sovvien l'eterno*: e all'improvviso contatto del pensiero annientante dell'infinito col suono reale e famigliare
del vento, sopravviene istintivamente il pensiero della eternità, dell'infinito nel tempo oltre che nello spazio.   12. *le morte stagioni*: le età
della storia annullate nel passato.   13. *il suon*: il rumore, la fragile
concretezza, il battito della vita. Cfr. *Nelle nozze della sorella Paolina*, v. 5. – *di lei*: dell'età presente, della mia età, che fa tutt'uno con
la mia vita.   14. *immensità*: dello spazio e del tempo.   15. *il naufragar*: il lasciarmi annegare. – *mare*: dell'infinito.

XIII. *La sera del dí di festa*

Composto a Recanati con tutta probabilità nel 1820, forse nella primavera o nell'estate (Mestica), o nei primi giorni d'ottobre (Levi). Fu pubblicato la prima volta, con gli altri idilli (*L'infinito, Alla luna, Il sogno, La vita solitaria* e il *Frammento* XXXVII), nel «Nuovo Ricoglitore» di Milano (dicembre 1825) col titolo *La sera del giorno festivo*: titolo che conservò nell'edizione dei *Versi* (Bologna 1826) e dei *Canti* (Firenze 1831). Comparve nella forma e col titolo definitivi nella seconda edizione dei *Canti* (Napoli 1835).

Metro: endecasillabi sciolti.

Dolce e chiara è la notte e senza vento,
e queta sovra i tetti e in mezzo agli orti
posa la luna, e di lontan rivela
serena ogni montagna. O donna mia,
già tace ogni sentiero, e pei balconi   5
rara traluce la notturna lampa:
tu dormi, che t'accolse agevol sonno
nelle tue chete stanze; e non ti morde
cura nessuna; e già non sai né pensi
quanta piaga m'apristi in mezzo al petto.   10
Tu dormi: io questo ciel, che sí benigno

1. *Dolce e chiara*: mite e serena. Nelle *Memorie d'infanzia e di adolescenza*: « Veduta notturna colla luna a ciel sereno dall'alto della mia casa, tal quale alla similitudine di Omero ec. » e cfr. il *Discorso intorno alla poesia romantica*: « Una notte serena e chiara e silenziosa, illuminata dalla luna, non è uno spettacolo sentimentale? Ora leggete questa similitudine di Omero: " Sí come quando graziosi in cielo | rifulgon gli astri intorno della luna, | e l'aere è senza vento, e si discopre | ogni cima de' monti ed ogni selva | ed ogni torre; allor che su nell'alto | tutto quanto l'immenso etra si schiude, | e vedesi ogni stella, e ne gioisce | il pastor dentro all'alma " ». 2. *queta*: quieta. 3. *posa*: riposa. – *la luna*: la luce della luna. 4. *serena*: nitida. – *O donna mia*: forse, secondo il Mestica, la giovinetta Serafina Basvecchi, figliastra di Vito Leopardi, zio di Giacomo. Piú probabilmente una vaga immagine femminile evocata dalla fantasia. 5. *ogni sentiero*: del borgo. Cfr. Virgilio, *Aeneis*, IV, 525: « tacet omnis ager ». – *pei balconi*: retto da *traluce* (v. 6): trapela attraverso le finestre. 6. *rara*: qua e là, e fiocamente. – *lampa*: lampada. Le luci delle case. 7. *che*: poiché. – *agevol*: facile. 9. *cura nessuna*: alcun affanno. – *già*: rafforza la negazione. Cfr. *Il primo amore*, v. 96. – *né pensi*: né immagini. 11-14. *Tu dormi* ecc.: cfr. Monti, *Pensieri d'amore*, VIII, 1-4: « Alta è la notte ed in profonda calma | dorme il mondo sepolto, e in un con esso | par la procella del mio cor sopita. | Io balzo fuori delle piume, e guardo... »

appare in vista, a salutar m'affaccio,
e l'antica natura onnipossente,
che mi fece all'affanno. A te la speme
nego, mi disse, anche la speme; e d'altro   15
non brillin gli occhi tuoi se non di pianto.
Questo dí fu solenne: or da' trastulli
prendi riposo; e forse ti rimembra
in sogno a quanti oggi piacesti, e quanti
piacquero a te: non io, non già, ch'io speri,   20
al pensier ti ricorro. Intanto io chieggo
quanto a viver mi resti, e qui per terra
mi getto, e grido, e fremo. Oh giorni orrendi
in cosí verde etate! Ahi, per la via
odo non lunge il solitario canto   25
dell'artigian, che riede a tarda notte,
dopo i sollazzi, al suo povero ostello;
e fieramente mi si stringe il core,
a pensar come tutto al mondo passa,
e quasi orma non lascia. Ecco è fuggito   30
il dí festivo, ed al festivo il giorno

12. *appare in vista*: si mostra allo sguardo. 13. *antica*: eterna. Cfr.
Ultimo canto di Saffo, vv. 19 sgg. 14. *mi fece all'affanno*: « a pianger nato » (*Il primo amore*, v. 68). Cfr. anche la lettera al Giordani
del 6 marzo 1820: « Poche sere addietro prima di coricarmi, aperta la
finestra della mia stanza, e vedendo un cielo puro, un bel raggio di
luna, e sentendo un'aria tepida e certi cani che abbaiavano da lontano,
mi si svegliarono alcune immagini antiche e mi parve di sentire un
moto del cuore, onde mi posi a gridare come un forsennato, domandando misericordia alla natura, la cui voce mi pareva di udire dopo
tanto tempo ». 15. *mi disse*: sottintendi: *la... natura*. 17. *solenne*:
festivo. Forse, secondo l'Antognoni, il 15 di giugno, giorno di San Vito,
patrono di Recanati. Cfr. *Il passero solitario*, v. 28 e la nota relativa.
Il poeta riprende a rivolgersi alla *donna* del v. 4. – *trastulli*: gli svaghi del giorno di festa. 20. *non io*: certamente non io. – *non già,
ch'io speri*: non già, che io lo speri. 21. *al*: nel. 21-23. *io chieggo*
ecc.: cfr. la lettera al Giordani del 24 aprile 1820: « Io mi getto e mi
ravvolgo per terra domandando quanto mi resta ancora da vivere. La mia
disgrazia è assicurata per sempre: quanto mi resterà da portarla?
quanto? » 22. *e qui*: nella mia stanza. 26. *riede*: ritorna. 27. *ostello*:
casa. 28. *fieramente*: ferocemente. 29. *a pensar* ecc.: cfr. *Zibaldone*,
50: « Dolor mio nel sentire a tarda notte seguente al giorno di qualche festa il canto notturno de' villani passeggeri. Infinità del passato che mi veniva in mente, ripensando ai Romani cosí caduti dopo tanto
romore e ai tanti avvenimenti ora passati ch'io paragonava dolorosamente con quella profonda quiete e silenzi della notte, a farmi avvedere del quale giovava il risalto di quella voce o canto villanesco ».

volgar succede, e se ne porta il tempo
ogni umano accidente. Or dov'è il suono
di que' popoli antichi? or dov'è il grido
de' nostri avi famosi, e il grande impero   35
di quella Roma, e l'armi, e il fragorio
che n'andò per la terra e l'oceano?
Tutto è pace e silenzio, e tutto posa
il mondo, e piú di lor non si ragiona.
Nella mia prima età, quando s'aspetta   40
bramosamente il dí festivo, or poscia
ch'egli era spento, io doloroso, in veglia,
premea le piume; ed alla tarda notte
un canto che s'udia per li sentieri
lontanando morire a poco a poco,   45
già similmente mi stringeva il core.

32. *volgar*: ordinario, comune. – *se ne porta il tempo*: immagine
topica. Cfr. ad esempio Virgilio, *Ecl.*, IX, 51: « Omnia fert aetas »
e Monti, *Pensieri d'amore*, X, vv. 1-5: « Tutto père quaggiú. Divora
il Tempo | l'opre, i pensieri. Colà dove immenso | gli astri dan suono,
e qui dov'io m'assido | e coll'aura che passa mi lamento, | del Nulla
tornerà l'ombra e il silenzio ». 33. *ogni umano accidente*: tutti i casi
umani. – *suono*: la voce, il rumore della vita. Cfr. *Nelle nozze della
sorella Paolina*, v. 5. 34. *di que' popoli antichi*: dei popoli antichi.
Piú di qualsiasi altro poeta Leopardi ama l'effetto di patetica preci-
sione che deriva dal pronome dimostrativo. – *il grido*: la fama. 36.
l'armi, e il fragorio: endiadi: il fragorio delle armi: il clamore, la gloria. 37. *che n'andò*: che da essa, da Roma, si propagò. 38. *posa*:
riposa. Cfr. i vv. 4-5 della canzone al Mai. 39. *di lor*: dei popoli antichi. 41-42. *or poscia ch'egli*: a quest'ora, dopo che esso, il dí festivo (v. 31). 42. *doloroso*: pieno d'angoscia. 43. *premea le piume*:
giacevo nel letto. Cfr. *Il primo amore*, v. 20. – *alla*: nella. 45. *lontanando*: intransitivo: allontanandosi. 46. *similmente*: come al pensiero delle antiche età sepolte.

Composto a Recanati con tutta probabilità nel 1820, forse nel luglio. Fu pubblicato la prima volta, con gli altri idilli (*L'infinito*, *La sera del dì di festa*, *Il sogno*, *La vita solitaria* e il *Frammento* XXXVII), nel « Nuovo Ricoglitore » di Milano (gennaio 1826) e, subito dopo, nei *Versi* (Bologna 1826) col titolo *La ricordanza*. Accolto nella prima edizione dei *Canti* (Firenze 1831) col titolo definitivo.

Metro: endecasillabi sciolti.

O graziosa luna, io mi rammento
che, or volge l'anno, sovra questo colle
io venia pien d'angoscia a rimirarti:
e tu pendevi allor su quella selva
siccome or fai, che tutta la rischiari.   5
Ma nebuloso e tremulo dal pianto
che mi sorgea sul ciglio, alle mie luci
il tuo volto apparia, che travagliosa
era mia vita: ed è, né cangia stile,
o mia diletta luna. E pur mi giova   10
la ricordanza, e il noverar l'etate
del mio dolore. Oh come grato occorre
nel tempo giovanil, quando ancor lungo
la speme e breve ha la memoria il corso,
il rimembrar delle passate cose,   15
ancor che triste, e che l'affanno duri!

1. *graziosa*: cortese, piena di grazia. Nella medesima accezione che
in Dante, *Inf.*, v, 88: « O animal grazioso e benigno ». 2. *or volge
l'anno*: or è un anno, un anno fa. Cfr. Petrarca, *Rime*, LXII, 9: « Or
volge, signor mio, l'undecimo anno ». – *questo colle*: il monte Tabor
nei pressi di Recanati. Cfr. *L'infinito*, v. 1 e nota relativa. 3. *venia*:
ero solito venire. 4. *pendevi*: eri sospesa nel cielo. 6. *nebuloso*:
velato. – *dal*: a causa del. 7. *luci*: occhi. 8. *che*: poiché. 10. *mi
giova*: mi è cara. 11. *la ricordanza*: del dolore di allora, di un anno
prima. – *noverar l'etate* ecc.: calcolare da quanto tempo dura il mio dolore. 12. *grato occorre*: torna caro. 13-14. Entrambi i versi furono
aggiunti dal Leopardi sull'esemplare Starita dei *Canti* (Napoli 1835)
corretto dopo la pubblicazione (cfr. la nostra *Nota bibliografica*) e videro la luce per la prima volta nei *Canti* curati dal Ranieri (Firenze
1845). 16. *ancor che*: anche se. – *triste*: plurale femminile di « tristo »: da riferire a *cose* (v. 15). Cfr. *Zibaldone*, 1987-88: « Siccome le
impressioni, cosí le ricordanze della fanciullezza in qualunque età sono
piú vive che quelle di qualunque altra età. E son piacevoli per la loro
vivezza anche le ricordanze d'immagini o di cose che nella fanciullezza
ci erano dolorose, o spaventose ec. E per la stessa ragione ci è piacevole nella vita anche la ricordanza dolorosa, e quando bene la cagion
del dolore non sia passata, e quando pure la ricordanza lo cagioni o
l'accresca, come nella morte de' nostri cari, il ricordarsi del passato ec.
(25 Ottobre 1821) ». – *e che*: e ancor che, anche se.

Composto a Recanati, sul finire del 1820 o agli inizi del 1821, apparve anonimo col titolo *Elegia* nelle « Notizie teatrali bibliografiche e urbane, ossia il Caffè di Petronio » di Bologna (numero del 13 agosto 1825). Fu poi stampato col titolo definitivo, insieme agli altri idilli (*L'infinito*, *Alla luna*, *La sera del dì di festa*, *La vita solitaria* e il *Frammento* XXXVII), nel « Nuovo Ricoglitore » del gennaio 1826 e, subito dopo, nei *Versi* (Bologna 1826). Accolto nei *Canti* fin dalla prima edizione (Firenze 1831). Forse nella fanciulla del sogno è da riconoscere quella Teresa Fattorini, figlia del cocchiere di casa Leopardi, morta nel settembre del 1818, della quale è fissata l'immagine nei *Ricordi d'infanzia e di adolescenza*, e adombrata nella canzone *Per una donna inferma di malattia lunga e mortale*, scritta tra il marzo e l'aprile 1819 e mai pubblicata dal Leopardi. (Il riferimento fece ritenere al Mestica che l'idillio fosse composto nel 1819: cfr. il v. 24). All'immagine della Fattorini sembra, per altro, sovrapporsi quella di un'altra giovinetta recanatese, la Brini. È da vedere nei *Ricordi d'infanzia* cit., la descrizione dei ripetuti incontri con lei per le vie di Recanati e soprattutto si tenga presente la descrizione del sogno: « Sogno di quella notte e mio vero paradiso in parlar con lei ed esserne interrogato e ascoltato con viso ridente e poi domandarle io la mano a baciare ed ella torcendo non so di che filo porgermela guardandomi con aria semplicissima e candidissima e io baciarla senza ardire di toccarla... » Cfr. inoltre, fra gli abbozzi, quello intitolato *Del fingere poetando un sogno*, del 2 dicembre 1820. Il che porta a datare alla fine di quell'anno o ai primi mesi del 1821 la composizione dell'idillio, concepito secondo il disegno di due grandi figurazioni petrarchesche: la canzone « Quando il soave; mio fido conforto » (*Rime*, CCCLIX) e *Trionfo della morte*, II.

Metro: endecasillabi sciolti.

Era il mattino, e tra le chiuse imposte
per lo balcone insinuava il sole
nella mia cieca stanza il primo albore;
quando in sul tempo che piú leve il sonno
e piú soave le pupille adombra,   5
stettemi allato e riguardommi in viso
il simulacro di colei che amore
prima insegnommi, e poi lasciommi in pianto.
Morta non mi parea, ma trista, e quale
degl'infelici è la sembianza. Al capo   10
appressommi la destra, e sospirando,
vivi, mi disse, e ricordanza alcuna
serbi di noi? Donde, risposi, e come
vieni, o cara beltà? Quanto, deh quanto
di te mi dolse e duol: né mi credea   15
che risaper tu lo dovessi; e questo
facea piú sconsolato il dolor mio.
Ma sei tu per lasciarmi un'altra volta?
Io n'ho gran tema. Or dimmi, e che t'avvenne?
Sei tu quella di prima? E che ti strugge   20
internamente? Obblivione ingombra

2. *per lo balcone*: attraverso la finestra. 3. *cieca*: buia. 4-5.
quando ecc.: cfr. la traduzione leopardiana del secondo idillio di Mo-
sco, vv. 4 sgg.: « Quando il sopor su le palpèbre | piú soave del mèl
siede, e le membra | lieve rilassa, ritenendo intanto | in molle laccio av-
viluppati i lumi ». 5. *adombra*: vela d'ombra. 6. *riguardommi*: mi
guardò lungamente. 7. *il simulacro*: l'immagine. 9. *trista*: addolo-
rata, afflitta. 13. *di noi*: di me. Cfr. *Ultimo canto di Saffo*, v. 8 e
nota relativa. O forse anche: di noi due, della nostra vita in comune.
21. *ingombra*: offusca. Cfr., in appendice, il verso di Angiolo di Costanzo citato nelle *Annotazioni* alla canzone *All'Italia*.

i tuoi pensieri, e gli avviluppa il sonno,
disse colei. Son morta, e mi vedesti
l'ultima volta, or son piú lune. Immensa
doglia m'oppresse a queste voci il petto.   25
Ella seguí: nel fior degli anni estinta,
quand'è il viver piú dolce, e pria che il core
certo si renda com'è tutta indarno
l'umana speme. A desiar colei
che d'ogni affanno il tragge, ha poco andare   30
l'egro mortal; ma sconsolata arriva
la morte ai giovanetti, e duro è il fato
di quella speme che sotterra è spenta.
Vano è saper quel che natura asconde
agl'inesperti della vita, e molto   35

22. *gli avviluppa*: li avvolge di tenebra.   24. *piú lune*: piú mesi.   25.
a queste voci: a queste parole.   28. *certo si renda*: intenda chiaramente. – *tutta indarno*: interamente vana.   29-31. *A desiar* ecc.: l'infelice mortale giunge ben presto a desiderare la morte che lo liberi da
ogni affanno. Per l'espressione *ha poco andare*, cfr. la canzone *Per una
donna inferma*, v. 73: « E s'altri non l'aita, ha poco andare »; e Petrarca, *Rime*, LXXVI, 14: « Questi avea poco andare ad esser morto ».   31. *sconsolata*: cfr. *Ricordi d'infanzia e di adolescenza*: « Mio
dolore in veder morire i giovini come a veder bastonare una vite
carica d'uve immature ec. una messe ec. » e: « Storia di Teresa da me
poco conosciuta e interesse che io ne prendea come di tutti i morti
giovani, in quello aspettar la morte per me ».   33. *sotterra*: stron-
cata dalla morte.   34-37. *Vano è* ecc.: « Non conta nulla, per chi non
l'abbia sperimentato ancora, il sapere quanto sia crudele l'umano destino, e la reale e cocente pena di perdere la vita supera di gran lunga
l'astratta cognizione del dolore ». Cfr. *Zibaldone*, 1437: « Mirabile disposizione della natura! Il giovane non crede alle storie, benché sappia
che son vere, cioè non crede che debbano avverarsi ne' particolari
della sua vita, degli uomini ch'egli conosce e tratta, o conoscerà e trat-
terà, e spera di trovare il mondo assai diverso, almeno in quanto a se
stesso, e per modo di eccezione. E crede pienamente a' poemi e romanzi, benché sappia che sono falsi, cioè se ne lascia persuadere che
il mondo sia fatto e vada in quel modo, e crede di trovarlo cosí. Di
maniera che le storie che dovrebbero fare per lui le veci dell'esperienza, e cosí pure gl'insegnamenti filosofici ec. gli restano inutili, non già
per capriccio, né ostinazione, né piccolezza d'ingegno, ma per opera
universale e invincibile della natura. E solo quando egli è dentro a
questo mondo sí cambiato dalla condizione naturale, l'esperienza lo co-
stringe a credere quello che la natura gli nascondeva, perché neppur
nel fatto era conforme alle di lei disposizioni. Segno che il mondo è
tutto il rovescio di quello che dovrebbe, poiché il giovane che non ha
altra regola di giudizio se non la natura, e quindi è giudice competen-
tissimo, giudica sempre ed inevitabilmente vero il falso, e falso il
vero. (2 Agosto 1821) ».

all'immatura sapienza il cieco
dolor prevale. Oh sfortunata, oh cara,
taci, taci, diss'io, che tu mi schianti
con questi detti il cor. Dunque sei morta,
o mia diletta, ed io son vivo, ed era   40
pur fisso in ciel che quei sudori estremi
cotesta cara e tenerella salma
provar dovesse, a me restasse intera
questa misera spoglia? Oh quante volte
in ripensar che piú non vivi, e mai   45
non avverrà ch'io ti ritrovi al mondo,
creder nol posso. Ahi ahi, che cosa è questa
che morte s'addimanda? Oggi per prova
intenderlo potessi, e il capo inerme
agli atroci del fato odii sottrarre.   50
Giovane son, ma si consuma e perde
la giovanezza mia come vecchiezza;
la qual pavento, e pur m'è lunge assai.
Ma poco da vecchiezza si discorda
il fior dell'età mia. Nascemmo al pianto,   55
disse, ambedue; felicità non rise
al viver nostro; e dilettossi il cielo
de' nostri affanni. Or se di pianto il ciglio,
soggiunsi, e di pallor velato il viso
per la tua dipartita, e se d'angoscia   60
porto gravido il cor; dimmi: d'amore

---

38. *che*: poiché. 39-40. *Dunque... ed io son vivo*: cfr. la canzone
Per una donna inferma, vv. 60-62: « Or s'ella è morta, ed io come
son vivo? | Questo io so che mai vero | non fia ch'a intender pure io
non l'arrivo ». 41. *pur fisso*: stabilito da sempre. – *sudori estremi*:
dell'agonia. 43. *a me*: mentre a me. – *intera*: non toccata dalla morte. 48. *s'addimanda*: si chiama. – *per prova*: morendo. Cfr. la lettera
al Brighenti del 21 aprile 1820: « È tempo di morire. È tempo di
cedere alla fortuna; la piú orrenda cosa che possa fare il giovane, ordinariamente pieno di belle speranze, ma il solo piacere che rimanga
a chi dopo lunghi sforzi, finalmente s'accorga d'esser nato colla sacra
e indelebile maledizione del destino » o quella, già ricordata, al Giulio
Perticari del 30 marzo 1821: « La fortuna ha condannato la mia vita a
mancare di gioventú: perché dalla fanciullezza io sono passato alla vecchiezza di salto, anzi alla decrepitezza sí del corpo come dell'animo.
Non ho provato mai da che nacqui un diletto solo; la speranza alcuni
anni; da molto in qua neppur questa. E la mia vita esteriore ed interiore è tale, che sognandola solamente, agghiaccerebbe gli uomini di
paura ». 49. *inerme*: indifeso. Cfr. *Alla primavera*, v. 5.

favilla alcuna, o di pietà, giammai
verso il misero amante il cor t'assalse
mentre vivesti? Io disperando allora
e sperando traea le notti e i giorni;   65
oggi nel vano dubitar si stanca
la mente mia. Che se una volta sola
dolor ti strinse di mia negra vita,
non mel celar, ti prego, e mi soccorra
la rimembranza or che il futuro è tolto   70
ai nostri giorni. E quella: ti conforta,
o sventurato. Io di pietade avara
non ti fui mentre vissi, ed or non sono,
che fui misera anch'io. Non far querela
di questa infelicissima fanciulla.   75
Per le sventure nostre, e per l'amore
che mi strugge, esclamai; per lo diletto
nome di giovanezza e la perduta
speme dei nostri dí, concedi, o cara,
che la tua destra io tocchi. Ed ella, in atto   80
soave e tristo, la porgeva. Or mentre
di baci la ricopro, e d'affannosa
dolcezza palpitando all'anelante
seno la stringo, di sudore il volto
ferveva e il petto, nelle fauci stava   85
la voce, al guardo traballava il giorno.
Quando colei teneramente affissi
gli occhi negli occhi miei, già scordi, o caro,
disse, che di beltà son fatta ignuda?
E tu d'amore, o sfortunato, indarno   90

66. *nel vano dubitar*: nello stesso dubbio, ormai, dopo la morte di
lei, divenuto vano. – *si stanca*: si tormenta, si strugge. 68. *negra*:
buia. 74. *fui misera anch'io*: cfr. Virgilio, *Aeneis*, I, 630: «Non
ignara mali miseris succurrere disco». 81. *tristo*: afflitto. 82. *la ricopro*: la mano. 83-84. *all'anelante seno*: al cuore ansimante. 85.
ferveva: fervevano, erano caldi. – *nelle fauci*: cfr. Virgilio, *Aeneis*,
II, 774: «vox faucibus haesit» e nella traduzione giovanile del Leo-
pardi: «Ste' | ne le fauci la voce». 86. *al guardo*: offuscato dall'e-
mozione. – *traballava*: in un vago e sgomento capogiro. 89. *di beltà
son fatta ignuda*: cfr. Petrarca, *Rime*, CCCI, 13-14: «Al ciel nuda è
gita | lasciando in terra la sua bella spoglia» e CCCLIX, 60-61: «Spi-
rito ignudo sono, e 'n ciel mi godo; | quel che tu cerchi è terra già
molt'anni ».

ti scaldi e fremi. Or finalmente addio.
Nostre misere menti e nostre salme
son disgiunte in eterno. A me non vivi
e mai piú non vivrai: già ruppe il fato
la fé che mi giurasti. Allor d'angoscia   95
gridar volendo, e spasimando, e pregne
di sconsolato pianto le pupille,
dal sonno mi disciolsi. Ella negli occhi
pur mi restava, e nell'incerto raggio
del Sol vederla io mi credeva ancora.   100

---

91. *Or finalmente addio*: cfr. Virgilio, *Aeneis*, II, 789: « Iamque
vale » e nella traduzione giovanile del Leopardi: « Or finalmente addio ». 92. *menti... salme*: anima e corpo. 93. *A me*: dativo di vantaggio: per me. 99. *pur*: ancora. – *incerto*: che trapelava dalle imposte. 99-100. Si veda la traduzione del secondo idillio di Mosco,
vv. 25-26: « E benché desta | ambe le donne ancor negli occhi avea ».

Composto a Recanati nell'estate del 1821. Con tutta probabilità ispirato da uno dei tanti soggiorni nella casa di campagna
della tenuta di San Leopardo, a pochi chilometri da Recanati,
in direzione di Macerata. Fu pubblicato la prima volta, con gli
altri idilli (*L'infinito*, *La sera del dì di festa*, *Alla luna*, *Il sogno*
e il *Frammento* XXXVII), nel « Nuovo Ricoglitore » di Milano
del gennaio 1826 e subito dopo nei *Versi* (Bologna 1826). Accolto nei *Canti* fin dalla prima edizione (Firenze 1831).

Metro: endecasillabi sciolti.

La mattutina pioggia, allor che l'ale
battendo esulta nella chiusa stanza
la gallinella, ed al balcon s'affaccia
l'abitator de' campi, e il Sol che nasce
i suoi tremuli rai fra le cadenti   5
stille saetta, alla capanna mia
dolcemente picchiando, mi risveglia;
e sorgo, e i lievi nugoletti, e il primo
degli augelli susurro, e l'aura fresca,
e le ridenti piagge benedico: 10
poiché voi, cittadine infauste mura,
vidi e conobbi assai, là dove segue
odio al dolor compagno; e doloroso
io vivo, e tal morrò, deh tosto! Alcuna
benché scarsa pietà pur mi dimostra   15
natura in questi lochi, un giorno oh quanto
verso me piú cortese! E tu pur volgi
dai miseri lo sguardo; e tu, sdegnando

1. *La mattutina pioggia*: soggetto di *picchiando* e di *mi risveglia*
(v. 7). 2. *esulta*: saltella. – *nella chiusa stanza*: nel pollaio. 3. *balcon*: finestra. 4. *l'abitator de' campi*: il contadino. Cfr. l'*Appressamento della morte*, III, 108: « si desta e sorge ed al balcon s'affaccia ».
6. *stille*: della pioggia. – *capanna mia*: la rustica casa di San Leopardo. 8. *i lievi nugoletti*: le nuvole non piú gonfie di pioggia e illuminate dal sole. 9. *l'aura*: l'aria. 10. *piagge*: prati, campi e valli. –
benedico: cfr. *La sera del dí di festa*, vv. 11-12. 11. *mura*: di Recanati. 12. *assai*: abbastanza. Cfr. Tasso, *Ger. Lib.*, VII, 12: « Vidi e
conobbi pur l'inique corti ». – *segue*: tiene dietro. 13. *compagno*:
inseparabile. Predicativo di *odio*. Cfr. *Alla primavera*, vv. 47-49 e
l'*Inno ai Patriarchi*, v. 50. – *doloroso*: pieno d'angoscia. Cfr. *La sera
del dí di festa*, vv. 14 e 42. 15. *pur*: pur sempre. 17. *E tu pur*:
anche tu tuttavia. – *volgi*: distogli.

le sciagure e gli affanni, alla reina
felicità servi, o natura. In cielo,   20
in terra amico agl'infelici alcuno
e rifugio non resta altro che il ferro.

Talor m'assido in solitaria parte,
sovra un rialto, al margine d'un lago
di taciturne piante incoronato.   25
Ivi, quando il meriggio in ciel si volve,
la sua tranquilla imago il Sol dipinge,
ed erba o foglia non si crolla al vento,
e non onda incresparsi, e non cicala
strider, né batter penna augello in ramo,   30
né farfalla ronzar, né voce o moto
da presso né da lunge odi né vedi.
Tien quelle rive altissima quiete;
ond'io quasi me stesso e il mondo obblio
sedendo immoto; e già mi par che sciolte   35
giaccian le membra mie, né spirto o senso

21. *amico... alcuno*: sottintendi « non c'è », che si deduce dal *non resta* del verso successivo. 22. *altro che il ferro*: per darsi la morte. Nella edizione del '26 « altro che il pianto ». 23. *in solitaria parte*: cfr. *Il passero solitario*, vv. 36-37. 24. *un rialto*: un'altura. 25. *taciturne*: non mosse dal vento. Il laghetto artificiale nei pressi di San Leopardo gli aveva già suggerito la similitudine del c. IV dell'*Appressamento della morte*, vv. 70-72: « Qual da limpido ciel su queto lago | cinto di piante in ermo loco il sole | versa sua luce e sua tranquilla imago ». 26. *si volve*: per il lento giro del sole. Cfr. il *Saggio sopra gli errori popolari degli antichi*, cap. VII: « Tutto brilla nella natura nell'istante del meriggio. L'agricoltore, che prende cibo e riposo; i buoi sdraiati e coperti d'insetti volanti, che, flagellandosi colle code per cacciarli, chinano di tratto in tratto il muso, sopra cui risplendono interrottamente spesse stille di sudore, e abboccano negligentemente e con pausa il cibo sparso innanzi ad essi; il gregge assetato, che col capo basso si affolla, e si rannicchia sotto l'ombra; la lucertola, che corre timida a rimbucarsi, strisciando rapidamente e per intervalli lungo una siepe; la cicala, che riempie l'aria di uno stridore continuo e monotono; la zanzara, che passa ronzando vicino all'orecchio; l'ape, che vola incerta, e si ferma su di un fiore, e parte, e torna al luogo donde è partita; tutto è bello, tutto è delicato e toccante ». 27. *dipinge*: riflette. Si veda la nota al v. 25. 33. *Tien*: occupata. – *altissima*: cfr. la « profondissima quiete » dell'*Infinito*, v. 6. 34. *quasi*: da riferire a *obblio*. 35. *sciolte*: dalla morte. Come se non gli appartenessero piú, divenute oggetti. 36. *spirto o senso*: spirito vitale o sensazione esterna.

piú le commova, e lor quiete antica
co' silenzi del loco si confonda.

Amore, amore, assai lungi volasti
dal petto mio, che fu sí caldo un giorno,   40
anzi rovente. Con sua fredda mano
lo strinse la sciaura, e in ghiaccio è volto
nel fior degli anni. Mi sovvien del tempo
che mi scendesti in seno. Era quel dolce
e irrevocabil tempo, allor che s'apre   45
al guardo giovanil questa infelice
scena del mondo, e gli sorride in vista
di paradiso. Al garzoncello il core
di vergine speranza e di desio
balza nel petto; e già s'accinge all'opra   50
di questa vita come a danza o gioco
il misero mortal. Ma non sí tosto,
amor, di te m'accorsi, e il viver mio
fortuna avea già rotto, ed a questi occhi
non altro convenia che il pianger sempre.   55
Pur se talvolta per le piagge apriche,
su la tacita aurora o quando al sole
brillano i tetti e i poggi e le campagne,
scontro di vaga donzelletta il viso;
o qualor nella placida quiete   60
d'estiva notte, il vagabondo passo
di rincontro alle ville soffermando,
l'erma terra contemplo, e di fanciulla

37. *antica*: di anni, o addirittura di secoli. 42. *lo*: il petto. –
sciaura: sciagura. 44. *che*: in cui. 45. *irrevocabil*: che non torna
piú. 47. *in vista*: in sembianza, con aspetto. 49. *vergine*: neppure
sfiorata dalla minima delusione. – *desio*: della vita. 50. *all'opra*: al
mestiere di vivere. 53. *amor*: l'emozione, la gioia, il calore, il pal-
pito della vita. – *e*: ed ecco che. 54. *fortuna*: la sorte. – *rotto*: ridotto in frantumi. 55. *il pianger sempre*: cfr. *La sera del dí di festa*,
vv. 15-16. 56. *Pur*: eppure, tuttavia. – *per le piagge apriche*: per le
valli aperte al sole. Cfr. il v. 10. 59. *scontro*: incontro con lo sguardo gli occhi (*il viso*). 62. *ville*: case sparse per la campagna. 63.
l'erma terra contemplo: abbraccio con lo sguardo la vastità della campagna immersa nella notte. – *di fanciulla*, ecc.: cfr. *Zibaldone*, 4421:
« Nelle mie passeggiate solitarie per le città, suol destarmi piacevolis-
sime sensazioni e bellissime immagini la vista dell'interno delle stanze
che io guardo di sotto dalla strada per le loro finestre aperte. Le quali

che all'opre di sua man la notte aggiunge
odo sonar nelle romite stanze   65
l'arguto canto; a palpitar si move
questo mio cor di sasso: ahi, ma ritorna
tosto al ferreo sopor; ch'è fatto estrano
ogni moto soave al petto mio.

O cara luna, al cui tranquillo raggio   70
danzan le lepri nelle selve; e duolsi
alla mattina il cacciator, che trova
l'orme intricate e false, e dai covili
error vario lo svia; salve, o benigna
delle notti reina. Infesto scende   75
il raggio tuo fra macchie e balze o dentro
a deserti edifici, in su l'acciaro
del pallido ladron ch'a teso orecchio
il fragor delle rote e de' cavalli
da lungi osserva o il calpestio de' piedi   80
su la tacita via; poscia improvviso
col suon dell'armi e con la rauca voce
e col funereo ceffo il core agghiaccia
al passegger, cui semivivo e nudo
lascia in breve tra' sassi. Infesto occorre   85
per le contrade cittadine il bianco
tuo lume al drudo vil, che degli alberghi

stanze nulla mi desterebbero se io le guardassi stando dentro. Non è
questa un'immagine della vita umana, de' suoi stati, de' beni e diletti suoi? (1 Dicembre 1828, Recanati) ». 64. *che... la notte aggiun-*
ge: il lavoro anche della notte. Cfr. Virgilio, *Aeneis*, VIII, 411: « noc-
tem addens operi », tradotto dal Caro: « che la notte aggiungendo al
suo lavoro ». 65. *romite*: nell'intimità delle pareti domestiche. 66.
arguto: risonante. Cfr. il *sonar* del verso precedente e Parini, *La Ma-*
gistratura, vv. 7-8: « Onde arguta mi viene | e penetrante al cor voce
di donna ». 68. *ferreo sopor*: cfr. Virgilio, *Aeneis*, x, 745: « ferreus
somnus ». – *estrano*: estraneo. 71. *danzan le lepri*: nell'abbozzo del-
l'*Erminia* (1819): « Lepri che saltano fuor dei loro covili nelle selve
ec., e ballano al lume della luna, onde ingannano il cacciatore co' loro
vestigi, e i cani ». 74. *error vario*: il proprio errabondo vagare. 75.
delle notti reina: nella seconda ode greca del 1816: « Σὺ γὰρ οὐρανοῦ
χρατοῦσα, | ἡσύχου τε νυχτός ἀρχὴν | μελάνων τ'ἔχεις ὀνείρων ».
77. *l'acciaro*: il coltello. 78. *pallido*: in attesa del colpo. 80. *osser-*
va: spia. 83. *funereo*: sinistro. 84. *cui*: che. 85. *occorre*: scende.
87. *al drudo vil*: all'adultero. Cfr. Parini, *Notte*, vv. 20-22: « Il so-
spettoso adultero che lento | col cappel sulle ciglia e tutto avvolto | nel

va radendo le mura e la secreta
ombra seguendo, e resta, e si spaura
delle ardenti lucerne e degli aperti   90
balconi. Infesto alle malvage menti,
a me sempre benigno il tuo cospetto
sarà per queste piagge, ove non altro
che lieti colli e spaziosi campi
m'apri alla vista. Ed ancor io soleva,   95
bench'innocente io fossi, il tuo vezzoso
raggio accusar negli abitati lochi,
quand'ei m'offriva al guardo umano, e quando
scopriva umani aspetti al guardo mio.
Or sempre loderollo, o ch'io ti miri   100
veleggiar tra le nubi, o che serena
dominatrice dell'etereo campo,
questa flebil riguardi umana sede.
Me spesso rivedrai solingo e muto
errar pe' boschi e per le verdi rive,   105
o seder sovra l'erbe, assai contento
se core e lena a sospirar m'avanza.

mantel se ne gia con l'armi ascose». – *alberghi*: case. 88-89. *la secreta ombra seguendo*: avanzando coperto dall'ombra.   89. *resta*: s'arre-
sta.   91. *balconi*: finestre.   92. *il tuo cospetto*: la tua vista.   93. *piagge*: luoghi.   96. *vezzoso*: elegante.   97. *accusar*: cfr. Petrarca, *Rime*,
XXIII, 112: «Ivi, accusando il fugitivo raggio» e Foscolo, *Sepolcri*,
84 sgg.: «E l'immonda accusar col luttuoso | singulto i rai di che
son pie le stelle | alle obbliate sepolture». – *negli abitati lochi*:
fra le mura cittadine di Recanati.   101. *veleggiar*: navigare, appa-
rendo e scomparendo.   102. *etereo campo*: gli spazi del cielo.   103.
flebil: lacrimevole.   105. *rive*: come *piagge* piú sopra, ai vv. 10, 56 e
93.   106. *seder*: giacere. – *assai*: abbastanza.   107. *se core e lena*
ecc.: cfr. la lettera al Giordani del 6 marzo 1820: «Ora sono stecchito
e inaridito come una canna secca, e nessuna passione trova piú l'entrata di questa povera anima; e la stessa onnipotenza eterna e sovrana
dell'amore è annullata a rispetto mio nell'età in cui mi trovo». –
lena: fiato.

XVII. *Consalvo*

Presentatosi forse alla fantasia negli anni della giovanile e angosciosa solitudine di Recanati, al tempo dei primi idilli e specialmente del *Sogno* (cfr. nei *Ricordi d'infanzia e di adolescenza* quell'annotazione: « conobbi come sia vero che tutta l'anima si possa trasfondere in un bacio e perder di vista tutto il mondo »), non c'è dubbio che, quanto alla stesura definitiva, il *Consalvo* appartenga ad anni assai posteriori: composto probabilmente a Firenze, fra il 1831 e il 1833, forse nell'autunno del '32. Anche sorvolando su qualche dato di natura esterna (il componimento non vide la luce che nel 1835, e dall'autografo conservato nelle carte napoletane emerge che l'indicazione contenuta nei versi 3-4: « a mezzo | il quinto lustro gli pendea », è correzione di un precedente « innanzi | al mezzo di sua vita avea »), per una sostanziale affinità di situazione e per una somma imponente di riferimenti reciproci appare indiscutibile la connessione del romanzesco idillio con altri canti piú tardi, che riflettono una stessa esaltante e mortuaria ispirazione amorosa (*Il pensiero dominante, Amore e morte*) o compongono con atroce disperazione le esequie di una storia tristissima (*A se stesso, Aspasia*). Nonostante la trasposizione romanzesca, che differenzia il *Consalvo* dagli altri componimenti del suddetto ciclo di Aspasia, tutti dichiaratamente autobiografici (anche se gli impulsi della sua natura piú profonda siano scatenati dal Leopardi, al solito, sul piano di una assoluta astrazione), altrettanto seducente appare l'ipotesi, piú volte formulata, che mette in relazione il canto con un oscuro capitolo della biografia di Giacomo: il discusso innamoramento per la giovane moglie di un medico fiorentino, Fanny Targioni-Tozzetti, nata Ronchivecchi. Il Leopardi conobbe la ventinovenne Fanny nel maggio 1830, al suo arrivo a Firenze dopo la seconda e orrenda notte di Recanati (1828-30); cominciò a frequentarne il salotto e ad assecondarne le innocenti maníe letterarie, come attestano numerose lettere della primavera del 1831, indirizzate a Giovanni Rosini, alla Paolina, al De Sinner, dalle quali trapela il desiderio impaziente di soddisfare la bella signora, collezionista di autografi illustri; e nell'estate del 1832, trovandosi la Fanny in villeggiatura con le sue bambine a Livorno, le scriveva: « ... E pure certamente l'amore e la morte sono le sole cose belle che ha il mondo, e le sole solissime degne di essere desiderate » (Firenze, 26 agosto 1832). Un anno prima, subito dopo l'improvviso e inspiegabile trasferimento da Firenze a Roma del 1831-32, aveva scritto al fratello Carlo: « Ti ringrazio tanto e poi tanto dell'affettuosa curiosità che ti ha dettata la tua lettera. È naturale che tu non possa indovinare il motivo del mio viaggio a Roma, quando gli stessi miei amici di Firenze, che hanno pure molti dati che tu non hai, si perdono in congetture lontanissime. Dispensami, ti prego, dal raccontarti un lungo romanzo, molto dolore e molte lagrime. Se un giorno ci rivedremo, forse avrò forza di narrarti ogni cosa. Per ora sappi che la mia dimora in Roma mi è come un esilio acerbissimo, e che al piú presto possibile tornerò a Firenze, forse a marzo, forse a febbraio, forse ancor prima. Ho mandato costà i libri, perché a me non servono. Guàrdati, ti scongiuro, dal lasciar trasparire che vi sia mistero alcuno nella mia mossa. Parla di freddo, di progetti di fortuna, e simili. Scusami se sono cosí laconico: non mi soffre il cuore di dir di piú... » (Roma, 15 ottobre 1831). Giacomo tornò a Firenze (come aveva scritto al fratello) nel marzo dell'anno successivo e le relazioni affettuose con la Fanny continuarono, né s'interruppero del resto mai bruscamente. Ancora nell'inverno del 1832 e nella primavera del '33 una confidenza amichevole era fra i due, come attestano alcuni biglietti del Leopardi ad Antonio Ranieri, in quel tempo a Napoli, nei quali il nome della Fanny ricorre spesso, pronunciato in un tono che sembra escludere, a prima vista, l'amore. Un'amicizia tranquilla, dunque? O non, piuttosto, un amore tremendo e rientrato? Queste, ad ogni modo, oltre al diverso stato d'animo di Giacomo, che era di salute migliorata nel 1831, e peggioratissima e insanabile nel '33, sono le sole cose certe e note, intorno alle quali converrà non ricamare piú di quanto non consenta una precisa e realistica interpretazione dei *Canti*. Fra le varie ipotesi lanciate dagli studiosi, sul finire del secolo scorso, circa le possibili fonti del *Consalvo* (la leggenda provenzale di Jaufré Rudel, la morte di Arcita nel *Teseida* di Boccaccio, la nona novella dell'*Heptaméron* di Margherita di Navarra, la morte di Dorcone nel romanzo di Longo Sofista, la morte di Tristano nella *Tavola rotonda*), specialmente quella avanzata dal Belloni, per il quale il Leopardi tolse « qualche cosa di piú che il semplice tema fondamentale » e i nomi spagnoleggianti di Consalvo e di Elvira dal *Conquisto di Granata* di Girolamo Graziani, ha tutta l'aria d'aver colto nel segno.

Metro: endecasillabi sciolti.

Presso alla fin di sua dimora in terra,
giacea Consalvo; disdegnoso un tempo
del suo destino; or già non piú, che a mezzo
il quinto lustro, gli pendea sul capo
il sospirato obblio. Qual da gran tempo,   5
cosí giacea nel funeral suo giorno
dai piú diletti amici abbandonato:
ch'amico in terra al lungo andar nessuno
resta a colui che della terra è schivo.
Pur gli era al fianco, da pietà condotta   10
a consolare il suo deserto stato,
quella che sola e sempre eragli a mente,
per divina beltà famosa Elvira;
conscia del suo poter, conscia che un guardo
suo lieto, un detto d'alcun dolce asperso,   15
ben mille volte ripetuto e mille
nel costante pensier, sostegno e cibo

1. *Presso* ecc.: moribondo. 2. *giacea*: sul letto di morte. 3. *del suo
destino*: dell'infelicità della propria vita. 3-4. *a mezzo il quinto lustro*: a ventidue anni e mezzo. 4. *pendea*: cfr. *Bruto minore*, v. 74.
5. *Qual da gran tempo*: da riferire a *abbandonato* (v. 7): come anche
avanti di morire. 8. *al lungo andar*: a lungo andare. Cfr. Petrarca,
Rime, CIV, 12-13: « quest'opere son frali | al lungo andar ». 10. *Pur*:
soltanto; o, forse, tuttavia. 11. *il suo deserto stato*: la sua infinita solitudine. 13. *per divina beltà* ecc.: cfr. Petrarca, *Rime*, CXIX, 1-3:
« Una donna piú bella assai che 'l sole | e piú lucente, e d'altrettanta
etade, | con famosa beltade »; e CLIX, 9: « per divina bellezza indarno
mira ». La stessa espressione, in tutt'altro contesto, appare anche in
un luogo dello *Zibaldone*, 1319-20: « Chi non sa che una bellezza mediocre, ci par grande, s'ella ha gran fama? E che ci sentiamo piú inclinati, e proviamo il senso della bellezza molto piú vivo nel mirare
una donna famosa per la beltà, che nel mirarne una piú bella, ma
ignota o meno famosa? » 14. *del suo poter*: del proprio potere. 17.
nel costante pensier: sottintendi *dell'infelice amante*, che si ricava dal
v. 18. – *sostegno e cibo*: ragione di vita.

esser solea dell'infelice amante:
benché nulla d'amor parola udita
avess'ella da lui. Sempre in quell'alma   20
era del gran desio stato piú forte
un sovrano timor. Cosí l'avea
fatto schiavo e fanciullo il troppo amore.

Ma ruppe alfin la morte il nodo antico
alla sua lingua. Poiché certi i segni   25
sentendo di quel dí che l'uom discioglie,
lei, già mossa a partir, presa per mano,
e quella man bianchissima stringendo,
disse: tu parti, e l'ora omai ti sforza:
Elvira, addio. Non ti vedrò, ch'io creda,   30
un'altra volta. Or dunque addio. Ti rendo
qual maggior grazia mai delle tue cure
dar possa il labbro mio. Premio daratti
chi può, se premio ai pii dal ciel si rende.
Impallidia la bella, e il petto anelo   35
udendo le si fea: che sempre stringe

19. *nulla*: nessuna. 20. *in quell'alma*: di Consalvo. 24-25. *Ma ruppe* ecc.: cfr. Petrarca, nella canzone piú sopra cit., *Rime*, CXIX, 76-77: « Ruppesi in tanto di vergogna il nodo | ch'a la mia lingua era distretto intorno ». 26. *di quel dí* ecc.: della morte. 27. *mossa a partir*: in atto di allontanarsi. 29. *ti sforza*: ti costringe. Cfr. Petrarca, *Rime*, CCL, 9-11: « Non ti sovèn di quella ultima sera, | dice ella, ch'i' lasciai li occhi tuoi molli, | e sforzata dal tempo me ne andai? » 31-34. *Ti rendo* ecc.: cfr. Enea a Didone in Virgilio, *Aeneis*, I, 600-5: « ... grates persolvere dignas | non opis est nostrae, Dido... | Di tibi, si qua pios respectant numina... | praemia digna ferant... » 35. *anelo*: affannoso. 36. *fea*: faceva. 36-39. *che sempre stringe* ecc.: cfr. *Zibaldone*, 644: « Non c'è forse persona tanto indifferente per te, la quale, salutandoti nel partire per qualunque luogo, o lasciarti in qualsivoglia maniera, e dicendoti *Non ci rivedremo mai piú*, per poco d'anima che tu abbia, non ti commuova, non ti produca una sensazione piú o meno trista. L'orrore e il timore che l'uomo ha, per una parte, del nulla, per l'altra, *dell'eterno*, si manifesta da per tutto, e quel *mai piú* non si può udire senza un certo senso. Gli effetti naturali bisogna ricercarli nelle persone naturali, e non ancora, o poco, o quanto meno si possa, alterate. Tali sono i fanciulli: quasi l'unico soggetto dove si possano esplorare, notare, e notomizzare oggidí, le qualità, le inclinazioni, gli affetti veramente naturali. Io dunque da fanciullo aveva questo costume. Vedendo partire una persona, quantunque a me indifferentissima, considerava se era possibile o probabile ch'io la rivedessi mai. Se io giudicava di no, me le poneva intorno a riguardarla, ascoltarla, e simili cose, e la seguiva o cogli occhi o cogli orecchi quanto

all'uomo il cor dogliosamente, ancora
ch'estranio sia, chi si diparte e dice,
addio per sempre. E contraddir voleva,
dissimulando l'appressar del fato,   40
al moribondo. Ma il suo dir prevenne
quegli, e soggiunse: desiata, e molto,
come sai, ripregata a me discende,
non temuta, la morte; e lieto apparmi
questo feral mio dí. Pesami, è vero,   45
che te perdo per sempre. Oimè per sempre
parto da te. Mi si divide il core
in questo dir. Piú non vedrò quegli occhi,
né la tua voce udrò! Dimmi: ma pria
di lasciarmi in eterno, Elvira, un bacio   50
non vorrai tu donarmi? un bacio solo
in tutto il viver mio? Grazia ch'ei chiegga

piú poteva, rivolgendo sempre fra me stesso, e addentrandomi nel-
l'animo, e sviluppandomi alla mente questo pensiero: *ecco l'ultima
volta, non lo vedrò mai piú, o, forse mai piú.* E cosí la morte di qualcuno ch'io conoscessi, e non mi avesse mai interessato in vita; mi
dava una certa pena, non tanto per lui, o perch'egli m'interessasse allora dopo morte, ma per questa considerazione ch'io ruminava profondamente: *è partito per sempre: per sempre? sí: tutto è finito rispetto a lui: non lo vedrò mai piú: e nessuna cosa sua avrà piú niente
di comune colla mia vita.* E mi ponevo a riandare, s'io poteva, l'ultima volta ch'io l'aveva o veduto, o ascoltato ec. e mi doleva di non
avere allora saputo che fosse l'ultima volta, e di non essermi regolato
secondo questo pensiero. (11 Febbraio 1821) ». 37-38. *ancora ch':* per
quanto. 40. *dissimulando* ecc.: facendo vista di non credere alla prossima morte (*fato*) dell'amante. 47. *si divide:* si squarcia. 48. *dir:* « è
nome, non verbo; come poco sopra, al v. 41. Petrarca, canzone *Quando il soave mio* ecc.: " Quanto in sembianti e ne' tuo' dir mostrasti " »
(Straccali). 49-52. *Dimmi: ma pria* ecc.: nel *Conquisto di Granata* di
Girolamo Graziani, già ricordato, dice Consalvo all'amata Rosalba,
XIV, 84: « ... lieta mia sorte | io chiamerei, se permettesse almeno |
ch'io potessi esalar con dolce morte | l'afflitta anima mia nel tuo bel
seno. | Se poiché non fui vivo a te consorte | fussi morendo, o me
felice appieno; | fortunato morir hoggi mi tocca | la mia vita finir ne
la tua bocca »; e Osmino, ferito a morte da Silvera, muore salutan-
dola, XVII, 62: « Tu mi perdona, e vivi, e se negato | mi fu teco il
parlar non che altro in vita, | vinca la tua bontà l'ira del Fato | e
con l'ultimo addio porgimi aita. | Vivi, Silvera, e se vuoi pur beato |
rendere Osmin ne la fatal partita | tale ei sarà, sua mercè, gli toc-
ca | la sua morte addolcir ne la tua bocca ». Cfr. anche Teocrito,
Idillio, XXIII, 40-42: « Τὸ δ'αὖ πύματόν με φίλασον, | κἀν νεκρῷ
χάρισαι τά σὰ χείλεα. μή με φοβαθῇς· | οὐ δύναμαι σίνεσθαι » (« A-
mami ancora per l'ultima volta e fai grazia delle tue labbra a chi muo-

non si nega a chi muor. Né già vantarmi
potrò del dono, io semispento, a cui
straniera man le labbra oggi fra poco   55
eternamente chiuderà. Ciò detto
con un sospiro, all'adorata destra
le fredde labbra supplicando affisse.

Stette sospesa e pensierosa in atto
la bellissima donna; e fiso il guardo,   60
di mille vezzi sfavillante, in quello
tenea dell'infelice, ove l'estrema
lacrima rilucea. Né dielle il core
di sprezzar la dimanda, e il mesto addio
rinacerbir col niego; anzi la vinse   65
misericordia dei ben noti ardori.
E quel volto celeste, e quella bocca,
già tanto desiata, e per molt'anni
argomento di sogno e di sospiro,
dolcemente appressando al volto afflitto   70
e scolorato dal mortale affanno,
piú baci e piú, tutta benigna e in vista
d'alta pietà, su le convulse labbra
del trepido, rapito amante impresse.

Che divenisti allor? quali appariro   75
vita, morte, sventura agli occhi tuoi,
fuggitivo Consalvo? Egli la mano,
ch'ancor tenea, della diletta Elvira
postasi al cor, che gli ultimi battea
palpiti della morte e dell'amore,   80
oh, disse, Elvira, Elvira mia! ben sono

re. Non avere timore di me: non posso esser di danno »). 55. *stranie-*
ra: estranea. 56. *Ciò detto* ecc.: nel *Conquisto di Granata*, XVII, 63:
« Tacque, et ella chinando al volto esangue | del gelido amator gli
ostri vivaci | de la bocca gentil ferma in chi langue | con le voci il
dolor, l'alma coi baci... » 62-63. *l'estrema lacrima*: del suo amore infelice. 63. *dielle*: le diede, le consentí. 65. *rinacerbir*: rendere piú
crudo. 67-68. *e quella bocca* ecc.: cfr. Petrarca, *Trionfo della morte*,
II, 10: « e quella man già tanto desiata » e *Rime*, CCCXLII, 9-10: « con
quella man che tanto desiai | m'asciuga gli occhi... » 73. *d'alta pietà*:
di profonda immedesimazione. 80. *della morte e dell'amore*: cioè,
della vita, alle sue scaturigini.

in su la terra ancor; ben quelle labbra
fur le tue labbra, e la tua mano io stringo!
Ahi vision d'estinto, o sogno, o cosa
incredibil mi par. Deh quanto, Elvira,   85
quanto debbo alla morte! Ascoso innanzi
non ti fu l'amor mio per alcun tempo;
non a te, non altrui; che non si cela
vero amore alla terra. Assai palese
agli atti, al volto sbigottito, agli occhi,   90
ti fu: ma non ai detti. Ancora e sempre
muto sarebbe l'infinito affetto
che governa il cor mio, se non l'avesse
fatto ardito il morir. Morrò contento
del mio destino omai, né piú mi dolgo   95
ch'aprii le luci al dí. Non vissi indarno,
poscia che quella bocca alla mia bocca
premer fu dato. Anzi felice estimo
la sorte mia. Due cose belle ha il mondo:
amore e morte. All'una il ciel mi guida   100
in sul fior dell'età; nell'altro, assai
fortunato mi tengo. Ah, se una volta,
solo una volta il lungo amor quieto
e pago avessi tu, fora la terra
fatta quindi per sempre un paradiso   105
ai cangiati occhi miei. Fin la vecchiezza,
l'abborrita vecchiezza, avrei sofferto
con riposato cor: che a sostentarla
bastato sempre il rimembrar sarebbe
d'un solo istante, e il dir: felice io fui   110
sovra tutti i felici. Ahi, ma cotanto
esser beato non consente il cielo
a natura terrena. Amar tant'oltre
non è dato con gioia. E ben per patto
in poter del carnefice ai flagelli,   115

96. *ch'aprii le luci al dí*: di essere nato. 99-100. *Due cose belle* ecc.:
cfr. la lettera del 16 agosto 1832, già ricordata, a Fanny Targioni-
Tozzetti. 103-4. *quieto e pago*: pacato e appagato. 104-5. *fora... fatta
quindi*: sarebbe diventata da allora in poi. 107. *sofferto*: sopportato.
108. *riposato*: sereno. 114-18. « e in cambio di un amplesso di Elvira
avrei accettato di sottopormi alla fustigazione, alla tortura (*ruote*),
e al rogo (*faci*), e avrei dato l'anima all'inferno ».

alle ruote, alle faci ito volando
sarei dalle tue braccia; e ben disceso
nel paventato sempiterno scempio.

O Elvira, Elvira, oh lui felice, oh sovra
gl'immortali beato, a cui tu schiuda   120
il sorriso d'amor! felice appresso
chi per te sparga con la vita il sangue!
Lice, lice al mortal, non è già sogno
come stimai gran tempo, ahi lice in terra
provar felicità. Ciò seppi il giorno   125
che fiso io ti mirai. Ben per mia morte
questo m'accadde. E non però quel giorno
con certo cor giammai, fra tante ambasce,
quel fiero giorno biasimar sostenni.

Or tu vivi beata, e il mondo abbella,   130
Elvira mia, col tuo sembiante. Alcuno
non l'amerà quant'io l'amai. Non nasce
un altrettale amor. Quanto, deh quanto
dal misero Consalvo in sí gran tempo
chiamata fosti, e lamentata, e pianta!   135
Come al nome d'Elvira, in cor gelando
impallidir; come tremar son uso
all'amaro calcar della tua soglia,
a quella voce angelica, all'aspetto
di quella fronte, io ch'al morir non tremo!   140
Ma la lena e la vita or vengon meno
agli accenti d'amor. Passato è il tempo,
né questo dí rimemorar m'è dato.
Elvira, addio. Con la vital favilla

119-20. *lui... a cui*: colui al quale.   121. *appresso*: dopo il tuo amore.
122. *sparga con la vita il sangue*: muoia. Cfr. Virgilio, *Aeneis*, II,
532: « ac multo vitam cum sanguine fudit ».   123. *Lice*: è concesso.
128. *con certo cor*: nel fondo del cuore.   129. *fiero*: feroce e fatale.
– *biasimar sostenni*: tollerai di biasimare.   130. *vivi*: imperativo, come *abbella*, abbellisci.   132. *l'amerà*: il *tuo sembiante* del verso precedente.   133-34. *Quanto* ecc.: come Cleonice in Metastasio, *Demetrio*,
I, 8: « Oh quanto, Alceste, oh quanto | atteso giungi, e sospirato e
pianto! »   141. *la lena*: il fiato.   142. *il tempo*: dell'amore e della
vita. Cfr. Petrarca, *Rime*, CCCXIII, 1-2: « Passato è 'l tempo omai,
lasso!, che tanto | con refrigerio in mezzo 'l foco vissi ».

la tua diletta immagine si parte   145
dal mio cor finalmente. Addio. Se grave
non ti fu quest'affetto, al mio feretro
dimani all'annottar manda un sospiro.

Tacque: né molto andò, che a lui col suono
mancò lo spirto; e innanzi sera il primo   150
suo dí felice gli fuggia dal guardo.

146. *finalmente*: per l'ultima volta. – *grave*: opprimente. 149. *col suono*: con la voce. 150. *il primo*: e l'ultimo.

Composta a Recanati, in sei giorni, nel settembre 1823. Fu pubblicata la prima volta nelle *Canzoni* (Bologna 1824) e ristampata l'anno successivo nel « Nuovo Ricoglitore » di Milano (settembre 1825). Accolta nei *Canti* fin dalla prima edizione (Firenze 1831). Cfr., in appendice, la nota del Leopardi in *Annuncio delle Canzoni*: « La donna, cioè l'innamorata, dell'autore, è una di quelle immagini, uno di quei fantasmi di bellezza e virtú celeste e ineffabile, che ci occorrono spesso alla fantasia, nel sonno e nella veglia, quando siamo poco piú che fanciulli, e poi qualche rara volta nel sonno, o in una qualche alienazione di mente, quando siamo giovani. Infine è *la donna che non si trova* ».

Metro: canzone di cinque strofe, ciascuna di undici versi, fuori schema, tutte conchiuse da una coppia di endecasillabi baciati.

Cara beltà che amore
lunge m'inspiri o nascondendo il viso,
fuor se nel sonno il core
ombra diva mi scuoti,
o ne' campi ove splenda   5
piú vago il giorno e di natura il riso;
forse tu l'innocente
secol beasti che dall'oro ha nome,
or leve intra la gente
anima voli? o te la sorte avara   10
ch'a noi t'asconde, agli avvenir prepara?

2. *lunge*: di lontano. 3. *fuor se*: tranne che, a meno che. – *nel
sonno*: in sogno. 4. *ombra diva*: divina immagine. Cfr. la lettera al
Jacopssen del 13 giugno 1823: « Dans l'amour, toutes les jouissances
qu'éprouvent les âmes vulgaires, ne valent pas le plaisir que donne un
seul instant de ravissement et d'émotion profonde. Mais comment
faire que ce sentiment soit durable, ou qu'il se renouvelle souvent
dans la vie? où trouver un cœur qui lui réponde? Plusieurs fois j'ai
évité pendant quelques jours de rencontrer l'objet qui m'avait charmé
dans un songe délicieux. Je savais que ce charme aurait été détruit en
s'approchant de la réalité. Cependant je pensais toujours à cet objet,
mais je ne le considérais d'après ce qu'il était; je le contemplais dans
mon imagination, tel qu'il m'avait paru dans mon songe... » – *mi
scuoti*: mi fai balzare. 5. *o ne' campi* ecc.: cfr. *Zibaldone*, 75: « Il
sentimento che si prova alla vista di una campagna o di qualunque
altra cosa v'ispiri idee e pensieri vaghi e indefiniti quantunque diletto-
sissimo, è pur come un diletto che non si può afferrare, e può para-
gonarsi a quello di chi corra dietro a una farfalla bella e dipinta senza
poterla cogliere: e perciò lascia sempre nell'anima un gran desiderio:
pur questo è il sommo de' nostri diletti, e tutto quello ch'è determinato e certo è molto piú lungi dall'appagarci, di questo che per la sua
incertezza non ci può mai appagare ». 6. *il riso*: il sorriso. 7-8. *l'innocente secol*: la pura età. 9-10. *leve... anima*: lieve spirito. 9. *intra
la gente*: in mezzo agli uomini. 10. *avara*: con noi, in quanto ti na-
scondi a noi. 11. *agli avvenir*: agli uomini che verranno.

Viva mirarti omai
nulla spene m'avanza;
s'allor non fosse, allor che ignudo e solo
per novo calle a peregrina stanza   15
verrà lo spirto mio. Già sul novello
aprir di mia giornata incerta e bruna,
te viatrice in questo arido suolo
io mi pensai. Ma non è cosa in terra
che ti somigli; e s'anco pari alcuna   20
ti fosse al volto, agli atti, alla favella,
saria, cosí conforme, assai men bella.

Fra cotanto dolore
quanto all'umana età propose il fato,
se vera e quale il mio pensier ti pinge,   25
alcun t'amasse in terra, a lui pur fora
questo viver beato:
e ben chiaro vegg'io siccome ancora
seguir loda e virtú qual ne' prim'anni
l'amor tuo mi farebbe. Or non aggiunse   30
il ciel nullo conforto ai nostri affanni;
e teco la mortal vita saria
simile a quella che nel cielo india.

12. *Viva*: viva e reale. 13. *spene*: speme. 14. *s'allor* ecc.: se non
quando. – *ignudo e solo*: privo del corpo, staccato dal mondo. Da unire a *spirto mio* (v. 16). Cfr. Petrarca, *Rime*, cxxviii, 101-2: « Ché l'al-
ma ignuda e sola | conven ch'arrive a quel dubbioso calle ». 15. *per
novo calle*: per ignota via. – *a peregrina stanza*: a una diversa dimora:
l'oltremondo. 16-17. *Già sul novello aprir*: allo schiudersi della giovinezza. 17. *di mia giornata*: della mia vita. Cfr. Petrarca, *Rime*, cccii,
8: « e compiei mia giornata innanzi sera ». – *bruna*: buia. 18. *viatrice*:
viaggiatrice, pellegrina sulla terra e, nello stesso tempo, compagna e
guida. – *arido*: deserto. Cfr. « il verde spogliato alle cose » della canzone al Mai. 20. *s'anco*: anche se. 21. *al volto* ecc.: complementi di
relazione: nel volto ecc. 22. *cosí conforme*: sia pure cosí simile alla
immagine di te, vagheggiata con la fantasia. – *saria* ecc.: sarebbe. Cfr.
la lettera al Jacopssen, citata nella nota al v. 4 e Petrarca, *Rime*, xxxi,
10: « Ciascuna de le tre saria men bella ». 24. *all'umana età*: alla
vita mortale. – *propose*: prescrisse. 25. *vera*: reale. – *ti pinge*: ti raffigura fantasticamente. 26. *pur*: nonostante il dolore che *propose il
fato* (v. 24). – *fora*: sarebbe. 28. *ancora*: anche ora, dopo tutte le
disillusioni sofferte. 29. *seguir loda e virtú*: conquistare la gloria ed
esercitare la virtú. 30. *Or*: con valore avversativo: ma. – *non aggiunse*: non concesse. 31. *nullo*: nessun. 32. *saria*: sarebbe. 33. *simile* ecc.: cfr. Petrarca, *Rime*, lxxiii, 68: « Simile a quella ch'è nel
ciel eterna ». – *india*: rende divinamente beati.

Per le valli, ove suona
del faticoso agricoltore il canto,   35
ed io seggo e mi lagno
del giovanile error che m'abbandona;
e per li poggi, ov'io rimembro e piagno
i perduti desiri, e la perduta
speme de' giorni miei; di te pensando,   40
a palpitar mi sveglio. E potess'io,
nel secol tetro e in questo aer nefando,
l'alta specie serbar; che dell'imago,
poi che del ver m'è tolto, assai m'appago.

Se dell'eterne idee   45
l'una sei tu, cui di sensibil forma
sdegni l'eterno senno esser vestita,
e fra caduche spoglie
provar gli affanni di funerea vita;
o s'altra terra ne' superni giri   50
fra' mondi innumerabili t'accoglie,
e piú vaga del Sol prossima stella
t'irraggia, e piú benigno etere spiri;
di qua dove son gli anni infausti e brevi,
questo d'ignoto amante inno ricevi.   55

34. *suona*: risuona. 35. *faticoso*: dedito alla sua quotidiana fatica.
36. *ed io*: e dove io. 37. *del giovanile error*: delle illusioni della giovinezza. Cfr. « l'antico error » della canzone per la sorella Paolina; e
Petrarca, *Rime*, I, 3: « In sul mio primo giovenile errore ». 41. *a
palpitar mi sveglio*: torno a sentire i palpiti della vita. 42. *nel secol
tetro*: in questa oscura età. – *in questo aer nefando*: in questo mondo
ammorbante. 43. *l'alta specie*: la divina immagine di bellezza. Cfr.
l'*ombra diva* (v. 4). – *serbar*: custodire in me. – *che*: poiché. – *del-
l'imago*: dell'immagine. 44. *poi che del ver m'è tolto*: di appagarmi.
– *assai m'appago*: mi contento. 45-49. *Se dell'eterne* ecc.: « Se tu sei
una delle eterne idee che Dio (*l'eterno senno*) non consente sia rivesti-
ta di forme corporee e sia soggetta, come le altre misere spoglie umane,
a una vita insidiata dalla morte ». Cfr. Petrarca, *Rime*, CLIX: « In qual
parte del cielo, in qual idea | era l'esempio onde natura tolse | quel
bel viso leggiadro... », versi commentati dal Leopardi: « Accenna la
dottrina platonica delle idee, cioè forme immateriali e primitive delle
cose ». 46. *l'una*: cfr. le *Annotazioni alle Canzoni*. 50. *s'altra terra*:
se un altro pianeta. – *ne' superni giri*: cfr. il dantesco « superne
rote »: i cieli. 51. *t'accoglie*: ti ospita. 52. *e piú vaga* ecc.: e ti illumina un
vicino astro, piú bello e splendente del sole. 53. *t'irraggia*: contrapposto al *secol tetro* (v. 42). – *piú benigno etere*: contrapposto a *aer nefando* (v. 42). – *spiri*: respiri. 54. *di qua*: da questa terra.

XIX. *Al conte Carlo Pepoli*

Composta a Bologna nel marzo 1826, l'epistola fu letta pubblicamente dal Leopardi nella sala dell'Accademia dei Felsinei, della quale il Pepoli era vicepresidente, la sera del lunedí di Pasqua dello stesso anno. Cfr. la lettera al fratello Carlo del 4 aprile: « Di me non ti so dire altro di nuovo, se non che la sera del Lunedí di Pasqua recitai al Casino nell'accademia dei Felsinei, in presenza del Legato e del fiore della nobiltà bolognese, maschi e femmine; invitato prima, giacché non sono accademico, dal Segretario in persona, a nome dell'accademia; cosa non solita. Mi dicono che i miei versi facessero molto effetto, e che tutti, donne e uomini, li vogliono leggere ». In realtà la lettura, priva di qualsiasi effetto oratorio, pare non suscitasse grande entusiasmo: nella sua cronaca bolognese il Rangone definí il Leopardi « dotto letterato di tetro umore » e Giovanni Marchetti, l'autore della cantica *Una notte di Dante*, scrisse a un amico fiorentino che il poeta non aveva « giustificato, coll'udito componimento, la fama già alta ». Con Carlo Pepoli (1796-1881) il Leopardi, giunto a Bologna nell'estate del '25, si era legato subito di affettuosa amicizia. Vivace e generoso, il giovane conte bolognese lo aveva introdotto negli ambienti letterari e mondani della città. I loro rapporti durarono fino al 1830 (cfr. nell'*Epistolario* la lettera che il Leopardi gli inviò da Firenze il 6 agosto). Infatti il Pepoli, che durante i moti del '31 era stato membro del Comitato di governo provvisorio, dopo alcuni mesi di prigionia a Venezia, dovette emigrare. Si stabilí prima a Parigi, poi a Ginevra e infine a Londra, dove insegnò letteratura italiana nel Collegio dell'Università e visse in contatto con la migliore società londinese (Carlyle lo giudicò « a very pretty man »). Durante il soggiorno a Parigi aveva dettato, per la musica di Vincenzo Bellini, il libretto dei *Puritani* (1835), nel quale, ha notato Antonio Baldini, « luccicano alcune scaglie leopardiane ». L'epistola fu pubblicata per la prima volta nei *Versi* (Bologna 1826) e accolta nei *Canti* fin dalla prima edizione (Firenze 1831).

Metro: endecasillabi sciolti.

Questo affannoso e travagliato sonno
che noi vita nomiam, come sopporti,
Pepoli mio? di che speranze il core
vai sostentando? in che pensieri, in quanto
o gioconde o moleste opre dispensi   5
l'ozio che ti lasciàr gli avi remoti,
grave retaggio e faticoso? È tutta,
in ogni umano stato, ozio la vita,
se quell'oprar, quel procurar che a degno
obbietto·non intende, o che all'intento   10
giunger mai non potria, ben si conviene
ozioso nomar. La schiera industre
cui franger glebe o curar piante e greggi
vede l'alba tranquilla e vede il vespro,
se oziosa dirai, da che sua vita   15
è per campar la vita, e per se sola

1. *affannoso e travagliato*: angoscioso e inquieto. – *sonno*: l'« antico sopor » della canzone *Sopra il monumento di Dante* (v. 4) e, in
particolare, lo stato di dolorosa inerzia dell'Italia negli anni della Restaurazione. 5. *dispensi*: spendi, consumi. Cfr. Alamanni, *Coltivazione*, II, 433: « In qualch'opra gentil dispensa il tempo ». 6. *ti lasciàr*:
ti lasciarono in eredità. 7. *grave retaggio e faticoso*: pesante eredità.
Apposizione di *ozio* (v. 6). – *tutta*: predicativo del soggetto *vita* (v. 8).
8. *in ogni umano stato*: in qualsiasi condizione sociale ed economica.
9-11. *se quell'oprar* ecc.: « se quell'operare, quell'affaticarsi che non
hanno come mira uno scopo degno, o se lo avessero non sarebbero in
grado di conseguirlo, ecc. ». 9-10. *degno obbietto*: la felicità. Cfr. i
vv. 23-25. 12. *ozioso*: inutile, sotto il segno della noia. 13. *cui*: che.
– *franger glebe o curar* ecc.: proposizioni infinitive rette da *vede* del
verso successivo: i contadini e i pastori. Cfr. Tasso, *Ger. Lib.*, I, 63:
« Il ferro uso a far solchi, a franger glebe ». 14. *l'alba... il vespro*:
soggetti. Intendi: ogni ora del giorno, dall'alba al tramonto. 15. *da
che*: in quanto.

    la vita all'uom non ha pregio nessuno,
    dritto e vero dirai. Le notti e i giorni
    tragge in ozio il nocchiero; ozio il perenne
    sudar nelle officine, ozio le vegghie   20
    son de' guerrieri e il perigliar nell'armi;
    e il mercatante avaro in ozio vive:
    che non a sé, non ad altrui, la bella
    felicità, cui solo agogna e cerca
    la natura mortal, veruno acquista   25
    per cura o per sudor, vegghia o periglio.
    Pure all'aspro desire onde i mortali
    già sempre infin dal dí che il mondo nacque
    d'esser beati sospiraro indarno,
    di medicina in loco apparecchiate   30
    nella vita infelice avea natura
    necessità diverse, a cui non senza
    opra e pensier si provvedesse, e pieno,
    poi che lieto non può, corresse il giorno
    all'umana famiglia; onde agitato   35
    e confuso il desio, men loco avesse
    al travagliarne il cor. Cosí de' bruti
    la progenie infinita, a cui pur solo,
    né men vano che a noi, vive nel petto
    desio d'esser beati; a quello intenta   40
    che a lor vita è mestier, di noi men tristo
    condur si scopre e men gravoso il tempo,
    né la lentezza accagionar dell'ore.

17. *all'uom*: per l'uomo. 18. *dritto e vero*: aggettivi usati avverbial-
mente: giustamente e secondo verità. 19. *tragge*: trascina, trascorre.
20. *le vegghie*: le veglie in armi. 21. *il perigliar nell'armi*: i conti-
nui rischi del combattere. 22. *avaro*: avido di guadagno. 23. *a sé...
ad altrui*: per sé, per altri. 24. *felicità*: complemento oggetto di *acquista* (v. 25). 25. *mortal*: umana. 26. *per cura o per sudor*: mediante le occupazioni o la fatica. 29. *sospiraro*: desiderarono arden-
temente. 30. *in loco*: in vece. 33. *pieno*: di mille negozi e fatiche.
34. *corresse*: velocemente. Cfr. i vv. 41-43. 35-36. *agitato e confuso*:
da occupazioni e pensieri (*opra e pensier* del v. 33). 36. *il desio*: della
felicità. – *men loco avesse*: il soggetto è *il cor* (v. 37). 37. *de' bruti*:
degli animali. 38. *pur*: egualmente. 41. *che a lor vita è mestier*:
che è necessario a *campar* la loro vita. – *di noi*: dipende da *men tristo* (v. 41) e *men gravoso* (v. 42). 42. *condur si scopre*: proposizio-
ne oggettiva: si vede che conduce, che trascorre. 43. *accagionar*: la-
mentare. Retto da *si scopre*.

Ma noi, che il viver nostro all'altrui mano
provveder commettiamo, una piú grave   45
necessità, cui provveder non puote
altri che noi, già senza tedio e pena
non adempiam: necessitate, io dico,
di consumar la vita: improba, invitta
necessità, cui non tesoro accolto,   50
non di greggi dovizia, o pingui campi,
non aula puote e non purpureo manto
sottrar l'umana prole. Or s'altri, a sdegno
i vòti anni prendendo, e la superna
luce odiando, l'omicida mano,   55
i tardi fati a prevenir condotto,
in se stesso non torce; al duro morso
della brama insanabile che invano
felicità richiede, esso da tutti
lati cercando, mille inefficaci   60
medicine procaccia, onde quell'una
cui natura apprestò, mal si compensa.

Lui delle vesti e delle chiome il culto
e degli atti e dei passi, e i vani studi
di cocchi e di cavalli, e le frequenti   65
sale, e le piazze romorose, e gli orti,
lui giochi e cene e invidiate danze
tengon la notte e il giorno; a lui dal labbro
mai non si parte il riso; ahi, ma nel petto,
nell'imo petto, grave, salda, immota   70
come colonna adamantina, siede

44-45. *il viver nostro* ecc.: « che affidiamo ad altri il compito di provvedere al nostro sostentamento ». 47. *già senza*: da unire a *non adempiam* (v. 48): adempiamo, cioè, con tedio e pena. 49. *improba, invitta*: dura, implacabile. 50. *cui*: da concordare con *sottrar* (v. 53).
– *accolto*: accumulato. 51. *pingui*: fecondi. È epiteto virgiliano.
Cfr. ad esempio, *Georg.*, II, 184: « pinguis humus ». 52. *aula*: sala.
Sta per « palazzo ». – *purpureo manto*: dei re e dei potenti. 54. *vòti*:
oziosi. – *superna*: del sole. 56. *i tardi fati*: la morte che tarda. Cfr.
Bruto minore, v. 74. 57. *in se stesso*: contro di sé. – *non torce*: non
rivolge. – *duro*: implacabile. 61. *onde*: con le quali. – *quell'una*:
quella sola e unica preparata da natura. 62. *mal*: in alcun modo.
63. *Lui*: dipende da *tengon* (v. 68). 64. *i vani studi*: le frivole occupazioni. 65. *frequenti*: affollate. 66. *gli orti*: i giardini. 68. *tengon*: occupato, occupano. 71. *siede*: sta.

noia immortale, incontro a cui non puote
vigor di giovanezza, e non la crolla
dolce parola di rosato labbro,
e non lo sguardo tenero, tremante,   75
di due nere pupille, il caro sguardo,
la piú degna del ciel cosa mortale.

Altri, quasi a fuggir volto la trista
umana sorte, in cangiar terre e climi
l'età spendendo, e mari e poggi errando,   80
tutto l'orbe trascorre, ogni confine
degli spazi che all'uom negl'infiniti
campi del tutto la natura aperse,
peregrinando aggiunge. Ahi ahi, s'asside
su l'alte prue la negra cura, e sotto   85
ogni clima, ogni ciel, si chiama indarno
felicità, vive tristezza e regna.

Havvi chi le crudeli opre di marte
si elegge a passar l'ore, e nel fraterno
sangue la man tinge per ozio; ed havvi   90
chi d'altrui danni si conforta, e pensa
con far misero altrui far se men tristo,
sí che nocendo usar procaccia il tempo.
E chi virtute o sapienza ed arti
perseguitando; e chi la propria gente   95
conculcando e l'estrane, o di remoti

---

72. *immortale*: invincibile, eterna. – *incontro a cui*: contro la quale.
73. *la crolla*: la scuote. 75-76. *tremante... il caro sguardo*: cfr. Petrarca, *Rime*, LXXII, 63: « d'un sí caro sguardo » e 74: « ven da' begli occhi al fin dolce tremanti ». È da escludere senz'altro che si possa
cogliere in questi e nel verso seguente un'eco dell'amore « senza inquietudini » per Teresa Carniani Malvezzi. 78. *a fuggir volto*: nel-
l'intento di fuggire. 80. *l'età*: la propria vita. – *errando*: usato transitivamente: percorrendo. 81-84. *ogni confine* ecc.: raggiunge, peregrinando, tutti i confini che la natura aprí all'uomo negli immensi
campi dell'universo. 85. *su l'alte prue*: della nave. – *negra cura*: la
tetra noia. Cfr. Orazio, *Carm.*, II, 16: « scandit aeratas vitiosa naves |
cura ». 86. *si chiama*: s'invoca. 88. *Havvi*: c'è. – *opre di marte*: il
mestiere delle armi. 89. *si elegge a*: sceglie per. 93. *usar procaccia*:
fa del suo meglio per impiegare. 94-96. *E chi* ecc.: i potenti, chiusi
nel rigore ideologico e nella paura del nuovo; i sovrani dispotici o le
loro velleità imperialistiche.

lidi turbando la quiete antica
col mercatar, con l'armi, e con le frodi,
la destinata sua vita consuma.

Te piú mite desio, cura piú dolce   100
regge nel fior di gioventú, nel bello
april degli anni, altrui giocondo e primo
dono del ciel, ma grave, amaro, infesto
a chi patria non ha. Te punge e move
studio de' carmi e di ritrar parlando   105
il bel che raro e scarso e fuggitivo
appar nel mondo, e quel che piú benigna
di natura e del ciel, fecondamente
a noi la vaga fantasia produce
e il nostro proprio error. Ben mille volte   110
fortunato colui che la caduca
virtú del caro immaginar non perde
per volger d'anni; a cui serbare eterna
la gioventú del cor diedero i fati;
che nella ferma e nella stanca etade,   115
cosí come solea nell'età verde,
in suo chiuso pensier natura abbella,
morte, deserto avviva. A te conceda
tanta ventura il ciel; ti faccia un tempo
la favilla che il petto oggi ti scalda,   120
di poesia canuto amante. Io tutti

97. *lidi*: regioni. – *la quiete*: dei popoli primitivi. – *antica*: secolare,
mai turbata dalle invasioni di colonizzatori e di mercanti. Cfr. *Inno ai
Patriarchi*, vv. 104-17. 99. *destinata*: assegnatagli dal destino. 100.
Te: torna a rivolgersi al Pepoli. – *piú mite*: che non il desiderio di so-
praffazione, o di guadagno, o di avventura. 101. *regge*: guida. 102.
altrui: per gli altri. – *primo*: il piú alto. 104. *punge*: sprona. 105.
studio de' carmi: l'amore della poesia. – *parlando*: mediante l'arte
della parola. 106-10. *il bel* ecc.: la bellezza reale cosí rara nel mondo
e quella bellezza che, piú generosa della natura e del destino, la vaga
fantasia, la nostra congenita facoltà di illusione (*il nostro proprio error*), largamente ci offre. 109. *a noi*: per noi. 111. *la caduca*: destinata a vita cosí breve. Cfr. *Ad Angelo Mai*, vv. 100-2. 114. *diedero*:
concessero. 115. *nella ferma* ecc.: nell'età matura e in quella senile.
117. *in suo chiuso pensier*: nel raccolto mondo delle proprie immaginazioni e dei propri sentimenti. 118. *avviva*: ravviva col fervore delle illusioni e delle speranze quella *morte* e quel *deserto* che è la vita.
119. *un tempo*: in futuro, quando sarà spenta la tua capacità di illusione. 121. *tutti*: da unire a *dolci inganni* (v. 122).

della prima stagione i dolci inganni
mancar già sento, e dileguar dagli occhi
le dilettose immagini, che tanto
amai, che sempre infino all'ora estrema   125
mi fieno, a ricordar, bramate e piante.
Or quando al tutto irrigidito e freddo
questo petto sarà, né degli aprichi
campi il sereno e solitario riso,
né degli augelli mattutini il canto   130
di primavera, né per colli e piagge
sotto limpido ciel tacita luna
commoverammi il cor; quando mi fia
ogni beltate o di natura o d'arte,
fatta inanime e muta; ogni alto senso,   135
ogni tenero affetto, ignoto e strano;
del mio solo conforto allor mendico,
altri studi men dolci, in ch'io riponga
l'ingrato avanzo della ferrea vita,
eleggerò. L'acerbo vero, i ciechi   140

122. *della prima stagione*: dell'età giovanile.   126. *mi fieno*: saranno per
me.   127. *irrigidito* ecc.: cfr. *Il passero solitario*, vv. 53-54.   128. *questo*: questo mio. – *aprichi*: aperti al sole.   129. *solitario*: diffuso nella
solitudine della campagna.   131. *piagge*: pianure declinanti.   133. *mi
fia*: da unire a *fatta* (v. 135): sarà divenuta per me.   135. *alto senso*:
profondo sentimento.   136. *ignoto*: sottintendi: « mi fia fatto ». –
strano: estraneo.   137. *del mio solo... mendico*: privo e insieme bisognoso delle *dilettose immagini* (v. 124) e dei *dolci inganni* (v. 122).
139. *ferrea*: dura.   140. *eleggerò*: sceglierò. Si riferisce forse alle *Operette morali*, già scritte in gran parte, e pubblicate a Milano l'anno
successivo (1827). Cfr. la lettera al Giordani del 6 maggio 1825:
« Quanto al genere degli studi che io fo, come io sono mutato da
quel che io fui, cosí gli studi sono mutati. Ogni cosa che tenga di
affettuoso e di eloquente mi annoia, mi sa di scherzo e di fanciullaggine ridicola. Non cerco altro piú fuorché il vero, che ho già tanto
odiato e detestato. Mi compiaccio di sempre meglio scoprire e toccar
con mano la miseria degli uomini e delle cose, e d'inorridire freddamente, speculando questo arcano infelice e terribile della vita dell'u-
niverso. M'avveggo ora bene che, spente che sieno le passioni, non
resta negli studi altra fonte e fondamento di piacere che una vana curiosità, la soddisfazione della quale ha pur molta forza di dilettare;
cosa che per l'addietro, finché m'è rimasa nel cuore l'ultima scintilla,
io non poteva comprendere ». O forse è un primo annuncio di quel
trattato, descritto nella lettera al Colletta del marzo 1829: « Il trattato
della natura degli uomini e delle cose, conterrebbe le questioni delle
materie astratte, delle origini della ragione, dei destini dell'uomo, del-

destini investigar delle mortali
e dell'eterne cose; a che prodotta,
a che d'affanni e di miserie carca
l'umana stirpe; a quale ultimo intento
lei spinga il fato e la natura; a cui   145
tanto nostro dolor diletti o giovi:
con quali ordini e leggi a che si volva
questo arcano universo; il qual di lode
colmano i saggi, io d'ammirar son pago.

In questo specolar gli ozi traendo   150
verrò: che conosciuto, ancor che tristo,
ha suoi diletti il vero. E se del vero
ragionando talor, fieno alle genti
o mal grati i miei detti o non intesi,
non mi dorrò, che già del tutto il vago   155
desio di gloria antico in me fia spento:
vana Diva non pur, ma di fortuna
e del fato e d'amor, Diva piú cieca.

la felicità e simili; ma forse non sarebbe oscuro, né ripeterebbe le cose
dette da altri, né mancherebbe di utilità pratica». – *L'acerbo vero*: cfr.
la canzone al Mai, vv. 118-19. – *i ciechi*: gli oscuri.   142. *a che*: a
quale scopo. Sottintendi « sia ».   145. *a cui*: a chi.   147. *a che si
volva*: verso qual meta tenda.   149. *i saggi*: detto con evidente ironia. – *d'ammirar*: di contemplare con meraviglia.   150. *gli ozi traendo*: trascinando gli anni oziosi e inutili.   151. *che*: poiché.   153. *fieno*: saranno.   154. *mal grati*: per il loro spietato indagare la realtà del
mondo.   155-56. *il vago desio* ecc.: il desiderio di gloria che mi animava una volta, colmandomi il cuore di speranza, sarà del tutto spento.   157. *vana Diva*: apposizione di *gloria* (v. 156). – *non pur*: non
soltanto.

Composto a Pisa dal 7 al 13 aprile 1828, dopo il lungo silenzio di due anni seguíto all'epistola a Carlo Pepoli e pubblicato per la prima volta nell'edizione fiorentina dei *Canti* (1831).
Per lo stato d'animo in cui nacquero questo canto e il seguente,
si vedano le lettere alla sorella Paolina del 25 febbraio e del 2
maggio dello stesso anno: « Io sogno sempre di voi altri, dormendo e vegliando: ho qui in Pisa una certa strada deliziosa,
che io chiamo *Via delle rimembranze*: là vo a passeggiare quando voglio sognare a occhi aperti » e « Io ho finita ormai la Crestomazia poetica: e dopo due anni, ho fatto dei versi quest'Aprile; ma versi veramente all'antica, e con quel mio cuore d'una
volta ». Cfr. anche *Zibaldone*, 4302: « Uno de' maggiori frutti
che io mi propongo e spero da' miei versi, è che essi riscaldino
la mia vecchiezza col calore della mia gioventú; è di assaporarli
in quella età, e provar qualche reliquia de' miei sentimenti
passati, messa quivi entro, per conservarla e darle durata, quasi
in deposito; è di commuover me stesso in rileggerli, come spesso mi accade, e meglio che in leggere poesie d'altri (Pisa, 15 a-
prile 1828); oltre la rimembranza, il riflettere sopra quello
ch'io fui, e paragonarmi meco medesimo; e in fine il piacere
che si prova in gustare e apprezzare i propri lavori, e contemplare da sé compiacendosene, le bellezze e i pregi di un figliuolo
proprio, non con altra soddisfazione, che di aver fatta una cosa
bella al mondo; sia essa o non sia conosciuta per tale da altrui.
(Pisa, 15 febbraio, ultimo Venerdí di Carnevale, 1828) ».

Metro: strofette di otto settenari, divise in due periodi ritmici di quattro versi ciascuno (di cui il primo sdrucciolo, il secondo e il terzo piani, a rima baciata, e il quarto tronco). I due
periodi ritmici di ciascuna strofetta sono legati fra loro dalla
rima del verso tronco.

Credei ch'al tutto fossero
in me, sul fior degli anni,
mancati i dolci affanni
della mia prima età:
i dolci affanni, i teneri   5
moti del cor profondo,
qualunque cosa al mondo
grato il sentir ci fa.

Quante querele e lacrime
sparsi nel novo stato,   10
quando al mio cor gelato
prima il dolor mancò!
Mancàr gli usati palpiti,
l'amor mi venne meno,
e irrigidito il seno   15
di sospirar cessò!

1. *al tutto*: completamente. 2. *sul fior degli anni*: ancor giovane.
11. *gelato*: dalla disperazione. 12. *prima*: per la prima volta. – *il
dolor*: l'emozione del dolore. Cfr. la lettera al Giordani del 19 novembre 1819: « Se in questo momento impazzissi, io credo che la mia
pazzia sarebbe di seder sempre con gli occhi attoniti, colla bocca aperta, colle mani tra le ginocchia, senza né ridere né piangere, né muovermi altro che per forza dal luogo dove mi trovassi. Non ho piú lena
di concepire nessun desiderio, neanche della morte, non perch'io la
tema in nessun conto, ma non vedo piú divario tra la morte e questa
mia vita, dove non viene piú a consolarmi neppure il dolore. Questa
è la prima volta che la noia non solamente mi opprime e stanca, ma
mi affanna e lacera come un dolor gravissimo; e sono cosí spaventato
della vanità di tutte le cose, e della condizione degli uomini, morte
tutte le passioni, come sono spente nell'animo mio, che ne vo fuori
di me, considerando ch'è un niente anche la mia disperazione ». 13.
Mancàr: mancarono, vennero meno. 15. *irrigidito il seno*: il cuore
ormai insensibile.

Piansi spogliata, esanime
fatta per me la vita;
la terra inaridita,
chiusa in eterno gel;   20
deserto il dí; la tacita
notte piú sola e bruna;
spenta per me la luna,
spente le stelle in ciel.

Pur di quel pianto origine   25
era l'antico affetto:
nell'intimo del petto
ancor viveva il cor.
Chiedea l'usate immagini
la stanca fantasia;   30
e la tristezza mia
era dolore ancor.

Fra poco in me quell'ultimo
dolore anco fu spento,
e di piú far lamento   35
valor non mi restò.
Giacqui: insensato, attonito,
non dimandai conforto:
quasi perduto e morto,
il cor s'abbandonò.   40

Qual fui! quanto dissimile
da quel che tanto ardore,
che sí beato errore
nutrii nell'alma un dí!
La rondinella vigile,   45

18. *fatta*: divenuta. 19. *la terra inaridita*: cfr. « il verde spogliato
alle cose » della canzone al Mai, vv. 118-19. 20. *chiusa in eterno gel*:
incapace di primavera. 22. *piú sola*: cfr. Virgilio, *Aeneis*, VI, 268:
« Ibant obscuri sola sub nocte per umbram ». – *bruna*: buia. 26.
l'antico affetto: l'antica capacità di sentire. 31-32. *e la tristezza*: e
anche quella mia disperazione era una forma di dolore, un'emozione.
40. *il cor*: cfr. la lettera al Giordani citata nella nota al v. 12. 43.
sí beato errore: tanto meraviglioso illusioni. 45. *vigile*: desta sul far
dell'alba. Cfr. Poliziano, *Stanze*, II, 39: « La rondinella sovra il nido
allegra | cantando salutava il novo giorno ».

alle finestre intorno
cantando al novo giorno,
il cor non mi ferí:

non all'autunno pallido
in solitaria villa,   50
la vespertina squilla,
il fuggitivo Sol.
Invan brillare il vespero
vidi per muto calle,
invan sonò la valle   55
del flebile usignol.

E voi, pupille tenere,
sguardi furtivi, erranti,
voi de' gentili amanti
primo, immortale amor,   60
ed alla mano offertami
candida ignuda mano,
foste voi pure invano
al duro mio sopor.

D'ogni dolcezza vedovo,   65
tristo; ma non turbato,
ma placido il mio stato,

---

49. *all'*: nell'. – *pallido*: per il sole che appare velato. Cfr. *Zibaldone*,
74: « Nell'autunno par che il sole e gli oggetti sieno di un altro colore, le nubi d'un'altra forma, l'aria d'un altro sapore. Sembra assolutamente che tutta la natura abbia un tono, un sembiante tutto proprio
di questa stagione piú distinto e spiccato che nelle altre anche negli
oggetti che non cangiano gran cosa nella sostanza, e parlo ora riguardo
a un certo aspetto superficiale e in parità di oggetti, circostanze ec. e
per rispetto a certe minuzie e non alle cose piú essenziali, giacché in
queste è manifesto che la faccia dell'inverno è piú marcata e distinta
dalle altre che quella dell'autunno ec. ».   50. *in solitaria villa*: in
mezzo al silenzio della campagna.   54. *per muto calle*: lungo sentieri
solitari.   55. *sonò*: risuonò.   56. *del flebile*: cfr. *Alla primavera*, vv.
69-76.   58. *furtivi, erranti*: segreti e fuggitivi.   60. *primo... amor*:
primo oggetto di desiderio e di amore inestinguibile.   62. *candida
ignuda mano*: cfr. Petrarca, *Rime*, CC, 1: « Non pur quell'una bella
ignuda mano ».   63-64. *foste... sopor*: non valeste a scuotere il mio
sonno.   64. *duro*: profondo. Cfr. *La vita solitaria*, v. 68: « il ferreo sopor ».   65. *vedovo*: spoglio. Da unire a *il mio stato* (v. 67), e sottintendi *era* (v. 68).

il volto era seren.
Desiderato il termine
avrei del viver mio;   70
ma spento era il desio
nello spossato sen.

Qual dell'età decrepita
l'avanzo ignudo e vile,
io conducea l'aprile   75
degli anni miei cosí:
cosí quegl'ineffabili
giorni, o mio cor, traevi,
che sí fugaci e brevi
il cielo a noi sortí.   80

Chi dalla grave, immemore
quiete or mi ridesta?
che virtú nova è questa,
questa che sento in me?
Moti soavi, immagini,   85
palpiti, error beato,
per sempre a voi negato
questo mio cor non è?

siete pur voi quell'unica
luce de' giorni miei?   90
gli affetti ch'io perdei
nella novella età?
Se al ciel, s'ai verdi margini,
ovunque il guardo mira,
tutto un dolor mi spira,   95
tutto un piacer mi dà.

71. *desio*: perfino il desiderio di morire. Cfr. la lettera al Giordani
citata nella nota al v. 12. 72. *nello spossato sen*: nel cuore divenuto
inerte. 74. *l'avanzo ignudo e vile*: le ultime giornate, squallide e
prive d'ogni dolcezza. 75-76. *l'aprile* ecc.: la mia giovinezza. 78.
traevi: trascinavi, a fatica. 80. *a noi sortí*: ci dette in sorte. 81.
immemore: cancellata dal tempo. 82. *quiete*: di morte. 86. *error
beato*: meravigliose illusioni. Cfr. v. 43. 89. *pur voi*: proprio e ancora voi. 92. *novella età*: la giovinezza. Cfr. Dante, *Inf.*, XXXIII, 88:
« Innocenti facea l'età novella ». 93. *verdi margini*: le rive, i prati
fioriti. Cfr. le *Annotazioni* alla canzone *Alla primavera*. 95. *mi spira*:
mi ispira.

Meco ritorna a vivere
la piaggia, il bosco, il monte;
parla al mio core il fonte,
meco favella il mar.   100
Chi mi ridona il piangere
dopo cotanto obblio?
e come al guardo mio
cangiato il mondo appar?

Forse la speme, o povero   105
mio cor, ti volse un riso?
Ahi della speme il viso
io non vedrò mai piú.
Proprii mi diede i palpiti,
natura, e i dolci inganni.   110
Sopiro in me gli affanni
l'ingenita virtú;

non l'annullàr: non vinsela
il fato e la sventura;
non con la vista impura   115
l'infausta verità.
Dalle mie vaghe immagini
so ben ch'ella discorda:
so che natura è sorda,
che miserar non sa.   120

98. *la piaggia*: la verde distesa dei prati.   102. *obblio*: il *duro... sopor*
(v. 64), l'*immemore quiete* (vv. 81-82).   105-6. *o povero mio cor*:
cfr. *Zibaldone*, 513-14: « Le illusioni poco stanno a riprendér possesso
e riconquistare l'animo nostro, anche malgrado noi; e l'uomo (purché
viva) torna infallibilmente a sperare quella felicità che avea disperata;
prova quella consolazione che avea creduta e giudicata impossibile;
dimentica e discrede quell'acerba verità, che avea poste nella sua
mente altissime radici; e il disinganno piú fermo, totale e ripetuto, e
anche giornaliero, non resiste alle forze della natura che richiama gli
errori e le speranze (16 Gennaio 1821) ».   109. *Proprii*: predicativo di
palpiti: inerenti alla mia natura.   111. *Sopiro*: sopirono, spensero.
112. *virtú*: di sentire e di illudermi.   114. *il fato*: il destino avverso.   115. *con la vista impura*: col suo immondo aspetto.   116. *l'infausta verità*: la lugubre realtà delle cose.   117. *vaghe immagini*: meravigliose immaginazioni.   118. *ella*: la verità (v. 116).   119. *sorda*:
indifferente alla sorte dell'uomo.   120. *miserar*: aver pietà.

Che non del ben sollecita
fu, ma dell'esser solo:
purché ci serbi al duolo,
or d'altro a lei non cal.
So che pietà fra gli uomini   125
il misero non trova;
che lui, fuggendo, a prova
schernisce ogni mortal.

Che ignora il tristo secolo
gl'ingegni e le virtudi;   130
che manca ai degni studi
l'ignuda gloria ancor.
E voi, pupille tremule,
voi, raggio sovrumano,
so che splendete invano,   135
che in voi non brilla amor.

Nessuno ignoto ed intimo
affetto in voi non brilla:
non chiude una favilla
quel bianco petto in se.   140
Anzi d'altrui le tenere
cure suol porre in gioco;
e d'un celeste foco
disprezzo è la mercè.

121. *del ben*: del nostro bene, della felicità. 122. *dell'esser solo*: soltanto del nostro esistere. 123. *al duolo*: dativo di vantaggio: ci man-
tenga in vita per soffrire. 124. *or*: con valore rafforzativo. – *non cal*:
non importa. 127. *fuggendo*: rifuggendo da lui. – *a prova*: a gara.
129. *ignora*: disconosce. – *il tristo secolo*: l'abbietta età presente. 130.
gl'ingegni e le virtudi: le opere dell'ingegno e le nobili azioni. 131. *degni*: di gloria. 132. *l'ignuda gloria ancor*: perfino la gloria disinteres-
sata, fine a se stessa. 133. *E voi* ecc.: l'invocazione, che riprende il
motivo dei vv. 57 sgg., sembra qui precisarsi in un'immagine meno vaga:
forse quella di Teresa Carniani Malvezzi, che il Leopardi amò senza
fortuna a Bologna, nella primavera del 1826. – *tremule*: cfr. l'epistola
al Pepoli, vv. 75-77 e le note relative. 134. *raggio sovrumano*: splendore divino. Apposizione di *pupille* (v. 133). 137. *ignoto ed intimo*:
occulto e profondo. 142. *cure*: attenzioni. 143. *d'un celeste foco*:
d'un amore ardente e purissimo. Retto da *mercè* (v. 144). 144. *la
mercè*: il compenso.

Pur sento in me rivivere 145
gl'inganni aperti e noti;
e de' suoi proprii moti
si maraviglia il sen.
Da te, mio cor, quest'ultimo
spirto, e l'ardor natio, 150
ogni conforto mio
solo da te mi vien.

Mancano, il sento, all'anima
alta, gentile e pura,
la sorte, la natura, 155
il mondo e la beltà.
Ma se tu vivi, o misero,
se non concedi al fato,
non chiamerò spietato
chi lo spirar mi dà. 160

145. *Pur*: tuttavia. 146. *gl'inganni* ecc.: le stesse illusioni di un tempo. – *aperti*: rivelatisi ormai come tali. 147. *moti*: palpiti. 148. *il sen*: il mio cuore. 150. *spirto*: di vita. – *l'ardor natio*: la naturale, antica voglia di vivere. 153. *all'anima*: alla mia anima. 155. *la natura*: la vitalità fisiologica. 156. *il mondo*: la capacità di comunicare, il sapere vivere. 157. *se tu vivi*: ridesto dal *duro... sopor* (v. 64), dalla *grave, immemore quiete* (vv. 81-82). 158. *se non concedi al fato*: se non muori. Cfr. Tasso, *Ger. Lib.*, IV, 44: « Quando il mio genitor, cedendo al fato | forse con lei si ricongiunse in cielo ». 160. *lo spirar*: il respiro, la vita.

Composto, come il precedente, a Pisa, dal 19 al 20 aprile 1828 e pubblicato per la prima volta nell'edizione fiorentina dei *Canti* (1831). Nell'immagine di Silvia è adombrata forse Teresa Fattorini (cfr. la nota in calce all'idillio *Il sogno*), morta di mal sottile nel 1818. Cfr. tra gli argomenti di idilli *Il canto della fanciulla*.

Metro: canzone fuori da ogni schema. « *A Silvia* segna il passaggio dalle canzoni della prima maniera, nelle quali le strofe hanno tutte lo stesso numero di versi, a quelle della seconda » (Chiarini). I versi rimano liberamente: quello che chiude ciascuna strofa trova sempre una rima.

Silvia, rimembri ancora
quel tempo della tua vita mortale,
quando beltà splendea
negli occhi tuoi ridenti e fuggitivi,

4. *ridenti e fuggitivi*: ilari e verecondi come la gioventú. Confidenti
e, nello stesso tempo, schivi. Erranti e furtivi. Cfr. *Il primo amore*, v.
86, *Il risorgimento*, v. 58 e *Zibaldone*, 4310: «... Una giovane dai sedici
ai diciotto anni ha nel suo viso, ne' suoi moti, nelle sue voci, salti ec.
un non so che di divino, che niente può agguagliare. Qualunque sia il
suo carattere, il suo gusto; allegra o malinconica, capricciosa o grave, vivace o modesta; quel fiore purissimo, intatto, freschissimo di gioventú,
quella speranza vergine, incolume che gli si legge nel viso e negli atti,
o che nel guardarla concepite in lei e per lei; quell'aria d'innocenza,
di ignoranza completa del male, delle sventure, de' patimenti; quel
fiore insomma, quel primissimo fior della vita; tutte queste cose, anche senza innamorarvi, anche senza interessarvi, fanno in voi un'impressione cosí viva, cosí profonda, cosí ineffabile, che voi non vi sa-
ziate di guardar quel viso, ed io non conosco cosa che piú di questa
sia capace di elevarci l'anima, di trasportarci in un altro mondo, di
darci un'idea d'angeli, di paradiso, di divinità, di felicità. Tutto questo, ripeto, senza innamorarci, cioè senza muovere desiderio di posseder
quell'oggetto. La stessa divinità che noi vi scorgiamo, ce ne rende in
certo modo alieni, ce lo fa riguardar come di una sfera diversa e superiore alla nostra, a cui non possiamo aspirare. Laddove in quelle altre
donne troviamo piú umanità, piú somiglianza con noi; quindi piú inclinazione in noi verso loro, e piú ardire di desiderare una corrispondenza seco. Del resto se a quel che ho detto, nel vedere e contemplare
una giovane di sedici o diciotto anni, si aggiunga il pensiero dei patimenti che l'aspettano, delle sventure che vanno ad oscurare e a spe-
gner ben tosto quella pura gioia, della vanità di quelle care speranze,
della indicibile fugacità di quel fiore, di quello stato, di quelle bellezze; si aggiunga il ritorno sopra noi medesimi; e quindi un sentimento di compassione per quell'angelo di felicità, per noi medesimi,
per la sorte umana, per la vita (tutte cose che non possono mancar di
venire alla mente), ne segue un affetto il piú vago e il piú sublime
che possa immaginarsi. (Firenze, 30 giugno 1828) ».

e tu, lieta e pensosa, il limitare   5
di gioventú salivi?

Sonavan le quiete
stanze, e le vie dintorno,
al tuo perpetuo canto,
allor che all'opre femminili intenta   10
sedevi, assai contenta
di quel vago avvenir che in mente avevi.
Era il maggio odoroso: e tu solevi
cosí menare il giorno.

Io gli studi leggiadri   15
talor lasciando e le sudate carte,
ove il tempo mio primo
e di me si spendea la miglior parte,
d'in su i veroni del paterno ostello
porgea gli orecchi al suon della tua voce,   20
ed alla man veloce
che percorrea la faticosa tela.
Mirava il ciel sereno,
le vie dorate e gli orti,
e quinci il mar da lungi, e quindi il monte.   25
Lingua mortal non dice
quel ch'io sentiva in seno.

Che pensieri soavi,
che speranze, che cori, o Silvia mia!

5. *il limitare*: la soglia. 6. *salivi*: stavi per varcare. Al colmo della
giovinezza. 7. *Sonavan*: risuonavano. Cfr. Virgilio, *Aeneis*, VII, vv.
11-14: « Solis filia lucos | adsiduo resonat cantu... | arguto tenues per-
currens pectine telas ». 12. *vago avvenir*: perciò gli occhi di Silvia
sono *fuggitivi* (v. 4). 14. *cosí*: cantando, lavorando e sognando. –
menare: condurre. 15-16. *studi... carte*: impossibile e arbitrario distinguere fra gli studi di poesia e i faticosi lavori di erudizione. 19.
veroni: balconi. – *ostello*: casa. 21. *alla man*: al suono prodotto dalla
mano. 22. *tela*: telaio. Cfr. Virgilio, *Georg.*, I, 193-94 e il passo
dell'*Eneide* riportato alla nota 7. 23. *Mirava*: mi sorprendevo a guardare continuamente. 24. *dorate*: dal sole. « Miei pensieri la sera turbamento allora e vista della campagna e sole tramontante e città indorata ec. e valle sottoposta con case e filari » (*Memorie di infanzia e
di adolescenza*). 25. *da lungi*: che appariva di lontano. – *il monte*: i
monti. Il mare è l'Adriatico, il monte l'Appennino marchigiano. 29.
cori: cuori, stati d'animo, palpiti.

Quale allor ci apparia   30
la vita umana e il fato!
Quando sovviemmi di cotanta speme,
un affetto mi preme
acerbo e sconsolato,
e tornami a doler di mia sventura.   35
O natura, o natura,
perché non rendi poi
quel che prometti allor? perché di tanto
inganni i figli tuoi?

Tu pria che l'erbe inaridisse il verno,   40
da chiuso morbo combattuta e vinta,
perivi, o tenerella. E non vedevi
il fior degli anni tuoi;
non ti molceva il core
la dolce lode or delle negre chiome,   45
or degli sguardi innamorati e schivi;
né teco le compagne ai dí festivi
ragionavan d'amore.

Anche peria fra poco
la speranza mia dolce: agli anni miei   50
anche negaro i fati
la giovanezza. Ahi come,
come passata sei,
cara compagna dell'età mia nova,
mia lacrimata speme!   55
Questo è quel mondo? questi
i diletti, l'amor, l'opre, gli eventi
onde cotanto ragionammo insieme?
questa la sorte dell'umane genti?

32. *sovviemmi*: usato impersonalmente: mi sovvengo. 35. *tornami*:
nella stessa forma impersonale. Come dicesse: « mi ricomincia ». 38.
allor: in gioventú. 40. *pria* ecc.: Silvia morí in autunno. Precocemente, al di qua dello sfiorire della sua vita. 41. *chiuso*: occulto. 43. *il
fior degli anni tuoi*: fiorire la tua gioventú. 44. *molceva*: inteneriva,
illanguidiva. Di piacere. 45-46. *delle... degli*: genitivi oggettivi: delle
tue, dei tuoi. 46. *innamorati*: della vita: pieni di amore. – *e schivi*:
cfr. il v. 4 e la nota relativa. 49. *fra poco*: di lí a poco. 54. *compagna*: si riferisce a *speme* (v. 55). – *dell'età mia nova*: della mia gioventú. 55. *lacrimata*: rimpianta. 58. *onde*: di cui. – *insieme*: con la
speranza.

All'apparir del vero   60
tu, misera, cadesti: e con la mano
la fredda morte ed una tomba ignuda
mostravi di lontano.

61. *tu*: la speranza. – *e con la mano* ecc.: il morire della speranza, ridotte a un cencio miserevole le illusioni, strappa alla vita il suo velo, e mostra il volto impassibile e sinistro della realtà.   62. *morte... tomba*: del poeta. – *ignuda*: senza significato.   63. *di lontano*: dileguandoti.

XXII. *Le ricordanze*

Composto a Recanati dal 26 agosto al 12 settembre 1829 e
pubblicato per la prima volta nell'edizione fiorentina dei *Canti*
(1831).

Metro: endecasillabi sciolti.

Vaghe stelle dell'Orsa, io non credea
tornare ancor per uso a contemplarvi
sul paterno giardino scintillanti,
e ragionar con voi dalle finestre
di questo albergo ove abitai fanciullo,   5
e delle gioie mie vidi la fine.
Quante immagini un tempo, e quante fole
creommi nel pensier l'aspetto vostro
e delle luci a voi compagne! allora
che, tacito, seduto in verde zolla,   10
delle sere io solea passar gran parte
mirando il cielo, ed ascoltando il canto
della rana rimota alla campagna!
E la lucciola errava appo le siepi
e in su l'aiuole, susurrando al vento   15
i viali odorati, ed i cipressi
là nella selva; e sotto al patrio tetto
sonavan voci alterne, e le tranquille
opre de' servi. E che pensieri immensi,
che dolci sogni mi spirò la vista   20
di quel lontano mar, quei monti azzurri,

2. *ancor per uso*: d'abitudine, come una volta. 5. *albergo*: casa.
7. *fole*: fantasie. 8. *creommi*: mi creò. – *l'aspetto vostro*: la vostra
vista. 9. *luci*: stelle. – *a voi*: alle stelle dell'Orsa. 10. *tacito*: immerso nel silenzio notturno. – *in verde zolla*: sull'erba del giardino.
12. *mirando*: scrutando. 13. *rimota alla campagna*: lontana nei campi. 14. *appo*: presso. 15. *susurrando*: mentre sussurravano. 17. *là
nella selva*: « Quella specie di selva formata dagli alberi del vicino
Monte Tabor era quasi continuazione del boschetto o giardino di ponente di casa Leopardi. Tra gli alberi emergevan cipressi » (Moroncini). 20. *mi spirò*: mi ispirò. 21. *mar*: l'Adriatico. – *monti*: dell'Appennino. – *azzurri*: nella lontananza. « Qui il poeta passa col pensiero

che di qua scopro, e che varcare un giorno
io mi pensava, arcani mondi, arcana
felicità fingendo al viver mio!
ignaro del mio fato, e quante volte   25
questa mia vita dolorosa e nuda
volentier con la morte avrei cangiato.

Né mi diceva il cor che l'età verde
sarei dannato a consumare in questo
natio borgo selvaggio, intra una gente   30
zotica, vil; cui nomi strani, e spesso
argomento di riso e di trastullo,
son dottrina e saper; che m'odia e fugge,
per invidia non già, che non mi tiene

---

dal giardino e dall'ore della sera alla propria camera e alle ore del
giorno [*di qua scopro*] » (Fornaciari). 23. *arcani*: misteriosi e pieni
di fascino. 23-24. *arcani mondi, arcana felicità*: complementi oggetto
di *fingendo* (v. 24). 24. *fingendo*: creando con la fantasia. – *al viver
mio*: dativo di vantaggio. 25. *e quante volte*: e ignaro di quante
volte in seguito. 26. *nuda*: spoglia di illusioni e di gioie. 28. *l'età
verde*: la giovinezza. 29. *sarei dannato*: sarei stato condannato. Di
qui fino al v. 49 il poeta rivive al presente la propria gioventú sfiorita,
immedesimandosi nello stato d'animo d'una volta. 31. *vil*: ignobile.
– *cui nomi strani* ecc.: per la quale la dottrina e il sapere sono cose
incredibili, nomi strani e risibili. 33. *m'odia e fugge*: cfr. la lettera
al Giordani del 5 dicembre 1817: « In Recanati poi io son tenuto
quello che sono, un vero e pretto ragazzo, e i piú ci aggiungono i titoli di saccentuzzo di filosofo d'eremita e che so io »; e quella del 18
maggio 1830 alla sorella Paolina, inviandole il proprio ritratto: « Il
ritratto è bruttissimo: nondimeno fatelo girare costí, acciocché i Recanatesi vedano cogli occhi del corpo (che sono i soli che hanno) che *il
gobbo de Leopardi* è contato per qualche cosa nel mondo, dove Recanati non è conosciuto neppure di nome ». 34. *per invidia* ecc.: cfr.
Zibaldone, 83-84: « La cagione per cui trovo nelle osservazioni di
Madama di Staël del libro 14 della *Corinna* anche piú intima e singolare e tutta nuova naturalezza e verità, è (oltre al trovarmi io presentemente nello stessissimo stato ch'ella descrive) il rappresentare ella
quivi il genio considerante se stesso e non le cose estrinsche né sublimi, ma le piccolezze stesse e le qualità che il genio poche volte rav-
visa in sé, e forse anche se ne vergogna e non se le confessa (o le
crede aliene da sé e provenienti da altre qualità piú basse, e perciò se
n'affligge) onde con minore sublime ed astratto, ha maggior verità e
profondità familiare in tutto quello che dice Corinna di sé giovanetta.
Quantunque io mi trovi appunto nella condizione che ho detta qui
sopra pur leggendo il detto libro, ogni volta che madama parla dell'invidia di quegli uomini volgari, e del desiderio di abbassar gli uomini
superiori, e presso loro e presso gli altri e presso se stessi, non si tro-

LE RICORDANZE   179

maggior di sè, ma perché tale estima   35
ch'io mi tenga in cor mio, sebben di fuori
a persona giammai non ne fo segno.
Qui passo gli anni, abbandonato, occulto,
senz'amor, senza vita; ed aspro a forza
tra lo stuol de' malevoli divengo: 40
qui di pietà mi spoglio e di virtudi,
e sprezzator degli uomini mi rendo,
per la greggia ch'ho appresso: e intanto vola
il caro tempo giovanil; piú caro
che la fama e l'allor, piú che la pura   45
luce del giorno, e lo spirar: ti perdo
senza un diletto, inutilmente, in questo
soggiorno disumano, intra gli affanni,
o dell'arida vita unico fiore.

Viene il vento recando il suon dell'ora   50
dalla torre del borgo. Era conforto

vava la solita certissima e precisa applicabilità alle mie circostanze. E
rifletto che infatti questa invidia, e questo desiderio non può trovarsi
in quei tali piccoli spiriti ch'ella descrive, perché non hanno mai considerato il genio e l'entusiasmo come una superiorità, anzi come una
pazzia, come fuoco giovanile, difetto di prudenza, di esperienza di senno ec. e si stimano molto piú essi, onde non possono provare invidia,
perché nessuno invidia la follia degli altri, bensí compassione, o disprezzo, e anche malvolenza, come a persone che non vogliono pensare come voi, e come credete che si debba pensare. Del resto credono
che ancor esse fatte piú mature si ravvedranno, tanto sono lontane dal-
l'invidiarle. E cosí precisamente porta l'esperienza che ho fatta e fo.
Ben è vero che, se mai si affacciasse loro il dubbio che questi uomini
di genio fossero spiriti superiori, ovvero se sapranno che son tenuti per
tali, come anime basse che sono e amanti della loro quiete ec. faranno
ogni sforzo per deprimerli, e potranno concepirne invidia, ma come di
persone di un merito false e considerate contro al giusto, e invidia non
del loro genio, ma della stima che ne ottengono, giacché non solamente non li credono superiori a sé, ma molto al di sotto ». 39. *a
forza*: contro la mia natura. 43. *per*: a causa. 45. *l'allor*: la gloria.
46. *lo spirar*: il respirare: il vivere. 48. *disumano*: cfr. la lettera del
19 maggio 1829 a Francesco Puccinotti: « Ma in fine, trova un momento da venire; che, dopo sei mesi, io oda per la prima volta una
voce d'uomo e d'amico. Non so se mi conoscerai piú: non mi riconosco io stesso, non son piú io; la mala salute e la tristezza di questo
soggiorno orrendo, mi hanno finito ». 50. *il suon dell'ora*: « Sento
dal mio letto suonare (battere) l'orologio della torre. Rimembranze di
quelle notti estive nelle quali essendo fanciullo e lasciato in letto in
camera oscura, chiuse le sole persiane, tra la paura e il coraggio sentiva battere un tale orologio. O pure situazione trasportata alla profon-

questo suon, mi rimembra, alle mie notti,
quando fanciullo, nella buia stanza,
per assidui terrori io vigilava,
sospirando il mattin. Qui non è cosa   55
ch'io vegga o senta, onde un'immagin dentro
non torni, e un dolce rimembrar non sorga.
Dolce per se; ma con dolor sottentra
il pensier del presente, un van desio
del passato, ancor tristo, e il dire: io fui.   60
Quella loggia colà, volta agli estremi
raggi del dí; queste dipinte mura,
quei figurati armenti, e il Sol che nasce
su romita campagna, agli ozi miei
porser mille diletti allor che al fianco   65
m'era, parlando, il mio possente errore
sempre, ov'io fossi. In queste sale antiche,
al chiaror delle nevi, intorno a queste
ampie finestre sibilando il vento,
rimbombaro i sollazzi e le festose   70

dità della notte o al mattino ancora silenzioso e all'età consistente »,
cfr. *Zibaldone*, 36. 54. *assidui*: incessanti. – *vigilava*: vegliavo. 58.
per sé: perché riaffluiscono con esso le emozioni di allora e il ricordo
riempie di amore ciò che fu famigliare. 59. *un van desio*: un vano
desiderio: un rimpianto. 60. *il dire: io fui*: il constatare che la vivacità, l'umanità, la ricchezza dei propri sentimenti, cioè la vita stessa,
che pure fu cosí forte e profonda, è stata uccisa per sempre dalla sofferenza, dall'aridità e dalla disperazione. 61-62. *agli estremi raggi del
dí*: a occidente. 62. *dipinte*: a tempera. – *mura*: pareti. 63. *figurati
armenti*: dipinti a tempera raffiguranti greggi. Anche nel *Discorso di un
Italiano intorno alla poesia romantica*: « Io mi ricordo d'essermi figurato nella fantasia, guardando alcuni pastori e pecorelle dipinte sul
cielo della mia stanza, tali bellezze di vita pastorale che se fosse con-
ceduta a noi cosí fatta vita, questa già non sarebbe terra, ma paradiso,
e albergo non d'uomini, ma d'immortali ». – *il Sol che nasce*: anch'esso figurato in un dipinto a tempera. 66. *possente errore*: di credere ai propri sogni. 67. *ov'io fossi*: dovunque mi trovassi. 68-69.
intorno ecc.: mentre il vento sibilava intorno alle grandi finestre. 70.
sollazzi: giochi. Cfr. nei *Ricordi di Carlo a Prospero Viani*: « Nei
giuochi e nelle finte battaglie romane, che noi fratelli facevamo nel
giardino, egli si metteva sempre primo. Ricordo ancora i pugni sonori
che mi dava!... Ebbe fin da fanciullo l'abilità straordinaria d'inventar
fole e novelle, e di seguitarne alcuna per piú giorni, come un romanzo.
Questo faceva la mattina a letto per mio spasso. Aveva l'abilità e
l'uso di fare spesso con tuttedue le mani un certo giuoco, come di
nacchere, famigliare, diceva egli, agli antichi; onde faceva una certa
musica ».

mie voci al tempo che l'acerbo, indegno
mistero delle cose a noi si mostra
pien di dolcezza; indelibata, intera
il garzoncel, come inesperto amante,
la sua vita ingannevole vagheggia,   75
e celeste beltà fingendo ammira.

O speranze, speranze; ameni inganni
della mia prima età! sempre, parlando,
ritorno a voi; che per andar di tempo,
per variar d'affetti e di pensieri,   80
obbliarvi non so. Fantasmi, intendo,
son la gloria e l'onor; diletti e beni

72. *delle cose*: della realtà. 73. *indelibata, intera*: non ancora gu-
stata né sfiorata da alcun contatto: tutta ancora da prendere e da
godere. « Il giovane istruito da' libri o dagli uomini e dai discorsi
prima della propria esperienza, non solo si lusinga sempre e inevitabilmente che il mondo e la vita per esso lui debbano esser composti
d'eccezioni di regola, cioè la vita di felicità e di piaceri, il mondo di
virtú, di sentimenti, d'entusiasmo; ma piú veramente egli si persuade,
se non altro, implicitamente e senza confessarlo pure a se stesso, che
quel che gli è detto e predicato, cioè l'infelicità, le disgrazie della
vita, della virtú, della sensibilità, i vizi, la scelleraggine, la freddezza,
l'egoismo degli uomini, la loro noncuranza degli altri, l'odio e invidia
de' pregi e virtú altrui, disprezzo delle passioni grandi, e de' sentimenti vivi, nobili, teneri ec. sieno tutte eccezioni, e casi, e la regola
sia tutto l'opposto, cioè quell'idea ch'egli si forma della vita e degli
uomini naturalmente, e indipendentemente dall'istruzione, quella che
forma il suo proprio carattere, ed è l'oggetto delle sue inclinazioni e
desiderii, e speranze, l'opera e il pascolo della sua immaginazione. (29
Giugno, dí di San Pietro, 1822) », *Zibaldone*, 2523-24. 74. *il garzoncel*: chi è ancora ragazzo. 75. *ingannevole*: che non manterrà poi ciò
che promette. 76. *fingendo ammira*: guarda affascinato un mondo di
divina bellezza, che egli stesso ha creato con la propria fantasia. 77.
ameni: dolci, spensierati, pieni di gioia. 78. *della mia prima età*:
cfr. *Zibaldone*, 76: « La somma felicità possibile dell'uomo in questo
mondo, è quando egli vive quietamente nel suo stato con una speranza riposata e certa di un avvenire molto migliore, che per esser certa,
e lo stato in cui vive, buono, non lo inquieti e non lo turbi coll'impazienza di goder di questo immaginato bellissimo futuro. Questo divino
stato l'ho provato io di sedici e diciassette anni per alcuni mesi ad
intervalli, trovandomi quietamente *occupato* negli studi senz'altri disturbi, e colla certa e tranquila speranza di un lietissimo avvenire. E
non lo proverò mai piú, perché questa tale speranza che *sola può render l'uomo contento del presente*, non può cadere se non in un giovane di quella età o almeno, esperienza ». 79-80. *per andar di tempo,
per variar d'affetti*: per quanto cammini il tempo, per quanto mutino
gli affetti.

mero desio; non ha la vita un frutto,
inutile miseria. E sebben vòti
son gli anni miei, sebben deserto, oscuro   85
il mio stato mortal, poco mi toglie
la fortuna, ben veggo. Ahi, ma qualvolta
a voi ripenso, o mie speranze antiche,
ed a quel caro immaginar mio primo;
indi riguardo il viver mio sí vile   90
e sí dolente, e che la morte è quello
che di cotanta speme oggi m'avanza;
sento serrarmi il cor, sento ch'al tutto
consolarmi non so del mio destino.
E quando pur questa invocata morte   95
sarammi allato, e sarà giunto il fine
della sventura mia; quando la terra
mi fia straniera valle, e dal mio sguardo
fuggirà l'avvenir; di voi per certo
risovverrammi; e quell'imago ancora   100
sospirar mi farà, farammi acerbo
l'esser vissuto indarno, e la dolcezza
del dí fatal tempererà d'affanno.

E già nel primo giovanil tumulto
di contenti, d'angosce e di desio,   105
morte chiamai piú volte, e lungamente
mi sedetti colà su la fontana

90. *vile*: ignobile. 92. *che di cotanta* ecc.: cfr. Petrarca, *Rime*,
CCLXVIII, 32: « Questo m'avanza di cotanta speme », già ripreso dal
Foscolo, nel sonetto *In morte del fratello*, v. 11: « Questo di tanta
speme oggi mi resta ».   93. *sento serrarmi*: sento che mi si chiude.
Cfr. *Zibaldone*, 137: « Credereste che ricordandomi la mia fanciullezza
e i pensieri e i desiderii e le belle viste e le occupazioni dell'adolescenza, mi si serrava il cuore in maniera ch'io non sapea piú rinunziare
alla speranza, e la morte mi spaventava? non già come morte, ma come
annullatrice di tutta la bella aspettativa passata ». – *al tutto*: interamente. 98. *fia*: sarà. 99. *voi*: *mie speranze antiche* (v. 88). 100.
risovverrammi: mi ricorderò. – *quell'imago*: l'immagine di quell'antica
emozione. 101. *farammi acerbo*: mi renderà doloroso. 102-3. *l'esser
vissuto* ecc.: e l'immagine delle mie speranze giovanili, che mi fecero
amare cosí tanto la vita, renderà in parte doloroso (*tempererà d'affanno*) perfino il giorno in cui avrò la gioia di cessare di vivere (*la dolcezza del dí fatal*). 105. *contenti*: gioie. 107. *mi sedetti*: cfr. il bra-
no dello *Zibaldone* riportato in nota agli ultimi versi della canzone *A
un vincitore nel pallone*.

pensoso di cessar dentro quell'acque
la speme e il dolor mio. Poscia, per cieco
malor, condotto della vita in forse,   110
piansi la bella giovanezza, e il fiore
de' miei poveri dí, che sí per tempo
cadeva: e spesso all'ore tarde, assiso
sul conscio letto, dolorosamente
alla fioca lucerna poetando,   115
lamentai co' silenzi e con la notte
il fuggitivo spirto, ed a me stesso
in sul languir cantai funereo canto.

Chi rimembrar vi può senza sospiri,
o primo entrar di giovinezza, o giorni   120
vezzosi, inenarrabili, allor quando
al rapito mortal primieramente
sorridon le donzelle; a gara intorno
ogni cosa sorride; invidia tace,
non desta ancora ovver benigna; e quasi   125
(inusitata maraviglia!) il mondo
la destra soccorrevole gli porge,
scusa gli errori suoi, festeggia il novo
suo venir nella vita, ed inchinando
mostra che per signor l'accolga e chiami?   130
Fugaci giorni! a somigliar d'un lampo
son dileguati. E qual mortale ignaro

108. *cessar*: far cessare. 109. *la speme e il dolor*: il tumulto insopportabile prodotto dall'amore della vita da una parte, e dalla sofferenza di una vita infelice dall'altra. – *cieco*: occulto, invisibile. Cfr.
A Silvia, v. 41: « chiuso morbo ». 110. *della vita in forse*: in pericolo di vita. 112. *per tempo*: anzitempo, precocemente. 114. *conscio*: testimone. 117. *spirto*: la energia vitale. 118. *in sul languir*:
venendomi a mancare a poco a poco le forze. – *funereo canto*: l'*Appressamento della morte*, scritto in undici giorni senza interruzione dal
novembre al dicembre 1816, inviato nel marzo 1817 a Pietro Giordani,
e mai pubblicato interamente dall'autore. Cfr. il *Frammento* XXXIX.
120. *o primo entrar* ecc.: cfr. *La vita solitaria*, vv. 44 sgg. 122. *rapito*: dall'emozione. – *primieramente*: per la prima volta. 124. *invidia*: l'aggressività altrui. 125. *benigna*: innocua. 127. *la destra*: la
mano. 129. *inchinando*: inchinandosi a lui. 132-35. *E qual mortale*
ecc.: « Certamente di nessuno che abbia passata l'età di venticinque
anni, subito dopo la quale incomincia il fiore della gioventú a perdere,
si può dire con verità, se non fosse di qualche stupido, ch'egli non
abbia esperienza di sventure; perché se anco la sorte fosse stata pro-

di sventura esser può, se a lui già scorsa
quella vaga stagion, se il suo buon tempo,
se giovanezza, ahi giovanezza, è spenta?   135

O Nerina! e di te forse non odo
questi luoghi parlar? caduta forse
dal mio pensier sei tu? Dove sei gita,
che qui sola di te la ricordanza
trovo, dolcezza mia? Piú non ti vede   140
questa Terra natal: quella finestra,
ond'eri usata favellarmi, ed onde
mesto riluce delle stelle il raggio,
è deserta. Ove sei, che piú non odo
la tua voce sonar, siccome un giorno,   145
quando soleva ogni lontano accento
del labbro tuo, ch'a me giungesse, il volto
scolorarmi? Altro tempo. I giorni tuoi
furo, mio dolce amor. Passasti. Ad altri
il passar per la terra oggi è sortito,   150
e l'abitar questi odorati colli.
Ma rapida passasti; e come un sogno
fu la tua vita. Ivi danzando; in fronte
la gioia ti splendea, splendea negli occhi
quel confidente immaginar, quel lume   155
di gioventú, quando spegneali il fato,
e giacevi. Ahi Nerina! In cor mi regna
l'antico amor. Se a feste anco talvolta,
se a radunanze io movo, infra me stesso
dico: o Nerina, a radunanze, a feste   160
tu non ti acconci piú, tu piú non movi.
Se torna maggio, e ramoscelli e suoni

spera ad alcuno in ogni cosa, pure questi, passato il detto tempo, sarebbe conscio a se stesso di una sventura grave ed amara fra tutte
l'altre, e forse piú grave ed amara a chi sia dalle altre parti meno
sventurato; cioè della decadenza o della fine della cara sua gioventú »
(*Pensieri*, XLII).   136. *Nerina*: nome fittizio. Forse una Maria Belardinelli, morta a Recanati, ventisettenne, nel 1827. 138. *gita*: andata,
fuggita. 142. *ond'eri usata*: dalla quale avevi l'abitudine di parlarmi.
143. *riluce*: si riflette. 145. *sonar*: risuonare, echeggiare. 147. *del
labbro tuo*: della tua voce. 153. *Ivi*: andavi, ti avviavi verso la vita.
156. *spegneali*: gli occhi. 157. *giacevi*: morta. 162. *ramoscelli e suoni*: rami fioriti e canti accompagnati da musica per la festa di calendi-
maggio.

van gli amanti recando alle fanciulle,
dico: Nerina mia, per te non torna
primavera giammai, non torna amore.   165
Ogni giorno sereno, ogni fiorita
piaggia ch'io miro, ogni goder ch'io sento,
dico: Nerina or piú non gode; i campi,
l'aria non mira. Ahi tu passasti, eterno
sospiro mio: passasti: e fia compagna   170
d'ogni mio vago immaginar, di tutti
i miei teneri sensi, i tristi e cari
moti del cor, la rimembranza acerba.

167. *piaggia*: prato. 169-70. *eterno sospiro mio*: la giovinetta morta
prematuramente incarna l'immagine della gioventú; l'immagine della
gioventú quella della speranza, della felicità e della vita. « Mio dolore
in veder morire i giovini come a veder bastonare una vite carica di
uve immature »; « cosí mi duole veder morire un giovine come segare
una messe verde verde » (*Ricordi d'infanzia e di adolescenza*). 170.
fia: sarà. 170-74. « Non avrò piú alcuna fantasia o alcuna speranza,
nessun sentimento gentile, nessuna dolcezza e nessun calore dell'animo,
senza che queste emozioni non siano accompagnate dal pensiero che
esse sono passate, e non torneranno piú ». Cfr. i vv. 55-60.

Composto a Recanati fra il 22 ottobre 1829 e il 9 aprile 1830. Ispirato dalla lettura del *Voyage d'Orenbourg à Boukhara fait en 1820* del barone Meyendorff (cfr. *Zibaldone*, 4399, in data 2 ottobre 1828 e le *Note ai Canti*) fu pubblicato per la prima volta nell'edizione fiorentina dei *Canti* (1831).

Metro: canzone fuori da ogni schema. I versi rimano liberamente; ciascuna strofa termina con la rima in -*ale*, accorgimento che conferisce all'andamento di ciascuna strofa una movenza uniforme in chiave di ballata.

Che fai tu, luna, in ciel? dimmi, che fai,
silenziosa luna?
Sorgi la sera, e vai,
contemplando i deserti; indi ti posi.
Ancor non sei tu paga   5
di riandare i sempiterni calli?
Ancor non prendi a schivo, ancor sei vaga
di mirar queste valli?
Somiglia alla tua vita
la vita del pastore.   10
Sorge in sul primo albore;
move la greggia oltre pel campo, e vede
greggi, fontane ed erbe;
poi stanco si riposa in su la sera:
altro mai non ispera.   15
Dimmi, o luna: a che vale
al pastor la sua vita,
la vostra vita a voi? dimmi: ove tende
questo vagar mio breve,
il tuo corso immortale?   20

4. *i deserti*: la fantasia si muove nei paesaggi sterminati dell'Asia.
– *ti posi*: ti riposi, tramonti. 5. *paga*: sazia. 6. *i sempiterni calli*: i
sentieri del cielo. 7. *non prendi a schivo*: non ti ritrai annoiata, non
cominci a schivare. – *sei vaga*: hai desiderio. 12. *move* ecc.: cfr. Petrar-
ca, *Rime*, L, vv. 29-38: « Quando vede il pastor calare i raggi | del
gran pianeta al nido ov'egli alberga | e 'mbrunir le contrade d'orïente,
| drizzasi in piedi, e co l'usata verga | lassando l'erba e le fontane e
i faggi, | move la schiera sua soavemente; | poi lontan da la gente | o
casetta o spelunca | di verdi fronde ingiunca; | ivi senza pensier s'ada-
gia e dorme ». – *move... oltre*: inoltra, conduce. 13. *fontane ed erbe*:
prati e sorgenti. 18. *voi*: corpi celesti.

Vecchierel bianco, infermo,
mezzo vestito e scalzo,
con gravissimo fascio in su le spalle,
per montagna e per valle,
per sassi acuti, ed alta rena, e fratte,   25
al vento, alla tempesta, e quando avvampa
l'ora, e quando poi gela,
corre via, corre, anela,
varca torrenti e stagni,
cade, risorge, e piú e piú s'affretta,   30
senza posa o ristoro,
lacero, sanguinoso; infin ch'arriva
colà dove la via
e dove il tanto affaticar fu volto:
abisso orrido, immenso,   35
ov'ei precipitando, il tutto obblia.
Vergine luna, tale
è la vita mortale.

Nasce l'uomo a fatica,
ed è rischio di morte il nascimento.   40

21. *Vecchierel*: cfr. nella canzone del Petrarca piú sopra citata (*Rime*,
L) vv. 5-11: « la stanca vecchiarella pellegrina | raddoppia i passi, e
piú e piú s'affretta; | e poi cosí soletta | al fin di sua giornata | talora
è consolata | d'alcun breve riposo, ov'ella oblia | la noia e 'l mal de la
passata via ». Nello *Zibaldone*, 4162: « Che cosa è la vita? Il viaggio
di uno zoppo e infermo che con un gravissimo carico in sul dosso, per
montagna ertissime e luoghi sommamente aspri, faticosi e difficili, alla
neve, al gelo, alla pioggia, al vento, all'ardore del sole, cammina senza
mai riposarsi dí e notte uno spazio di molte giornate per arrivare a
un cotal precipizio o un fosso e quivi inevitabilmente cadere ». –
bianco: canuto. Come in Petrarca, *Rime*, XVI, v. 1: « Movesi il vecchierel canuto e bianco ». 23. *gravissimo fascio*: pesantissimo fardel-
lo. 25. *acuti*: acuminati. – *alta*: profonda. – *fratte*: sterpi. 27. *l'ora*:
calda nel meriggio d'estate; fredda di notte e d'inverno. 28. *anela*:
ansima. 31. *posa*: riposo. 34. *fu volto*: era indirizzato. 35. *abisso*: la morte. 37. *Vergine*: mai sfiorata da alcun contatto. 38. *mortale*: umana. 40. *ed è rischio* ecc.: « Il nascere istesso dell'uomo, cioè
il cominciamento della sua vita, è un pericolo della vita come apparisce dal gran numero di coloro per cui la nascita è cagione di morte,
non reggendo al travaglio e ai disagi che il bambino prova nel nascere.
E nota ch'io credo che esaminando si troverà che fra le bestie un
molto minor numero proporzionatamente perisce in questo pericolo,
colpa probabilmente della natura umana guasta e indebolita dall'in-
civilimento » (*Zibaldone*, 68, 3). Puoi confrontare anche Lucrezio, *De
rerum natura*, V, vv. 222 sgg.

Prova pena e tormento
per prima cosa; e in sul principio stesso
la madre e il genitore
il prende a consolar dell'esser nato.
Poi che crescendo viene,   45
l'uno e l'altro il sostiene, e via pur sempre
con atti e con parole
studiasi fargli core,
e consolarlo dell'umano stato:
altro ufficio piú grato   50
non si fa da parenti alla lor prole.
Ma perché dare al sole,
perché reggere in vita
chi poi di quella consolar convenga?
Se la vita è sventura   55
perché da noi si dura?
Intatta luna, tale
è lo stato mortale.
Ma tu mortal non sei,
e forse del mio dir poco ti cale.   60

Pur tu, solinga, eterna peregrina,
che sí pensosa sei, tu forse intendi,
questo viver terreno,
il patir nostro, il sospirar, che sia;
che sia questo morir, questo supremo   65
scolorar del sembiante,
e perir dalla terra, e venir meno
ad ogni usata, amante compagnia.
E tu certo comprendi
il perché delle cose, e vedi il frutto   70
del mattin, della sera,

---

44. *il prende a consolar*: cominciano subito a distogliere in ogni
modo il neonato dalle sue pene, calmandone i vagiti con filastrocche
e moine. 46. *il sostiene*: lo aiutano. – *via pur sempre*: senza mai sosta. 48. *studiasi fargli core*: cercano di infondergli coraggio e capacità di sopportazione. 51. *parenti*: genitori. 53. *reggere in vita*:
indurre con ogni sforzo a vivere. 56. *da noi si dura*: continuiamo a
viverla. 57. *Intatta*: mai toccata. 60. *ti cale*: ti importa. 61. *Pur*:
eppure. – *peregrina*: viaggiatrice. 62. *pensosa*: cfr. *Alla primavera*,
v. 47. – *intendi*: collega a *che sia* (vv. 64 e 65). 65. *supremo*: in
punto di morte. 67. *perir*: sparire. 68. *usata*: famigliare. – *amante*: di chi ci ama.

del tacito, infinito andar del tempo.
Tu sai, tu certo, a qual suo dolce amore
rida la primavera,
a chi giovi l'ardore, e che procacci   75
il verno co' suoi ghiacci.
Mille cose sai tu, mille discopri,
che son celate al semplice pastore.
Spesso quand'io ti miro
star cosí muta in sul deserto piano,   80
che, in suo giro lontano, al ciel confina;
ovver con la mia greggia
seguirmi viaggiando a mano a mano;
e quando miro in cielo arder le stelle;
dico fra me pensando: 85
a che tante facelle?
che fa l'aria infinita, e quel profondo
infinito seren? che vuol dir questa
solitudine immensa? ed io che sono?
Cosí meco ragiono: e della stanza   90
smisurata e superba,
e dell'innumerabile famiglia;
poi di tanto adoprar, di tanti moti
d'ogni celeste, ogni terrena cosa,
girando senza posa,   95
per tornar sempre là donde son mosse;
uso alcuno, alcun frutto
indovinar non so. Ma tu per certo,
giovinetta immortal, conosci il tutto.
Questo io conosco e sento,   100
che degli eterni giri,

72. *tacito*: nell'immensità dell'universo si estingue ogni rumore. 73. *a qual suo dolce amore*: per amore di che cosa. 75. *l'ardore*: dell'estate. 77. *discopri*: vedi. 79. *miro*: osservo meravigliato. 81. *in suo giro lontano*: all'orizzonte. 82-83. *con la mia greggia seguirmi*: seguir me e il mio gregge. Cfr. *Zibaldone*, 23, 3: « Vedendo meco viaggiar la luna ». 84. *miro*: scruto. – *arder*: di luminosità. 86. *facelle*: piccole fiaccole: luci. 90. *della stanza*: dell'universo. Il genitivo dipende da *uso* e *frutto* (v. 97). 92. *famiglia*: di uomini e animali. 93. *adoprar*: affaccendarsi. 94. *ogni*: di ogni. 95. *girando*: giranti. Il movimento dell'universo che conosciamo ci appare circolare. – *posa*: sosta, riposo. 99. *giovinetta*: vergine, non sfiorata da alcun contatto. 100. *Questo*: prolettico: anticipa quel che segue. 101. *giri*: dell'universo.

che dell'esser mio frale,
qualche bene o contento
avrà fors'altri; a me la vita è male.

O greggia mia che posi, oh te beata,   105
che la miseria tua, credo, non sai!
Quanta invidia ti porto!
Non sol perché d'affanno
quasi libera vai;
ch'ogni stento, ogni danno,   110
ogni estremo timor subito scordi;
ma piú perché giammai tedio non provi.
Quando tu siedi all'ombra, sovra l'erbe,
tu se' queta e contenta;
e gran parte dell'anno   115
senza noia consumi in quello stato.
Ed io pur seggo sovra l'erbe, all'ombra,
e un fastidio m'ingombra
la mente, ed uno spron quasi mi punge
sí che, sedendo, piú che mai son lunge   120
da trovar pace o loco.
E pur nulla non bramo,
e non ho fino a qui cagion di pianto.
Quel che tu goda o quanto,
non so già dir; ma fortunata sei.   125
Ed io godo ancor poco,

102. *dell'esser mio frale*: della fragile esistenza umana. 103. *contento*: gioia. 104. *male*: sofferenza. 105. *posi*: riposi. 106. *la miseria tua*: la tua misera condizione. 107. *Quanta* ecc.: cfr. Petrarca, *Rime*, CCC, 1: « Quanta invidia io ti porto, avara terra ». 111.
estremo: anche il piú violento. 113. *siedi*: giaci. 120. *lunge*: lontano. 121. *loco*: dove stare. 122. *E pur nulla* ecc.: intendi: « eppur
non mi tormenta alcun desiderio, non mi affligge alcun forte dolore »
(Straccali). Cfr. *Zibaldone*, 4043: « La noia è manifestamente un male,
e l'annoiarsi una infelicità. Or che cosa è la noia? Niun male né dolore particolare (anzi l'idea e la natura della noia esclude la presenza
di qualsivoglia particolar male o dolore), ma la semplice vita pienamente sentita, provata, conosciuta, pienamente presente all'individuo,
ed occupantelo. Dunque la vita è semplicemente un male: e il vivere,
o il viver meno, sí per estensione che per intensione, è semplicemente
un bene, o un minor male, ovvero preferibile per sé ed assolutamente
alla vita ec. (8 Marzo 1824) » e 4498: « Quando l'uomo non ha sentimento di alcun bene o male particolare, sente in generale l'infelicità
nativa dell'uomo, e questo è quel sentimento che si chiama noia ».
126. *Ed io... ancor*: e anche io come te.

o greggia mia, né di ciò sol mi lagno.
Se tu parlar sapessi, io chiederei:
dimmi: perché giacendo
a bell'agio, ozioso,   130
s'appaga ogni animale;
me, s'io giaccio in riposo, il tedio assale?

Forse s'avess'io l'ale
da volar su le nubi,
e noverar le stelle ad una ad una,   13⁵
o come il tuono errar di giogo in giogo,
piú felice sarei, dolce mia greggia,
piú felice sarei, candida luna.
O forse erra dal vero,
mirando all'altrui sorte, il mio pensiero: 140
forse in qual forma, in quale
stato che sia, dentro covile o cuna,
è funesto a chi nasce il dí natale.

127. *né*: ma non. Su questi ultimi versi della strofa cfr. le *Note ai
Canti*. 135. *noverar*: annoverare, contare. 136. *errar*: rumoreggian-
do. – *giogo*: cima. 139. *erra*: si discosta. 142. *dentro covile o cuna*:
sia agli animali sia agli uomini (*cuna*: culla).

XXIV.   *La quiete dopo la tempesta*

Composto a Recanati dal 17 al 20 settembre 1829 e pubblicato per la prima volta nell'edizione fiorentina dei *Canti* (1831).

Metro: canzone fuori da ogni schema.

Passata è la tempesta:
odo augelli far festa, e la gallina,
tornata in su la via,
che ripete il suo verso. Ecco il sereno
rompe là da ponente, alla montagna;   5
sgombrasi la campagna,
e chiaro nella valle il fiume appare.
Ogni cor si rallegra, in ogni lato
risorge il romorio
torna il lavoro usato.   10
L'artigiano a mirar l'umido cielo,
con l'opra in man, cantando,
fassi in su l'uscio; a prova
vien fuor la femminetta a còr dell'acqua
della novella piova;   15
e l'erbaiuol rinnova
di sentiero in sentiero
il grido giornaliero.

4. *verso*: cfr. Petrarca, *Rime*, CCXXXIX, 3: « E li augeletti inco-
minciar lor versi ». 5. *rompe*: erompe dalle nuvole. – *alla montagna*:
sopra la montagna: dalla parte dei monti e, naturalmente, sulla cima.
Cfr. *Appressamento della morte*, II, 7-9: « O come ride striscia di se-
reno | dopo la pioggia sopra la montagna | allor che 'l turbo placasi e
vien meno ». 7. *chiaro*: per il nitido disegnarsi delle sue volute nel
fondovalle, e per le acque ridivenute limpide. Come è noto, nella valle
tra Macerata e Recanati scorre il Potenza. 9. *il romorio*: del lavoro
consueto, che riprende il ritmo interrotto dalla tempesta. 11. *umido*:
ancora fresco di pioggia, tenero, come fosse stato lavato dalla violenta
burrasca. 12. *opra*: lo strumento del proprio lavoro. 13. *fassi*: si
affaccia. – *a prova*: in gara con altre. 14. *vien fuor*: di casa, all'aperto. – *còr*: cogliere, raccogliere. 15. *della novella piova*: della pioggia
recente, appena caduta. 16. *erbaiuol*: erbivendolo. 17. *sentiero*: del
paese. 18. *giornaliero*: ripetuto di giorno in giorno, e tante volte
ogni giorno.

Ecco il Sol che ritorna, ecco sorride
per li poggi e le ville. Apre i balconi,   20
apre terrazzi e logge la famiglia:
e, dalla via corrente, odi lontano
tintinnio di sonagli; il carro stride
del passeggier che il suo cammin ripiglia.

Si rallegra ogni core.   25
Sí dolce, sí gradita
quand'è, com'or, la vita?
quando con tanto amore
l'uomo a' suoi studi intende?
o torna all'opre? o cosa nova imprende?   30
quando de' mali suoi men si ricorda?
Piacer figlio d'affanno;
gioia vana, ch'è frutto
del passato timore, onde si scosse
e paventò la morte   35
chi la vita abborria;
onde in lungo tormento,
fredde, tacite, smorte,

---

20. *le ville*: i gruppi di case sparse sulle colline. – *i balconi*: le finestre. 21. *la famiglia*: la servitú. 22. *corrente*: maestra. 24. *passeg-
gier*: viandante. « Nella [dalla] maestra via s'udiva il carro | del passeg-
ger, che stritolando i sassi | mandava un suon, cui precedea da lungi |
il tintinnio de' mobili sonagli » (*Zibaldone*, 1). 29. *studi*: occupazioni. 30. *all'opre*: al lavoro consueto. 32. *Piacer* ecc.: cfr. *Zibaldone*,
2601-2: « Le convulsioni degli elementi e altre tali cose che cagionano l'affanno e il male del timore all'uomo naturale o civile, e parimenti agli animali ec. le infermità e cent'altri mali inevitabili ai *viventi*, anche nello stato primitivo (i quali mali benché accidentali uno per
uno, forse il genere e l'università loro non è accidentale) si riconoscono per conducenti, e in certo modo necessarii alla felicità dei viventi, e quindi con ragione contenuti e collocati e ricevuti nell'ordine
naturale, il qual mira in tutti i modi alla predetta felicità. E ciò non
solo perch'essi mali danno risalto ai beni, e perché piú si gusta la
sanità dopo la malattia, e la calma dopo la tempesta: ma perché senza
essi mali, i beni non sarebbero neppur beni a poco andare, venendo a
noia, e non essendo gustati né sentiti come beni e piaceri, e non potendo la sensazione del piacere, in quanto realmente piacevole, durar
lungo tempo ec. (7 Agosto 1822) ». 34. *onde*: in grazia del quale.
36. *chi... abborria*: perfino chi aborriva, chi prima aveva in odio la
vita. Cfr. gli ultimi versi della canzone *A un vincitore nel pallone* e
Zibaldone, 82. 37. *onde*: a causa del quale (*timore*). 38. *fredde*:
agghiacciate dal terrore. – *tacite*: ammutolite.

sudàr le genti e palpitàr, vedendo
mossi alle nostre offese   40
folgori, nembi e vento.

O natura cortese,
son questi i doni tuoi,
questi i diletti sono
che tu porgi ai mortali. Uscir di pena   45
è diletto fra noi.
Pene tu spargi a larga mano; il duolo
spontaneo sorge: e di piacer, quel tanto
che per mostro e miracolo talvolta
nasce d'affanno, è gran guadagno. Umana   50
prole cara agli eterni! assai felice
se respirar ti lice
d'alcun dolor: beata
se te d'ogni dolor morte risana.

40-41. *mossi* ecc.: scatenarsi contro di noi la furia degli elementi.   42.
cortese: detto senza neppure ironia.   47-50. *il duolo* ecc.: « Il dolore
è la condizione naturale dell'uomo, e quanto al piacere, c'è da rite-
nersi fortunati quando ci è data quella gioia illusoria che nasce, qualche volta, per prodigio (*mostro*) e miracolo della natura, dalla cessa-
zione di un dolore ».   51. *eterni*: padri dell'umanità. Con ironia verso
chi ritiene l'umanità progenitura divina.   52. *respirar*: aver sollievo.
– *ti lice*: ti è lecito.   54. *risana*: il dolore fa tutt'uno col male.

XXV. *Il sabato del villaggio*

Composto a Recanati negli ultimi giorni di settembre del 1829 e pubblicato per la prima volta nell'edizione fiorentina dei *Canti* (1831). Tra il 20 e il 21 aprile 1829 Leopardi aveva annotato nello *Zibaldone* una massima di Rousseau: «L'on n'est heureux qu'avant d'être heureux. Rousseau, *Pensées*, I, 204. Cioè per la speranza», che sintetizza il messaggio esistenziale e morale del canto.

Metro: canzone fuori da ogni schema. Notevole, come al solito, il ricorso alla rima al mezzo.

La donzelletta vien dalla campagna,
in sul calar del sole,
col suo fascio dell'erba; e reca in mano
un mazzolin di rose e di viole,
onde, siccome suole,   5
ornare ella si appresta
dimani, al dí di festa, il petto e il crine.
Siede con le vicine
su la scala a filar la vecchierella,
incontro là dove si perde il giorno;   10
e novellando vien del suo buon tempo,
quando ai dí della festa ella si ornava,
ed ancor sana e snella
solea danzar la sera intra di quei
ch'ebbe compagni dell'età piú bella.   15
Già tutta l'aria imbruna,
torna azzurro il sereno, e tornan l'ombre
giú da' colli e da' tetti,
al biancheggiar della recente luna.

1. *donzelletta*: giovinetta. Del paese, non del contado. Per il movimento del verso, cfr. il sonetto del Brunelleschi *A una fanciulla*, riportato dal Leopardi nella *Crestomazia*, v. 1: « Madonna se ne vien dalla fontana ». 3. *erba*: per le bestie. 5. *onde*: con le quali. 6. *si appresta*: anticipa con la fantasia l'atto dell'adornarsi, già si vede alla festa. 7. *il crine*: i capelli. 9. *a filar* ecc.: cfr. Petrarca, *Rime*, XXXIII, 5: « Levata era a filar la vecchiarella ». 10. *incontro là* ecc.: agli ultimi raggi del sole, che sta tramontando. 11. *novellando vien*: racconta. 14. *intra di quei*: in mezzo a coloro. 16. *Già*: tramontato il sole. – *imbruna*: imbrunisce. 17. *azzurro*: il cielo sereno si fa improvvisamente blu dopo il tramonto. – *l'ombre*: dileguatesi nella profondità del crepuscolo. 19. *recente*: appena sorta.

Or la squilla dà segno   20
della festa che viene;
ed a quel suon diresti
che il cor si riconforta.
I fanciulli gridando
su la piazzuola in frotta,   25
e qua e là saltando,
fanno un lieto romore:
e intanto riede alla sua parca mensa,
fischiando, il zappatore,
e seco pensa al dí del suo riposo.   30

Poi quando intorno è spenta ogni altra face,
e tutto l'altro tace,
odi il martel picchiare, odi la sega
del legnaiuol, che veglia
nella chiusa bottega alla lucerna,   35
e s'affretta, e s'adopra
di fornir l'opra anzi il chiarir dell'alba.

Questo di sette è il piú gradito giorno,
pien di speme e di gioia:
diman tristezza e noia   40
recheran l'ore, ed al travaglio usato
ciascuno in suo pensier farà ritorno.

Garzoncello scherzoso,

20. *la squilla*: la campana. 28. *riede*: torna. Dal lavoro. 29. *il zappatore*: cfr. Petrarca, *Rime*, L, 15-24: « Come 'l sol volge le 'nfiammate
rote | per dar luogo a la notte, onde discende | da gli altissimi monti
maggior l'ombra; | l'avaro zappador l'arme riprende, | e con parole e
con alpestri note | ogni gravezza del suo petto sgombra; | e poi la men-
sa ingombra | di povere vivande, | simili a quelle ghiande | le qua' fug-
gendo tutto 'l mondo onora ». 30. *seco*: fra sé e sé. – *al dí* ecc.: al-
l'indomani. 31. *Poi*: a notte già inoltrata. – *face*: lucerna. 34. *legnaiuol*: falegname. 37. *fornir l'opra*: terminare il lavoro. Cfr.
Petrarca, *Rime*, XL, 9: « Ma però che mi manca a fornir l'opra ». –
anzi il: prima del. 43. *Garzoncello*: fanciullo. – *scherzoso*: ilare, spen-
sierato. Forse il Leopardi si ricordò di quei versi del Marmitta *Sopra
la primavera*, accolti nella *Crestomazia*: « Quanto diletta e piace |
questa stagion novella! | Però tu, che la face | spregi di Amore, o
bella | e piú che orsa crudel, mia pastorella; | mentre che primavera |
nel tuo bel viso appare, | non gir superba e fera: | ch'a queste dolci e

cotesta età fiorita
è come un giorno d'allegrezza pieno,   45
giorno chiaro, sereno,
che precorre alla festa di tua vita.
Godi, fanciullo mio; stato soave,
stagion lieta è cotesta.
Altro dirti non vo'; ma la tua festa   50
ch'anco tardi a venir non ti sia grave.

chiare | verran poi dietro l'ore fosche, amare; | e di tua vita in breve |
porteran seco il verno, | e la pioggia e la neve: | onde, oh dolor in-
terno! | te stessa avrai, com'or me lasso, a scherno ». 44. *età fiorita*:
l'adolescenza. Cfr. Petrarca, *Rime*, CCLXXVIII, 1: « Ne l'età sua piú
bella e piú fiorita ». 49. *stagion*: età. 50. *non vo'*: per non ama-
reggiarti. – *ma la tua festa* ecc.: « non essere impaziente di diventare adulto, ma cerca invece di illuderti il piú a lungo possibile, perché è un bene soltanto il sabato della vita ». – *festa*: della vita. L'età
adulta.

Composto probabilmente a Firenze fra il 1830 e il 1832, forse fra la primavera e l'estate del 1831 (cfr. la nota premessa al *Consalvo*), fu pubblicato per la prima volta nella seconda edizione dei *Canti* (Napoli 1835). È con tutta probabilità il primo, in ordine cronologico, dei cinque canti ispirati dalla Fanny Targioni-Tozzetti e cosiddetti del ciclo di Aspasia (cfr. la suddetta nota al *Consalvo*). Al Ferretti è parso probabile che sia questa la « poesia » di cui il Leopardi fa cenno in una lettera al De Sinner: « La poesia di cui vi parlò Poerio, e ch'io stava componendo appunto nel tempo ch'ebbi la fortuna di conoscervi [il Leopardi conobbe il De Sinner il 23 ottobre 1830], non è mai stata terminata, né credo che lo sarà. Altre poesie inedite, destinate ad uscire in luce, non mi trovo ad avere » (Firenze, 21 giugno 1832). Invece che al *Pensiero dominante*, altri hanno pensato, per questa « poesia » al *Passero solitario* (Ginzburg) o ai *Paralipomeni* (Moroncini).

Metro: canzone fuori da ogni schema.

Dolcissimo, possente
dominator di mia profonda mente;
terribile, ma caro
dono del ciel; consorte
ai lúgubri miei giorni,   5
pensier che innanzi a me sí spesso torni.

Di tua natura arcana
chi non favella? il suo poter fra noi
chi non sentí? Pur sempre
che in dir gli effetti suoi   10
le umane lingue il sentir proprio sprona,
par novo ad ascoltar ciò ch'ei ragiona.

Come solinga è fatta
la mente mia d'allora
che tu quivi prendesti a far dimora!   15
Ratto d'intorno intorno al par del lampo
gli altri pensieri miei
tutti si dileguàr. Siccome torre

2. *di mia profonda mente*: della parte piú profonda della mia
mente. 4. *consorte*: compagno inseparabile. 6. *pensier*: della donna
amata. 7. *tua*: dell'amore, che fa tutt'uno col pensiero stesso del-
l'amore (v. 6). – *arcana*: misteriosa e prodigiosa. 8. *suo*: dell'amore.
9-12. *Pur sempre* ecc.: « tuttavia, ogni qual volta un sentimento d'a-
more è cosí prepotente che spinge chi lo prova a parlarne, le parole
che riesce a trovare (*ciò ch'ei ragiona*) sono tali, che sembrano nuove a
chi le ascolta ». 13. *solinga*: tutta raccolta nel pensiero dell'amore,
remota e disabitata da qualsiasi altro pensiero. 14-15. *d'allora che*: da
quando. 15. *tu*: l'amore: il pensiero dominante. – *quivi*: nella mente. 16. *Ratto*: subito. – *d'intorno intorno*: va unito a *si dileguàr*
(v. 18).

in solitario campo,
tu stai solo, gigante, in mezzo a lei.   20

Che divenute son, fuor di te solo,
tutte l'opre terrene,
tutta intera la vita al guardo mio!
Che intollerabil noia
gli ozi, i commerci usati,   25
e di vano piacer la vana spene,
allato a quella gioia,
gioia celeste che da te mi viene!

Come da' nudi sassi
dello scabro Apennino   30
a un campo verde che lontan sorrida
volge gli occhi bramoso il pellegrino;
tal io dal secco ed aspro
mondano conversar vogliosamente,
quasi in lieto giardino, a te ritorno,   35
e ristora i miei sensi il tuo soggiorno.

Quasi incredibil parmi
che la vita infelice e il mondo sciocco
già per gran tempo assai
senza te sopportai;   40
quasi intender non posso
come d'altri desiri,
fuor ch'a te somiglianti, altri sospiri.

Giammai d'allor che in pria

---

19. *solitario*: romito e deserto. 20. *lei*: la mente. 22. *opre terrene*:
l'attività, la storia umana: tutto ciò che è stato prodotto dagli uomini.
23. *guardo*: sguardo. 25. *gli ozi* ecc.: « i pensieri, gli svaghi, le di-
strazioni e le compagnie abituali ». 26. *spene*: speme: la vana ricerca
di piaceri illusori. 27. *allato*: in confronto. 28. *celeste*: divina. 29.
nudi sassi: valichi petrosi, spogli di vegetazione. 30. *scabro*: brullo.
32. *bramoso il pellegrino*: l'immagine, anche se analoga a quella del
Tasso nella canzone « Nella stagion che più sdegnoso il cielo », è
piuttosto da riconnettere a una sensazione autobiografica, probabilmente al ricordo delle valli di Foligno e di Spoleto attraversate nel 1822,
durante il viaggio da Recanati a Roma. Cfr. anche i *Paralipomeni della Batracomiomachia*, III, 7-8. 33. *secco ed aspro*: arido e faticoso.
Urtante. 36. *il tuo soggiorno*: il soggiornare, lo stare con te. 42.
desiri: desideri. 44. *d'allor che in pria*: da quando per la prima volta.

questa vita che sia per prova intesi,   45
timor di morte non mi strinse il petto.
Oggi mi pare un gioco
quella che il mondo inetto,
talor lodando, ognora abborre e trema,
necessitade estrema;   50
e se periglio appar, con un sorriso
le sue minacce a contemplar m'affiso.

Sempre i codardi, e l'alme
ingenerose, abbiette
ebbi in dispregio. Or punge ogni atto indegno   55
subito i sensi miei;
move l'alma ogni esempio
dell'umana viltà subito a sdegno.
Di questa età superba,
che di vote speranze si nutrica,   60
vaga di ciance, e di virtú nemica;
stolta, che l'util chiede,

---

45. *per prova intesi*: sperimentai. 47. *un gioco*: addirittura da prendere in gioco. Un nonnulla. 48. *quella*: da unire a *necessitade estrema* (v. 50): la morte. – *inetto*: incapace di concepire la vita nella sua
dolorosa e obbiettiva realtà, e perciò incline ora a lodare, ora a temere
la morte. 49. *trema*: transitivo. Come in Petrarca, *Rime*, LIII, 29-30:
« L'antiche mura, ch'ancor teme ed ama | e trema il mondo ». 51. *se
periglio appar*: se si profila un qualche pericolo di morte. – *con un
sorriso*: cfr. la lettera al padre del 3 luglio 1832: « Ad ogni speranza
di pericolo vicino o lontano, mi brilla il cuore dall'allegrezza ». 52.
a contemplar m'affiso: mi metto a contemplare con occhio fermo e im-
perturbato. 53. *l'alme*: le anime. 55. *Or punge* ecc.: cfr. *Zibaldone*,
59: « Io soglio sempre stomacare delle sciocchezze degli uomini e di
tante piccolezze e viltà e ridicolezze ch'io vedo fare e sento dire massime a questi coi quali vivo che ne abbondano. Ma io non ho mai provato un tal senso di schifo orribile e propriamente tormentoso (come
chi è mosso al vomito) per queste cose, quanto allora ch'io mi sentiva
o amore o qualche aura di amore, dove mi bisognava rannicchiarmi
ogni momento in me stesso, fatto sensibilissimo oltre ogni mio costume, a qualunque piccolezza e bassezza e rozzezza sia di fatti sia di parole, sia morale sia fisica sia anche solamente filologica, come motti insulti, ciarle insipide, scherzi grossolani, maniere ruvide e cento cose tali ». – *punge*: ferisce. 57. *l'alma*: complemento oggetto di *move*. 59.
superba: gonfia di superbia. 60. *che*: come quella che. – *vote*: vuote,
illusorie. – *si nutrica*: si nutre, si riempie. 62-64. *stolta* ecc.: « Il
diletto è sempre il fine, e di tutte le cose l'utile non è che il mezzo.
Quindi il piacevole è vicinissimo al fine delle cose umane e quasi lo

e inutile la vita
quindi piú sempre divenir non vede;
maggior mi sento. A scherno   65
ho gli umani giudizi; e il vario volgo
a' bei pensieri infesto,
e degno tuo disprezzator, calpesto.

A quello onde tu movi,
quale affetto non cede?   70
anzi qual altro affetto
se non quell'uno intra i mortali ha sede?
Avarizia, superbia, odio, disdegno,
studio d'onor, di regno,
che sono altro che voglie   75
al paragon di lui? Solo un affetto
vive tra noi: quest'uno,
prepotente signore,
dieder l'eterne leggi all'uman core.

Pregio non ha, non ha ragion la vita   80
se non per lui, per lui ch'all'uomo è tutto;
sola discolpa al fato,
che noi mortali in terra
pose a tanto patir senz'altro frutto;
solo per cui talvolta,   85
non alla gente stolta, al cor non vile
la vita della morte è piú gentile.

---

stesso con lui; l'utile che si suole stimar piú del piacevole, non ha altro
pregio che d'esser piú lontano da esso fine, o di condurlo non immediatamente, ma mediatamente (26 Aprile 1821) », in *Zibaldone*, 987, 2.
64. *divenir non vede*: non si accorge di rendere, di far sí che diventi.
65-68. « Mi sento di poter sorridere con disprezzo dei pregiudizi nei
quali sono incatenati i piú; e di camminare sopra le teste della gente
volgare che alligna dappertutto in qualsiasi ceto (*il vario volgo*), nemica di ogni sentimento nobile (*a' bei pensieri infesto*), la quale naturalmente non può che disprezzare chi rivolge i propri pensieri al
sentimento piú disinteressato, cioè all'amore (*e degno tuo disprezzator*) ». 69. *quello*: sottintendi: affetto. – *onde*: del quale. – *tu*: il
pensiero dell'amore. 70. *non cede*: non è inferiore. 73. *Avarizia*:
avidità. 74. *studio d'onor*: ambizione di onori. 75. *voglie*: appetiti.
79. *eterne leggi*: della vita. 81. *lui*: l'amore. – *all'uomo*: per l'uomo.
84. *senz'altro frutto*: se non l'amore. 86. *al cor*: sí invece al cuore.

Per còr le gioie tue, dolce pensiero,
provar gli umani affanni,
e sostener molt'anni   90
questa vita mortal, fu non indegno;
ed ancor tornerei,
cosí qual son de' nostri mali esperto,
verso un tal segno a incominciare il corso:
che tra le sabbie e tra il vipereo morso,   95
giammai finor sí stanco
per lo mortal deserto
non venni a te, che queste nostre pene
vincer non mi paresse un tanto bene.

Che mondo mai, che nova   100
immensità, che paradiso è quello
là dove spesso il tuo stupendo incanto
parmi innalzar! dov'io,
sott'altra luce che l'usata errando,
il mio terreno stato   105
e tutto quanto il ver pongo in obblio!
Tali son, credo, i sogni
degl'immortali. Ahi finalmente un sogno
in molta parte onde s'abbella il vero
sei tu, dolce pensiero;   110
sogno e palese error. Ma di natura,
infra i leggiadri errori,
divina sei; perché sí viva e forte,
che incontro al ver tenacemente dura,
e spesso al ver s'adegua,   115

88. còr: cogliere. 89-91. provar ecc.: « È valsa la pena, per me, di
soffrire ». 94. verso un tal segno: da unire a corso: a intraprendere
il viaggio verso una tale meta. 95-99. « Poiché nonostante la desola-
zione infinita e le sofferenze (il vipereo morso) della mia vita (lo
mortal deserto), non sono mai caduto nella disperazione di pensare
che l'amore non sia un bene superiore alla pena di vivere ». 103.
parmi innalzar: sembra che mi innalzi. 104. l'usata: quella consueta,
di questo mondo. – errando: con la fantasia. 106. il ver: la realtà.
108. degl'immortali: degli dèi. 109. in molta parte: in gran parte.
– onde: di cui. – s'abbella il vero: la realtà si serve per abbellirsi.
111. sogno e palese error: un'illusione. – natura: da unire a divina
(v. 113). 113. viva e forte: la natura dell'amore. 114. incontro al
ver... dura: resiste alla realtà, la quale invece facilmente polverizza
tutte le altre illusioni. 115. al ver s'adegua: fa tutt'uno con la realtà.

né si dilegua pria, che in grembo a morte.

E tu per certo, o mio pensier, tu solo
vitale ai giorni miei,
cagion diletta d'infiniti affanni,
meco sarai per morte a un tempo spento: 120
ch'a vivi segni dentro l'alma io sento
che in perpetuo signor dato mi sei.
Altri gentili inganni
soleami il vero aspetto
piú sempre infievolir. Quanto piú torno   125
a riveder colei
della qual teco ragionando io vivo,
cresce quel gran diletto,
cresce quel gran delirio, ond'io respiro.
Angelica beltade!   130
parmi ogni piú bel volto, ovunque io miro,
quasi una finta imago
il tuo volto imitar. Tu sola fonte
d'ogni altra leggiadria,
sola vera beltà parmi che sia.   135

Da che ti vidi pria,
di qual mia seria cura ultimo obbietto
non fosti tu? quanto del giorno è scorso,

---

116. « Perdura fino alla morte ». 118. *vitale*: datore di vita. 119. *diletta... affanni*: anche quando fa soffrire, l'amore è pur sempre un'emozione di vita, e perciò anche nel dolore che esso provoca traluce il
raggio della felicità, e i sentimenti che esso suscita sono infiniti. Cfr.
i vv. 3-4. 120. *meco... a un tempo*: insieme con me. – *per morte*:
dalla morte. 121. *ch'*: poiché. 122. *in perpetuo*: per sempre, per
tutta la durata della mia vita. 123. *gentili inganni*: illusioni d'amore.
124. *soleami*: da unire a *infievolir* (v. 125): era solito affievolire, spegnere dentro di me. – *il vero aspetto*: soggetto di *soleami*: la vista
della donna amata nella sua realtà, contrastante con le immagini di
lei coltivate dalla fantasia. 127. *teco ragionando*: l'amore, il pensiero
dell'amore, e il pensiero della donna amata fanno tutt'uno. 129.
ond': in virtú del quale. 130. *Angelica*: divina. Si rivolge alla donna amata. 133-35. *Tu... parmi che sia*: mi sembra che tu sia. 133.
fonte: la bellezza di tutte le altre donne non appartiene a loro, ma è
un raggio della tua. 135. *vera beltà*: contrapposto a *finta imago* (v.
132). 136. *pria*: per la prima volta. 137. *cura*: pensiero, sentimento,
interesse. – *obbietto*: oggetto, al di là del quale non c'è altro da desiderare e di cui interessarsi.

ch'io di te non pensassi? ai sogni miei
la tua sovrana imago   140
quante volte mancò? Bella qual sogno,
angelica sembianza,
nella terrena stanza,
nell'alte vie dell'universo intero,
che chiedo io mai, che spero   145
altro che gli occhi tuoi veder piú vago?
altro piú dolce aver che il tuo pensiero?

139. *sogni*: notturni.   140. *sovrana*: sovrumana e dominante. Divina,
come *angelica* (v. 142).   143. *stanza*: del mondo.   145. *che... che*: da
unire a *altro... piú vago* del verso seguente: che cos'altro di piú desiderabile.   147. *il tuo pensiero*: il pensiero di te, della donna amata.

XXVII. *Amore e Morte*

Composto probabilmente a Firenze nell'autunno 1832 e pubblicato per la prima volta nella seconda edizione dei *Canti* (Napoli 1835). Cfr. le note premesse al *Consalvo* e al *Pensiero dominante*.

Metro: canzone fuori da ogni schema, con forte prevalenza di settenari.

Ὄν οἱ θεοὶ φιλοῦσιν ἀποθνῄσκει νέος.

Muor giovane colui ch'al cielo è caro.

MENANDRO

Fratelli, a un tempo stesso, Amore e Morte
ingenerò la sorte.
Cose quaggiú sí belle
altre il mondo non ha, non han le stelle.
Nasce dall'uno il bene,   5
nasce il piacer maggiore
che per lo mar dell'essere si trova;
l'altra ogni gran dolore,
ogni gran male annulla.
Bellissima fanciulla,   10
dolce a veder, non quale
la si dipinge la codarda gente,
gode il fanciullo Amore
accompagnar sovente;
e sorvolano insiem la via mortale,   15
primi conforti d'ogni saggio core.
Né cor fu mai piú saggio
che percosso d'amor, né mai piú forte
sprezzò l'infausta vita,

---

1. *Fratelli*: uniti da un vincolo indissolubile. – *a un tempo stesso*: contemporaneamente, con un solo parto. 3-4. *Cose quaggiú sí belle* ecc.: « E pure certamente l'amore e la morte sono le sole cose che ha il mondo, e le sole solissime degne di essere desiderate » (dalla lettera alla Fanny Targioni-Tozzetti, del 16 agosto 1832). Cfr. *Consalvo*, vv. 99-100. 4. *le stelle*: l'universo: sottintendi un « là su ». 5. *dall'uno*: dall'amore. 7. *per lo mar dell'essere*: in tutto il creato. Cfr. Dante, *Par.*, I, 112: « per lo gran mar dell'essere ». 8. *l'altra*: la morte. 10. *fanciulla*: la morte. 12. *la si dipinge*: se la raffigura. – *la codarda gente*: cfr. il *Pensiero dominante*, vv. 44-52 e le note relative. 15. *sorvolano*: immortali. – *la via mortale*: il cammino della vita. 16. *primi*: primari, in cima a tutti gli altri. 18. *che percosso*: che quello percosso.

né per altro signore   20
come per questo a perigliar fu pronto:
ch'ove tu porgi aita,
Amor, nasce il coraggio,
o si ridesta; e sapiente in opre,
non in pensiero invan, siccome suole,   25
divien l'umana prole.

Quando novellamente
nasce nel cor profondo
un amoroso affetto,
languido e stanco insiem con esso in petto   30
un desiderio di morir si sente:
come, non so: ma tale
d'amor vero e possente è il primo effetto.
Forse gli occhi spaura
allor questo deserto: a se la terra   35
forse il mortale inabitabil fatta
vede omai senza quella
nova, sola, infinita
felicità che il suo pensier figura:
ma per cagion di lei grave procella   40
presentendo in suo cor, brama quiete,
brama raccorsi in porto

21. *questo*: l'amore. – *a perigliar*: ad affrontare ogni sorta di pericoli.
22. *ove*: quando. – *aita*: aiuto. 24. *sapiente in opre* ecc.: come sempre Leopardi antepone e avvalora l'azione (l'attività) rispetto al pensiero (l'ozio): cfr. per esempio la dedica della canzone al Mai e, *pas-
sim*, la stessa canzone. 26. *l'umana prole*: l'umanità. 27. *novellamente*: da unire a *nasce* (v. 28): comincia a sorgere. 28. *nel cor
profondo*: nel profondo del cuore. 34-35. *Forse* ecc.: « Quanto piú
vero e possente è il sentimento d'amore per un'altra persona, tanto piú
allora si acuisce in chi ama la percezione dell'ostilità incombente sulla
propria felicità da tutte le parti dell'universo ». 35-37. *a se... inabitabil fatta vede*: pensa che sia divenuta per lui inabitabile. Il verbo
vede richiama *gli occhi* (v. 34). 39. *figura*: vagheggia, crea con la
fantasia. 40. *di lei*: della felicità. – *grave procella*: insostenibile tempesta. 41. *in suo cor*: nel proprio cuore. 42. *raccorsi in porto*: raccogliersi nell'intimità della propria solitudine, al riparo e al di fuori
delle tumultuose emozioni scatenate dall'erompere della felicità e della
vita: raccogliersi nella morte. Cfr. *Zibaldone*, 3444: « È proprio del-
l'impressione che fa la bellezza (e cosí la grazia e l'altre illecebre, ma
la bellezza massimamente, perch'ella non ha bisogno di tempo per fare
impressione, e come la causa esiste tutta in un tempo, cosí l'effetto è

dinanzi al fier disio,
che già, rugghiando, intorno intorno oscura.

Poi, quando tutto avvolge   45
la formidabil possa,
e fulmina nel cor l'invitta cura,
quante volte implorata
con desiderio intenso,
Morte, sei tu dall'affannoso amante!   50
quante la sera, e quante,
abbandonando all'alba il corpo stanco,
se beato chiamò s'indi giammai
non rilevasse il fianco,

istantaneo) è proprio, dico, della impressione che fa la bellezza su
quelli d'altro sesso che la veggono o l'ascoltano o l'avvicinano, lo spa-
ventare; e questo si è quasi il principale e il piú sensibile effetto
ch'ella produce a prima giunta, o quello che piú si distingue e si nota
e risalta. E lo spavento viene di questo, che allo spettatore o spettatrice, in quel momento, pare impossibile di star mai piú senza quel
tale oggetto, e nel tempo stesso gli pare impossibile di possederlo co-
m'ei vorrebbe; perché neppure il possedimento carnale, che in quel
punto non gli si offre affatto al pensiero, anzi questo n'è propriamente
alieno; ma neppure questo possedimento gli parrebbe poter soddisfare
e riempire il desiderio ch'egli concepisce di quel tale oggetto; col quale
ei vorrebbe diventare una cosa stessa (come profondamente, benché in
modo scherzevole, osserva Aristofane nel *Convito* di Platone), ora ei
non vede che questo possa mai essere. La forza del desiderio ch'ei concepisce in quel punto, l'atterrisce per ciò ch'ei si rappresenta subito
tutte in un tratto, benché confusamente, al pensiero le pene che per
questo desiderio dovrà soffrire; perocché il desiderio è pena, e il vivissimo e sommo desiderio, vivissima e somma, e il desiderio perpetuo e
non mai soddisfatto è pena perpetua. Ora a lui pare e che quel desiderio non sarà mai soddisfatto (o non ne vede il come, e gli par cosa
troppo ardua e difficile e improbabile), e ch'esso non sarà mai per
estinguersi da se medesimo, come quando proviamo un dolor vivissimo, ci pare a prima giunta ch'ei sarà perpetuo, e che ne sia impossibile
la consolazione, e che niuna cosa mai lo consolerà ». 43. *al fier disio*: al sopraggiungere del feroce desiderio. 44. *già*: fin dal suo primo
sorgere. – *rugghiando*: ruggendo, come una belva e come le forze della natura in sommovimento. – *intorno intorno oscura*: fa buio il resto
dell'universo. « L'immagine è sempre presa dalla tempesta che, mano
mano che s'avvicina, fa oscura l'aria e chiude, sempre piú, il cerchio
del cielo » (De Robertis). 45. *Poi*: con il prepotere della passione. –
avvolge: di tenebre: annienta. 46. *la formidabil possa*: la terribile
potenza dell'amore. 47. *fulmina*: scatena un uragano. – *l'invitta cura*:
la passione vittoriosa. 51. *quante*: volte. 52. *abbandonando*: al sonno. – *all'alba*: dopo una notte insonne. 53. *indi*: dal proprio letto.

né tornasse a veder l'amara luce!　　　　　　　　　55
E spesso al suon della funebre squilla,
al canto che conduce
la gente morta al sempiterno obblio,
con piú sospiri ardenti
dall'imo petto invidiò colui　　　　　　　　　　　60
che tra gli spenti ad abitar sen giva.
Fin la negletta plebe,
l'uom della villa, ignaro
d'ogni virtú che da saper deriva,
fin la donzella timidetta e schiva,　　　　　　　65
che già di morte al nome
sentí rizzar le chiome,
osa alla tomba, alle funeree bende
fermar lo sguardo di costanza pieno,
osa ferro e veleno　　　　　　　　　　　　　　70
meditar lungamente,
e nell'indotta mente
la gentilezza del morir comprende.
Tanto alla morte inclina
d'amor la disciplina. Anco sovente,　　　　　　75
a tal venuto il gran travaglio interno
che sostener nol può forza mortale,
o cede il corpo frale
ai terribili moti, e in questa forma

55. *amara luce*: del giorno. Cfr. *Ultimo canto di Saffo*, la nota al v. 7.
56. *funebre squilla*: campana a morto. 57. *canto*: del funerale. –
conduce: in processione. 60. *imo*: profondo. – *invidiò*: il soggetto è
sempre l'*affannoso amante* (v. 50). 61. *sen giva*: andava. 62. *negletta*: ineducata, selvatica. 63. *l'uom della villa*: il contadino. –
ignaro ecc.: incolto, ineducato ai nobili sentimenti. 65. *schiva*: pa-
vida. 68. *bende*: paramenti. Forse il velo che adornava per antica
consuetudine le tempie delle fanciulle estinte. 70. *ferro e veleno*:
complementi oggetto di *meditar* (v. 71): di togliersi la vita. 72. *indotta*: grossolana, incolta. 73. *la gentilezza*: in contrapposizione alla
ruvidezza di sentimento che è necessaria per aver la forza di vivere.
74. *inclina*: induce. 75. *d'amor la disciplina*: la dura lezione, la sfer-
za, dell'amore. – *Anco*: ancora, inoltre. 77. *mortale*: umana. 78.
frale: fragile. 79. *terribili moti*: le emozioni suscitate dall'amore. –
in questa forma: in questo modo. Due sono i modi in cui si muore
per amore: quando la passione è tale da rendere fisiologicamente impossibile di sopportarne il travaglio, e in questa forma la morte sopraffà
il desiderio di vita in virtú del potere del suo indissolubile congiunto,

pel fraterno poter Morte prevale;   80
o cosí sprona Amor là nel profondo,
che da se stessi il villanello ignaro,
la tenera donzella
con la man violenta
pongon le membra giovanili in terra.   85
Ride ai lor casi il mondo,
a cui pace e vecchiezza il ciel consenta.

Ai fervidi, ai felici,
agli animosi ingegni
l'uno o l'altro di voi conceda il fato,   90
dolci signori, amici
all'umana famiglia,
al cui poter nessun poter somiglia
nell'immenso universo, e non l'avanza,
se non quella del fato, altra possanza.   95
E tu, cui già dal cominciar degli anni
sempre onorata invoco,
bella Morte, pietosa
tu sola al mondo dei terreni affanni,
se celebrata mai   100
fosti da me, s'al tuo divino stato

l'amore, il quale distrugge a poco a poco ogni energia vitale (v. 80);
oppure le forze vitali resistono, ma il tormento della passione è cosí
insostenibile che una volontà di morte interviene a sedarlo (vv. 81-85).
81. *sprona*: tormenta. – *là nel profondo*: nel profondo del cuore, alle
radici misteriose della vita, che sono le stesse scaturigini della morte.
82. *ignaro*: incosciente della profondità del proprio sentimento. Cfr. i
vv. 63-64. 86-87. *Ride* ecc.: passa sopra agli umili casi di amore e
di morte, senza comprendere ciò che essi significano. 86. *il mondo*: la
maggior parte degli uomini ai quali sia concesso ciò che il mondo de-
sidera, una vita longeva e pacifica, senza passioni, cioè una vita senza
vita. L'augurio è pieno di scherno. 88. *fervidi*: pieni di entusiasmo
e di calore. 90. *l'uno o l'altro di voi*: complementi oggetto di *conceda*: l'amore o la morte. 91. *signori*: ai quali non è possibile disobbe-
dire. – *amici*: dai quali provengono le piú dolci consolazioni. 94-95.
e non l'avanza... altra possanza: e la cui potenza non è superata da
altra ecc. 96-97. *cui... invoco*: alle quali rivolgo continue invocazioni.
96. *già dal cominciar degli anni*: fin dalla fanciullezza. Cfr. *Le Ricordanze*, vv. 104-18. 99. *dei terreni affanni*: dipende da *pietosa* (v. 98).
100-3. *se... mai fosti... s'al tuo divino stato... ricompensar tentai*: se è
vero, come è vero, che fosti; se è vero, come è vero, che tentai di
ricambiare con lodi. 101. *da me*: nei miei versi. – *al tuo divino stato*:
alla tua divina natura. Dipende da *ricompensar* (v. 103).

l'onte del volgo ingrato
ricompensar tentai,
non tardar piú, t'inchina
a disusati preghi,   105
chiudi alla luce omai
questi occhi tristi, o dell'età reina.
Me certo troverai, qual si sia l'ora
che tu le penne al mio pregar dispieghi,
erta la fronte, armato,   110
e renitente al fato,
la man che flagellando si colora
nel mio sangue innocente
non ricolmar di lode,
non benedir, com'usa   115
per antica viltà l'umana gente;
ogni vana speranza onde consola
se coi fanciulli il mondo,
ogni conforto stolto
gittar da me; null'altro in alcun tempo   120
sperar, se non te sola;

102. *l'onte*: gli insulti. – *ingrato*: del piú gran dono, la morte, che pone fine alle sofferenze umane. 104. *t'inchina*: a raccogliere. 105. *disusati*: insoliti, poiché la morte è generalmente temuta e schivata, non invocata. 107. *questi*: questi miei. – *dell'età reina*: regina del tempo. 108-24. *Me certo troverai* ecc.: « Me certo troverai né impaurito né rassegnato come una vittima condotta al sacrificio; né mi vedrai baciare con sacro terrore la mano del carnefice (vv. 110-16); ma mi troverai consapevole del tuo dono, con l'animo sereno e sicuro, sgombro di false illusioni (117-20), come chi dolcemente posi il capo stanco dopo avere lottato quanto piú poteva contro il maligno destino (120-24) ». Gli infiniti *non ricolmar* (v. 114), *non benedir* (v. 115), *gittar* (v. 120), dipendono tutti da *Me... troverai* (v. 108); e cosí anche gli infiniti *sperar* (v. 121) e *aspettar* (v. 122), sebbene la progressiva modulazione del discorso finisca con il conferire a questi ultimi una speciale autonomia. 109. *le penne... dispieghi*: venga in volo a esaudire. 110. *erta la fronte*: con la fronte alta. – *armato*: agguerrito. 111. *renitente al fato*: ribelle. Cfr. *Bruto minore*, vv. 38-45. 112. *la man*: del fato. 116. *antica viltà*: il sentimento di rassegnazione, congenito alla natura umana, per il quale si è portati ad accettare e a benedire le sventure e le sofferenze, quanto piú esse flagellano, come fossero altrettanti segni di una provvidenza divina. 117. *vana speranza*: di una vita futura. – *onde*: con la quale. 118. *sé coi fanciulli*: se stesso e i fanciulli allo stesso livello infantile. 119. *conforto*: di fede religiosa.

　　　　solo aspettar sereno
　　　　quel dí ch'io pieghi addormentato il volto
　　　　nel tuo virgineo seno.

123. *quel dí*: l'ultimo. – *ch'*: nel quale. 124. *virgineo*: cfr. i vv.
10-12.

XXVIII. *A se stesso*

Composto probabilmente a Firenze nella primavera del 1833. Pubblicato per la prima volta nei *Canti* (Napoli 1835). Cfr. le note premesse al *Consalvo*, al *Pensiero dominante* e a *Amore e Morte*.

Metro: endecasillabi e settenari liberamente alternati e legati da tre rime.

Or poserai per sempre,
stanco mio cor. Perí l'inganno estremo,
ch'eterno io mi credei. Perí. Ben sento,
in noi di cari inganni,
non che la speme, il desiderio è spento.   5
Posa per sempre. Assai
palpitasti. Non val cosa nessuna
i moti tuoi, né di sospiri è degna
la terra. Amaro e noia
la vita, altro mai nulla; e fango è il mondo.   10
T'acqueta omai. Dispera
l'ultima volta. Al gener nostro il fato
non donò che il morire. Omai disprezza
te, la natura, il brutto
poter che, ascoso, a comun danno impera,   15
e l'infinita vanità del tutto.

1. *poserai*: riposerai. 2. *l'inganno estremo*: l'ultima illusione:
l'amore. 3. *mi credei*: credei, figurai a me stesso. 4. *in noi*: in
me e nel mio cuore. – *cari inganni*: dolci illusioni. 6. *Posa*: riposa.
8. *moti*: emozioni, palpiti. – *sospiri*: di desiderio. 11-12. *Dispera
l'ultima volta*: sopporta per l'ultima volta di veder dileguarsi una speranza, rinuncia in modo definitivo a sperare. 14-15. *il brutto poter*,
ecc.: il male, nascosta radice di ogni sofferenza. Cfr., in appendice,
l'abbozzo dell'inno *Ad Arimane*. 15. *impera*: su tutto l'universo. 16.
vanità del tutto: inutilità dell'universo.

Composto a Napoli, forse nella primavera del 1834; in ogni modo prima dell'estate 1835. Pubblicato per la prima volta nei *Canti* (Napoli 1835). È l'ultimo dei cinque canti ispirati dall'amore per Fanny Targioni-Tozzetti (cfr. le note premesse ai canti precedenti): la quale non volle mai riconoscersi nella « dotta allettatrice ». Anzi una volta, dopo la morte del Leopardi, volle chiedere ad Antonio Ranieri chi fosse la donna adombrata in Aspasia. « Aspasia siete voi, — fu la risposta, — e voi lo sapete, o almeno lo dovreste sapere, o almeno io immaginava che lo sapeste, perché leggendo quel componimento, mi scriveste non so che per darmi a intendere che l'avevate inteso. Nondimeno io ho detto e dirò sempre di non saperlo, perché non so se avete o no piacere che si sappia, nel che io non voglio che stare alla vostra espressa volontà, cosí parendomi che m'ingiunga la mia delicatezza ». Ma la Fanny protestava, dichiarando di non aver mai dato « la menoma lusinga a quel pover uomo », e piuttosto ricordava al Ranieri che quando il Leopardi accennava a cose d'amore, « io m'inquietavo, e non volevo, né anco credevo vere certe cose, come non le credo ancora, ed il bene che io gli volevo glie lo voglio ancora tal quale, abbenché ei piú non esista ».

Metro: endecasillabi sciolti.

Torna dinanzi al mio pensier talora
il tuo sembiante, Aspasia. O fuggitivo
per abitati lochi a me lampeggia
in altri volti; o per deserti campi,
al dí sereno, alle tacenti stelle,   5
da soave armonia quasi ridesta,
nell'alma a sgomentarsi ancor vicina
quella superba vision risorge.
Quanto adorata, o numi, e quale un giorno
mia delizia ed erinni! E mai non sento   10
mover profumo di fiorita piaggia,
né di fiori olezzar vie cittadine,
ch'io non ti vegga ancor qual eri il giorno
che ne' vezzosi appartamenti accolta,
tutti odorati de' novelli fiori   15
di primavera, del color vestita
della bruna viola, a me si offerse
l'angelica tua forma, inchino il fianco

2. *Aspasia*: nome fittizio. Aspasia fu una celebre cortigiana, nativa
di Mileto, amica, e forse moglie, di Pericle, l'arbitro della politica ateniese fra il 461 e il 429 a. C. Il Parini, nel *Mattino*, vv. 681-83, aveva
scritto di Ninon de Lenclos: « novella Aspasia, | Taide novella ai fa-
cili sapienti | de la gallica Atene ». 3. *per abitati lochi*: strade e ri-
trovi: fra gente diversa. 5. *al dí* ecc.: di giorno e di notte. 6. *da
soave armonia*: da un motivo musicale. – *quasi ridesta*: quasi fosse ri-
svegliata. 7. *a sgomentarsi ancor vicina*: suscettibile di provare ancora l'antico turbamento. Cfr. *Amore e Morte*, vv. 40 sgg. e la nota relativa. 8. *superba*: bellissima, inattingibile. – *vision*: il sembiante di
Aspasia. 10. *erinni*: tormento. Cfr. *Ultimo canto di Saffo*, v. 5 e la
nota relativa. 11. *mover*: alitare, diffondersi. – *piaggia*: prato, campagna. Cfr. i *deserti campi* (v. 4). 14. *vezzosi*: eleganti. – *accolta*:
nella intimità domestica. 15. *novelli*: appena colti. 18. *inchino il
fianco*: semiabbandonata, semisdraiata.

sovra nitide pelli, e circonfusa
d'arcana voluttà; quando tu, dotta   20
allettatrice, fervidi sonanti
baci scoccavi nelle curve labbra
de' tuoi bambini, il niveo collo intanto
porgendo, e lor di tue cagioni ignari
con la man leggiadrissima stringevi   25
al seno ascoso e desiato. Apparve
novo ciel, nova terra, e quasi un raggio
divino al pensier mio. Cosí nel fianco
non punto inerme a viva forza impresse
il tuo braccio lo stral, che poscia fitto   30
ululando portai finch'a quel giorno
si fu due volte ricondotto il sole.

Raggio divino al mio pensiero apparve,
donna, la tua beltà. Simile effetto
fan la bellezza e i musicali accordi,   35
ch'alto mistero d'ignorati Elisi
paion sovente rivelar. Vagheggia
il piagato mortal quindi la figlia
della sua mente, l'amorosa idea,

---

19. *pelli*: di un divano. 20. *arcana*: misteriosa e profonda. – *dotta*:
esperta. 21. *fervidi*: caldi. 24. *porgendo*: protendendo. – *cagioni*:
malizie. 29. *non punto inerme*: nonostante fosse agguerrito. 30. *lo
stral*: di Eros. – *fitto*: conficcato. 31. *ululando*: come l'animale ferito. – *finch'a* ecc.: finché furono compiuti due anni: dalla primavera
del '31 a quella del '33. 35. *la bellezza*: in genere, e femminile in
particolare. – *i musicali accordi*: la musica. « L'effetto della musica si
divide in due, l'uno derivante dall'armonia, l'altro dal puro suono...
Questa stessissima distinzione si dee fare nell'effetto che produce sul-
l'uomo la beltà umana o femminina ec., e la teoria di questa beltà può
dare e ricevere lume dalla teoria della musica. L'armonia nella musica,
come la convenienza nelle forme umane, produce realmente un vivissimo e straordinario e naturalissimo effetto, ma solo in virtú del mezzo
per cui essa giunge a' nostri sensi (cioè suono o canto, e forma umana)
o vogliamo dire del soggetto in cui essa armonia e convenienza si percepisce. Tolto questo soggetto, l'armonia e convenienza isolata o ap-
plicata a qualunque altro soggetto non fa piú di gran lunga la stessa
impressione. Bensí ella è necessaria perché quel soggetto faccia un'impressione assolutamente, pienamente e durevolmente piacevole », *Zibaldone*, 1784-85. 36. *alto*: profondo e elevato. – *d'ignorati Elisi*: di
un paradiso ignoto. 38. *piagato*: ferito dall'amore. – *quindi*: da quel
momento. 39. *l'amorosa idea*: l'ideale femminile creato con la propria fantasia.

che gran parte d'Olimpo in se racchiude,   40
tutta al volto ai costumi alla favella
pari alla donna che il rapito amante
vagheggiare ed amar confuso estima.
Or questa egli non già, ma quella, ancora
nei corporali amplessi, inchina ed ama.   45
Alfin l'errore e gli scambiati oggetti
conoscendo, s'adira; e spesso incolpa
la donna a torto. A quella eccelsa imago
sorge di rado il femminile ingegno;
e ciò che inspira ai generosi amanti   50
la sua stessa beltà, donna non pensa,
né comprender potria. Non cape in quelle
anguste fronti ugual concetto. È male
al vivo sfolgorar di quegli sguardi
spera l'uomo ingannato, e mal richiede   55
sensi profondi, sconosciuti, e molto
piú che virili, in chi dell'uomo al tutto
da natura è minor. Che se piú molli
e piú tenui le membra, essa la mente
men capace e men forte anco riceve.   60

40. *d'Olimpo*: di perfezione divina.   41. *tutta*: predicato del complemento oggetto interno. Dipende da *Vagheggia* (v. 37) e va unito a *pari*
(v. 42): con lineamenti del tutto simili. – *ai costumi alla favella*: al
modo di essere e di esprimersi.   42. *rapito amante*: è lo stesso *piagato
mortal* (v. 38), nell'atto di amare e di trasfigurare nello stesso tempo
la persona amata.   43. *vagheggiare* ecc.: crede di amare, e ama in effetti, ma soltanto perché nel turbamento della passione confonde la
realtà della donna amata con l'ideale femminile prodotto dalla propria
fantasia.   44. *questa*: la donna reale. – *quella*: la donna ideale. – *ancora*: anche, perfino.   45. *inchina*: venera, riverisce.   46. *gli scambiati oggetti*: del proprio amore: *l'amorosa idea* (v. 39), confusa con la
donna reale.   48. *quella eccelsa imago*: che gli uomini innamorati si
foggiano della donna che amano.   49. *sorge*: si eleva, si innalza. – *il
femminile ingegno*: la natura femminile.   50. *generosi*: magnanimi, di
grande e gentile umanità.   52. *Non cape*: non entra, non può essere
contenuto.   53. *fronti*: menti. – *ugual*: a quello che un uomo di grandi sentimenti si fa della donna amata. – *male*: a torto.   54. *sguardi*:
della donna amata.   55. *ingannato*: da quegli sguardi. Cfr. *Il risorgimento*, vv. 133-40. – *mal*: a torto. Come al v. 53.   56. *sconosciuti*:
alla donna e, come alle donne, alla piú parte degli uomini (*e molto
piú che virili*).   58. *da natura*: per natura. – *Che*: poiché. – *molli*:
tenere.   59. *tenui*: tenere. – *essa*: la donna.   60. *riceve*: dalla natura.
Cfr. Ero in Ovidio (*Heroid.*, XIX): « Fortius ingenium suspicor esse
viris. | Ut corpus teneris sic mens infirma puellis ».

Né tu finor giammai quel che tu stessa
inspirasti alcun tempo al mio pensiero,
potesti, Aspasia, immaginar. Non sai
che smisurato amor, che affanni intensi,
che indicibili moti e che deliri   65
movesti in me; né verrà tempo alcuno
che tu l'intenda. In simil guisa ignora
esecutor di musici concenti
quel ch'ei con mano o con la voce adopra
in chi l'ascolta. Or quell'Aspasia è morta   70
che tanto amai. Giace per sempre, oggetto
della mia vita un dí: se non se quanto,
pur come cara larva, ad ora ad ora
tornar costuma e disparir. Tu vivi,
bella non solo ancor, ma bella tanto,   75
al parer mio, che tutte l'altre avanzi.
Pur quell'ardor che da te nacque è spento:
perch'io te non amai, ma quella Diva
che già vita, or sepolcro, ha nel mio core.
Quella adorai gran tempo; e sí mi piacque   80
sua celeste beltà, ch'io, per insino
già dal principio conoscente e chiaro

---

62. *alcun tempo*: già un tempo. Oppure: per alcun tempo.   68. *musici concenti*: musica strumentale e vocale, come è precisato nel verso che segue. Cfr. i vv. 34-37 e la nota al v. 35.   69. *adopra*: opera, suscita.   71. *che tanto amai*: cfr. l'*Epistola a Carlo Pepoli*, vv. 124-25: « Le dilettose immagini che tanto | amai »; e *Zibaldone*, 1825-26: « Le parole che indicano moltitudine, copia, grandezza, lunghezza, larghezza, altezza, vastità ec. ec. sia in estensione, o in forza, intensità ec. ec. sono pure poeticissime, e cosí le immagini corrispondenti. Come nel Petrarca: "Te solo aspetto, e quel che *tanto* amasti, | e laggiuso è rimaso, il mio bel velo". E in Ippolito Pindemonte: "Fermossi alfine il cor che balzò *tanto*". Dove notate che il *tanto* essendo indefinito, fa maggiore effetto che non farebbe *molto, moltissimo, eccessivamente, sommamente*. Cosí pure le parole e le idee *ultimo, mai piú, l'ultima volta* ec. ec. sono di grand'effetto poetico, per l'infinità ec. (3 ottobre 1821) ».   72. *se non se quanto*: se non forse viva, se non in quanto.   73. *pur*: soltanto. Oppure: ancora, ancora oggi; di quando in quando, ma sempre. – *larva*: sogno, fantasma.   74. *costuma*: è solita, ha l'abitudine di.   76. *avanzi*: superi.   77. *Pur*: tuttavia. – *quell'ardor... è spento*: perciò quell'Aspasia, che tanto amò, è morta (vv. 70-71).   78. *quella Diva*: *l'amorosa idea* (v. 39), che accogliea in sé una perfezione divina (v. 40).   81-82. *per insino già dal principio*: fin dal primo principio.   82. *conoscente e chiaro*: chiaramente consapevole.

dell'esser tuo, dell'arti e delle frodi,
pur ne' tuoi contemplando i suoi begli occhi,
cupido ti seguii finch'ella visse,   85
ingannato non già, ma dal piacere
di quella dolce somiglianza un lungo
servaggio ed aspro a tollerar condotto.

Or ti vanta, che il puoi. Narra che sola
sei del tuo sesso a cui piegar sostenni   90
l'altero capo, a cui spontaneo porsi
l'indomito mio cor. Narra che prima,
e spero ultima certo, il ciglio mio
supplichevol vedesti, a te dinanzi
me timido, tremante (ardo in ridirlo   95
di sdegno e di rossor), me di me privo,
ogni tua voglia, ogni parola, ogni atto
spiar sommessamente, a' tuoi superbi
fastidi impallidir, brillare in volto
ad un segno cortese, ad ogni sguardo   100
mutar forma e color. Cadde l'incanto,
e spezzato con esso, a terra sparso
il giogo: onde m'allegro. E sebben pieni
di tedio, alfin dopo il servire e dopo
un lungo vaneggiar, contento abbraccio   105
senno con libertà. Che se d'affetti
orba la vita, e di gentili errori,
è notte senza stelle a mezzo il verno,

83. *arti... frodi*: femminili.   84. *pur*: tuttavia. – *i suoi begli occhi*:
della divina donna, che egli custodiva nell'intimità del suo cuore e
coltivava nelle sue immagini dell'amore.   85. *cupido*: desideroso e affascinato (*ti seguii*). – *ella*: la donna della sua mente, *l'amorosa idea*.
87-88. *un lungo servaggio ed aspro*: complemento oggetto di *tollerar*
(v. 88): una lunga e penosa schiavitú.   88. *condotto*: trascinato. Dipende da *dal piacere* (v. 86).   89. *ti vanta*: vàntati.   90. *piegar sostenni*:
sopportai di piegare.   96. *di me privo*: fuori di me, tòltomi dalla passione il possesso di me stesso.   98. *sommessamente*: con sottomis-
sione. – *superbi*: perché appartenevano a lei.   99. *fastidi*: espressioni
di fastidio, originate da improvvisi malumori. Cfr. Virgilio, *Ecl.*, II,
14-15: « tristis Amaryllidis iras | atque superba pati fastidia ».   100. *ad
ogni sguardo*: di lei.   101. *forma*: aspetto.   103. *il giogo*: dell'amore,
che lo rendeva schiavo. 103-4. *pieni di tedio*: riferisci a *senno con
libertà* (v. 106).   106. *Che*: poiché.   107. *orba*: priva. – *errori*: illusioni.   108. *è notte* ecc.: è come una buia notte invernale. Cfr. Petrarca, *Rime*, CLXXXIX, 2: « Per aspro mare a mezza notte il verno ».

già del fato mortale a me bastante
e conforto e vendetta è che su l'erba   110
qui neghittoso immobile giacendo,
il mar la terra e il ciel miro e sorrido.

109-12. *già* ecc.: « è già sufficiente, per me, a confortarmi e a vendicarmi della cattiveria dell'umano destino, lo starmene sdraiato sull'erba, senza un movimento, senza un desiderio, e, contemplando lo spettacolo dell'universo, il sorridere della sua infinita inutilità ».

XXX.   *Sopra un bassorilievo antico sepolcrale,*

*dove una giovane morta
è rappresentata in atto di partire,
accommiatandosi dai suoi*

Composto con tutta probabilità a Napoli fra il 1834 e il 1835, e pubblicato per la prima volta nei *Canti* (Napoli 1835).

Metro: canzone fuori da ogni schema.

Dove vai? chi ti chiama
lunge dai cari tuoi,
bellissima donzella?
Sola, peregrinando, il patrio tetto
sí per tempo abbandoni? a queste soglie   5
tornerai tu? farai tu lieti un giorno
questi ch'oggi ti son piangendo intorno?

Asciutto il ciglio ed animosa in atto,
ma pur mesta sei tu. Grata la via
o dispiacevol sia, tristo il ricetto   10
a cui movi o giocondo,
da quel tuo grave aspetto
mal s'indovina. Ahi ahi, né già potria
fermare io stesso in me, né forse al mondo
s'intese ancor, se in disfavore al cielo,   15
se cara esser nomata,
se misera tu debbi o fortunata.

Morte ti chiama; al cominciar del giorno
l'ultimo istante. Al nido onde ti parti,
non tornerai. L'aspetto   20

3. *donzella*: la fanciulla effigiata nel bassorilievo. 4. *peregrinan-do*: sul punto d'intraprendere un viaggio ignoto. – *il patrio tetto*: la casa paterna. 5. *sí per tempo*: cosí presto, cosí giovane. 6. *un giorno*: ritornando. 10. *tristo*: doloroso e cupo. – *il ricetto*: il luogo destinato a riceverti. 14. *fermare*: stabilire. 15. *s'intese ancor*: si è mai riuscito a capire. 15-17. « se debba considerarsi un favore che ti fa il cielo, quello di morir giovane (*cara... fortunata*), o se debba considerarsi un male la tua morte prematura (*in disfavore... misera*) ». 18. *del giorno*: della vita. 19. *nido*: della tua casa. – *onde*: dal quale. – *ti parti*: ti diparti, ti allontani. 20. *L'aspetto*: la vista.

de' tuoi dolci parenti
lasci per sempre. Il loco
a cui movi, è sotterra:
ivi fia d'ogni tempo il tuo soggiorno.
Forse beata sei; ma pur chi mira,   25
seco pensando, al tuo destin, sospira.

Mai non veder la luce
era, credo, il miglior. Ma nata, al tempo
che reina bellezza si dispiega
nelle membra e nel volto,   30
ed incomincia il mondo
verso lei di lontano ad atterrarsi;
in sul fiorir d'ogni speranza, e molto
prima che incontro alla festosa fronte
i lúgubri suoi lampi il ver baleni;   35
come vapore in nuvoletta accolto
sotto forme fugaci all'orizzonte,
dileguarsi cosí quasi non sorta,
e cangiar con gli oscuri
silenzi della tomba i dí futuri,   40
questo se all'intelletto
appar felice, invade

21. *parenti*: genitori. 24. *fia*: sarà. – *d'ogni tempo*: dipende da *soggiorno*: per tutta l'eternità. 25-26. *chi mira... al tuo destin*: chi considera il tuo destino. 26. *sospira*: di compianto. 28. *il miglior*: il meglio. « Per questa sentenza si sogliono richiamare riflessioni consimili di Teognide (addotte nel *Fedone* di Platone), di Sofocle e della *Bibbia*, specialmente del libro di Giobbe. Anche per altri luoghi di questo canto si sogliono citare i testi sacri e con molta acutezza G. A. Levi ha in particolar modo richiamato pel v. 19 le parole bibliche: *Nec revertetur ultra in domum suam* (*Job*, VII, 10), pei vv. 36-40: *Sicut consumitur nubes et pertransit* (*ibid.*, 9) e pei vv. 55-56 l'*Imitatio Christi* che ha frase quasi identica: *Miser es ubicumque fueris et quocumque te verteris* (I, c. 22) » (Calcaterra). – *nata*: una volta nata. – *al tempo*: giovanile. 29. *reina bellezza si dispiega*: la bellezza si dispiega regalmente. 32. *verso lei*: verso la fanciulla. – *di lontano*: non avvicinandosi col suo vero volto. – *ad atterrarsi*: ad inchinarsi. Cfr. *Le ricordanze*, vv. 129-30. 33. *d'ogni speranza*: di tutte le speranze concesse all'umanità. 35. *il ver*: la realtà, che si fa luce da se stessa, squarciando, a tratti, il velo di minacciosa e misteriosa oscurità che la copre e rivelandosi in quell'attimo in tutto il suo terrificante squallore. 36. *in nuvoletta accolto*: addensatosi in una nube momentanea. 38. *dileguarsi cosí*: da unire a *Ma nata* (v. 28): la fanciulla in atto di accommiatarsi dai suoi.

d'alta pietade ai piú costanti il petto.

Madre temuta e pianta
dal nascer già dell'animal famiglia,   45
natura, illaudabil maraviglia,
che per uccider partorisci e nutri,
se danno è del mortale
immaturo perir, come il consenti
in quei capi innocenti?   50
Se ben, perché funesta,
perché sovra ogni male,
a chi si parte, a chi rimane in vita,
inconsolabil fai tal dipartita?

Misera ovunque miri,   55
misera onde si volga, ove ricorra,
questa sensibil prole!
Piacqueti che delusa
fosse ancor dalla vita
la speme giovanil; piena d'affanni   60
l'onda degli anni; ai mali unico schermo
la morte; e questa inevitabil segno,
questa, immutata legge
ponesti all'uman corso. Ahi perché dopo
le travagliose strade, almen la meta   65
non ci prescriver lieta? anzi colei
che per certo futura

43. *d'alta pietade*: di profonda pietà. – *ai piú costanti*: anche ai piú
saldi e forti di carattere. 45. *già*: « fin dalle origini di tutti gli esseri viventi ». 46. *illaudabil maraviglia*: portento che non merita
lode. « Ammiriamo dunque quest'ordine, questo universo: io l'ammiro piú degli altri: lo ammiro per la sua pravità e deformità, che a
me paiono estreme. Ma per lodarlo, aspettiamo di sapere almeno, con
certezza, che egli non sia il pessimo dei possibili » (*Zibaldone*, 4258).
47. *per uccider*: al fine di uccidere. 48-49. « se è una sventura per
chi è mortale il morire prematuramente ». 49-50. « come permetti che
questa sventura accada; come spiegare una simile crudeltà? » 51. *Se
ben*: se è un bene, un dono. 56. *onde*: da qualsiasi parte. – *ove ricorra*: qualunque rimedio cerchi. 57. *sensibil prole*: « il genere umano ». 58. *Piacqueti*: ti piacque che la realtà fosse ordinata in modo
tale che ecc.: si rivolge sempre alla natura. 59. *ancor dalla vita*: dal
sopravvenire stesso della vita. 65. *strade*: della vita. 66. *colei*: la
morte.

portiam sempre, vivendo, innanzi all'alma,
colei che i nostri danni
ebber solo conforto,   70
velar di neri panni,
cinger d'ombra sí trista,
e spaventoso in vista
piú d'ogni flutto dimostrarci il porto?

Già se sventura è questo   75
morir che tu destini
a tutti noi che senza colpa, ignari,
né volontari al vivere abbandoni,
certo ha chi more invidiabil sorte
a colui che la morte   80
sente de' cari suoi. Che se nel vero,
com'io per fermo estimo,
il vivere è sventura,
grazia il morir, chi però mai potrebbe,
quel che pur si dovrebbe,   85
desiar de' suoi cari il giorno estremo,
per dover egli scemo
rimaner di se stesso,
veder d'in su la soglia levar via
la diletta persona   90
con chi passato avrà molt'anni insieme,
e dire a quella addio senz'altra speme
di riscontrarla ancora
per la mondana via;
poi solitario abbandonato in terra,   95
guardando attorno, all'ore ai lochi usati
rimemorar la scorsa compagnia?
Come, ahi come, o natura, il cor ti soffre
di strappar dalle braccia

---

70. *solo conforto*: come unico conforto alle nostre sciagure. 80. *a
colui*: a paragone di colui. 81. *nel vero*: in realtà. 84. *grazia*: e un
dono, per converso, di cui si deve rendere grazie. 87. *scemo*: privo,
per la morte dei suoi cari. 91. *con chi*: con cui. 93. *riscontrarla*:
incontrarla. 94. *la mondana via*: il cammino della vita. 96. *all'ore
ai lochi usati*: nelle ore e nei luoghi in cui era solito dimorare con i
propri cari, quando essi erano in vita. 98. *il cor ti soffre*: puoi sopportare.

all'amico l'amico,   100
al fratello il fratello,
la prole al genitore,
all'amante l'amore: e l'uno estinto,
l'altro in vita serbar? Come potesti
far necessario in noi   105
tanto dolor, che sopravviva amando
al mortale il mortal? Ma da natura
altro negli atti suoi
che nostro male o nostro ben si cura.

103. *l'amore*: la persona amata. 107-9. « ma la natura non si preoc-
cupa nelle sue azioni né del nostro male né del nostro bene, ai quali
essa è del tutto indifferente ».

XXXI. *Sopra il ritratto di una bella donna*

*scolpito nel monumento sepolcrale
della medesima*

Composto a Napoli fra il 1834 e il 1835, e pubblicato per la
prima volta nei *Canti* (Napoli 1835). Si noti come nell'evocare
il *quasi angelico aspetto* (v. 35) della « bella donna » effigiata
nel monumento sepolcrale pensieri e fantasie del Leopardi si
muovano intorno alle fattezze della donna adombrata in *Aspasia*, la stessa che aveva suscitato il *paradiso* (v. 101) di emozioni esaltanti del *Pensiero dominante*. Cfr. la nota preliminare
al *Consalvo* e ad *Aspasia*.

Metro: canzone fuori da ogni schema, con rime al mezzo.

Tal fosti: or qui sotterra
polve e scheletro sei. Su l'ossa e il fango
immobilmente collocato invano,
muto, mirando dell'etadi il volo,
sta, di memoria solo   5
e di dolor custode, il simulacro
della scorsa beltà. Quel dolce sguardo,
che tremar fe', se, come or sembra, immoto
in altrui s'affisò; quel labbro, ond'alto
par, come d'urna piena,   10
traboccare il piacer; quel collo, cinto
già di desio; quell'amorosa mano,
che spesso, ove fu porta,
sentí gelida far la man che strinse;
e il seno, onde la gente   15
visibilmente di pallor si tinse,
furo alcun tempo: or fango

1. *Tal*: bella, come appare effigiata nel monumento funebre. 3.
immobilmente: senza piú vita. – *collocato*: da unire a *simulacro* (v. 6).
4. *dell'etadi il volo*: il corso del tempo. 5. *solo*: soltanto. La donna,
che fu viva e bella, non vive ormai che nel ricordo e nel dolore di
quanti ebbero la sventura di perderla. 6. *il simulacro*: il ritratto scolpito nel monumento sepolcrale. 8. *tremar fe'*: fece tremare d'emozio-
ne. Cfr. Petrarca, *Rime*, LII, 7-8: « tal che mi fece... | tutto tremar
d'un amoroso gelo ». – *come or sembra*: come ora, ma è un'illusione,
appare nel ritratto. 9. *ond'*: dal quale. – *alto*: profondo, intenso. Da
unire a *piacer* (v. 11). 10. *d'urna piena*: da un'urna ricolma. 11-12.
cinto già di desio: avvolto, quando la donna era in vita, dagli sguardi
pieni di desiderio che erravano intorno ad esso. 13. *porta*: offerta,
concessa alla stretta dell'amante. 14. *gelida*: per soverchiante emozione. 15. *onde*: per il quale. 16. *visibilmente*: manifestamente, in
modo appariscente. 17. *alcun tempo*: già un tempo, una volta.

ed ossa sei: la vista
vituperosa e trista un sasso asconde.

Cosí riduce il fato   20
qual sembianza fra noi parve piú viva
immagine del ciel. Misterio eterno
dell'esser nostro. Oggi d'eccelsi, immensi
pensieri e sensi inenarrabil fonte,
beltà grandeggia, e pare,   25
quale splendor vibrato
da natura immortal su queste arene,
di sovrumani fati,
di fortunati regni e d'aurei mondi
segno e sicura spene   30
dare al mortale stato:
diman, per lieve forza,
sozzo a vedere, abominoso, abbietto
divien quel che fu dianzi
quasi angelico aspetto,   35
e dalle menti insieme
quel che da lui moveva
ammirabil concetto, si dilegua.

Desiderii infiniti
e visioni altere   40
crea nel vago pensiere,
per natural virtú, dotto concento;
onde per mar delizioso, arcano

19. *un sasso*: la pietra tombale. 21. *qual*: qualsiasi. 25. *beltà*: la
bellezza femminile. 27. *da natura immortal*: da una natura immortale,
da un dio. – *arene*: il deserto della vita. 28-29. *di sovrumani fati* ecc.:
genitivi dipendenti da *segno* e *spene* (v. 30): di un destino di bellezza
e di gioia. 30. *segno... spene*: l'immagine e la speranza: complementi
oggetto di *dare* (v. 31). 31. *dare*: offrire: dipende da *pare* (v. 25).
– *al mortale stato*: all'umanità. 32. *diman*: si contrappone a *Oggi*
(v. 23). – *per lieve forza*: per quelle lievi cause che talvolta provocano
la morte. 34. *dianzi*: in vita. 36. *insieme*: nello stesso tempo che il
corpo umano si decompone e si guasta dopo la morte. 37. *da lui*:
dall'*aspetto* (v. 35). 38. *ammirabil concetto*: meravigliosa immagine,
concepita dalla fantasia sotto la viva suggestione della bellezza corpo-
rea. Cfr. per questi e per i versi che seguono *Aspasia*, vv. 34-37, 67-70,
e le note relative. 40. *visioni altere*: immagini di esaltante bellezza.
42. *dotto concento*: la musica. Cfr. *Aspasia*, v. 35 e la nota relativa.
43. *per mar*: di melodie e fantasie.

erra lo spirto umano,
quasi come a diporto   45
ardito notator per l'Oceano:
ma se un discorde accento
fere l'orecchio, in nulla
torna quel paradiso in un momento.

Natura umana, or come,   50
se frale in tutto e vile,
se polve ed ombra sei, tant'alto senti?
Se in parte anco gentile,
come i piú degni tuoi moti e pensieri
son cosí di leggeri   55
da sí basse cagioni e desti e spenti?

47. *un discorde accento*: una stonatura. 48. *fere*: ferisce. 49. *torna*: si muta, si converte. Cfr. Dante, *Inf.*, XXVI, 136: « Noi ci allegrammò, e tosto tornò in pianto ». 51. *frale*: fragile, effimera. – *vile*: ignobile, vituperosa. 52. *polve ed ombra*: cfr. Orazio, *Carm.*, IV, 7: « pulvis et umbra sumus »; Petrarca, *Rime*, CCXCIV, 12: « veramente siam noi polvere et ombra ». – *tant'alto*: in modo cosí altamente magnanimo. 53. *in parte*: si contrappone a *in tutto* (v. 51). « Se la natura umana è costituita soltanto di miseria e di fango, come sembra attestare, per esempio, il destino del nostro corpo dopo la morte, come si spiegano i sentimenti elevati, le nobili e grandi azioni? se invece essa è costituita, almeno in parte, anche di materia nobile, capace di elevarsi al di sopra di quanto è soggetto alla corruzione, alla putrefazione e alla morte, come mai i sentimenti elevati e magnanimi sono determinati proprio da quella materia ignobile, e, allo stesso modo di quella, sono effimeri, provvisori, e destinati alla morte? » 55. *di leggeri*: leggermente, facilmente. 56. *desti*: attizzati, suscitati.

XXXII. *Palinodia al marchese Gino Capponi*

Composta a Napoli nella primavera del 1835 e pubblicata la
prima volta nei *Canti* (Napoli 1835). L'acre componimento sa-
tirico dovette però maturare nell'animo del poeta fin dagli anni
del suo soggiorno fiorentino (1830-33). Il Leopardi era partito
da Recanati, per Firenze, con il cuore gonfio di speranze e con
nuovi propositi di lavoro, dopo aver accettato, « povero nell'a-
giatezza dei suoi », il sussidio offertogli da Pietro Colletta a
nome degli « amici di Toscana » (« Venite presto: noi vi aspettiamo a braccia aperte », gli aveva scritto il Colletta il 23 marzo
1830). Fra gli amici di Toscana, oltre allo stesso Colletta, erano
anche Gino Capponi e Giampietro Vieusseux, i fondatori del-
l'« Antologia » (1821). Venuto a contatto con gli intellettuali
progressisti del gabinetto Vieusseux, il Leopardi, invece di rifio-
rire a nuova vita, si chiuse, dopo un primo entusiasmo, ancora
di piú nella propria solitudine. Nonostante la forte ammirazione
che gli « amici di Toscana » professavano per il suo ingegno, in
realtà le cose del Leopardi dovevano piacere a pochi, forse, se
si eccettua il Giordani, a nessuno. Quando uscirono i *Canti*
(1831) il Colletta scriveva al Capponi: « Credo che dei suoi
amici tu ed io siamo rimasti soli a non avere il suo libro: né
piú glie ne parlo; né m'importa. Ho riletto parecchi dei componimenti antichi, qualcuno dei nuovi; e ti dico all'orecchio che
niente mi è piaciuto. La medesima eterna, ormai non sopportabile, melanconia; gli stessi argomenti; nessuna idea, nessun concetto nuovo; tristezza affettata, e qualche secentismo: stile bello ». A Firenze, la solitudine del Leopardi si fece definitiva:
quando partí per Napoli, egli era ormai incapace di qualsiasi
contatto storico con la vita.

Metro: endecasillabi sciolti.

Errai, candido Gino; assai gran tempo,
e di gran lunga errai. Misera e vana
stimai la vita, e sovra l'altre insulsa
la stagion ch'or si volge. Intolleranda
parve, e fu, la mia lingua alla beata   5
prole mortal, se dir si dee mortale
l'uomo, o si può. Fra maraviglia e sdegno,
dall'Eden odorato in cui soggiorna,
rise l'alta progenie, e me negletto
disse, o mal venturoso, e di piaceri   10
o incapace o inesperto, il proprio fato
creder comune, e del mio mal consorte

Palinodia è termine assimilato dal greco παλινῳδία = « ritratta-
zione », ed è usato con intenzione ironica, in conformità della ispirazione amara e satirica del canto. 1. *Errai*: dal vero: sbagliai. – *candido*: cioè, di animo ingenuo e generoso. – *Gino*: Capponi (1792-1876).
4. *la stagion ch'or si volge*: l'età presente. Cfr. il *Pensiero dominante*,
vv. 59-65. – *Intolleranda*: intollerabile, insopportabile. 5. *la mia lingua*: la concezione della realtà espressa nei miei scritti. 6. *prole mortal*: umanità. 8. *dall'Eden odorato*: dall'alto del suo benessere, come
se il mondo fosse un paradiso terrestre. 9. *l'alta progenie*: l'umanità,
come fosse una progenitura divina. – *negletto*: rifiutato dal mondo. 10.
mal venturoso: disgraziato. 12. *creder*: dipende da *me... disse* (vv. 9-
10). – *comune*: a tutto il resto dell'umanità. – *consorte*: partecipe.
Allude al modo in cui era in genere accolta la sua concezione del mondo, considerata una conseguenza delle sue sofferenze particolari e dei
suoi mali fisici. Cfr. la lettera cit. al De Sinner del 24 maggio 1832:
« Quel que soient mes malheurs, qu'on a jugé à propos d'étaler et que
peut-être on a un peu exagérés dans ce Journal [l'" Hesperus " che il
De Sinner gli aveva inviato], j'ai eu assez de courage pour ne pas chercher à en diminuer le poids ni par de frivoles espérances d'une prétendue félicité future et inconnue, ni par une lâche résignation. Mes
sentiments envers la destinée ont été et sont toujours ceux que j'ai
exprimés dans *Bruto minore*. Ç'a été par suite de ce même courage,
qu'étant amené par mes recherches à une philosophie désespérante, je

l'umana specie. Alfin per entro il fumo
de' sigari onorato, al romorio
de' crepitanti pasticcini, al grido   15
militar, di gelati e di bevande
ordinator, fra le percosse tazze
e i branditi cucchiai, viva rifulse
agli occhi miei la giornaliera luce
delle gazzette. Riconobbi e vidi   20
la pubblica letizia, e le dolcezze
del destino mortal. Vidi l'eccelso
stato e il valor delle terrene cose,
e tutto fiorì il corso umano, e vidi
come nulla quaggiú dispiace e dura.   25
Né men conobbi ancor gli studi e l'opre
stupende, e il senno, e le virtudi, e l'alto
saver del secol mio. Né vidi meno
da Marrocco al Catai, dall'Orse al Nilo,
e da Boston a Goa, correr dell'alma   30
felicità su l'orme a gara ansando
regni, imperi e ducati; e già tenerla
o per le chiome fluttuanti, o certo
per l'estremo del boa. Cosí vedendo,

n'ai pas hésité à l'embrasser toute entière; tandis que de l'autre côté
ce n'a été que par effet de la lâcheté des hommes, qui ont besoin
d'être persuadés du mérite de l'existence, que l'on a voulu considérer
mes opinions philosophiques comme le résultat de mes souffrances particulières, et que l'on s'obstine à attribuer à mes circonstances matérielles ce qu'on ne doit qu'à mon entendement. Avant de mourir, je
vais protester contre cette invention de la faiblesse et de la vulgarité,
et prier mes lecteurs de s'attacher à détruire mes observations et mes
raisonnemens plutôt que d'accuser mes maladies ». 13. *Alfin*: finalmente, dopo il lungo errore in cui il poeta simula di essere incorso.
16. *militar*: secco, importante come un comando. 20. *delle gazzette*:
dei giornali. Gli effimeri avvenimenti del giorno costituiscono l'argomento della conversazione al caffè, sollevando le animate discussioni di
quanti si sentono protagonisti della storia. 23. *stato*: condizione. 25.
Deforma con malinconico effetto comico un verso del Petrarca, *Rime*,
CCCXI, 14: « come nulla quaggiú diletta e dura ». 29. *da Marrocco al
Catai*: da occidente a oriente: *Catai* equivale a Cina. – *dall'Orse al
Nilo*: da settentrione a mezzogiorno. 30. *da Boston a Goa*: dall'America all'India. 30-31. *correr... su l'orme*: in una caccia affannosa e
vana. 33. *fluttuanti*: « ondeggianti, per la corsa » (De Robertis). 34.
boa: pelliccia in figura di serpente. L'immagine della felicità si tra-
sforma in una figura di donna elegante, con una pelliccia alla moda
intorno al collo. Cfr., in appendice, *Note ai Canti*.

e meditando sovra i larghi fogli   35
profondamente, del mio grave, antico
errore, e di me stesso, ebbi vergogna.

Aureo secolo omai volgono, o Gino,
i fusi delle Parche. Ogni giornale,
gener vario di lingue e di colonne,   40
da tutti i lidi lo promette al mondo
concordemente. Universale amore,
ferrate vie, molteplici commerci,
vapor, tipi e *cholèra* i piú divisi
popoli e climi stringeranno insieme: 45
né maraviglia fia se pino o quercia
suderà latte e mele, o s'anco al suono
d'un *walser* danzerà. Tanto la possa
infin qui de' lambicchi e delle storte,
e le macchine al cielo emulatrici   50
crebbero, e tanto cresceranno al tempo
che seguirà; poiché di meglio in meglio
senza fin vola e volerà mai sempre
di Sem, di Cam e di Giapeto il seme.

Ghiande non ciberà certo la terra   55
però, se fame non la sforza: il duro
ferro non deporrà. Ben molte volte
argento ed or disprezzerà, contenta

---

35. *i larghi fogli*: dei giornali. 38. *Aureo secolo*: una nuova età del-
l'oro. 39. *delle Parche*: le tre mitiche divinità, che la fantasia degli
antichi immaginava addette a filare il corso della vita umana. 40. *gener*: di pubblicazioni. – *di colonne*: nell'impaginazione. 44. *vapor,
tipi e cholèra*: macchine, stampe e malattie. Una vasta epidemia di
colera si era diffusa in Francia nel 1832. 46. *fia*: sarà. 47-48. *suderà... danzerà*: il soggetto è *pino o quercia* (v. 46): indica i potenti della nuova età dell'oro, ricorrendo alla figura rettorica dell'ἀδύνατον o
dell'impossibilità. 47. *suderà*: stillerà. – *mele*: miele. 48. *possa*: potenza. 49. *infin qui*: da unire a *crebbero* (v. 51). – *lambicchi... storte*:
gli strumenti della chimica. 50. *le macchine* ecc.: cfr. Virgilio, *Aeneis*, IV, 89: «aequataque machina coelo». 51. *crebbero*: sono pro-
gredite. 54. «tutto il genere umano nelle sue razze diverse». 55.
Ghiande: il cibo dell'umanità nella mitica età dell'oro. – *ciberà*: si
ciberà di, mangerà. 56. *non la sforza*: non la costringerà. 57. *ferro
non deporrà*: rivelandosi una nuova età dell'oro soltanto in apparenza.
– *Ben*: è bensí vero che.

a polizze di cambio. E già dal caro
sangue de' suoi non asterrà la mano   60
la generosa stirpe: anzi coverte
fien di stragi l'Europa e l'altra riva
dell'atlantico mar, fresca nutrice
di pura civiltà, sempre che spinga
contrarie in campo le fraterne schiere   65
di pepe o di cannella o d'altro aroma
fatal cagione, o di melate canne,
o cagion qual si sia ch'ad auro torni.
Valor vero e virtú, modestia e fede
e di giustizia amor, sempre in qualunque   70
pubblico stato, alieni in tutto e lungi
da' comuni negozi, ovvero in tutto
sfortunati saranno, afflitti e vinti;
perché diè lor natura, in ogni tempo
starsene in fondo. Ardir protervo e frode,   75
con mediocrità, regneran sempre,
a galleggiar sortiti. Imperio e forze,
quanto piú vogli o cumulate o sparse,
abuserà chiunque avralle, e sotto
qualunque nome. Questa legge in pria   80
scrisser natura e il fato in adamante;
e co' fulmini suoi Volta né Davy
lei non cancellerà, non Anglia tutta

59. *a polizze di cambio*: di cambiali, di moneta. – *già*: da unire a
non asterrà (v. 60): non asterrà già. 62. *fien*: saranno. – *l'altra riva*:
l'America. 63. *fresca*: recente, giovane. 64. *sempre che*: ogni volta
che. 65. *le fraterne schiere*: dell'umanità, che si batte fino all'ultimo
sangue, per esempio, per il mercato del pepe. 67. *melate canne*: canne
da zucchero. 68. « o qualsiasi movente di natura economica ». 69.
fede: nella vita e nel prossimo. 71. *alieni* ecc.: tenuti in disparte, o
comunque al di fuori dalla vita economica e politica dello stato al
quale appartengono. 73. *sfortunati*: senza successo. – *afflitti e vinti*:
combattuti e umiliati. 77-80. *Imperio* ecc.: « chiunque terrà in mano
le redini del potere, tirannico o democratico o oligarchico quanto si
voglia e quanto si dica un governo, è destino che abusi del proprio
potere ». 80. *in pria*: fin dalle origini della umanità. 81. *in adamante*: in caratteri adamantini, chiari e infrangibili. 82. *Volta né
Davy*: la scienza con tutte le sue prodigiose scoperte. Ad Alessandro
Volta (1745-1827) si deve l'invenzione della pila; a Humphry Davy
(1778-1829) la realizzazione dell'arco voltaico. – *fulmini* sta per « energia elettrica ». 83. *lei*: la *legge* (v. 80), enucleata nei vv. 77-80. –
Anglia: il vertiginoso ritmo della produzione tecnica inglese.

con le macchine sue, né con un Gange
di politici scritti il secol novo.   85
Sempre il buono in tristezza, il vile in festa
sempre e il ribaldo: incontro all'alme eccelse
in arme tutti congiurati i mondi
fieno in perpetuo: al vero onor seguaci
calunnia, odio e livor: cibo de' forti   90
il debole, cultor de' ricchi e servo
il digiuno mendico, in ogni forma
di comun reggimento, o presso o lungi
sien l'eclittica o i poli, eternamente
sarà, se al gener nostro il proprio albergo   95
e la face del dí non vengon meno.

Queste lievi reliquie e questi segni
delle passate età, forza è che impressi
porti quella che sorge età dell'oro:
perché mille discordi e repugnanti   100
l'umana compagnia principii e parti
ha per natura; e por quegli odii in pace
non valser gl'intelletti e le possanze
degli uomini giammai, dal dí che nacque
l'inclita schiatta, e non varrà, quantunque   105
saggio sia né possente, al secol nostro
patto alcuno o giornal. Ma nelle cose
piú gravi, intera, e non veduta innanzi,
fia la mortal felicità. Piú molli

---

84. *con un Gange*: con un fiume immenso. 86. *in tristezza... in festa*: sottintendi: « saranno ». 88. *tutti... i mondi*: tutto il resto dell'umanità. 89. *fieno*: saranno. – *al vero onor seguaci*: « l'onestà e il merito saranno perseguitati da ». 91. *cultor*: adulatore. 92. *il digiuno mendico*: il povero, costretto alla piaggeria e all'elemosina dalla fame. 93-94. *o presso o lungi* ecc.: in qualsiasi zona della terra. 95-96. *il proprio albergo... la face del dí*: la terra e il sole: le condizioni della vita. 97. *segni*: impronte. 100-3. « perché l'umanità è costituita in ciascun individuo da tendenze e istinti contraddittorii fra di loro (*principii*), e pertanto la contraddittorietà della natura umana determinerà incessantemente, e a maggior ragione, nuovi motivi di lotta e di dissociazione, non di associazione degli uomini fra loro ». 103. *le possanze*: le forze, l'energia. 105. *schiatta*: della umanità. 106. *saggio*: riferito a *giornal* (v. 107). – *possente*: riferito a *patto* (v. 107). – *né*: disgiuntiva. 107. *patto*: politico. 108. *piú gravi*: in contrapposizione a *lievi* (v. 97): con ironia. 109. *fia*: sarà.

di giorno in giorno diverran le vesti   110
o di lana o di seta. I rozzi panni
lasciando a prova agricoltori e fabbri,
chiuderanno in coton la scabra pelle,
e di castoro copriran le schiene.
Meglio fatti al bisogno, o piú leggiadri   115
certamente a veder, tappeti e coltri,
seggiole, canapè, sgabelli e mense,
letti, ed ogni altro arnese, adorneranno
di lor menstrua beltà gli appartamenti;
e nove forme di paiuoli, e nove   120
pentole ammirerà l'arsa cucina.
Da Parigi a Calais, di quivi a Londra,
da Londra a Liverpool, rapido tanto
sarà, quant'altri immaginar non osa,
il cammino, anzi il volo: e sotto l'ampie   125
vie del Tamigi fia dischiuso il varco,
opra ardita, immortal, ch'esser dischiuso
dovea, già son molt'anni. Illuminate
meglio ch'or son, benché sicure al pari,
nottetempo saran le vie men trite   130
delle città sovrane, e talor forse
di suddita città le vie maggiori.
Tali dolcezze e sí beata sorte
alla prole vegnente il ciel destina.

Fortunati color che mentre io scrivo   135
miagolanti in su le braccia accoglie
la levatrice! a cui veder s'aspetta
quei sospirati dí, quando per lunghi
studi fia noto, e imprenderà col latte

112. *a prova*: a gara. 113. *scabra*: ruvida. 114. *di castoro*: di pelliccia di castoro. 119. *menstrua*: mensile, periodica, mutevole. 121. *arsa*: dal fuoco dei fornelli. 125-26. *l'ampie vie*: l'ampio corso. 126. *il varco*: il tunnel ferroviario fra Wapping e Rotherhithe, progettato nel 1799 e compiuto alcuni anni dopo la morte del Leopardi. 128. *Illuminate*: dalla luce a gas. 129. *sicure al pari*: ironia: altrettanto malsicure. 130. *men trite*: meno battute, meno frequentate: secondarie. 131. *sovrane*: capitali. 132. *suddita*: alla capitale: minore. 134. *alla prole vegnente*: all'umanità avvenire. 136. *miagolanti*: come povere bestiole. 137. *veder s'aspetta*: è serbato di vedere. 139. *studi*: di statistica. – *fia*: sarà. – *imprenderà*: apprenderà.

dalla cara nutrice ogni fanciullo,   140
quanto peso di sal, quanto di carni,
e quante moggia di farina inghiotta
il patrio borgo in ciascun mese; e quanti
in ciascun anno partoriti e morti
scriva il vecchio prior: quando, per opra   145
di possente vapore, a milioni
impresse in un secondo, il piano e il poggio,
e credo anco del mar gl'immensi tratti,
come d'aeree gru stuol che repente
alle late campagne il giorno involi,   150
copriran le gazzette, anima e vita
dell'universo, e di savere a questa
ed alle età venture unica fonte!

Quale un fanciullo, con assidua cura,
di fogliolini e di fuscelli, in forma   155
o di tempio o di torre o di palazzo,
un edificio innalza; e come prima
fornito il mira, ad atterrarlo è volto,
perché gli stessi a lui fuscelli e fogli
per novo lavorio son di mestieri;   160
cosí natura ogni opra sua, quantunque

---

142. *inghiotta*: consumi. 143. *patrio*: nativo. 145. *scriva*: registri.
146. *vapore*: macchina a vapore. 147. *impresse*: stampate. 147-48. *il
piano... il poggio... del mar gl'immensi tratti*: pianure, montagne, oceani: complementi oggetto di *copriran* (v. 151). 149. *repente*: apparen-
do improvvisamente in cielo. 150. *late*: aperte, spaziose. – *il giorno involi*: sottragga la luce del sole, oscurando tutto d'intorno. 154. *Quale
un fanciullo* ecc.: cfr. l'abbozzo dell'inno *Ad Arimane*: « Natura è
come un bambino che disfa subito il fatto » e *Zibaldone*, 4421: « La
Natura è come un fanciullo: con grandissima cura ella si affatica a
produrre e a condurre il prodotto alla sua perfezione, ma non appena
ve l'ha condotto, ch'ella pensa e comincia a distruggerlo, a travagliare
alla sua dissoluzione. Cosí nell'uomo, cosí negli altri animali, nei vege-
tali, in ogni genere di cose. E l'uomo la tratta appunto com'egli tratta
un fanciullo: i mezzi di preservazione impiegati da lui per prolungar
la durata dell'esistenza o di un tale stato, o suo proprio o delle cose
che gli servono nella vita, non sono altro che quasi un levar di mano
al fanciullo il suo lavoro, tosto ch'ei l'ha compiuto, acciò ch'egli non
prenda immantinente a disfarlo ». 155. *fogliolini*: cartoncini. 157-58.
come prima fornito il mira: non appena finito, e avendo appena fatto
in tempo a guardarlo. 158. *è volto*: si volge, si dedica. 159-60. *a
lui... son di mestieri*: gli tornano necessari.

d'alto artificio a contemplar, non prima
vede perfetta, ch'a disfarla imprende,
le parti sciolte dispensando altrove.
E indarno a preservar se stesso ed altro   165
dal gioco reo, la cui ragion gli è chiusa
eternamente, il mortal seme accorre
mille virtudi oprando in mille guise
con dotta man: che, d'ogni sforzo in onta,
la natura crudel, fanciullo invitto,   170
il suo capriccio adempie, e senza posa
distruggendo e formando si trastulla.
Indi varia, infinita una famiglia
di mali immedicabili e di pene
preme il fragil mortale, a perir fatto   175
irreparabilmente: indi una forza
ostil, distruggitrice, e dentro il fere
e di fuor da ogni lato, assidua, intenta
dal dí che nasce; e l'affatica e stanca,
essa indefatigata; insin ch'ei giace   180
alfin dall'empia madre oppresso e spento.
Queste, o spirto gentil, miserie estreme
dello stato mortal; vecchiezza e morte,
ch'han principio d'allor che il labbro infante
preme il tenero sen che vita instilla;   185
emendar, mi cred'io, non può la lieta
nonadecima età piú che potesse
la decima o la nona, e non potranno
piú di questa giammai l'età future.
Però, se nominar lice talvolta   190

162. *d'alto artificio*: portentosa. 163. *perfetta*: compiuta. – *impren-de*: comincia. 164. *sciolte*: scompaginate, dissociate. – *dispensando*: distribuendo, impiegando. 165. *indarno*: invano. 166. *reo*: maligno. 167. *il mortal seme*: il genere umano. – *accorre*: regge *a preservar* (v. 165): corre ai ripari, a proteggere. 168-69. « con infiniti e inge-gnosi accorgimenti ». 170. *invitto*: invincibile. 173. *Indi*: perciò. 175. *preme*: opprime. 176. *una forza*: insita nella natura. 177-78. *dentro... di fuor*: nell'animo e nel corpo. 177. *il fere*: lo ferisce, lo colpisce. 180. *indefatigata*: mai affaticata, mai stanca. 181. *dall'em-pia madre*: dalla natura stessa. 182. *spirto gentil*: l'amico Gino Cap-poni. Cfr. Petrarca, *Rime*, LIII, 1: « Spirto gentil che quelle membra reggi ». 184. *infante*: infantile, che non può ancora parlare. 186. *emendar*: correggere, espungere. 187. *nonadecima età*: il secolo XIX. 190. *Però*: perciò. – *lice*: è lecito.

con proprio nome il ver, non altro in somma
fuor che infelice, in qualsivoglia tempo,
e non pur ne' civili ordini e modi,
ma della vita in tutte l'altre parti,
per essenza insanabile, e per legge   195
universal, che terra e cielo abbraccia,
ogni nato sarà. Ma novo e quasi
divin consiglio ritrovàr gli eccelsi
spirti del secol mio: che, non potendo
felice in terra far persona alcuna,   200
l'uomo obbliando, a ricercar si diero
una comun felicitade; e quella
trovata agevolmente, essi di molti
tristi e miseri tutti, un popol fanno
lieto e felice: e tal portento, ancora   205
da *pamphlets*, da riviste e da gazzette
non dichiarato, il civil gregge ammira.

Oh menti, oh senno, oh sovrumano acume
dell'età ch'or si volge! E che sicuro
filosofar, che sapienza, o Gino,   210
in piú sublimi ancora e piú riposti
subbietti insegna ai secoli futuri
il mio secolo e tuo! Con che costanza
quel che ieri scherní, prosteso adora
oggi, e domani abbatterà, per girne   215
raccozzando i rottami, e per riporlo
tra il fumo degl'incensi il dí vegnente!
Quanto estimar si dee, che fede inspira

193-94. « non soltanto nell'ambito della civiltà umana, ma in tutte le
condizioni della natura ». Cfr. *Zibaldone*, 4175, in data 19 aprile 1827:
« Non gli uomini solamente, ma il genere umano fu e sarà sempre infelice di necessità. Non il genere umano solamente, ma tutti gli animali. Non gli animali soltanto, ma tutti gli altri esseri al loro modo.
Non gl'individui, ma le specie, i generi, i regni, i globi, i sistemi, i
mondi ». 198. *consiglio*: rimedio. – *ritrovàr*: trovarono, escogitarono.
201. *si diero*: si diedero. 202. *una comun felicitade*: una felicità col-
lettiva. 206. «*pamphlets*»: opuscoli, libelli. 207. *non dichiarato*: non
spiegato: perché inspiegabile. 212. *subbietti*: soggetti, argomenti.
214. *quel*: l'insieme delle concezioni religiose e spiritualistiche della
realtà, avversate dal sensismo settecentesco. – *schernì*: soggetto è *il
mio secolo e tuo* (v. 213). 215. *per girne*: per andarne. 216. *per
riporlo*: per rimetterlo nuovamente sugli altari, dopo averlo spregiato.

del secol che si volge, anzi dell'anno,
il concorde sentir! con quanta cura   220
convienci a quel dell'anno, al qual difforme
fia quel dell'altro appresso, il sentir nostro
comparando, fuggir che mai d'un punto
non sien diversi! E di che tratto innanzi,
se al moderno si opponga il tempo antico,   225
filosofando il saper nostro è scorso!

Un già de' tuoi, lodato Gino; un franco
di poetar maestro, anzi di tutte
scienze ed arti e facoltadi umane,
e menti che fur mai, sono e saranno,   230
dottore, emendator, lascia, mi disse,
i propri affetti tuoi. Di lor non cura
questa virile età, volta ai severi
economici studi, e intenta il ciglio
nelle pubbliche cose. Il proprio petto   235
esplorar che ti val? Materia al canto
non cercar dentro te. Canta i bisogni
del secol nostro, e la matura speme.
Memorande sentenze! ond'io solenni
le risa alzai quando sonava il nome   240
della speranza al mio profano orecchio
quasi comica voce, o come un suono
di lingua che dal latte si scompagni.
Or torno addietro, ed al passato un corso

---

221. *convienci*: da unire a *fuggir* (v. 223): « ci conviene stare attenti
a che non si discosti in nulla il nostro sentire da quello dell'anno corrente ». – *a quel*: dipende da *comparando* (v. 223). – *dell'anno*: di
qualsiasi anno in corso. 222. *fia*: sarà. – *dell'altro*: anno. 224-26. *di
che tratto innanzi... è scorso*: quale passo in avanti ha compiuto. 227.
Un ecc.: non sappiamo chi sia. Nessuna delle identificazioni proposte
dagli studiosi persuade pienamente. È probabile che il Leopardi abbia
delineato ad arte i tratti di un personaggio in modo tale che non una
persona sola, il Tommaseo, per esempio, ma più di una persona fosse
costretta a riconoscersi in esso. – *de' tuoi*: amici. – *franco*: sicuro, disinvolto. 232. *non cura*: non si prende cura. 234. *intenta il
ciglio*: con lo sguardo rivolto a scrutare. 235. *nelle pubbliche cose*:
nella vita sociale e politica. – *petto*: animo. 238. *la matura speme*:
la speranza di un'umanità felice, ormai prossima a diventare realtà.
243. *che dal latte si scompagni*: che ancora sa di latte, infantile. Cfr.
Petrarca, *Rime*, cccxxv, 87-88: « con voci ancor non preste | di lingua
che dal latte si scompagne ».

contrario imprendo, per non dubbi esempi   245
chiaro oggimai ch'al secol proprio vuolsi,
non contraddir, non repugnar, se lode
cerchi e fama appo lui, ma fedelmente
adulando ubbidir: cosí per breve
ed agiato cammin vassi alle stelle.   250
Ond'io, degli astri desioso, al canto
del secolo i bisogni omai non penso
materia far; che a quelli, ognor crescendo,
provveggono i mercati e le officine
già largamente; ma la speme io certo   255
dirò, la speme, onde visibil pegno
già concedon gli Dei; già, della nova
felicità principio, ostenta il labbro
de' giovani, e la guancia, enorme il pelo.

O salve, o segno salutare, o prima   260
luce della famosa età che sorge.
Mira dinanzi a te come s'allegra
la terra e il ciel, come sfavilla il guardo
delle donzelle, e per conviti e feste
qual de' barbati eroi fama già vola.   265
Cresci, cresci alla patria, o maschia certo
moderna prole. All'ombra de' tuoi velli
Italia crescerà, crescerà tutta
dalle foci del Tago all'Ellesponto
Europa, e il mondo poserà sicuro.   270
E tu comincia a salutar col riso

---

245. *imprendo*: intraprendo.   246. *chiaro*: consapevole. – *oggimai*: finalmente, ormai. – *vuolsi*: si deve.   247. *non repugnar*: non contrastare.   250. *vassi alle stelle*: cfr. Virgilio, *Aeneis*, IX, 641: « sic itur ad
astra », divenuto proverbiale: si sale in fama.   251. *degli astri desioso*:
con ironia. – *al canto*: da unire a *materia* (v. 253).   253. *a quelli*: ai
bisogni del secolo.   255. *la speme*: la *matura speme* (v. 238).   256.
onde: della quale.   258-59. *il labbro... la guancia*: reggono *ostenta*
(v. 258).   259. *il pelo*: la barba. Il portar baffi e barba era distintivo dei
progressisti contemporanei al Leopardi e in special modo degli affiliati
alla Carboneria. Cfr. i *Paralipomeni della Batracomiamachia*, VI, ottave
15-17.   260. *segno*: bandiera, distintivo.   263. *sfavilla*: di ammirazione per i rivoluzionari. – *guardo*: sguardo.   266. *alla patria*: per il
bene della patria.   267. *velli*: barbe.   269. « dalla Spagna ai Dardea-
nelli ».   270. *poserà*: riposerà.   271. *a salutar col riso*: come in Virgilio, *Ecl.*, IV, 60: « Incipe, parve puer, risu cognoscere matrem ». Vir-

gl'ispidi genitori, o prole infante,
eletta agli aurei dí: né ti spauri
l'innocuo nereggiar de' cari aspetti.
Ridi, o tenera prole: a te serbato   275
è di cotanto favellare il frutto;
veder gioia regnar, cittadi e ville,
vecchiezza e gioventú del par contente,
e le barbe ondeggiar lunghe due spanne.

---

gilio esortava il fanciullo a cui è dedicata la quarta ecloga, simbolo
della nascente e nuova età dell'oro che il poeta si augurava, a sorridere di felicità al primo contatto con la vita. 272. *ispidi*: barbuti. –
prole infante: umanità or ora nascente. 276. *di cotanto favellare*: di
tante chiacchiere.

Composto nella Villa Ferrigni a Torre del Greco, durante la primavera del 1836. Nell'autografo gli ultimi sei versi sono di mano del Ranieri, cui il Leopardi, secondo il racconto del poeta tedesco Enrico Guglielmo Schulz, li avrebbe dettati poco prima di morire. Fu pubblicato la prima volta nell'edizione dei *Canti* a cura di Antonio Ranieri (Firenze 1845).

Metro: canzone fuori da ogni schema, con rime al mezzo.

Quale in notte solinga,
sovra campagne inargentate ed acque,
là 've zefiro aleggia,
e mille vaghi aspetti
e ingannevoli obbietti   5
fingon l'ombre lontane
infra l'onde tranquille
e rami e siepi e collinette e ville;
giunta al confin del cielo,
dietro Apennino od Alpe, o del Tirreno   10
nell'infinito seno
scende la luna; e si scolora il mondo;
spariscon l'ombre, ed una
oscurità la valle e il monte imbruna;
orba la notte resta,   15
e cantando, con mesta melodia,
l'estremo albor della fuggente luce,
che dianzi gli fu duce,
saluta il carrettier dalla sua via;

1. *Quale*: come. Da unire a *scende* (v. 12). – *in notte solinga*:
nella solitudine della notte. Cfr. *Il risorgimento*, vv. 21 sgg. e Virgilio, *Aeneis*, VI, 268: « Ibant obscuri sola sub nocte per umbram ». 2.
campagne: prati e campi coltivati. – *inargentate*: dalla luce lunare.
3. *zefiro*: il vento della primavera. 4. *vaghi*: indistinti. 6. *fingon*:
creano. 7. *infra* ecc.: lungo la costa, in quel tratto di terra che ha
come sfondo il mare. 8. *rami e siepi*: la vegetazione costiera. – *ville*:
gruppi di case sparse per la campagna. 9. *al confin del cielo*: all'orizzonte. 10-11. *dietro* ecc.: a seconda del punto di vista di chi guarda,
dietro i monti o nel mare. Cfr. Parini, *Vespro*, vv. 10-13: « e par che
brami | rivederti, o Signor, prima che l'Alpe, | o l'Appennino o il
mar curvo ti celi | agli occhi suoi ». 13. *ed una*: una sola e uniforme.
15. *orba*: di luce: buia. 18. *dianzi*: fin allora. – *duce*: guida. Cfr.
Alla primavera, vv. 44-48.

Tal si dilegua, e tale   20
lascia l'età mortale
la giovinezza. In fuga
van l'ombre e le sembianze
dei dilettosi inganni; e vengon meno
le lontane speranze,   25
ove s'appoggia la mortal natura.
Abbandonata, oscura
resta la vita. In lei porgendo il guardo,
cerca il confuso viatore invano
del cammin lungo che avanzar si sente   30
meta o ragione; e vede
che a se l'umana sede,
esso a lei veramente è fatto estrano.

Troppo felice e lieta
nostra misera sorte   35
parve lassú, se il giovanile stato,
dove ogni ben di mille pene è frutto,
durasse tutto della vita il corso.
Troppo mite decreto

20. *Tal*: cosí. Da riferire a *Quale* (v. 1). – *tale*: altrettanto buia come
la notte, dopo il tramonto della luna. 21. *l'età mortale*: complemento
oggetto di *lascia*. 23. *l'ombre e le sembianze*: le parvenze ingannevoli.
Cfr. i vv. 4-5 e 13 sgg. 24. *dilettosi inganni*: le illusioni. 25. *lontane*: concepite avanti, molto prima dell'apparire del vero, con l'animo
pieno di futuro. Cfr. il v. 6. 26. *ove s'appoggia*: come al suo solo sostegno: delle quali vive. Cfr. Petrarca, *Rime*, CXXVII, 60-61: « i begli
occhi... | ove la stanca mia vita s'appoggia ». – *mortal natura*: la na-
tura umana. 27. *Abbandonata, oscura*: senza calore di affetti, spenta
la luce delle illusioni. Cfr. *Aspasia*, vv. 106-8. 28. *In lei*: nella vita.
– *porgendo il guardo*: protendendo, ficcando lo sguardo. 29. *confuso*:
incapace di distinguere tra le immagini obbiettive e quelle simboliche
della realtà. – *viatore*: ospite passeggero in un misterioso pianeta. 30.
che avanzar si sente: che vede stendersi innanzi a sé. 32. *che a se*
ecc.: « Uscendo dalla gioventú l'uomo resta privato della proprietà
di comunicare e, per dir cosí, d'ispirare colla presenza se agli altri;
e perdendo quella specie d'influsso che il giovane manda ne' circostanti, e che congiunge questi a lui, e fa che sentano verso lui sempre
qualche sorte d'inclinazione, conosce, non senza un dolore nuovo, di
trovarsi nelle compagnie come diviso da tutti, e intorniato di creature
sensibili poco meno indifferenti verso lui che quelle prive di senso »
(*Pensieri*, LXI). 36. *parve*: sarebbe parsa. – *lassú*: agli abitatori del
cielo. 39-43. *Troppo mite* ecc.: sarebbe stato troppo mite decreto
condannare ogni vivente a morte, se a questo decreto non si fosse ag-

quel che sentenzia ogni animale a morte,   40
s'anco mezza la via
lor non si desse in pria
della terribil morte assai piú dura.
D'intelletti immortali
degno trovato, estremo   45
di tutti i mali, ritrovàr gli eterni
la vecchiezza, ove fosse
incolume il desio, la speme estinta,
secche le fonti del piacer, le pene
maggiori sempre, e non piú dato il bene.   50

Voi, collinette e piagge,
caduto lo splendor che all'occidente
inargentava della notte il velo,
orfane ancor gran tempo
non resterete: che dall'altra parte   55
tosto vedrete il cielo
imbiancar novamente, e sorger l'alba:
alla qual poscia seguitando il sole,
e folgorando intorno
con sue fiamme possenti,   60
di lucidi torrenti
inonderà con voi gli eterei campi.
Ma la vita mortal, poi che la bella

giunto anche quello di assegnare ai viventi, prima di morire (*in pria*), una metà della strada, l'età matura, assai piú crudele della stessa morte. 45. *degno trovato*: ingegnosa, veramente divina escogitazione. 46. *ritrovàr*: inventarono. – *gli eterni*: gli dèi. 48. *incolume*: intatto, non intaccato dagli anni. Ancor vivo e pieno, come nella giovinezza. Cfr. *Pensieri*, VI: «La vecchiezza è male sommo: perché priva l'uomo di tutti i piaceri, lasciandogliene gli appetiti; e porta seco tutti i dolori». Cfr. anche Petrarca, *Rime*, CCXXVII, v. 4: «Che il desir vive e la speranza è morta». 51. *piagge*: pianure declinanti. 52. *lo splendor*: la luna. – *all'occidente*: verso occidente, prima di tramontare. 53. *inargentava* ecc.: velava la notte di luce argentea. 54. *orfane*: private della luce. Cfr. *orba* (v. 15). 55. *che*: poiché. – *dall'altra parte*: a oriente. 58. *seguitando*: tenendo dietro. 60. *con sue fiamme* ecc.: cfr. Virgilio, *Aeneis*, IV, 607: «Sol qui terrarum flammis opera omnia lustras». 62. *con voi*: voi, *collinette e piagge* (v. 51). – *gli eterei campi*: gli spazi del cielo. 63. *Ma la vita mortal* ecc.: cfr. Catullo, V, vv. 4-6: «Soles occidere et redire possunt; | nobis cum semel occidit brevis lux, | nox est perpetua una dormienda».

giovinezza sparí, non si colora
d'altra luce giammai, né d'altra aurora.   65
Vedova è insino al fine; ed alla notte
che l'altre etadi oscura,
segno poser gli Dei la sepoltura.

66. *Vedova*: della giovinezza. Cfr. *orfane* (v. 54).   67. *l'altre etadi*: la
maturità e la vecchiezza, che trascorrono nella notte del rimpianto e
delle delusioni.   68. *segno*: termine, meta.

Composto nella villa Ferrigni a Torre del Greco, nel 1836 e pubblicato per la prima volta nei *Canti* a cura di Antonio Ranieri (Firenze 1845). È l'ultima canzone leopardiana, e a questo punto potrà forse riuscire interessante qualche elementare constatazione. Per esempio, il lettore avrà certamente notato come in tutti i suoi *Canti*, dal primo all'ultimo, Giacomo Leopardi abbia sempre raccontato se stesso. Ma è strano che l'impressione finale, davanti a Leopardi che racconta la storia della sua anima, sia quella che egli non parli affatto di sé. È il miracolo, si dice, il potere universalizzante della poesia. Ma non è vero. I pensieri, i sentimenti, i moti del cuore di Leopardi sembrano fin dall'origine universali. La vocazione a identificarsi in assoluto con la natura umana, questa attitudine che è insieme una sciagura e un dono, è in Leopardi un fatto d'istinto, un modo d'essere congenito, spontaneo, naturalissimo: è il suo modo di funzionare, un tratto della sua anima, o della sua persona, prima ancora di essere un tono della sua poesia. Ci sono fatti d'arte ben superiori a qualsiasi composizione leopardiana, e tuttavia essi non sprigionano affatto la stessa altissima corrente. È proprio questa attitudine, questo modo d'essere cosí universale, cosí siderale e astratto, cosí al di fuori di qualsiasi contatto storico con la vita, il modo d'essere di Leopardi: il modo in cui egli sente e vive, pensa e respira. Un uomo di cui i biografi attestano che non visse mai, che non conobbe mai la vita, e quando si legge qualcosa di lui sembra di vivere per la prima volta, o addirittura di scoprire di vivere. Come non si può superare la velocità della luce, cosí non si può sentire la vita piú di Leopardi. E d'altra parte, la sua voce arriva sempre da un punto limite, dal punto in cui le emozioni, i palpiti, le scaturigini della vita fanno tutt'uno con le secche, con le immobili scaturigini della morte. Il segreto della lirica leopardiana, la sua pateticità terribile, quegli spasimi, quegli urti, quel disperare e tornare a sperare, e la sua quiete immensa, serena, è tutto qui. Come se la materia di cui è fatto l'universo potesse chiedere a se stessa, al nulla, all'inerzia, le ragioni della sua vita, e lo facesse con un filo di voce insieme infinitamente superba e discreta, umile e planetaria.

Metro: canzone fuori da ogni schema, con rime al mezzo.

Καὶ ἠγάπησαν οἱ ἄνθρωποι μᾶλλον τὸ σκότος ἢ τὸ φῶς.

E gli uomini vollero piuttosto le tenebre che la luce.

GIOVANNI, III, 19.

Qui su l'arida schiena
del formidabil monte
sterminator Vesevo,
la qual null'altro allegra arbor né fiore,
tuoi cespi solitari intorno spargi,   5
odorata ginestra,
contenta dei deserti. Anco ti vidi
de' tuoi steli abbellir l'erme contrade
che cingon la cittade
la qual fu donna de' mortali un tempo,   10
e del perduto impero
par che col grave e taciturno aspetto
faccian fede e ricordo al passeggero.
Or ti riveggo in questo suol, di tristi
lochi e dal mondo abbandonati amante,   15
e d'afflitte fortune ognor compagna.
Questi campi cosparsi
di ceneri infeconde, e ricoperti
dell'impietrata lava,
che sotto i passi al peregrin risona;   20
dove s'annida e si contorce al sole
la serpe, e dove al noto
cavernoso covil torna il coniglio;

1. *arida*: brulla. 2. *formidabil*: tremendo, vulcanico. 3. *Vesevo*:
Vesuvio. 4. *la qual*: riferito a *schiena* (v. 1). Complemento oggetto
di *allegra*. – *null'altro*: nessun altro. 7. *contenta*: che prediligi. – *Anco*: già, un'altra volta. 8. *erme*: disabitate. – *contrade*: della campagna romana. 10. *donna*: padrona, signora. 13. *al passeggero*: al
viandante. 16. *afflitte*: abbattute, prostrate. Cfr. Virgilio, *Aeneis*, I,
452: « adflictis rebus » e Petrarca, *Rime*, CXXVII, 59: « fortune afflitte
e sparte ». – *fortune*: sorti. – *ognor*: sempre. 19. *impietrata*: pietrificata. 20. *al peregrin*: al pellegrino, al viandante.

fur liete ville e colti,
e biondeggiàr di spiche, e risonaro   25
di muggito d'armenti;
fur giardini e palagi,
agli ozi de' potenti
gradito ospizio; e fur città famose
che coi torrenti suoi l'altero monte   30
dall'ignea bocca fulminando oppresse
con gli abitanti insieme. Or tutto intorno
una ruina involve,
dove tu siedi, o fior gentile, e quasi
i danni altrui commiserando, al cielo   35
di dolcissimo odor mandi un profumo,
che il deserto consola. A queste piagge
venga colui che d'esaltar con lode
il nostro stato ha in uso, e vegga quanto
è il gener nostro in cura   40
all'amante natura. E la possanza
qui con giusta misura
anco estimar potrà dell'uman seme,
cui la dura nutrice, ov'ei men teme,
con lieve moto in un momento annulla   45
in parte, e può con moti
poco men lievi ancor subitamente
annichilare in tutto.
Dipinte in queste rive
son dell'umana gente   50
le magnifiche sorti e progressive.

---

24. *fur*: furono. – *colti*: campi coltivati. 25. *biondeggiàr... risonaro*: biondeggiarono, risuonarono. 28. *agli ozi*: di villeggiatura. 29. *ospizio*: soggiorno. – *città famose*: Ercolano, Pompei e Stabia, distrutte dall'eruzione vulcanica del 79 d. C. 30. *torrenti*: di lava. 31. *ignea*: di fuoco. – *oppresse*: seppellí. 33. *una*: una medesima. 34. *siedi*: in senso indeterminato: qui « sorgi ». 35-36. Cfr. Foscolo, *Sepolcri*, v. 172: « Mille di fiori al ciel mandano incensi ». 37. *piagge*: pendii, rive. Cfr. v. 49. 39. *il nostro stato*: di mortali. 41. *possanza*: potenza. 43. *dell'uman seme*: del genere umano. 44. *cui*: che. – *la dura nutrice*: la natura. – *ov'ei men teme*: quando egli meno se l'aspetta. 48. *annichilare*: annientare. 49. *Dipinte*: ritratte, illustrate, testimoniate. – *rive*: piagge, luoghi pianeggianti e inclinati. 51. Espressione tolta in prestito al cugino Terenzio Mamiani (1799-1885), patriota e pensatore pesarese, il quale era fiducioso nella virtú educatrice della religione e nelle « sorti magnifiche e progressive dell'umani-

Qui mira e qui ti specchia,
secol superbo e sciocco,
che il calle insino allora
dal risorto pensier segnato innanti   55
abbandonasti, e volti addietro i passi,
del ritornar ti vanti,
e procedere il chiami.
Al tuo pargoleggiar gl'ingegni tutti,
di cui lor sorte rea padre ti fece   60
vanno adulando, ancora
ch'a ludibrio talora
t'abbian fra se. Non io
con tal vergogna scenderò sotterra;
ma il disprezzo piuttosto che si serra   65
di te nel petto mio,
mostrato avrò quanto si possa aperto:
ben ch'io sappia che obblio
preme chi troppo all'età propria increbbe.
Di questo mal, che teco   70
mi fia comune, assai finor mi rido.
Libertà vai sognando, e servo a un tempo
vuoi di novo il pensiero,
sol per cui risorgemmo
della barbarie in parte, e per cui solo   75
si cresce in civiltà, che sola in meglio
guida i pubblici fati.

tà ». Le parole del Mamiani si leggono nella *Dedica* dei suoi *Inni Sacri*
premessa all'edizione del 1832. Cfr., in appendice, *Note ai Canti*.
53. *secol*: decimonono: l'età del romanticismo. Cfr. *Il pensiero dominante*, v. 59: « questa età superba ». 54-55. *il calle insino allora... segnato innanti*: la via fino a qui percorsa avanzando. 55. *risorto*: nel
Rinascimento. – *pensier*: sensistico e materialistico. 56. Cfr. la *Palinodia al marchese Gino Capponi*, vv. 208-17. 59. *Al tuo pargoleggiar*:
le tue fedi e illusioni infantili. 60. « sciaguratamente tuoi figli ». 61-
62. *ancora ch'*: anche se. 62. *a ludibrio*: a scherno. 64. Nella prima
copia di mano del Ranieri qui seguivano i versi, cancellati nella secon-
da copia e espunti nella terza: « E ben facil mi fora | imitar gli altri,
e vaneggiando in prova | farmi agli orecchi tuoi cantando accetto ».
69. *preme*: incalza, tien dietro a. 71. *fia*: sarà. 72. *Libertà* ecc.:
tutt'altra soluzione, ma il movimento è quello dantesco di *Purg.*, I,
71. – *servo*: di utopie umanitarie e di credenze religiose. 75. *della
barbarie*: dalle tenebre del medio evo. 77. *i pubblici fati*: il destino
dei popoli.

Cosí ti spiacque il vero
dell'aspra sorte e del depresso loco
che natura ci diè. Per questo il tergo   80
vigliaccamente rivolgesti al lume
che il fe' palese: e, fuggitivo, appelli
vil chi lui segue, e solo
magnanimo colui
che se schernendo o gli altri, astuto o folle,   85
fin sopra gli astri il mortal grado estolle.

Uom di povero stato e membra inferme
che sia dell'alma generoso ed alto,
non chiama se né stima
ricco d'or né gagliardo,   90
e di splendida vita o di valente
persona infra la gente
non fa risibil mostra;
ma se di forza e di tesor mendico
lascia parer senza vergogna, e noma   95
parlando, apertamente, e di sue cose
fa stima al vero uguale.
Magnanimo animale
non credo io già, ma stolto,
quel che nato a perir, nutrito in pene,   100
dice, a goder son fatto,
e di fetido orgoglio
empie le carte, eccelsi fati e nove
felicità, quali il ciel tutto ignora,
non pur quest'orbe, promettendo in terra   105
a popoli che un'onda

---

78. *Cosí*: a tal punto.   79. *depresso loco*: condizione miserevole. Cfr.
v. 117.   81. *al lume*: alla filosofia materialistica dell'Illuminismo settecentesco. Ma soprattutto vedi il versetto posto come epigrafe al canto.
82. *il*: *il vero* (v. 78): la realtà delle cose. – *fuggitivo*: non osando
guardarlo in faccia.   85. *astuto*: chi si fa gioco degli altri. – *folle*:
chi illude se stesso.   86. *fin sopra gli astri*: in contrapposizione a *depresso loco* (v. 79). – *estolle*: innalza.   87. *di povero stato*: di umili
condizioni.   88. *dell'alma*: complemento di limitazione: quanto al-
l'animo.   94. *mendico*: povero, privo. Cfr. v. 90.   95. *parer*: apparire. – *noma*: dice.   97. *al vero uguale*: corrispondente al vero.   98.
animale: essere animato.   102. *fetido*: disgustoso.   103. *le carte*: i
propri scritti.   105. *non pur*: non soltanto. – *orbe*: mondo.   106.
un'onda ecc.: un maremoto.

di mar commosso, un fiato
d'aura maligna, un sotterraneo crollo
distrugge sí, che avanza
a gran pena di lor la rimembranza.   110
Nobil natura è quella
che a sollevar s'ardisce
gli occhi mortali incontra
al comun fato, e che con franca lingua,
nulla al ver detraendo,   115
confessa il mal che ci fu dato in sorte,
e il basso stato e frale;
quella che grande e forte
mostra se nel soffrir, né gli odii e l'ire
fraterne, ancor piú gravi   120
d'ogni altro danno, accresce
alle miserie sue, l'uomo incolpando
del suo dolor, ma dà la colpa a quella
che veramente è rea, che de' mortali
madre è di parto e di voler matrigna.   125
Costei chiama inimica; e incontro a questa
congiunta esser pensando,
siccome è il vero, ed ordinata in pria
l'umana compagnia,
tutti fra se confederati estima   130
gli uomini, e tutti abbraccia
con vero amor, porgendo
valida e pronta ed aspettando aita
negli alterni perigli e nelle angosce
della guerra comune. Ed alle offese   135

107. *commosso*: agitato, mosso. – *un fiato* ecc.: un'epidemia. 108.
un sotterraneo crollo: un terremoto. 109. *avanza*: resta. 112. *s'ardisce*: ardisce, osa. 114. *con franca lingua*: *apertamente* del v. 96.
117. *frale*: fragile. 121. *accresce*: aggiunge. 124. *rea*: responsabile.
Cfr. *Zibaldone*, 4428: « La mia filosofia fa rea d'ogni cosa la natura,
e discolpando gli uomini totalmente, rivolge l'odio, o se non altro il
lamento, a principio piú alto, all'origine vera de' mali de' viventi ec.
ec. (Recanati, 2 gennaio 1829) ». 125. *di parto... di voler*: quanto al
partorirci, quanto al trattarci. 126. *Costei*: la natura. – *chiama*: il
soggetto è sempre *Nobil natura* (v. 111). – *incontro a questa*: contro
la natura. 127-28. *congiunta... ed ordinata*: alleata e schierata. 128.
in pria: fin dalle origini. 129. *l'umana compagnia*: l'umanità. 130.
estima: giudica, considera. 133. *valida e pronta... aita*: efficace e
istintivo aiuto. 135. *della guerra comune*: contro la natura. Intendi:

dell'uomo armar la destra, e laccio porre
al vicino ed inciampo,
stolto crede cosí qual fora in campo
cinto d'oste contraria, in sul piú vivo
incalzar degli assalti,   140
gl'inimici obbliando, acerbe gare
imprender con gli amici,
e sparger fuga e fulminar col brando
infra i propri guerrieri.
Cosí fatti pensieri   145
quando fien, come fur, palesi al volgo,
e quell'orror che primo
contra l'empia natura
strinse i mortali in social catena,
fia ricondotto in parte   150
da verace saper, l'onesto e il retto
conversar cittadino,
e giustizia e pietade, altra radice
avranno allor che non superbe fole,
ove fondata probità del volgo   155
cosí star suole in piede
quale star può quel ch'ha in error la sede.

Sovente in queste rive,

contro il dolore. – *alle offese*: dipende da *armar la destra* (v. 136):
« ai danni », contro. 137. *al vicino*: al proprio simile. 138-44. *stolto... cosí qual fora... imprender* ecc.: altrettanto stolto quanto sarebbe
il cominciare ecc. 138. *crede*: il soggetto è sempre *Nobil natura* (v.
111). 139. *cinto*: circondato. – *d'oste contraria*: dalle schiere nemiche. 141. *acerbe gare*: feroci zuffe. 143. *fulminar col brando*: gio-
strare con la spada. 146. *fien*: saranno. – *come fur*: come furono
in origine. – *al volgo*: a tutta l'umanità. 147. *quell'orror*: quel-
l'oscuro spavento di fronte ai fenomeni naturali. – *primo*: alle origini dell'umanità. 149. *strinse.... in social catena*: spinse ad unirsi
in società. 150. *fia*: sarà. – *ricondotto in parte*: ripristinato in misura giusta, cioè spurgato dal suo complesso di oscuri terrori e di
superstizioni infantili. 151. *da verace saper*: dalla chiara coscienza
della realtà. 151-53. *l'onesto* ecc.: la lealtà nei rapporti sociali, il sentimento della giustizia, la pietà verso i propri simili. 153. *altra*: ben
altra. 154. *superbe fole*: le fedi religiose e gli idealismi progressivi, le
une e gli altri fondati sul principio illusorio e pernicioso che l'uomo
sia padrone e signore, centro e fine dell'universo. 155. *ove fondata*:
sul fondamento delle quali. – *probità del volgo*: la civiltà umana.
156. *cosí*: vacillando, e destinata a cadere. 157. *quel ch'ha in error la
sede*: ciò che si fonda sull'errore. 158. *in queste rive*: in questi luo-

che, desolate, a bruno
veste il flutto indurato, e par che ondeggi,   160
seggo la notte; e su la mesta landa
in purissimo azzurro
veggo dall'alto fiammeggiar le stelle,
cui di lontan fa specchio
il mare, e tutto di scintille in giro   165
per lo vòto seren brillare il mondo.
E poi che gli occhi a quelle luci appunto,
ch'a lor sembrano un punto,
e sono immense, in guisa
che un punto a petto a lor son terra e mare   170
veracemente; a cui
l'uomo non pur, ma questo
globo ove l'uomo è nulla,
sconosciuto è del tutto; e quando miro
quegli ancor piú senz'alcun fin remoti   175
nodi quasi di stelle,
ch'a noi paion qual nebbia, a cui non l'uomo
e non la terra sol, ma tutte in uno,
del numero infinite e della mole,

ghi, alle pendici del Vesuvio. Cfr. il v. 49 e la nota relativa. 159.
a bruno: come in segno di lutto. 160. *il flutto indurato*: l'onda
della lava pietrificata. – *che ondeggi*: che ancora ondeggi. 163. *fiammeggiar*: cfr. il *Canto notturno* ecc., vv. 84 e 86; e Petrarca, *Rime*, xxii, 11: « poi, quand'io veggio fiammeggiar le stelle ». 165.
di scintille in giro: « stelle in alto, remote, e stelle in basso, intorno
intorno, all'orizzonte, quasi fossero lumi della terra » (De Robertis).
166. *per lo vòto seren*: nell'immensità dello spazio. 167. *appunto*:
fisso. 168. *a lor*: agli occhi. 172. *non pur*: non soltanto. 173. *l'uomo è nulla*: vedi quale tenace filo unisce nel tempo il solitario alma-
naccare di Leopardi: « Quando egli [l'uomo] considerando la pluralità de' mondi, si sente essere infinitesima parte di un globo ch'è minima parte d'uno degl'infiniti sistemi che compongono il mondo, e in
questa considerazione stupisce della sua piccolezza, e profondamente
sentendola e intentamente riguardandola, si confonde quasi col nulla,
e perde quasi se stesso nel pensiero della immensità delle cose, e si
trova come smarrito nella vastità incomprensibile dell'esistenza; allora
con questo atto e con questo pensiero egli dà la maggior prova possibile della sua nobiltà, della forza e della immensa capacità della sua
mente, la quale, rinchiusa in sí piccolo e menomo essere, è potuta
pervenire a conoscere e intender cose tanto superiori alla natura di lui,
e può abbracciare e conten col pensiero questa immensità medesima
della esistenza e delle cose... (12 agosto 1823) », *Zibaldone*, 3171-72.
178. *in uno*: insieme. 179. *del numero... e della mole*: di numero e
di misura.

con l'aureo sole insiem, le nostre stelle   180
o sono ignote, o cosí paion come
essi alla terra, un punto
di luce nebulosa; al pensier mio
che sembri allora, o prole
dell'uomo? E rimembrando   185
il tuo stato quaggiú, di cui fa segno
il suol ch'io premo; e poi dall'altra parte,
che te signora e fine
credi tu data al Tutto, e quante volte
favoleggiar ti piacque, in questo oscuro   190
granel di sabbia, il qual di terra ha nome,
per tua cagion, dell'universe cose
scender gli autori, e conversar sovente
co' tuoi piacevolmente, e che i derisi
sogni rinnovellando, ai saggi insulta   195
fin la presente età, che in conoscenza
ed in civil costume
sembra tutte avanzar; qual moto allora,
mortal prole infelice, o qual pensiero
verso te finalmente il cor m'assale?   200
Non so se il riso o la pietà prevale.

Come d'arbor cadendo un picciol pomo,
cui là nel tardo autunno
maturità senz'altra forza atterra,
d'un popol di formiche i dolci alberghi,   205
cavati in molle gleba

---

180. *nostre*: visibili a noi. 182. *essi*: gli agglomerati di stelle, a
malapena visibili, di cui al v. 176. 186. *di cui fa segno*: della cui
fragilità e miseria testimonia. 187. *il suol*: le pendici del Vesuvio,
devastate dalla lava. 187-98. « e ripensando, d'altra parte, che tu
ritieni d'essere stata destinata in sorte a tutto l'universo come sua
padrona e suo scopo; e rimembrando quante volte ti è piaciuto di
fantasticare che i creatori dell'universo siano personalmente discesi
sulla terra, per aver cura e per chiacchierare con te; e ricordandomi
che perfino il secolo XIX, il quale sembra rappresentare il culmine della
civiltà e della scienza, accredita tutte queste fantasticherie, già *derise*
nel secolo dell'Illuminismo, e insulta chi saggiamente non ci crede... »
198. *moto*: sentimento. 202. *d'arbor*: da una pianta. 203. *cui*: che.
– *là*: sul ramo. – *tardo*: avanzato. 204. *senz'altra forza*: senza il concorso di altre forze, al di fuori della stessa legge naturale. 205. *alberghi*: rifugi. 206. *cavati*: scavati. – *gleba*: terra.

con gran lavoro, e l'opre
e le ricchezze che adunate a prova
con lungo affaticar l'assidua gente
avea provvidamente al tempo estivo,   210
schiaccia, diserta e copre
in un punto; cosí d'alto piombando,
dall'utero tonante
scagliata al ciel profondo,
di ceneri e di pomici e di sassi   215
notte e ruina, infusa
di bollenti ruscelli,
o pel montano fianco
furiosa tra l'erba
di liquefatti massi   220
e di metalli e d'infocata arena
scendendo immensa piena,
le cittadi che il mar là su l'estremo
lido aspergea, confuse
e infranse e ricoperse   225
in pochi istanti: onde su quelle or pasce
la capra, e città nove
sorgon dall'altra banda, a cui sgabello
son le sepolte, e le prostrate mura
l'arduo monte al suo piè quasi calpesta.   230
Non ha natura al seme
dell'uom piú stima o cura
che alla formica: e se piú rara in quello
che nell'altra è la strage,
non avvien ciò d'altronde   235
fuor che l'uom sue prosapie ha men feconde.

Ben mille ed ottocento
anni varcàr poi che spariro, oppressi

207. *lavoro*: fatica. 208. *a prova*: a gara. 209. *l'assidua gente*: il
tenace popolo delle formiche. 211. *diserta*: devasta, annienta. 213.
dall'utero ecc.: dopo essere esplosa dalle viscere del vulcano. 216.
notte e ruina: un rovinoso turbine, che tutto avvolge di oscurità. –
infusa: mescolata. 217. *ruscelli*: della lava. 222. *immensa piena*:
un'immensa fiumana, da unire a *furiosa* (v. 219). 224. *aspergea*:
bagnava, lambiva. 229. *mura*: delle città distrutte. 233. *in quello*:
nel seme, nella stirpe umana. 236. *fuor che*: se non perché. – *prosapie*: generazioni. 238. *varcàr*: sono passati. – *oppressi*: sepolti.

dall'ignea forza, i popolati seggi,
e il villanello intento   240
ai vigneti, che a stento in questi campi
nutre la morta zolla e incenerita,
ancor leva lo sguardo
sospettoso alla vetta
fatal, che nulla mai fatta piú mite   245
ancor siede tremenda, ancor minaccia
a lui strage ed ai figli ed agli averi
lor poverelli. E spesso
il meschino in sul tetto
dell'ostel villereccio, alla vagante   250
aura giacendo tutta notte insonne,
e balzando piú volte, esplora il corso
del temuto bollor, che si riversa
dall'inesausto grembo
su l'arenoso dorso, a cui riluce   255
di Capri la marina
e di Napoli il porto e Mergellina.
E se appressar lo vede, o se nel cupo
del domestico pozzo ode mai l'acqua
fervendo gorgogliar, desta i figliuoli,   260
desta la moglie in fretta, e via, con quanto
di lor cose rapir posson, fuggendo,
vede lontan l'usato
suo nido, e il picciol campo,
che gli fu dalla fame unico schermo,   265
preda al flutto rovente,
che crepitando giunge, e inesorato
durabilmente sovra quei si spiega.
Torna al celeste raggio

239. *dall'ignea forza*: dall'eruzione vulcanica. – *popolati seggi*: le sedi
abitate: le città di Stabia, Ercolano e Pompei. 240. *il villanello*:
l'umile colono. 241. *che*: complemento oggetto di *nutre*. 245. *nulla mai*: per nulla. 246. *siede*: sta. 250. *dell'ostel villereccio*: della
sua rustica casa. 250-51. *alla vagante aura*: all'aperto. 252. *esplora
il corso*: cerca di individuare la direzione. 253. *del temuto bollor*:
della lava infuocata. 254. *grembo*: l'interno del monte. 255. *a cui*:
al cui bagliore. 257. *Mergellina*: sobborgo marinaro di Napoli a settentrione della città. 260. *fervendo*: ribollendo. Segno del sopravvenire dell'eruzione. 267. *inesorato*: inesorabile. 268. « si distende
solidificato sulla casa e sul podere » (v. 264). 269. *raggio*: del sole.

dopo l'antica obblivion l'estinta   270
Pompei, come sepolto
scheletro, cui di terra
avarizia o pietà rende all'aperto;
e dal deserto foro
diritto infra le file   275
dei mozzi colonnati il peregrino
lunge contempla il bipartito giogo
e la cresta fumante,
che alla sparsa ruina ancor minaccia.
E nell'orror della secreta notte   280
per li vacui teatri,
per li templi deformi e per le rotte
case, ove i parti il pipistrello asconde,
come sinistra face
che per vòti palagi atra s'aggiri,   285
corre il baglior della funerea lava,
che di lontan per l'ombre
rosseggia e i lochi intorno intorno tinge.
Cosí, dell'uomo ignara e dell'etadi
ch'ei chiama antiche, e del seguir che fanno   290
dopo gli avi i nepoti,
sta natura ognor verde, anzi procede
per sí lungo cammino
che sembra star. Caggiono i regni intanto,
passan genti e linguaggi: ella nol vede: 295
e l'uom d'eternità s'arroga il vanto.

E tu, lenta ginestra,
che di selve odorate
queste campagne dispogliate adorni,

---

271. *Pompei*: i cui scavi ebbero inizio nel 1748.   272. *cui*: che. –
di terra: di sotto terra.   273. *avarizia*: avidità di denaro e di tesori.
274. *foro*: dell'antica città: la piazza principale.   276. *il peregrino*:
il visitatore.   277. *il bipartito giogo*: la duplice vetta del Vesuvio e
del Somma.   279. *alla sparsa ruina*: della città distrutta.   280. *nel-
l'orror* ecc.: nella luttuosa suggestione. Cfr. Foscolo, *Sepolcri*, vv.
207-8: «e all'orror de' notturni | silenzi ». – *secreta*: profonda, oscura.
282. *deformi*: mutilati. – *rotte*: distrutte.   283. *i parti*: i nati. – *asconde*: nasconde, annida.   284. *face*: fiaccola.   285. *atra*: fosca.   287.
per l'ombre: della notte.   289. *ignara*: incurante.   292. *ognor verde*:
sempre giovane.   294. *star*: immobile, pur procedendo nel tempo. –
Caggiono: cadono.   297. *lenta*: flessibile.

anche tu presto alla crudel possanza   300
soccomberai del sotterraneo foco,
che ritornando al loco
già noto, stenderà l'avaro lembo
su tue molli foreste. E piegherai
sotto il fascio mortal non renitente   305
il tuo capo innocente:
ma non piegato insino allora indarno
codardamente supplicando innanzi
al futuro oppressor; ma non eretto
con forsennato orgoglio inver le stelle,   310
né sul deserto, dove
e la sede e i natali
non per voler ma per fortuna avesti;
ma piú saggia, ma tanto
meno inferma dell'uom, quanto le frali   315
tue stirpi non credesti
o dal fato o da te fatte immortali.

303. *avaro*: avido. 305. *non renitente*: senza ribellarti. Cfr. *Amore e Morte*, vv. 110-11. 307. *indarno*: invano, inutilmente. 309. *oppressor*: il vulcano. 311. *sul deserto*: della terra. 313. *fortuna*: sorte. 315. *meno inferma*: meno stolida. – *quanto*: correlativo di *tanto* (v. 314). – *frali*: fragili. 317. *dal fato*: secondo le fedi religiose. – *da te*: secondo gli idealismi progressistici. Cfr. v. 154 e la nota relativa.

Imitazione, come dice il titolo, de *La feuille*, strofa in ottonari di Antoine-Vincent Arnault (1766-1834), che apparve anonima nello « Spettatore Italiano » (1818, t. XI, p. 55), come epigrafe di un articolo su *La malinconia*. Non sappiamo quando fu composta: alcuni propendono per il 1818, quando il Leopardi poté leggere il testo francese; altri la collocano assai piú tardi, dopo il 1828, anno in cui cominciò a scrivere nel metro delle strofe libere. In realtà la strofa libera dell'« imitazione », d'intonazione madrigalesca, sulle orme di Tasso e di Guarini, è ben diversa dalla libertà strofica di *A Silvia*. Essa rivela una vena melica molto *ex lege* nel temperamento lirico di Leopardi: il melos, specialmente quello madrigalesco (cfr. il madrigale *Chiedi cosa da me che nel pensiero*), appartiene a un Leopardi possibile, non mai sviluppatosi. Gioverà notare, d'altra parte, che il tono generale del componimento, sostenuto da un interrogativo assoluto e con una sfumatura di idillio, richiama il Leopardi della maturità.

L'*Imitazione* fu pubblicata per la prima volta nei *Canti* (Napoli 1835). L'originale dell'Arnault suona: « De ta tige détachée, | Pauvre feuille desséchée, | Où vas-tu? — Je n'en sais rien. | L'orage a brisé le chêne | Qui seul était mon soutien. | De son inconstante haleine, | Le zéphir ou l'aquilon | Depuis ce jour me promène | De la forêt à la plaine, | De la montagne au vallon; | Je vais où le vent me mène | Sans me plaindre ou m'effrayer; | Je vais où va toute chose, | Où va la feuille de rose | Et la feuille de laurier ».

Metro: endecasillabi e settenari liberamente intrecciati.

Lungi dal proprio ramo,
povera foglia frale,
dove vai tu? – Dal faggio
là dov'io nacqui, mi divise il vento.
Esso, tornando, a volo   5
dal bosco alla campagna,
dalla valle mi porta alla montagna.
Seco perpetuamente
vo pellegrina, e tutto l'altro ignoro.
Vo dove ogni altra cosa,   10
dove naturalmente
va la foglia di rosa,
e la foglia d'alloro.

2. *frale*: fragile, in balia del vento. 4. *mi divise*: mi staccò. 5. *tornando*: cambiando di volta in volta direzione. 8. *Seco*: col vento. 9. *tutto l'altro ignoro*: risponde all'interrogativo del v. 3. 11. *naturalmente*: per legge di natura. 12-13. *di rosa... d'alloro*: tutte le foglie, tutte le cose. Forse accenna alla fugacità della bellezza e della gloria.

XXXVI. *Scherzo*

Composto a Pisa il « 15 febbraio, ultimo venerdí di carnevale » del 1828. Pubblicato per la prima volta nei *Canti* (Napoli 1835).

Metro: endecasillabi e settenari liberamente intrecciati.

Quando fanciullo io venni
a pormi con le Muse in disciplina,
l'una di quelle mi pigliò per mano;
e poi tutto quel giorno
la mi condusse intorno   5
a veder l'officina.
Mostrommi a parte a parte
gli strumenti dell'arte,
e i servigi diversi
a che ciascun di loro   10
s'adopra nel lavoro
delle prose e de' versi.
Io mirava, e chiedea:
Musa, la lima ov'è? Disse la Dea:

1. *fanciullo*: nella prima infanzia, intorno ai dieci anni, al tempo
della traduzione delle odi di Orazio (1809). 2. *con le Muse in disci-*
plina: alla scuola delle Muse. 5. *la*: essa. Pleonasmo dell'uso vivo
toscano, che dà un tono ironicamente cruschevole all'epigramma. 7. *a*
parte a parte: uno alla volta, partitamente. 10. *a che*: per i quali. 13.
mirava: guardavo ammirato e anche meravigliato. 14. *la lima*: che
suggella di perfezione il prodotto. Cfr. Orazio: « limae labor et mora »
(*Ars poet.*, 291) e *Zibaldone*, 4269: « Disgraziatamente l'arte e lo studio son cose oramai ignote e bandite dalla professione di scriver libri », e 4271: « La negligenza universale intorno allo stile, rende inutile la diligenza individuale, se alcuno sapesse e volesse usarne, intorno
al medesimo. Perché, in sí fatti generi, le cose quanto sono piú rare,
tanto meno si apprezzano. Il pubblico, appunto perché in ciò negligente, ed assuefatto a trascurar tale studio, non ha né gusto né capacità né per sentire né per giudicare le bellezze degli stili, né per esserne dilettato. Perché certi diletti, e non sono pochi, hanno bisogno
di un sensorio formatovi espressamente e non innato; di una capacità
di sentirli acquisita. A chi non l'ha non sono diletti in niun modo.
L'arte piú sopraffina non sarebbe conosciuta: l'ottimo stile non sa-

la lima è consumata; or facciam senza.   15
Ed io, ma di rifarla
non vi cal, soggiungea, quand'ella è stanca?
Rispose: hassi a rifar, ma il tempo manca.

rebbe distinto dal pessimo. Cosí l'eccellenza medesima dello stile non
sarebbe piú una via all'immortalità, che senza essa, tuttavia, non si
può dai libri conseguire (Recanati, 2 Aprile 1827) ». 17. *non vi cal*:
non vi importa. – *stanca*: logora. 18. *hassi a rifar*: bisognerebbe rifarla. Altra forma di stampo ironicamente cruschevole. – *il tempo
manca*: cfr. *Zibaldone*, 4271-72: « Molti libri oggi, anche dei bene ac-
colti, durano meno del tempo che è bisognato a raccorne i materiali, a
disporli e comporli, a scriverli. Se poi si volesse aver cura della per-
fezion dello stile, allora certamente la durata della vita loro non avrebbe neppur proporzione alcuna con quella della lor produzione; allora
sarebbero piú che mai simili agli efimeri, che vivono nello stato di
larve e di *ninfe* per ispazio di un anno, alcuni di due anni, altri di
tre, sempre affaticandosi per arrivare a quello d'*insetti alati*, nel quale
non durano piú di due, di tre, o di quattro giorni, secondo le specie;
e alcune non piú di una sola notte, tanto che mai non veggono il
sole; altre non piú di una, di due o di tre ore. (*Encyclopédie*, art.
éphémères). (Aprile 1827) ».

FRAMMENTI

XXXVII

Composto a Recanati nel 1819. In un primitivo manoscritto figura col titolo *Il sogno* (cfr., fra gli *Argomenti di idilli*, l'annotazione: « Luna caduta secondo il mio sogno »). Apparve per la prima volta, con gli altri cinque idilli (*L'infinito*, *Alla luna*, *La sera del dì di festa*, *Il sogno*, *La vita solitaria*), nel « Nuovo Ricoglitore » di Milano (gennaio 1826) e poi nei *Versi* (Bologna 1826) col titolo *Lo spavento notturno*. Escluso dalla prima edizione dei *Canti* (Firenze 1831), fu compreso tra i frammenti nella seconda (Napoli 1835).

Metro: endecasillabi sciolti.

ALCETA Odi, Melisso: io vo' contarti un sogno
di questa notte, che mi torna a mente
in riveder la luna. Io me ne stava
alla finestra che risponde al prato,
guardando in alto: ed ecco all'improvviso   5
distaccasi la luna; e mi parea
che quanto nel cader s'approssimava,
tanto crescesse al guardo; infin che venne
a dar di colpo in mezzo al prato; ed era
grande quanto una secchia, e di scintille   10
vomitava una nebbia, che stridea
sí forte come quando un carbon vivo
nell'acqua immergi e spegni. Anzi a quel modo
la luna, come ho detto, in mezzo al prato
si spegneva annerando a poco a poco,   15
e ne fumavan l'erbe intorno intorno.
Allor mirando in ciel, vidi rimaso
come un barlume, o un'orma, anzi una nicchia,
ond'ella fosse svelta; in cotal guisa,

1. *Melisso*: un pastore, come Alceta. I nomi di entrambi sono
tratti dalla *Filli di Sciro* di Guidubaldo Bonarelli. – *vo' contarti*: voglio raccontarti. 4. *che risponde al prato*: che dà sul prato. 6. *distaccasi*: dal cielo. 10. *una secchia*: come in Dante, *Purg.*, XVIII, 78:
« fatta com'un secchion che tutto arda ». 11. *una nebbia*: una nu-
vola di fumo incandescente. – *stridea*: cfr. *All'Italia*, v. 122; la canzone al Mai, v. 79 e, in appendice, le *Annotazioni alle Canzoni*. 12.
vivo: acceso. 13. *Anzi*: ripiglia la narrazione, dopo la similitudine,
con fare popolaresco: proprio. – *a quel modo*: come un carbone acceso immerso nell'acqua. 15. *annerando*: oscurandosi, perdendo il
polveroso sfavillio di prima. 16. *ne fumavan l'erbe*: bruciacchiate
dalle scintille. 17. *mirando*: scrutando. – *rimaso*: rimasto. 19. *on-
d'ella fosse svelta*: dalla quale fosse stata divelta, distaccata. Cfr. il
v. 6 e le stelle « divelte » della canzone *All'Italia*, vv. 121-22.

ch'io n'agghiacciava; e ancor non m'assicuro. 20

MELISSO   E ben hai che temer, che agevol cosa
           fora cader la luna in sul tuo campo.

ALCETA   Chi sa? non veggiam noi spesso di state
           cader le stelle?

MELISSO   Egli ci ha tante stelle,
           che picciol danno è cader l'una o l'altra   25
           di loro, e mille rimaner. Ma sola
           ha questa luna in ciel, che da nessuno
           cader fu vista mai se non in sogno.

---

20. *n'agghiacciava*: per lo spavento. – *non m'assicuro*: non mi sento
sicuro. Cfr. Petrarca, *Rime*, LIII, v. 47: « Per cui la gente ben non s'as-
secura ». 21. *E ben* ecc.: con ironia. – *che agevol* ecc.: poiché è davvero facile che la luna cada. 22. *fora*: sarebbe. 23. *di state*: d'estate. 24. *Egli ci ha*: ci sono in cielo. 27. *ha*: c'è.

XXXVIII

Frammento dell'*Elegia II* « Dove son? dove fui? che m'addolora? », composta sul finire del 1818 e compresa insieme alla *Elegia I* nell'edizione dei *Versi* (Bologna 1826). Mentre l'*Elegia I* fu poi accolta nei *Canti* (Firenze 1831 e Napoli 1835) col titolo *Il primo amore*, di questa il Leopardi salvò soltanto quindici versi, inserendoli nell'edizione napoletana tra i frammenti. L'elegia fu ispirata con tutta probabilità da una nuova visita a Recanati della cugina Geltrude Cassi Lazzari. Cfr. la nota premessa al *Primo amore*, e, fra gli abbozzi, il quinto « argomento di elegie ».

Metro: terza rima.

Io qui vagando al limitare intorno,
invan la pioggia invoco e la tempesta,
acciò che la ritenga al mio soggiorno.　　　　3

Pure il vento muggia nella foresta,
e muggia tra le nubi il tuono errante,
pria che l'aurora in ciel fosse ridesta.　　　　6

O care nubi, o cielo, o terra, o piante,
parte la donna mia: pietà, se trova
pietà nel mondo un infelice amante.　　　　9

O turbine, or ti sveglia, or fate prova
di sommergermi, o nembi, insino a tanto
che il sole ad altre terre il dí rinnova.　　　　12

S'apre il ciel, cade il soffio, in ogni canto
posan l'erbe e le frondi, e m'abbarbaglia
le luci il crudo Sol pregne di pianto.　　　　15

1. *al limitare*: della mia casa (il *mio soggiorno* del v. 3). 3. *la ritenga*: trattenga lei, la donna amata, impedendole di partire. 4. *Pure*: eppure. 5. *il tuono errante*: cfr. *Alla primavera*, vv. 82-83 e il *Canto notturno* ecc., v. 136. 7. *O care nubi* ecc.: nell'abbozzo dell'*Erminia*: « O nubi, o piante ecc. ah voi non sapete quanto io sia miserabile ». 8-9. *se trova* ecc.: se è dato a un amante trovare pietà. 10. *prova*: a gara. 11-12. *insino a tanto* ecc.: finché il sole non avrà portato nell'altro emisfero la luce del giorno. 13. *il soffio*: dei venti. 14. *posan*: riposano. – *l'erbe e le frondi*: la natura tornata calma. 15. *le luci*: gli occhi. – *crudo*: impietoso. Cfr. *pietà* (v. 8).

Frammento della cantica giovanile *Appressamento della morte*, composta a Recanati tra la fine di novembre e i primi di dicembre del 1816 e mai pubblicata dal Leopardi. (Cfr. *Le ricordanze*, v. 118). Il frammento, che è l'inizio, ritoccato, della cantica, fu compreso per la prima volta nell'edizione napoletana dei *Canti* (1835), mentre la cantica fu pubblicata integralmente da Zanino Volta nel 1880 (Hoepli, Milano), dall'autografo conservato al Museo Giovio di Como.

Metro: terza rima.

Spento il diurno raggio in occidente,
e queto il fumo delle ville, e queta
de' cani era la voce e della gente;   3

quand'ella, volta all'amorosa meta,
si ritrovò nel mezzo ad una landa
quanto foss'altra mai vezzosa e lieta.   6

Spandeva il suo chiaror per ogni banda
la sorella del sole, e fea d'argento
gli arbori ch'a quel loco eran ghirlanda.   9

I ramuscelli ivan cantando al vento,
e in un con l'usignol che sempre piagne
fra i tronchi un rivo fea dolce lamento.   12

Limpido il mar da lungi, e le campagne
e le foreste, e tutte ad una ad una
le cime si scoprian delle montagne.   15

1. *Spento*: sottintendi *era* (v. 3). 2. *ville*: gruppi di case sparse per la campagna. 3. *de' cani* ecc.: cfr. Ovidio, *Trist.*, I, 3, 27: « Jamque quiescebant voces hominumque canumque ». 4. *all'amorosa meta*: al convegno d'amore. 5. *ad una landa*: di un prato. Cfr. la nota al v. 9. 6. *vezzosa e lieta*: fiorita e ridente. 7. *per ogni banda*: da ogni parte. 8. *la sorella del sole*: la luna. Cfr. Petrarca, *Rime*, CCVI, 24: « Sol chiaro o sua sorella ». – *fea*: faceva. 9. *arbori*: alberi. – *eran ghirlanda*: circondavano. Cfr. Dante, *Inf.*, XIV, 8-10: « Arrivammo ad una landa | che dal suo letto ogni pianta rimuove. | La dolorosa selva l'è ghirlanda ». 10. *ivan cantando*: mormoravano. 11. *in un*: insieme. – *l'usignol* ecc.: cfr. Petrarca, *Rime*, CCCXI: « Quel rosigniuol che sí soave piagne ».

In queta ombra giacea la valle bruna,
e i collicelli intorno rivestia
del suo candor la rugiadosa luna.   18

Sola tenea la taciturna via
la donna, e il vento che gli odori spande,
molle passar sul volto si sentia.   21

Se lieta fosse, è van che tu dimande:
piacer prendea di quella vista, e il bene
che il cor le prometteva era piú grande.   24

Come fuggiste, o belle ore serene!
Dilettevol quaggiú null'altro dura,
né si ferma giammai, se non la spene.   27

Ecco turbar la notte, e farsi oscura
la sembianza del ciel, ch'era sí bella,
e il piacere in colei farsi paura.   30

Un nugol torbo, padre di procella,
sorgea di dietro ai monti, e crescea tanto,
che piú non si scopria luna né stella.   33

Spiegarsi ella il vedea per ogni canto,
e salir su per l'aria a poco a poco,
e far sovra il suo capo a quella ammanto.   36

Veniva il poco lume ognor piú fioco;
e intanto al bosco si destava il vento,
al bosco là del dilettoso loco.   39

---

18. *la rugiadosa luna*: cfr. Virgilio, *Georg.*, III, 337: « roscida luna ».
23. *piacer* ecc.: cfr. Petrarca, *Rime*, CCCXXIII, 44-45: « Piú dolcezza
prendea di tal concento | e di tal vista ». 25. *Come fuggiste* ecc.: cfr.
Petrarca, *Rime*, CCCXIX: « I dí miei piú leggier che nessun cervo | fug-
gir com'ombra; e non vider piú bene | ch'un batter d'occhio e poche
ore serene ». 26. *Dilettevol* ecc.: cfr. Petrarca, *Rime*, CCXI, 14: « Come nulla quaggiú diletta e dura ». 28. *turbar*: turbarsi. 29. *la sembianza*: l'aspetto. 31. *Un nugol torbo*: una torbida nube. 34. *per
ogni canto*: per ogni dove. 36. *far... a quella ammanto*: ricoprir l'a-
ria di una cortina, come un mantello nero. 37. *Veniva*: diveniva. –
lume: luce. Cfr. Dante, *Inf.*, III, 75: « Com'io discerno per lo fioco
lume ». 39. *al bosco*: proprio da quel bosco scelto come convegno
d'amore.

E si fea piú gagliardo ogni momento,
tal che a forza era desto e svolazzava
tra le frondi ogni augel per lo spavento.   42

E la nube, crescendo, in giú calava
ver la marina sí, che l'un suo lembo
toccava i monti, e l'altro il mar toccava.   45

Già tutto a cieca oscuritade in grembo,
s'incominciava udir fremer la pioggia,
e il suon cresceva all'appressar del nembo.   48

Dentro le nubi in paurosa foggia
guizzavan lampi, e la fean batter gli occhi;
e n'era il terren tristo, e l'aria roggia.   51

Discior sentia la misera i ginocchi;
e già muggiva il tuon simile al metro
di torrente che d'alto in giú trabocchi.   54

Talvolta ella ristava, e l'aer tetro
guardava sbigottita, e poi correa,
sí che i panni e le chiome ivano addietro.   57

E il duro vento col petto rompea,
che gocce fredde giú per l'aria nera
in sul volto soffiando le spingea.   60

E il tuon veniale incontro come fera,
rugghiando orribilmente e senza posa;
e cresceva la pioggia e la bufera.   63

---

40. *si fea*: diventava. 43. *la nube*: il *nugol torbo* (v. 31). 48. *il suon*: della pioggia. 50. *la fean*: facevano che la donna battesse gli occhi. 51. *tristo*: rattristato, abbuiato. – *roggia*: corsa dal bagliore rossastro dei lampi. 52. *Discior*: sciogliere, venir meno. 53. *al metro*: al fragore in cadenza. 55. *ristava*: sostava. 57. *sí che i panni* ecc.: come Dafne fuggitiva in Ovidio, *Metam.*, I, 529: «obviaque adversas vibrabant flamina vestes | et levis impulsos retro dabat aura capillos». 58. *il duro vento*: cfr. *Zibaldone*, 62: «Un bell'uso di quel vago e in certo modo, quanto alla costruzione, irragionevole, che tanto è necessario al poeta... come chi chiama *duro* il vento, perché difficilmente si rompe la sua piena quando se gli va incontro».

E d'ogn'intorno era terribil cosa
il volar polve e frondi e rami e sassi,
e il suon che immaginar l'alma non osa.   66

Ella dal lampo affaticati e lassi
coprendo gli occhi, e stretti i panni al seno,
gia pur tra il nembo accelerando i passi.   69

Ma nella vista ancor l'era il baleno
ardendo sí, ch'alfin dallo spavento
fermò l'andare, e il cor le venne meno.   72

E si rivolse indietro. E in quel momento
si spense il lampo, e tornò buio l'etra,
ed acchetossi il tuono, e stette il vento.   75

Taceva il tutto; ed ella era di pietra.

67. *lassi*: stanchi. 69. *gia pur*: seguitava ad andare. 70. *l'era*: le restava. 71. *ardendo sí*: cosí ardente. 74. *l'etra*: il cielo. 75. *stette*: si fermò, cadde.

XL. *Dal greco di Simonide*

Composto a Recanati con ogni probabilità nel 1823-24, gli
anni della traduzione della *Satira sopra le donne* dello stesso
Semonide d'Amorgo, cui il frammento è attribuito, dei *Versi
morali* di Archiloco, Alessi Turio, Aufide Ateniese, Eubulo Ateniese, Eupoli Comico, e dei volgarizzamenti di prose morali. I
versi 10-18 figurano, con qualche variante, in una delle *Operette*
del '24, *Il Parini ovvero della gloria* (stampata con le altre del
medesimo periodo nel 1827), e comparvero a sé stanti col titolo
La Speranza nel « Corriere delle Dame » del 10 novembre 1827.
L'intera traduzione, nella sua forma definitiva, fu pubblicata
per la prima volta nei *Canti* (Napoli 1835).

Metro: endecasillabi e settenari liberamente intrecciati.

Ogni mondano evento
è di Giove in poter, di Giove, o figlio,
che giusta suo talento
ogni cosa dispone.
Ma di lunga stagione   5
nostro cieco pensier s'affanna e cura,
benché l'umana etate,
come destina il ciel nostra ventura,
di giorno in giorno dura.
La bella speme tutti ci nutrica   10
di sembianze beate,
onde ciascuno indarno s'affatica:
altri l'aurora amica,
altri l'etade aspetta;
e nullo in terra vive   15
cui nell'anno avvenir facili e pii
con Pluto gli altri iddii
la mente non prometta.
Ecco pria che la speme in porto arrive,
qual da vecchiezza è giunto   20
e qual da morbi al bruno Lete addutto;

3. *giusta suo talento*: secondo il suo arbitrio. 5. *di lunga stagione*: dell'avvenire, che la mente umana (*nostro cieco pensier*) si prospetta di lunga durata. 7. *l'umana etate*: la vita dell'uomo. 9.
dura: si protrae. 10. *ci nutrica*: ci nutre. 11. *sembianze*: apparen-
ze, illusioni. 12. *onde*: per le quali. 13-14. *altri... altri*: chi. 13.
l'aurora: l'indomani. 14. *l'etade*: un tempo piú lontano nell'avvenire.
15. *nullo*: nessuno. 16. *facili e pii*: condiscendenti e pietosi. 17.
Pluto: il dio della ricchezza. 19. *in porto arrive*: si compia. 20-21.
qual... qual: chi. 20. *giunto*: raggiunto. 21. *al bruno* ecc.: condotto
a morte. Il Lete è uno dei mitici fiumi infernali. – *bruno*: buio.

questo il rigido Marte, e quello il flutto
del pelago rapisce; altri consunto
da negre cure, o tristo nodo al collo
circondando, sotterra si rifugge.   25
Cosí di mille mali
i miseri mortali
volgo fiero e diverso agita e strugge.
Ma per sentenza mia,
uom saggio e sciolto dal comune errore,   30
patir non sosterria,
né porrebbe al dolore
ed al mal proprio suo cotanto amore.

22. *il rigido Marte*: la dura guerra.   24. *da negre cure*: da mortali pre-
occupazioni. – *tristo*: funebre, sciagurato.   25. *si rifugge*: fugge, cerca
rifugio. Cfr. *Ultimo canto di Saffo*, v. 56.   26. *di mille mali*: da unire
a *volgo* (v. 28).   28. *volgo fiero e diverso*: una moltitudine feroce e
straordinaria. – *agita e strugge*: perseguita e distrugge.   29. *per sentenza mia*: a mio giudizio.   30. *sciolto*: libero dal comune errore di
illudersi continuamente in un domani migliore.   31-34. *patir non sosterria* ecc.: « non dovrebbe sottomettersi a soffrire per vane illusioni
e non dovrebbe inseguire con tutto lo slancio del proprio cuore un
miraggio di felicità destinato sicuramente a risolversi in proprio scorno, in delusione e sofferenza ».

Composto a Recanati nel 1823-24, come il precedente (cfr. la nota preliminare) fu pubblicato per la prima volta nei *Canti* (Napoli 1835). Contrariamente all'opinione dei piú, che attribuiscono il frammento elegiaco ispirato a *Iliade*, vi, 146 a Simonide di Ceo, il Leopardi anticipando l'ipotesi poi sostenuta, fra gli altri, dal Bergk e dal Wilamowitz, assegnava anche questo frammento a Semonide Amorgino.

Metro: endecasillabi e settenari liberamente intrecciati.

Umana cosa picciol tempo dura,
e certissimo detto
disse il veglio di Chio,
conforme ebber natura
le foglie e l'uman seme.   5
Ma questa voce in petto
raccolgon pochi. All'inquieta speme,
figlia di giovin core,
tutti prestiam ricetto.
Mentre è vermiglio il fiore   10
di nostra etade acerba,
l'alma vota e superba
cento dolci pensieri educa invano,
né morte aspetta né vecchiezza; e nulla
cura di morbi ha l'uom gagliardo e sano.   15
Ma stolto è chi non vede
la giovanezza come ha ratte l'ale,
e siccome alla culla
poco il rogo è lontano.
Tu presso a porre il piede   20

1. *Umana cosa*: ogni umana cosa. 3. *il veglio di Chio*: Omero.
Chio, isola dell'Egeo prospiciente l'Asia minore, divideva con varie
città greche il vanto d'avergli dato i natali. 4-5. *conforme* ecc.: cfr.
Iliade, VI, 146. Il verso omerico, riportato integralmente nel frammento
simonideo, suona nella traduzione del Monti: « Quale delle foglie,
tale è la stirpe degli uomini ». 5. *l'uman seme*: cfr. *Inno ai Patriarchi*, v. 59 e la nota relativa. 7. *inquieta speme*: cfr. il frammento
precedente, v. 12. 9. *prestiam ricetto*: diamo stanza, apriamo la porta. 11. *acerba*: ancor verde, giovanile. 12. *vota*: d'affanni, schiusa
alla speranza. – *superba*: gonfia di avvenire. 13. *educa*: alleva. 14-
15. *nulla cura*: nessuna preoccupazione. 18. *alla*: dalla. 19. *il rogo*:
la morte. 20. *presso a*: sul punto di.

in sul varco fatale
della plutonia sede,
ai presenti diletti
la breve età commetti.

22. *plutonia sede*: l'Averno. Nell'autografo il Leopardi annotò in mar-
gine i versi di Orazio: « Jam te premet nox fabulaeque manes | et
domus exilis plutonia »: la desolata casa di Plutone. 23-24. *ai presenti* ecc.: « affida ai piaceri del presente il poco tempo che hai da
vivere ».

APPENDICE

Dedicatorie delle Canzoni

AL CHIARISSIMO SIG. CAVALIERE VINCENZO MONTI
GIACOMO LEOPARDI *

Quando mi risolsi di pubblicare queste Canzoni, come non mi sarei lasciato condurre da nessuna cosa del mondo a intitolarle a verun potente, cosí mi parve dolce e beato il consacrarle a Voi, Signor Cavaliere. Stante che oggidí chiunque deplora o esorta la patria nostra, non può fare che non si ricordi con infinita consolazione di Voi che insieme con quegli altri pochissimi, i quali tacendo non vengo a dinotare niente meno di quello che farei nominando, sostenete l'ultima gloria nostra, io dico quella che deriva dagli studi, e singolarmente dalle lettere e arti belle, tanto che per anche non si può dire che l'Italia sia morta. Di queste Canzoni, se uguaglino il soggetto, che quando lo uguagliassero, non mancherebbe loro né grandiosità né veemenza, sarà giudizio non tanto dell'universale quanto vostro; giacché da quando veniste in quella fama che dovevate, si può dire che nessuno scrittore italiano, se non altro, di quanti non ebbero la vista impedita né da scarsezza d'intelletto, né da presunzione e amore di se medesimi, stimò che valessero punto a rifarlo delle riprensioni vostre le lodi dell'altra gente, o lodato da voi riputò mal pagate le sue fatiche, o si curò de' biasimi o dello spregio del popolo. Basterà che intorno al canto di Simonide che sta nella prima Canzone io significhi non per Voi, ma per li piú de' lettori, e domandandovi perdono di questo, ch'io mi fo coraggio e non mi vergogno di scriverlo a Voi, che quel gran fatto delle Termopile fu celebrato realmente da un Poeta greco di molta fama, e quel ch'è piú, vissuto in quei medesimi tempi, cioè Simonide, come si vede appres-

---

* Scritta nel 1818 e premessa alle canzoni *All'Italia* e *Sopra il monumento di Dante* nell'edizione romana (Bourlié, Roma 1818).

so Diodoro nell'undecimo libro, dove recita anche certe parole di esso Poeta; lasciando l'epitaffio riportato da Cicerone e da altri. Due o tre delle quali parole recate da Diodoro sono espresse nel quinto verso dell'ultima strofe. Ora io giudicava che a nessun altro Poeta lirico né prima né dopo toccasse mai verun soggetto cosí grande né conveniente. Imperocché quello che raccontato o letto dopo ventitre secoli, tuttavia spreme da occhi stranieri le lagrime a viva forza, pare che quasi veduto, e certamente udito a magnificare da chicchessia nello stesso fervore della Grecia vincitrice di un'armata quale non si vide in Europa se non allora, fra le maraviglie i tripudii gli applausi le lagrime di tutta una eccellentissima nazione sublimata oltre a quanto si può dire o pensare dalla coscienza della gloria acquistata, e da quell'amore incredibile della patria ch'è passato in compagnia de' secoli antichi, dovesse ispirare in qualsivoglia Greco, massimamente Poeta, affetto e furore onninamente indicibile e sovrumano. Per la qual cosa dolendomi assai che il sovraddetto componimento fosse perduto, alla fine presi cuore di mettermi, come si dice, nei panni di Simonide, e cosí, quanto portava la mediocrità mia, rifare il suo canto, del quale non dubito di affermare, che se non fu meraviglioso, allora e la fama di Simonide fu vano rumore, e gli scritti consumati degnamente dal tempo. Di questo mio fatto, se sia stato coraggio o temerità, sentenzierete Voi, Signor Cavaliere, e altresí, quando vi paia da tanto, giudicherete della seconda Canzone, la quale io v'offro umilmente e semplicemente insieme coll'altra, acceso d'amore verso la povera Italia, e quindi animato di vivissimo affetto e gratitudine e riverenza verso cotesto numero presso che impercettibile d'Italiani che sopravvive. Né temo se non ch'altri mi vituperi e scherisca della indegnità e miseria del donativo; che quanto a Voi non ignoro che siccome l'eccellenza del vostro ingegno vi dimostrerà necessariamente a prima vista la qualità dell'offerta, cosí la dolcezza del cuor vostro vi sforzerà d'accettarla, per molto ch'ella sia povera e vile, e conoscendo la vanità del dono, a ogni modo procurerete di scusare la confidenza del donatore, forse anche vi sarà grato quello che non ostante la benignità vostra, vi converrà tenere per dispregevole.

GIACOMO LEOPARDI AL CAVALIERE VINCENZO MONTI *

Consacro a Voi, Signor Cavaliere, queste Canzoni perché quelli che oggi compiangono o esortano la patria nostra, non possono fare di non consolarsi pensando che voi con quegli altri pochissimi (i nomi de' quali si dichiarano per se medesimi quando anche si tacciano) sostenete l'ultima gloria degl'Italiani; dico quella che deriva loro dagli studi e singolarmente dalle lettere e dalle arti belle; tanto che per anche non si potrà dire che l'Italia sia morta. Se queste Canzoni uguagliassero il soggetto, so bene che non mancherebbe loro né grandiosità né veemenza: ma non dubitando che non cedano alla materia, mi rimetto del quanto e del come al giudizio vostro, non altrimenti ch'io faccia a quello dell'universale; conformandomi in questa parte a molti valorosi ingegni italiani che per l'ordinario non si contentano se le opere loro sono approvate per buone dalla moltitudine, quando a voi non soddisfacciano; o lodate che sieno da voi, non si curano che il piú dell'altra gente le biasimi o le disprezzi. Una cosa nel particolare della prima Canzone m'occorre di significare alla piú parte degli altri che leggeranno; ed è che il successo delle Termopile fu celebrato veramente da quello che in essa Canzone s'introduce a poetare, cioè da Simonide, tenuto dall'antichità fra gli ottimi poeti lirici, vissuto, che piú rileva, ai medesimi tempi della scesa di Serse, e greco di patria. Questo suo fatto, lasciando l'epitaffio riportato da Cicerone e da altri, si dimostra da quello che scrive Diodoro nell'undecimo libro, dove recita anche certe parole d'esso poeta in questo proposito, due o tre delle quali sono espresse nel quinto verso dell'ultima strofe. Rispetto dunque alle predette circostanze del tempo e della persona, e d'altra parte riguardando alle qualità della materia per se medesima, io non credo che mai si trovasse argomento piú degno di poema lirico e piú fortunato di questo che fu scelto o piú veramente sortito da Simonide. Perocché se l'impresa delle Termopile fa tanta forza a noi che siamo

---

* Nuova stesura della dedicatoria, come apparve nell'edizione bolognese (*Canzoni*, Nobili, Bologna 1824).

stranieri verso quelli che l'operarono, e con tutto questo
non possiamo tener le lagrime a leggerla semplicemente
come passasse, e ventitre secoli dopo ch'ell'è seguita; abbiamo a far congettura di quello che la sua ricordanza dovesse potere in un greco, e poeta, e de' principali, avendo
veduto il fatto, si può dire, cogli occhi propri, andando
per le stesse città vincitrici d'un esercito molto maggiore
di quanti altri si ricorda la storia d'Europa, venendo a
parte delle feste, delle maraviglie, del fervore di tutta una
eccellentissima nazione, fatta anche piú magnanima della
sua natura dalla coscienza della gloria acquistata, e dal-
l'emulazione di tanta virtú dimostrata pur allora dai suoi.
Per queste considerazioni riputando a molta disavventura
che le cose scritte da Simonide in quella occorrenza fossero perdute, non ch'io presumessi di riparare a questo
danno, ma come per ingannare il desiderio, procurai di
rappresentarmi alla mente le disposizioni dell'animo del
poeta in quel tempo, e con questo mezzo, salva la disuguaglianza degl'ingegni, tornare a fare la sua canzone; della
quale io porto questo parere, che o fosse maravigliosa, o
la fama di Simonide fosse vana e gli scritti perissero con
poca ingiuria. Voi, Signor Cavaliere, sentenzierete se questo mio proponimento abbia avuto piú del coraggioso o
del temerario; e similmente farete giudizio della seconda
Canzone, ch'io v'offro insieme coll'altra candidamente e
come quello che facendo professione d'amare piú che si
possa la nostra povera patria, mi tengo per obbligato d'affetto e riverenza particolare ai pochissimi Italiani che so-
pravvivono. E ho tanta confidenza nell'umanità dell'animo
vostro, che quantunque siate per conoscere al primo tratto
la povertà del donativo, m'assicuro che lo accetterete in
buona parte, e forse anche l'avrete caro per pochissima o
niuna stima che ne convenga fare al vostro giudizio.

GIACOMO LEOPARDI AL CONTE LEONARDO TRISSINO *

   Voi per animarmi a scrivere mi solete ricordare che la
storia de' nostri tempi non darà lode agl'italiani altro che

   * Dedica al conte Trissino della canzone *Ad Angelo Mai*, pubblicata a Bologna, per le stampe di Jacopo Marsigli, nel 1820.

nelle lettere e nelle scolture. Ma eziandio nelle lettere
siamo fatti servi e tributari; e io non vedo in che pregio
ne dovremo esser tenuti dai posteri, considerando che la
facoltà dell'immaginare e del ritrovare è spenta in Italia,
ancorché gli stranieri ce l'attribuiscano tuttavia come nostra speciale e primaria qualità, ed è secca ogni vena di
affetto e di vera eloquenza. E contuttociò quello che gli
antichi adoperavano in luogo di passatempo, a noi resta in
luogo di affare. Sicché diamoci alle lettere quanto portano
le nostre forze, e applichiamo l'ingegno a dilettare colle
parole, giacché la fortuna ci toglie il giovare co' fatti co-
m'era usanza di qualunque de' nostri maggiori volse l'animo alla gloria. E voi non isdegnate questi pochi versi ch'io
vi mando. Ma ricordatevi ch'ai disgraziati si conviene il
vestire a lutto, ed è forza che le nostre canzoni rassomi-
glino ai versi funebri. Diceva il Petrarca, « ed io son un
di quei che il pianger giova » [1]. Io non posso dir questo,
perché il piangere non è inclinazione mia propria, ma necessità de' tempi e volere della fortuna.

GIACOMO LEOPARDI AL CONTE LEONARDO TRISSINO [*]

   Voi per animarmi a scrivere siete solito d'ammonirmi
che l'Italia non sarà lodata né anco forse nominata nelle
storie de' tempi nostri, se non per conto delle lettere e
delle sculture. Ma da un secolo e piú siamo fatti servi e
tributari anche nelle lettere, e quanto a loro io non vedo
in che pregio o memoria dovremo essere, avendo smarrita
la vena d'ogni affetto e d'ogni eloquenza, e lasciataci venir
meno la facoltà dell'immaginare e del ritrovare, non ostante che ci fosse propria e speciale in modo che gli stranieri
non dismettono il costume d'attribuircela. Nondimeno re-
standoci in luogo d'affare quel che i nostri antichi adoperavano in forma di passatempo, non tralasceremo gli studi,
quando anche niuna gloria ce ne debba succedere, e non
potendo giovare altrui colle azioni, applicheremo l'ingegno
a dilettare colle parole. E voi non isdegnerete questi po-

---

[1] Petrarca, *Rime*, XXXVII, 69.
[*] Nuova stesura della dedicatoria come apparve nell'edizione delle *Canzoni* (Nobili, Bologna 1824).

chi versi ch'io vi mando. Ma ricordatevi che si conviene agli sfortunati di vestire a lutto, e parimente alle nostre canzoni di rassomigliare ai versi funebri. Diceva il Petrarca: « ed io son un di quei che 'l pianger giova ». Io non dirò che il piangere sia natura mia propria, ma necessità de' tempi e della fortuna.

Prefazione alle dieci Canzoni

A CHI LEGGE *

Con queste Canzoni l'autore s'adopera dal canto suo di ravvivare negl'Italiani quel tale amore verso la patria dal quale hanno principio, non la disubbidienza, ma la probità e la nobiltà cosí de' pensieri come delle opere. Al medesimo effetto riguardano, qual piú qual meno dirittamente, le istituzioni dei nostri governi, i quali procurano la felicità de' loro soggetti, non dandosi felicità senza virtú, né virtú vera e generale in un popolo disamorato di se stesso. E però dovunque i soggetti non si curano della patria loro, quivi non corrispondono all'intento de' loro Principi. Di queste Canzoni, le due prime uscirono l'anno 1818, premessavi allora quella dedicatoria ch'hanno dinanzi. La terza l'anno 1820 colla lettera ch'anche qui se le prepone. E dopo la prima stampa tutte tre sono state ritoccate dall'autore in molti luoghi. L'altre sono nuove.

* Avviso premesso all'edizione bolognese delle *Canzoni* (Nobili, 1824). Con tutta probabilità fu inserito nel volume per esigenze di censura.

Annuncio delle Canzoni *

Canzoni del conte Giacomo Leopardi, Bologna, Nobili, 1824. Un vol. in 8° piccolo.

Sono dieci Canzoni, e piú di dieci stravaganze. Primo: di dieci Canzoni né pur una amorosa. Secondo: non tutte e non in tutto sono di stile petrarchesco. Terzo: non sono di stile né arcadico né frugoniano; non hanno né quello del Chiabrera, né quello del Testi o del Filicaia o del Guidi o del Manfredi, né quello delle poesie liriche del Parini o del Monti; in somma non si rassomigliano a nessuna poesia lirica italiana. Quarto: nessun potrebbe indovinare i soggetti delle Canzoni dai titoli; anzi per lo piú il poeta fino dal primo verso entra in materie differentissime da quello che il lettore si sarebbe aspettato. Per esempio, una Canzone per nozze, non parla né di talamo né di zona né di Venere né d'Imene. Una ad Angelo Mai parla di tutt'altro che di codici. Una a un vincitore nel giuoco del pallone non è un'imitazione di Pindaro. Un'altra alla Primavera non descrive né prati né arboscelli né fiori né erbe né foglie. Quinto: gli assunti delle Canzoni per se medesimi non sono meno stravaganti. Una, ch'è intitolata *Ultimo canto di Saffo*, intende di rappresentare la infelicità di un animo delicato, tenero, sensitivo, nobile e caldo, posto in un corpo brutto e giovane: soggetto cosí difficile, che io non mi so ricordare né tra gli antichi né tra i moderni nessuno scrittor famoso che abbia ardito di trattarlo, eccetto solamente la signora di Staël, che lo tratta in una lettera in principio della *Delfina*, ma in tutt'altro modo. Un'altra Canzone intitolata *Inno ai Patriarchi, o de' principii del genere umano*, contiene in sostanza un panegirico dei costumi della California, e dice che il secol d'oro non è una

* Apparve nel « Nuovo Ricoglitore » di Milano del settembre 1825, come premessa alla ristampa delle *Annotazioni alle Canzoni*.

favola. Sesto: sono tutte piene di lamenti e di malinconia, come se il mondo e gli uomini fossero una trista cosa, e come se la vita umana fosse infelice. Settimo: se non si leggono attentamente, non s'intendono; come se gl'Italiani leggessero attentamente. Ottavo: pare che il poeta si abbia proposto di dar materia ai lettori di pensare, come se a chi legge un libro italiano dovesse restar qualche cosa in testa, o come se già fosse tempo di raccoglier qualche pensiero in mente prima di mettersi a scrivere. Nono: quasi tante stranezze quante sentenze. Verbigrazia: che dopo scoperta l'America, la terra ci par piú piccola che non ci pareva prima; che la Natura parlò agli antichi, cioè gl'inspirò, ma senza svelarsi; che piú scoperte si fanno nelle cose naturali, e piú si accresce alla nostra immaginazione la nullità dell'Universo; che tutto è vano al mondo fuorché il dolore; che il dolore è meglio che la noia; che la nostra vita non è buona ad altro che a disprezzarla essa medesima; che la necessità di un male consola di quel male le anime volgari, ma non le grandi; che tutto è mistero nell'Universo, fuorché la nostra infelicità. Decimo, undecimo, duodecimo: andate cosí discorrendo.

Recheremo qui, per saggio delle altre, la Canzone che s'intitola *Alla sua donna*, la quale è la piú breve di tutte, e forse la meno stravagante, eccettuato il soggetto. La donna, cioè l'innamorata, dell'autore, è una di quelle immagini, uno di quei fantasmi di bellezza e virtú celeste e ineffabile, che ci occorrono spesso alla fantasia, nel sonno e nella veglia, quando siamo poco piú che fanciulli, e poi qualche rara volta nel sonno, o in una quasi alienazione di mente, quando siamo giovani. Infine è *la donna che non si trova*. L'autore non sa se la sua donna (e cosí chiamandola, mostra di non amare altra che questa) sia mai nata finora, o debba mai nascere; sa che ora non vive in terra, o che noi non siamo suoi contemporanei; la cerca tra le idee di Platone, la cerca nella luna, nei pianeti del sistema solare, in quei de' sistemi delle stelle. Se questa Canzone si vorrà chiamare amorosa, sarà pur certo che questo tale amore non può né dare né patir gelosia, perché fuor dell'autore, nessun amante terreno vorrà fare all'amore col telescopio [1].

---

[1] Seguiva, qui, il testo della canzone *Alla sua donna*.

Alle Canzoni sono mescolate alcune prose, cioè due Lettere, l'una al cavalier Monti, e l'altra al conte Trissino vicentino; e una *Comparazione delle sentenze di Bruto Minore e di Teofrasto vicini a morte*. Si aggiungono appiè del volume certe *Annotazioni*, le quali verremo portando in questo Giornale, perché per la maggior parte sono in proposito della lingua, che in Italia è, come si dice, *la materia del giorno*; e non si può negare che il giorno in Italia non sia lungo.

> *Il cor di tutte*
> *cose alfin sente sazietà, del sonno,*
> *della danza, del canto e dell'amore,*
> *piacer piú cari che il parlar di lingua;*
> *ma sazietà di lingua il cor non sente* [1]*;*

se non altro, il cuor degl'Italiani. Venghiamo alle note del Leopardi.

Annotazioni [*]

Non credere, lettor mio, che in queste *Annotazioni* si contenga cosa di rilievo. Anzi se tu sei di quelli ch'io desidero per lettori, fa conto che il libro sia finito, e lasciami qui solo co' pedagoghi a sfoderar testi e citazioni, e menare a tondo la clava d'Ercole, cioè l'autorità, per dare a vedere che anch'io cosí di passata ho letto qualche buono scrittore italiano, ho studiato tanto o quanto la lingua nella quale scrivo, e mi sono informato all'ingrosso delle sue condizioni. Vedi, caro lettore, che oggi in Italia, per quello che spetta alla lingua, pochissimi sanno scrivere, e moltissimi non lasciano che si scriva; né fra gli antichi, o i moderni fu mai lingua nessuna civile né barbara cosí tribolata a un

---

[1] Sono parodiati i versi 817-21 del l. XIII dell'*Iliade* nella traduzione di Vincenzo Monti: « Il cor di tutte | cose alfin sente sazietà, del sonno, | della danza, del canto e dell'amore, | piacer piú cari che la guerra; e mai | sazi di guerra non saranno i Teucri? »

[*] Pubblicate in calce al volume delle *Canzoni* (Nobili, Bologna 1824) e ristampate nel « Nuovo Ricoglitore » di Milano del settembre 1825. Cfr. la nota all'*Annuncio delle Canzoni*. Si riproduce il testo come apparve nel periodico milanese. Le note in tondo sono del Leopardi.

medesimo tempo dalla rarità di quelli che sanno, e dalla moltitudine e petulanza di quelli che, non sapendo niente, vogliono che la favella non si possa stendere piú là di quel niente che n'hanno imparato. Co' quali, per questa volta e non piú, bisogna che tu mi dii licenza di fare alle pugna come s'usa in Inghilterra, e di chiarirli (se bene, essendo uomo, non mi reputo immune dallo sbagliare) che non soglio scrivere affatto affatto come viene, e che in tutti i modi non sarà loro cosí facile, come si pensano, il mostrarmi caduto in errore.

CANZONE PRIMA   [All'Italia]

St. VI, v. 10.   *vedi* ingombrar *de' vinti* [1]
                 la fuga i carri e le tende cadute.

Cioè trattenere, contrastare, impacciare, impedire. Questo sentimento della voce « ingombrare » ha due testi nel Vocabolario della Crusca; ma quando non ti paressero chiari, accompagnali con quest'altro esempio, ch'è del Petrarca [2]. « Quel sí pensoso è Ulisse, affabil ombra, Che la casta mogliera aspetta e prega; Ma Circe amando gliel ritiene e *'ngombra* ». Dietro a questo puoi notare il seguente, ch'è d'Angelo di Costanzo [3]. « Ché quel chiaro splendor ch'offusca e *ingombra*, Quando vi mira, ogni piú acuto aspetto (*cioè vista*), D'un'alta nube la mia mente adombra ». Ed altri molti ne troverai della medesima forma leggendo i buoni scrittori, e vedrai come anche si dice « ingombro » nel significato d'« impedimento » o di « ostacolo »; e se la Crusca non s'accorse di questo particolare, o non fu da tanto di spiegarlo, tal sia di lei.

Ivi, 12.   *e correr fra' primieri*
                 pallido e scapigliato esso *tiranno.*

Del qual tiranno il nostro Simonide avanti a questo passo non ha fatto menzione alcuna. Il Volgarizzatore an-

_____

[1] *Nella lezione definitiva:* «*vedi intralciare ai vinti*».
[2] *Tr. d'Am.* capit. 3, vers. 22.
[3] Son. 13.

tico dell'Epistola di Marco Tullio Cicerone a Quinto suo
fratello intorno al Proconsolato dell'Asia [1]: « Avvenga ch'io
non dubitassi che quest'epistola molti messi, ed eziandio
essa fama, colla sua velocità vincerebbono ». Queste sono
le primissime parole dell'Epistola. Similmente lo Speroni [2]
dice che « amor vince essa natura » volendo dir « fino alla
natura ».

Ivi, 14.   *ve' come* infusi *e tinti*
                   del barbarico sangue.

« Infusi » qui vale « aspersi » o « bagnati ». Il Casa [3]
nella quarta Canzone: « E ben conviene Or penitenzia e
duol l'anima lave De' color atri e del terrestre limo On-
d'ella è per mia colpa *infusa* e grave ». Sopra le quali parole i comentatori adducono quello che dice lo stesso Casa
in altro luogo [4]: « Poco il mondo già mai t'infuse o tinse,
Trifon, nell'atro suo limo terreno ». Ho anche un esempio
simile a questi del Casa nell'*Oreficeria* di Benvenuto Cel-
lini [5], ma non lo tocco per rispetto d'una lordura che gli è
appiccata e non va via.

Ivi, 18.   *Evviva evviva* [6]

L'acclamazione « Viva » è portata nel Vocabolario della
Crusca, ma non « evviva ». E ciò non ostante io credo che
tutta l'Italia, quando fa plauso, dica piuttosto « evviva »
che « viva »; e quello che non è vocabolo forestiero ma
tutto quanto nostrale, e composto, come sono infiniti altri,
d'una particella o vogliamo interiezione italiana, e d'una
parola italiana, a cui l'accento della detta particella o interiezione monosillaba raddoppia la prima consonante. Questo è quanto alla purità della voce. Quanto alla convenienza, potranno essere alcuni che non lodino l'uso di que-

---

[1] Firenze 1815, pag. 3.
[2] *Dial. d'Amore. Dialoghi* dello Sper., Venez. 1596, pag. 3.
[3] Canz. 4, stanza 3.
[4] Son. 45.
[5] Cap. 7, Milano 1811, p. 95.
[6] *Già nell'edizione fiorentina del 1831 la lezione è «oh viva, oh viva ».*

sta parola in un poema lirico. Io non ho animo d'entrare
in quello che tocca alla ragion poetica o dello stile o dei
sentimenti di queste Canzoni, perché la povera poesia mi
par degna che, se non altro, se l'abbia questo rispetto di
farla franca dalle chiose. E però taccio che laddove s'ha da
esprimere la somma veemenza di qualsivoglia affetto, i vo-
caboli o modi volgari e correnti, non dico hanno luogo,
ma, quando sieno adoperati con giudizio, stanno molto meglio dei nobili e sontuosi, e danno molta piú forza all'imitazione. Passo eziandio che in tali occorrenze i principali
maestri (fossero poeti o prosatori) costumarono di scendere dignitosamente dalla stessa dignità, volendo accostarsi
piú che potessero alla natura, la quale non sa e non vuole
stare né sul grave né sull'attillato quando è stretta dalla
passione. E finalmente non voglio dire che se cercherai le
Poetiche e Rettoriche antiche o moderne, troverai questa
pratica, non solamente concessa né commendata, ma nume-
rata fra gli accorgimenti necessari al buono scrittore. Lascio
tutto questo, e metto mano all'arme fatata dell'esempio.
Che cosa pensiamo noi che fosse quell'« io » che troviamo
in Orazio due volte nell'Ode seconda del quarto libro [1] e
due nella nona dell'*Epodo*? [2]. Parola, anzi grido popolare,
che non significava altro se non se indeterminatamente
l'applauso (come il nostro « Viva »), o pure la gioia: la
quale per essere la piú rara e breve delle passioni, è for-
s'anche la piú frenetica; e per questo e per altri molti ri-
spetti, che non si possono dare ad intendere ai pedagoghi,
mette la dignità dell'imitazione in grandissimo pericolo. E
i Greci, ai quali altresí fu comune la detta voce, l'adoperavano fino coi cani per lusingarli e incitarli come puoi vedere in Senofonte nel libro della *Caccia* [3]. E nondimeno
Orazio, poeta coltissimo e nobilissimo, e cosí di stile come
di lingua ritiratissimo dal popolo, volendo rappresentare
l'ebbrietà della gioia, non si sdegnò di quella voce nelle
canzoni di soggetto piú magnifico.

[1] V, 49, 50.
[2] V, 21, 23.
[3] C. 6, art. 17.

CANZONE SECONDA   [*Sopra il monumento di Dante*]

IV, 1.   *Voi spirerà l'altissimo subbietto.*

Io credo che s'altri può essere « spirato da » qualche
persona o cosa (come i santi uomini dallo Spirito Santo [1])
ci debbano essere cose o persone che « lo » possano « spirare »; e tanto piú che non mancano di quelle che « lo
ispirano »: se bene il Vocabolario non le conobbe: ma te
ne possono mostrare il Petrarca, il Tasso, il Guarini e
mille altri. Dice il Petrarca [2] in proposito di Laura: « Amor
l'*inspiri* In guisa che sospiri ». Dice il Tasso [3]: « Buona
pezza è, Signor, che in sé raggira Un non so che d'insolito
e d'audace La mia mente inquieta: *o Dio l'inspira*; O
l'uom del suo voler suo dio si face ». Ed altrove [4]: « Guelfo
ti pregherà (*Dio* sí *l'inspira*) Ch'assolva il fier garzon di
quell'errore ». Dice il Guarini [5]: « Ché bene *inspira il cielo
Quel cor* che bene spera ». Aggiungi le *Vite de' Santi Padri*: « Il giovane inspirato da Dio [6], Antonio inspirato da
Dio [7], uno sceleratissimo uomo inspirato da Dio [8] », e simili.
Anche i versi infrascritti convengono a questo proposito, i
quali sono del Guidi [9]: « Vedrai come *il mio spirto* ivi
comparte Ordini e moti, e come *inspira* e volve *Questa*
grande *armonia* che 'l mondo regge ». E il Guidi fu anno-
verato dagli Accademici Fiorentini l'anno 1786 fra gli scrittori che sono o si debbono stimare autentici nella lingua.

VIII, 14.   *qui l'ira* al cor, *qui la pietate* abbonda.

Il Sannazzaro nell'egloga sesta dell'*Arcadia* [10]: « E per
l'ira sfogar *ch'al core abbondami* ». Non credere ch'io vada

---

[1] Vocab. della Crusca, v. Spirato.
[2] Canz. *Chiare, fresche e dolci acque*, st. 3.
[3] *Gerus. Liber.*, canto 12, stanza 5.
[4] C. 14, st. 17.
[5] *Pastor fido*, atto I, scena 4, v. 206.
[6] Par. I, c. I, Fir. 1731-1735, t. I, p. 3.
[7] C. 5, p. 12.
[8] C. 35, p. 103.
[9] *Endim.*, At. 5, scena 2, v. 35.
[10] V. 19.

imitando appostatamente, o che facendolo, me ne pregiassi e te ne volessi avvertire. Ma quest'esempio lo reco per quelli che dubitassero, e dubitando affermassero, com'è l'uso moderno in queste materie, che «abbondare» col terzo caso, nel modo che lo dico io, fosse detto fuor di regola. E so bene anche questo, che fra gl'Italiani è lode quello che fra gli altri è biasimo, anzi per l'ordinario (e singolarmente nelle lettere) si fa molta piú stima delle cose imitate che delle trovate. In somma negli scrittori si ricerca la facoltà della memoria massimamente; e chi piú n'ha e piú n'adopera, beato lui. Ma contuttociò, se paresse a qualcuno ch'io non l'abbia adoperata quanto si richiedeva, non voglio che le *Annotazioni* o la fagiolata che sto facendo mi levi nessuna parte di questo carico. Circa il resto poi, la voce «abbondare» importa di natura sua quasi lo stesso che «traboccare», o in latino «exundare»; secondo il quale intendimento è presa in questo luogo della Canzone, e famigliare ai Latini del buon tempo, e usata dal Boccaccio nell'ultimo de' testi portati dal Vocabolario sotto la voce «Abbondante».

x, 16.   *al cui supremo danno*
              il vostro solo è tal che rassomigli [1].

Io credo che se una cosa può «somigliare a» un'altra, «le» debba potere anche «rassomigliare», e parimente «assomigliarle» e «assimigliarle», oltre a «rassomigliarsele» o «assomigliarsele» o «assimigliarsele»; e tanto piú ch'io trovo «le viscere delle chiocciole terrestri», non «rassomigliantisi», ma «rassomiglianti a quelle de' lumaconi ignudi terrestri» [2], e «certi rettori assomiglianti a' Priori» di Firenze [3], e il cielo «assomigliante quasi ad immagine d'arco» [4]. Oltracciò vedo che le cose alcune volte «risomigliano» e «risimigliano» l'une «all'» altre.

---

[1] *Nella lezione definitiva: «che s'assomigli».*
[2] Voc. della Crus. v. Rassomigliante.
[3] V. Assomigliante.
[4] V. Assimigliante.

XI, 13.   *Dimmi, né mai rinverdirà quel mirto*
           che tu festi sollazzo *al nostro male?* [1].

Io so che a certi, che non sono pedagoghi, non è piaciuto questo « sollazzo »: e tuttavia non me ne pento. Se
guardiamo alla chiarezza, ognuno si deve accorgere a prima
vista che il « sollazzo » de' mali non può essere il « trastullo » né il « diporto » né lo « spasso » de' mali, ma è
quanto dire il « sollievo », cioè quello che propriamente
è significato dalla voce latina « solatium », fatta dagl'Italiani
« sollazzo ». Ora stando che si permetta, anzi spesse volte
si richiegga allo scrittore, e massimamente al poeta lirico,
la giudiziosa novità degli usi metaforici delle parole, molto
piú mi pare che di quando in quando se gli debba conce-
dere quella novità che nasce dal restituire alle voci la significazione primitiva e propria loro. Aggiungasi che la
nostra lingua, per quello ch'io possa affermare, non ha parola che, oltre a valere quanto la sopraddetta latina, s'ac-
comodi facilmente all'uso de' poeti; fuori di « conforto »
che né anche suona propriamente il medesimo. Perocché
« sollievo » e altre tali non sono voci poetiche, e « alleggeri-
rimento, alleviamento, consolazione » e simili appena si
possono adattare in un verso. Fin qui mi basti aver detto
a quelli che non sono pedanti e che non si contentarono
di quel mio « sollazzo ». Ora voltandomi agli stessi pedagoghi, dico loro che « sollazzo » in sentimento di « sollievo », cioè di « solatium », è voce di quel secolo della
nostra lingua ch'essi chiamano il buono e l'aureo. Leggano
l'antico Volgarizzamento del primo Trattato di San Giovanni Grisostomo *Sopra la Compunzione*, a capitoli otto [2]:
« Ora veggiamo quello che seguita detto da Cristo; se forse
in alcuno luogo o in alcuna cosa io trovassi *sollazzo*, o rimedio di tanta confusione ». E ivi a due versi: « Oimè,
credevami trovare *sollazzo* della mia confusione, e io trovo
accrescimento ». Cosí a capitoli undici [3]: « Tutta la pena
che pativa (*San Paolo*), piuttosto riputava *sollazzo d'amo-*

---

[1] *La lezione ultima suona:* « Di': né piú mai rinverdirà quel mirto
| ch'alleggiò per gran tempo il nostro male? »
[2] Roma 1817, p. 22.
[3] P. 33.

re, che dolore di corpo ». E nel capo susseguente [1]: « Onde ne parlano spesso, acciocché almeno per lo molto parlare di quello che amano, si scialino un poco e trovino *sollazzo* e refrigerio del *fervente amore* ch'hanno dentro ». L'antica version latina in tutti questi luoghi ha « solatium », o « solatia ». Veggano eziandio nello stesso Vocabolario della Crusca, sotto la voce « Spiraglio », un esempio simile ai soprascritti, il qual esempio è cavato dal Volgarizzamento di non so che altro libro del medesimo San Grisostomo. E di piú veggano, s'hanno voglia, nell'*Asino d'oro* del Firenzuola [2] come « le lagrime (sono) ultimo *sollazzo* delle miserie de' mortali ». Anzi è costume dello scrittore nella detta opera [3] di prendere la voce « sollazzo » in significato di « sollievo, consolazione, conforto », ad esempio di quei del trecento, come anche fece il Bembo [4] nel passo che segue: « Messer Carlo, mio solo e caro fratello, unico sostegno e *sollazzo della mia vita*, se n'è al cielo ito ».

XII, 10.   *che stai?*

La particella interrogativa « che » usata invece di « perché » non ha esempio nel Vocabolario se non seguita dalla negativa « non ». Ma che anche senza questa si dica ottimamente, recherò le prime autorità che mi vengono alle mani, fra le innumerabili che si potrebbero addurre. Il Pandolfini nel *Trattato del governo della famiglia* [5]: « O cittadini stolti, ove ruinate voi? *Che seguitate* con tante fatiche, con tante sollecitudini, con tante arti, con tante disonestà questo vostro stato per ragunare ricchezze? » E in un altro luogo del medesimo libro [6]: « Se adunque il danaio supplisce a tutti i bisogni, *che fa mestieri* occupare l'animo in altra masserizia che in questa del danaio? » Il Caro nel Volgarizzamento del primo Sermone di San Cipriano *Sopra l'elemosina* [7]: « *Che vai* mettendo innanzi quest'ombre e

[1] P. 35.
[2] Lib. 6, Mil. 1819, p. 185.
[3] L. 2, p. 61; l. 3, p. 75; l. 4, p. 103; l. 5, p. 148 e 169.
[4] Lett., vol. 4, part. 2. Op. del Bem. Ven. 1729, t. 3, p. 310.
[5] Mil. 1811, p. 47.
[6] P. 174.
[7] Ven. appresso Aldo Manuz. 1569, pag. 131.

queste bagattelle per iscusarti in vano? » Il Tasso nel quarto della *Gerusalemme* [1]: « Ma *che rinnovo* i miei dolor parlando? » E similmente in altri luoghi [2]. Il Varchi nel *Boezio* [3]: « *Che starò* io a raccontarti i tuoi figliuoli stati Consoli? » Ed altre volte [4]. Il Castiglione nel *Cortegiano* [5]: « Come un litigante a cui in presenza del giudice dal suo avversario fu detto, *che bai* tu? subito rispose, *perché* veggo un ladro ». Il Davanzati nel primo libro degli *Annali* di Tacito [6]: « *Che* tanto ubbidire, come schiavi, a quattro scalzi centurioni, e meno tribuni? » Dove il testo originale dice: « Cur paucis centurionibus, paucioribus tribunis, in modum servorum obedirent? » Aggiungi Bernardino Baldi, autor corretto nella lingua, e molto elegante: « Ma *che stiamo* Perdendo il tempo, e altrui biasmando insieme, Quando altro abbian che fare? » [7]. Ed altrove [8]: « Ma *che perdiamo* il tempo, e non andiamo Ad impetrar da lei », con quello che segue. Sia detto per incidenza, che sebbene delle *Egloghe* di questo scrittore è conosciuta e riputata solamente quella che s'intitola *Celeo, o l'Orto*, nondimeno tutte l'altre (che sono quindici, senza un Epitalamio che va con loro), e maggiormente la quinta, la duodecima e la decimaquarta, sono scritte con semplicità, candore e naturalezza tale, che in questa parte non le arrivano quelle del Sannazzaro né qual altro si sia dei nostri poemi pastorali, eccettuato l'*Aminta* e in parecchie scene il *Pastor Fido*.

Ivi, 12.   *altrice*

Credo che ti potrei portare non pochi esempi dell'uso di questa parola, pigliandoli da' poeti moderni: ma se non ti curi degli esempi moderni, e vuoi degli antichi, abbi pazienza che io li trovi, come spero, e in questo mezzo aiutati

---

[1] St. 12.
[2] Can. 8, st. 68; can. 11, st. 63 e 75; can. 13, st. 64; can. 16, st. 47 e 57; can. 20, st. 19.
[3] Lib. 2, prosa 4, Venezia 1785, pag. 36.
[4] Prosa 7, pag. 50; lib. 3, pr. 5, p. 69, e pr. 11, pagg. 90 e 91.
[5] Lib. 2, Milano 1803, vol. I, pag. 190.
[6] Cap. 17.
[7] Egloga 10, v. 6. *Versi e prose* di Mons. Bernardino Baldi, Venezia 1590, pag. 196.
[8] Egl. 11, v. 81, pag. 209.

col seguente, ch'è del Guidiccioni [1]: « Mira che giogo vil, che duolo amaro Preme or l'*altrice* de' famosi eroi ».

Ivi, 13.   *se di codardi è stanza,*
                    meglio l'è rimaner vedova e sola.

« Solo » in forza di « romito, disabitato, deserto » non è del Vocabolario, ma è del Petrarca [2]: « Tanto e piú fien le cose oscure e *sole* Se morte gli occhi suoi chiude ed asconde ». E del Poliziano [3]: « In qualche *ripa sola*, E lontan da la gente (*dice d'Orfeo*) Si dolerà del suo crudo destino ». E del Sannazzaro nel Proemio dell'*Arcadia*: « Per li *soli boschi* i salvatichi uccelli sovra i verdi rami cantando ». E nell'egloga undecima [4]: « Piangete, valli abbandonate e *sole* ». E del Bembo [5]: « Parlo poi meno, e grido, e largo fiume Verso per gli occhi in qualche *parte sola* ». E del Casa [6]: « Ne i monti e per le *selve* oscure e *sole* ». E del Varchi [7]: « Dice per questa *valle* opaca e *sola* Tirinto ». E del Tasso [8]: « Per quella *via* ch'è piú deserta e *sola* ». È tolto ai Latini, tra' quali Virgilio nella Favola d'Orfeo [9]: « Te, dulcis coniux, te *solo* in *litore* secum, Te veniente die, te decedente canebat ». E nel quinto dell'*Eneide* [10]: « At procul in *sola* secretae Troades *acta* Amissum Anchisen flebant ». Cosí anche nel sesto [11]: « Ibant obscuri *sola* sub *nocte* per umbram ». E Stazio nel quarto della *Tebaide* [12]: « Ingentes infelix terra tumultus, Lucis adhuc medio, *sola-que* in *nocte* per umbras, Expirat ».

---

[1] Son. *Viva fiamma di Marte, onor de' tuoi.*
[2] Son. *Tra quantunque leggiadre donne e belle.*
[3] *Orfeo*, At. 3, ediz. dell'Affò, Ven. 1776, v. 16, pag. 41.
[4] V, 16.
[5] Son. 35.
[6] Son. 43.
[7] Son. *Tesilla amo, Tesilla onoro, e sola.*
[8] *Ger. lib.*, c. 10, st. 3.
[9] *Geor.*, lib. 4, v. 465.
[10] V. 613.
[11] V. 268.
[12] V. 438.

CANZONE TERZA   [Ad Angelo Mai]

I, 4.   incombe.

Questa ed altre molte parole, e molte significazioni di
parole, o molte forme di favellare adoperate in queste *Canzoni*, furono tratte, non dal Vocabolario della Crusca, ma
da quell'altro Vocabolario dal quale tutti gli scrittori classici italiani, prosatori e poeti (per non uscire dall'autorità),
dal padre Dante fino agli stessi compilatori del Vocabolario della Crusca, incessantemente e liberamente derivarono
tutto quello che parve loro convenevole e che fece ai loro
bisogni o comodi, non curandosi che quanto essi pigliavano
prudentemente dal latino fosse, o non fosse stato usato da'
più vecchi di loro. E chiunque stima che nel punto medesimo che si pubblica il vocabolario d'una lingua si debbano
intendere annullate senz'altro tutte le facoltà che tutti gli
scrittori fino a quel punto avevano avute verso la medesima; e che quella pubblicazione, per sola e propria sua vir-
tù, chiuda e stoppi a dirittura in perpetuo le fonti della
favella; costui non sa che diamine si sia né vocabolario né
lingua né altra cosa del mondo.

Ivi, 14.   *o con l'umano
                 valor* contrasta *il duro fato invano?* [1]

Il Casa nella prima delle *Orazioni per la Lega* [2]: « Né
io voglio di questo *contrastare con* esso lui ». E nell'altra [3]:
« Conciossiaché di tesoro non possa alcuno pur *col* Re solo
contrastare ». Angelo di Costanzo nel centesimosecondo
Sonetto: « Accrescer sento, e non già venir meno Il duol;
né posso far sí che *contrasti Con* la sua forza o che a scher-
mirsi basti Il cor del suo vorace aspro veneno ».

---

[1] *Nella lezione definitiva il verso suona:* « valor forse contrasta il
fato invano? »
[2] Lione (Venezia), p. 7.
[3] Pag. 38.

IV, 3.   *a te cui fato aspira*
                benigno.

I vari usi del verbo « aspirare » cercali nei buoni scrittori latini e italiani; ché se ti fiderai del Vocabolario della Crusca, giudicherai che questo verbo propriamente e unicamente significhi « desiderare » e « pretendere di conseguire », laddove questa è forse la piú lontana delle metafore che soglia patire il detto verbo. E ti farai maraviglia come Giusto de' Conti [1] pregasse « Amore che *gli* affrancasse e aspirasse la lingua » e come il Molza [2] dicesse che la « fortuna aspirava lieto corso » ad Annibal Caro, e il Rucellai che « il Sole aspira vapori caldi » e che « il vento aspira il freddo boreale » [3] e che « l'orto aspira odor di fiori e d'erbe » [4], e come Remigio Fiorentino (avverti questo soprannome) scrivesse in figura di Fedra [5]: « Il qual sí come acerbamente infiamma Il petto a me (*parla d'Amore*), cosí benigno e pio A tutti i voti tuoi cortese *aspiri* ». E prima [6] avea detto parimente d'Amore: « Cosí benigno a i miei bei voti *aspiri* ». Similmente dice in persona di Paride [7]: « Né leve *aspira* A l'alta impresa mia negletto nume ». E in persona di Leandro [8]: « O benigna del ciel notturna luce (*viene a dir la luna*), Siami benigna ed al mio nuoto *aspira* ». Cosí anche in altri luoghi [9].

VI, 3.   *quand'oltre alle colonne, ed oltre ai liti*
           cui strider parve in seno a l'onda il sole [10].

Di questa fama anticamente divulgata, che in Ispagna e in Portogallo, quando il sole tramontava, s'udisse a stridere di mezzo al mare a guisa che fa un carbone o un ferro ro-

---

[1] *Bella Mano*, canz. I, st. I.
[2] Son. *Voi cui Fortuna lieto corso aspira.*
[3] *Api*, v. 159.
[4] V. 404.
[5] Epist. 4 d'Ovid., v. 309.
[6] V. 40.
[7] Ep. 75, v. 51.
[8] Ep. 17, v. 130.
[9] Ep. 15, v. 70 e 392.
[10] *Nella lezione definitiva il verso suona:* «Cui strider l'onde all'attuffar del sole».

vente che sia tuffato nell'acqua, sono da vedere il secondo
libro di Cleomede[1], il terzo di Strabone[2], la quartadecima
Satira di Giovenale[3], il secondo libro delle *Selve* di Stazio[4] e l'epistola decimottava d'Ausonio[5]. E non tralascerò
in questo proposito quello che dice Floro[6] laddove accenna
le imprese fatte da Decimo Bruto in Portogallo: « Peragratoque victor Oceani litore, non prius signa convertit,
quam cadentem in maria solem, obrutumque aquis ignem,
non sine quodam sacrilegii metu, et horrore, deprehendit ».
Vedi altresí le annotazioni degli eruditi sopra il quaranta-
simoquinto capo di Tacito delle *Cose germaniche*[7].

VII, 5.   *e del notturno*
            occulto sonno del maggior pianeta?

Al tempo che poca o niuna contezza si aveva della rotondità della terra, e dell'altre varie dottrine ch'appartengono alla cosmografia, gli uomini non sapendo quello che
durante la notte il sole operasse o patisse, fecero intorno a
questo particolare molte e belle immaginazioni, secondo la
vivacità e la freschezza di quella fantasia ch'oggidí non si
può chiamare altrimenti che fanciullesca, ma pure in ciascun'altra età degli antichi poteva poco meno che nella
puerizia. E se alcuni s'immaginarono che il sole si spegnesse la sera e che la mattina si raccendesse, altri si persuasero
che dal tramonto si posasse, e dormisse fino all'aggiornare;
e Mimnermo, poeta greco antichissimo, pone il letto del
sole in un luogo della Colchide. Stesicoro[8], Antimaco[9],
Eschilo[10], ed esso Mimnermo[11] piú distintamente degli altri,
dice anche questo, che il sole dopo calato si pone a giacere

---

[1] *Circular. Doctrin. de Sublimibus*, lib. 2, cap. 1, edit. Bake,
Lugd. Bat. 1820, p. 109 et seq.
[2] Amstel. 1707, pag. 202 B.
[3] V. 279.
[4] *Genethliac. Lucani*, v. 24 et sequent.
[5] V. 2.
[6] Lib. 2, cap. 17, sect. 12.
[7] *Cfr. le* Note ai Canti.
[8] Ap. *Athenaeum*, lib. II, cap. 38, ed. Schweighaeuser, tom. 4,
pag. 237.
[9] Ap. eumd., loc. cit., pag. 238.
[10] *Heliad.*, ap. eumd., loc. cit.
[11] *Nannone*, ap. eumd., loc. cit., cap. 39, pag. 239.

in un letto concavo a uso di navicella, tutto d'oro, e cosí dormendo naviga per l'Oceano da ponente a levante. Pitea marsigliese, allegato da Gemino [1] e da Cosma egiziano [2] racconta di non so quali Barbari che mostrarono a esso Pitea la parte dove il sole, secondo loro, s'adagiava a dormire. E il Petrarca s'avvicinò a queste tali opinioni volgari in quei versi [3]: « Quando vede 'l pastor calare i raggi Del gran pianeta al nido ov'egli alberga ». Siccome in questi altri [4] seguí la sentenza di quei filosofi che per via di raziocinio e di congettura indovinavano gli antipodi: « Ne la stagion che 'l cielo rapido inchina Verso Occidente, e che 'l dí nostro vola A gente che di là forse l'aspetta ». Dove quel « forse », che oggi non si potrebbe dire, è notabilissimo e poetichissimo, perocché lasciava libero all'immaginazione di figurarsi a suo modo quella gente sconosciuta, o d'averla in tutto per favolosa; dal che si dee credere che, leggendo questi versi, nascessero di quelle concezioni vaghe e indeterminate che sono effetto principalissimo delle bellezze poetiche, anzi di tutte le maggiori bellezze del mondo. Ma, come ho detto, non mi voglio allargare in queste materie.

IX, 12.   *Al tardo onore*
            non sorser gli occhi tuoi; mercè, non danno
            l'estrema ora ti fu [5]. Morte domanda
            chi nostro mal conobbe, e non ghirlanda.

S'ha rispetto alla congiuntura della morte del Tasso accaduta quando si disponeva d'incoronarlo in Campidoglio.

XI, 5.   *polo.*

È pigliato all'usanza latina per « cielo ». Ma il Vocabolario con questo senso non lo passa. Manco male che la *Dafne* del Rinuccini, per decreto dello stesso Vocabolario,

---

[1] *Elem. Astron.*, cap. 5, in Petav., *Uranolog.*, Antuerp. (Amstel.) 1703, pag. 13.
[2] *Topogr. christian.*, lib. 2, ed. Montfauc., pag. 149.
[3] *Canz. Nella stagion che 'l ciel rapido inchina*, st. 3.
[4] St. I.
[5] *Nella lezione definitiva:* « *L'ora estrema ti fu* ».

fa testo nella lingua. Sentite dunque, signori pedagoghi,
quello che dice il Rinuccini nella *Dafne*[1]: « Non si nasconde in selva Sí dispietata belva, Né su per l'alto *polo*
Spiega le penne a volo augel solingo, Né per le piagge on-
dose Tra le fere squamose alberga core Che non senta
d'Amore ». Vi pare che questo polo sia l'artico, o l'an-
tartico, o quello della calamita, o l'una delle teste d'un
perno e d'una sala da carrozze? Oh bene inghiottitevi questa focaccia soporifera da turarvi le tre gole che avete, e
lasciate passare anche questo vocabolo.

XII, 3.   *e morte lo* scampò dal *veder peggio.*

Il Petrarca[2]: « Altro schermo non trovo che *mi scampi
Dal* manifesto accorger de le genti ». Il medesimo in altro
luogo[3]: « Questi in vecchiezza *la scampò da* morte ». Il
Passavanti nello *Specchio*[4]: « Si facesse beffe di colui che
avesse saputa *scampar la* vita e *le* cose *dalla* fortuna, e *da'*
pericoli del mare ». Il Guarini nell'Argomento del *Pastor
Fido*: « Mentre si sforza per *camparlo da* morte di provare
con sue ragioni ch'egli sia forestiero ». Seguo questi luoghi per ogni buon rispetto, avendo veduto che la Crusca
non mette esempio né di « scampare » né di « campare »
costruiti nell'uso attivo col sesto caso oltre al quarto.

CANZONE QUARTA   [*Nelle nozze della sorella Paolina*]

I, 1.   *Poi che del patrio nido
              i silenzi lasciando,...
              te ne la polve de la vita e 'l suono
              tragge il destin.*

Questa e simili figure grammaticali, appartenenti all'uso
de' nostri gerondi, sono cosí famigliari e cosí proprie di
tutti gli scrittori italiani de' buoni secoli, che volendole
rimuovere, non passerebbe quasi foglio di scrittura antica

[1] Coro 3, v. 1.
[2] Son. *Solo e pensoso i piú deserti campi.*
[3] Canz. *Spirto gentil, che quelle membra reggi*, st. 7.
[4] Distinz. 3, cap. I, Firenze 1681, pag. 34.

dove non s'avesse a metter le mani. Puoi vedere *Il Torto
e 'l Diritto del Non si può* nel capitolo quinto, dove si
dichiara in parte questa proprietà del nostro idioma: dico
in parte, e poveramente, a paragone ch'ella si poteva illu-
strare con infinita quantità e diversità d'esempi. E anche
oggidí, non che tollerata, va custodita e favorita, considerando ch'ella spetta a quel genere di locuzioni e di modi,
quanto piú difformi dalla ragione, tanto meglio conformi e
corrispondenti alla natura, de' quali abbonda il piú sincero,
gentile e squisito parlare italiano e greco. E siccome la
natura non è manco universale che la ragione, cosí non
dobbiamo pensare che questa e altre tali facoltà della nostra
lingua producano oscurità, salvo che s'adoprino con avver-
tenza e naturalezza. Piuttosto è da temere che se abbrac-
ceremo con troppa affezione l'esattezza matematica, e se
la studieremo e ci sforzeremo di promuoverla sopra tutte
le altre qualità del favellare, non riduciamo la lingua italiana in pelle e ossa, com'è ridotta la francese, e non sov-
vertiamo e distrugghiamo affatto la sua proprietà: essendo
che la proprietà di qualsivoglia lingua non tanto consista
nelle nude parole e nelle frasi minute, quanto nelle facoltà
e forme speciali d'essa lingua, e nella composizione della
dicitura. Laonde possiamo scrivere barbaramente quando
anche evitiamo qualunque menoma sillaba che non si possa
accreditare con dieci o quindici testi classici (quello che
oggi s'ha in conto di purità nello scrivere italiano); e per
lo contrario possiamo avere o meritare opinione di scrittori
castissimi, accettando o formando parole e frasi utili o ne-
cessarie, che non sieno registrate nel Vocabolario né pro-
tette dall'autorità degli Antichi.

III, 14.   *e di nervi e di polpe*
               scemo *il valor natio.*

L'aggettivo « scemo » negli esempi che la Crusca ne
riferisce, è detto assolutamente, e non regge caso. Dunque
segnerai nel margine del tuo Vocabolario questi altri quattro esempi; l'uno ch'è dell'Ariosto [1] e dice cosí: « Festi,
barbar crudel, *del* capo *scemo* Il piú ardito garzon che di

[1] *Fur.*, can. 36, st. 9.

sua etade », con quello che segue. L'altro del Casa[1]: « È 'mpoverita e *scema Del* suo pregio sovran la terra lassa ». Il terzo dello Speroni nel *Dialogo delle lingue*[2]: « La quale *scema di* vigor naturale, non avendo virtú di fare del cibo sangue onde viva il suo corpo, quello in flemma converte ». L'ultimo dello stesso nell'*Orazione contro le Cortigiane*[3]: « Che *scema* essendo *di* questa parte, sarebbe tronca e imperfetta ».

CANZONE QUINTA   [*A un vincitore nel pallone*]

IV, 4.   *e pochi* Soli
                       andranno forse[4].

Cioè pochi anni. « Sole » detto poeticamente per « anno » vedilo nel Vocabolario. E si dice tanto bene quanto chi dice « luna » in cambio di « mese ».

V, 5.   *nostra colpa e fatal.*

Cioè colpa nostra e del fato. Oggi s'usa comunemente in Italia di scrivere e dir « fatale » per « dannoso » o « funesto » alla maniera francese; e quelli che s'intendono della buona favella non vogliono che questo si possa fare. Nondimeno io lo trovo fatto dall'Alamanni nel secondo libro della *Coltivazione*: « Non quello orrendo tuon, che s'assimiglia Al fero fulminar di Giove in alto, Di quell'arme *fatal* che mostra aperto Quanto sia piú d'ogni altro il secol nostro Già per mille cagion là su nemico »[5]. Parla, come avrai capito, dell'arme da fuoco. E di nuovo nel quinto[6]: « La *fatal* bellezza Sopra l'onde a mirar Narcisso torna ». Vero è che il poema della *Coltivazione*, e l'altre opere scritte dall'Alamanni in Francia, come il *Girone* e l'*Avarchide*, sono macchiate di parecchi francesismi; e quel

---

[1] Son. 36.
[2] *Dial.* dello Sper., Venezia 1596, pag. 102.
[3] Par. 2. *Orazioni* dello Sper., Venezia 1596, pag. 201.
[4] *Nella lezione definitiva il verso suona*: « e pochi Soli forse fien volti ».
[5] V. 747.
[6] V. 933.

ch'è peggio, la detta *Coltivazione* ridonda maravigliosamente di rozzissime, sregolatissime e assurdissime costruzioni e forme d'ogni genere: tanto ch'ella è forse la piú difficile e scabrosa poesia di quel secolo, non ostante la semplicità dello stile, che per verità non fu cercata dal buono Alamanni, anzi fuggita a piú potere, benché non gli riuscí di schivarla. Ma quelle medesime cagioni che da un lato produssero questi difetti (e che parimente generarono sui principii del Cinquecento l'imperfezione della lingua e dello stile italiano), dall'altro lato arricchirono straordinariamente il predetto poema di voci, metafore, locuzioni, che quanto hanno d'ardire, tanto sono espressive e belle; e quanto potrebbero giovare, non solamente agli usi poetici, ma eziandio gran parte di loro alla prosa, tanto in ogni modo sono tutte sconosciutissime al piú degli scrittori presenti.

CANZONE SESTA   [*Bruto minore*]

I, 1.   *Poi che divelta, ne la tracia polve
               giacque...*

               . . . .

               prepara.

Acciò che questa mutazione di Tempo non abbia a pregiudicare gli stomachi gentili de' pedagoghi, la medicheremo con un pizzico d'autorità virgiliana: « Postquam res Asiae, Priamique evertere gentem Immeritam *visum* Superis, *ceciditque* superbum Ilium, et omnis humo *fumat* neptunia Troia; Diversa exsilia et desertas quaerere terras Auguriis *agimur* Divum » [1]. « Irim de caelo *misit* saturnia Iuno Iliacam ad classem, ventosque *adspirat* eunti [2] ». « Ille intra tecta vocari *Imperat* et solito medius *consedit* avito [3] ». « At non sic phrigius *penetrat* Lacedaemona pastor, Ledaeamque Helenam troianas *vexit* ad urbes [4] ». « Haec *ait*, et liquidum ambrosiae *diffundit* odorem, Quo totum

[1] *Aen.*, lib. 3, v. 1.
[2] Lib. 5, v. 607.
[3] Lib. 7, v. 168.
[4] V, 363.

nati corpus *perduxit* [1] ». Reco questi soli esempi dei mille
e piú che si potrebbero cavare dal solo Virgilio, accuratis-
simo e compitissimo sopra tutti i poeti del mondo.

II, 2.   *de le* trepide *larve* [2].

« Trepidus » è quel che sarebbe « tremolo » o pure
« agitato », e « trepidare » latino è come « tremolare » o
« dibattersi ». E perché la paura fa che l'animale trema e
s'agita, però le dette voci spesse volte s'adoperano a significazione della paura; non che dinotino la paura assolutamente né di proprietà loro. E spessissime volte non hanno
da far niente con questa passione, e quando s'appagano
del senso proprio, e quando anche non s'appagano. Ma la
Crusca termina il significato di « trepido » in quello di
« timoroso ». Va errata: e se non credi a me, che non son
venuto al mondo fra il dugento e il seicento, e non ho
messo i lattaiuoli né fatto a stacciabùratta in quel di
Firenze, credi al Rucellai, ch'ebbe l'una e l'altra virtú:
« Allor concorron [3] *trepide*, e ciascuna Si mostra ne le
belle armi lucenti,... e con voce alta e roca Chiaman la
gente in lor linguaggio a l'arme ». Questa è la paura del-
l'api « trepide ». E cosí la sentenza come la voce ritrassela
il Rucellai da Virgilio [4]: « Tum *trepidae* inter se coeunt,
pennisque coruscant,... magnisque vocant clamoribus ho-
stem ». Anche il testimonio dell'Ariosto, benché l'Ariosto
non fu toscano, potrebb'essere che fosse creduto [5]: « Ne la
stagion che la frondosa vesta Vede levarsi e discoprir le
membra *Trepida* pianta fin che nuda resta ». Quanto poi
tocca al verbo italiano « trepidare », che la Crusca definisce
similmente per « aver paura, temere, paventare », venga
di nuovo in campo a farla discredere il medesimo Rucellai: « A te [6] bisogna gli animi del vulgo, I *trepidanti* petti
e i moti loro Vedere innanzi al maneggiar de l'armi »; cioè
gli « ondeggianti inquieti, fremebondi » petti. Anche que-

[1] *Georg.*, lib. 4, v. 415.
[2] *Nella lezione definitiva il verso suona: «dell'inquiete larve».*
[3] *Api*, v. 272.
[4] *Georg.*, lib. 4, v. 73.
[5] *Fur.*, can. 9, st. 7.
[6] *Api*, v. 266.

sto è di Virgilio [1]: « Continuoque animos vulgi et *trepidan-tia* bello Corda licet longe praesciscere ». Venga fuori eziandio l'Alamanni: « Egli [2] stesso alla fin cruccioso prende *La trepidante insegna*, e 'n voci piene Di dispetto e d'onor, la porta, e 'n mezzo Dell'inimiche schiere a forza passa ». Cioè la « barcollante » o « la tremolante insegna ». E forse ch'ha paura anche « il polso trepidante » dalla febbre amorosa nel testo del Firenzuola? [3].

III, 1.   *e la* ferrata
          necessità.

« Ferrata » cioè « ferrea ». Nel difendere questa sorta di favellare metterò piú studio che nelle altre, come quella che non è combattuta da' pedagoghi, ma dal cavalier Monti, il quale [4] dall'una parte biasima fra Bartolomeo da San Concordio che in un luogo degli *Ammaestramenti* dicesse « ferrate » a guisa di « ferree », dall'altra i compilatori del Vocabolario che riportassero il detto luogo dove registrarono gli usi metaforici della voce « ferrato ». In quanto al Vocabolario, è certissimo che sbaglia, come poi si dirà. Ma il fatto di quel buono antico mi persuade che, oltre a scusarlo, si possa anche lodare. Primieramente la nostra lingua ha per usanza di mettere i participii, massimamente passivi, in luogo de' nomi aggettivi (come praticarono i Latini), e per lo contrario i nomi aggettivi in luogo de' participii; secondo che diciamo « lodato » o « laudato » per « lodevole » [5], « onorato » per « onorevole », « fidato » per « fido », « rosato » invece di « roseo »; e dall'altro canto, « affannoso » per « affannato », « doloroso » per « dolorato », « faticoso » per « affaticato » [6]: o come quando si dice « essere » o « aver pieno » o « ripieno » o « morto » per « essere » o « aver empiuto » o « riempiuto » o « ucciso ». Anche diciamo ordinariamente « essere o aver sazio,

[1] *Georg.*, lib. 4, v. 69.
[2] *Coltiv.*, lib. 4, v. 792.
[3] Voc. della Crusca, v. Trepidante.
[4] *Proposta di alcune correz. ed aggiunte al Voc. della Crusca*, vol. 2, par. 1, pag. 103.
[5] Petr., canz. O aspettata in ciel, beata e bella, st. 5.
[6] Sannaz., *Arcad.*, egl. 2, v. 12.

privo, quieto, fermo, netto », e mille altri, per « essere o
aver saziato, privato, quietato, fermato, nettato ». Ma lascio questo, perché possiamo credere che si faccia piuttosto
per contrazione degli stessi participii che per surrogazione
degli aggettivi. In sostanza « ferrato » detto per « ferreo »
mi par ch'abbia tanto dell'italiano quanto n'ha « rosato »
in cambio di « roseo ». Nel secondo luogo soggiungerò che
quantunque io non sappia di certo se i nostri poeti antichi
e moderni quando chiamarono e chiamano « aurati, orati
o dorati » i raggi del sole[1], i ricci delle belle donne[2], gli
strali d'Amore[3] e cose tali, ed « argentata o inargentata »
la luna[4], i ruscelli[5] o altro, volessero e vogliano intendere
che quei raggi, quei ricci, quei dardi sieno inverniciati
d'oro o che sieno d'oro massiccio, e che la luna e i ruscelli
sieno incrostati d'argento o sieno fatti d'argento; so bene
che il « colore aurato » del raspo d'uva[6] e il « color dorato » del cotogno[7] nell'Alamanni, e parimenti il « colore
arientato » della luna in Francesco da Buti[8], sono colori,
quelli « d'oro », e questo « d'argento », e non vestiti del-
l'uno o dell'altro metallo, perché non vedo che al colore,
in quanto colore, se gli possa fare una camicia né d'argento
né d'oro né d'altra materia. Lo stesso dovremo intendere
del « color dorato » che diciamo comunemente di certi cavalli, di certi vini e dell'altre cose che l'hanno; e cosí lo
chiamano anche i Francesi. Un cotal ponte che il Tasso
chiama « dorato », so certamente che fu « d'oro » per testimonio del medesimo Tasso, che lo fabbricò del proprio:
« Ecco[9] un ponte mirabile appariva Un ricco ponte *d'or*,
che larghe strade Su gli archi stabilissimi gli offriva. Passa

[1] Bembo, canz. 6, chiusa.
[2] Giusto de' Conti, *Bella mano*, son. 22; Bembo, son. 13; Arios.,
Fur., c. 10, st. 96; Bern. Tasso, son. *Superbo scoglio, che con l'ampia
fronte*.
[3] Petr., son. *Fera stella, se 'l cielo ha forza in noi*; Poliz., *Stanze*,
lib. I, st. 82; Ar., *Fur.*, can. II, st. 66.
[4] Bocc., *Ameto*, Firenze, 1521, car. 62; Tasso, *Ger. Lib.*, c. 18,
st. 13; Remig. Fiorent., Ep. 17 d'Ovid., v. 156.
[5] Bocc., *Ameto*, car. 65.
[6] Alam., *Coltiv.*, lib. 2, v. 499.
[7] Ivi, lib. 3, v. 493.
[8] Voc. della Crusca, v. Arientato.
[9] *Ger. Lib.*, c. 18, st. 21.

il *dorato* varco; e quel giú cade ». Oltre a questo so che
l'« aurata pellis » di Catullo [1] è propriamente il famoso
vello « d'oro »; il quale se fosse stato indorato a bolo, a
mordente o come si voglia, o ricamato d'oro, o fatto a uso
delle tocche, non si moveva Giasone per andarlo a conquistare, e non era il primo a cacciarsi per forza in casa
de' pesci. E so che gli « aurati vezzi » [2] che portava al collo
quel giovanetto indiano descritto da Ovidio per galante e
magnifico nell'ornamento della persona, sarebbe stata una
miseria che non fossero « d'oro » solido; che la « pioggia
aurata » di Claudiano [3] è pioggia « d'oro » del finissimo;
che l'asta « aeratae cuspidis » nelle *Metamorfosi* d'Ovidio [4]
è probabile ch'abbia « la punta di rame o di ferro », e in
ultimo che gli « aerati nodi » [5], l'« aeratae catenae » [6] e l'« ae-
rata pila » [7] di Properzio sono altresí « di ferro, o di rame ». Posto dunque che sia ben detto « aeratus » invece
di « aereus »; « auratus » ed « aurato, orato o dorato » invece d'« aureus » e d'« aureo »; « argentato o inargentato »
invece d'« argenteo »; non potrà stare che « ferrato » invece di « ferreo » sia detto male. Ed eccoti fra i Latini
Valerio Flacco nel sesto libro chiama « ferrate » certe immagini di ferro [8]: « Densique levant vexilla Coralli, Bar-
baricae queis signa rotae, *ferrataque* dorso Forma suum ».
Lascio stare che dove nel terzo delle *Georgiche* [9] si legge:
« Primaque *ferratis* praefigunt ora capistris », dice Servio
che « ferrati » sta per « duri »; intende che sia metaforico,
e salvo questo, viene a dire che sta per « ferrei »; sicché,
o ragione o torto ch'egli abbia in questo luogo, mostra che
« ferratus » nel sentimento di « ferreus » non gli sa né vi-
zioso né strano. Queste tali non sono metafore, cioè tra-
slazioni, ma catacresi, o vogliamo dire, come in latino, abu-
sioni: la qual figura differisce sostanzialmente dalla meta-

---

[1] *De nupt. Pel. et Thet.*, v. 5.
[2] Ovid., *Metam.*, lib. 5, v. 52.
[3] *De laud. Stilic.*, lib. 3, v. 226.
[4] Lib. 5, v. 9.
[5] Propert., lib. 2, Eleg. 20, al. 16, v. 9.
[6] V. 11.
[7] Lib. 4, El. I, v. 78.
[8] V. 89.
[9] V. 399.

fora in quanto la metafora trasportando la parola a soggetti nuovi e non propri, non le toglie per questo il significato proprio (eccetto se il metaforico a lungo andare non se lo mangia, connaturandosi col vocabolo), ma, come dire, glielo accoppia con un altro o con piú d'uno, raddoppiando o moltiplicando l'idea rappresentata da essa parola. Doveché la catacresi scaccia fuori il significato proprio e ne mette un altro in luogo suo; talmente che la parola in questa nuova condizione esprime un concetto solo come nell'antica, e se lo appropria immediatamente per modo che tutta quanta ell'è, s'incorpora seco lui. Come interviene appunto nel caso nostro, che la voce « ferrato » importa onninamente « ferreo », e chi dice « ferreo », dice altrettanto né piú né meno. Laddove se tu chiami lampade il sole, come fece Virgilio, quantunque la voce « lampade » venga a dimostrare il « sole », non perciò si stacca dal soggetto suo proprio, anzi non altrimenti ha forza di dare ad intendere il sole, che rappresentando quello come una figura di questo. E veramente le metafore non sono altro che similitudini o comparazioni raccorciate. Occorrendo poi (secondo che fece fra Bartolomeo da San Concordio) che si chiamino ferrate le menti degli uomini, allora il vocabolo « ferrate » sarà metaforico; in guisa nondimeno che la metafora non consisterà nello scambio della voce « ferree » colla voce « ferrate », il quale sarà fatto per semplice catacresi, ma nell'accompagnamento di tale aggettivo con tale sostantivo; perché in effetto le menti degli uomini, credo bene che sieno quali di fumo, quali di vento, quali di rapa, quali d'altre materie, ma per quello ch'io sappia, non sono « di ferro ». Il che né piú né meno sarà il senso letterale della metafora; cioè che quelle menti sieno « di ferro », non già che sieno « munite di ferro ». E qui pecca il Vocabolario, che senza piú, mette l'esempio di fra Bartolomeo tra gli usi metaforici di « ferrato » fatto da « ferrare » cioè « munire di ferro », quando bisognava specificare appartatamente che « ferrato » s'usa talora in cambio di « ferreo », non solamente nel proprio, ma eziandio nell'improprio, e quivi allegare il suddetto esempio. Al quale aggiungerò quello d'uno scrittore meno antico d'età, e molto piú ragguardevole d'ingegno e di letteratura che non fu quel buon Frate, cioè del Poliziano, che sotto la persona d'Orfeo dice a' guardiani dell'inferno [1]: « Dunque m'aprite *le ferrate por-te* ». Non può voler dire che queste porte sieno « guarnite di ferro », come sono anche le piú triste porte di questo mondo, ma dee volere che sieno « di ferro », come si possono immaginare le porte di casa del diavolo, che non ha carestia di metalli, essendo posta sotterra, né anche di fuoco da fonderli, essendo come una fornace. Altrimenti quell'aggettivo nel detto luogo avrebbe del fiacco pure assai. Cosí quando Properzio [2] chiamò « ferrata » la casa di Danae, « ferratam Danaes domum », si può stimare che non avesse riguardo a' saliscendi o a' paletti delle porte né agl'ingraticolati che potessero essere alle finestre, ma volesse intendere ch'ella fosse « di ferro », come Orazio [3] la fece di bronzo, o d'altro metallo ch'ei volesse denotare con quell'« ahenea ». E nello stesso Poliziano, poco avanti al predetto luogo [4], il « ferrato inferno » è « spietato » o « inesorabile », e se non fosse la traslazione, « ferreo ». Di piú troverai nel Chiabrera [5] un « ferrato usbergo », il quale io mi figuro che sia « di ferro »; e nel Redi [6] « le ferrate porte » del palazzo d'Amore: se non che dicendo il poeta che su queste porte ci stavano le guardie, mostra che dobbiamo intendere delle soglie; e però quell'aggiunto mi riesce molto male appropriato, che che si voglia significare in quanto a sé. Dato finalmente che gli arpioni, vale a dire i gangheri, delle porte e delle finestre, come anche le bandelle, cioè quelle spranghe che si conficcano nelle imposte, e per l'anello che hanno all'una delle estremità, s'impernano negli arpioni, sieno fatte, e non foderate o fasciate, di ferro effettivo; resta che « ferrato » nel passo che segue, sia detto formalmente in luogo di « ferreo », e non di « ferreo » traslato, ma del proprio e naturale quanto sarebbe se dicessimo, verbigrazia, « ferreo secolo ». Il passo è riferito nel Vocabolario della Crusca alla voce « Bandella », e parte ancora alla voce « Arpione », e spetta all'antico Volgarizzamento manoscritto dell'*Eneide*, nella quale

[1] *Orfeo*, At. 4, ed. dell'Affò, v. 16, pag. 45.
[2] Lib. 2, El. 20, al. 16, v. 12.
[3] Lib. 3, Od. 16, v. 1.
[4] At. 3, v. 39, pag. 42.
[5] Canz. *Era tolto di fasce Ercole appena*, st. 7.
[6] Son. *Aperto aveva il parlamento Amore*.

corrisponde alquanto sotto il mezzo del secondo libro[1]:
« Ma Pirro risplendiente in arme, tolta una mannaia a due
mani, taglia le dure porte, e li *ferrati arpioni delle bandelle* ». Da tutte le sopraddette cose conchiuderemo, a parer mio, che la voce « ferrato » posta per « ferreo », non
tanto che si debba riprendere, ma nella poesia specialmente, s'ha da tenere per una dell'eleganze della nostra lingua.

IV, 13.   *Quando le infauste* luci[2]
                           virile alma ricusa.

« Luci » per « giorni » sta nella *Crusca veronese* con
un testo del Caro, al quale aggiungendo il seguente, ch'è
d'uomo fiorentino, anzi fiorentinissimo, cioè del Varchi[3],
non sei per fare opera perduta: « Dopo atre notti, piú lucenti e belle *Luci* piú vago il Sol mena a le genti ». Il Petrarca[4] usa il singolare di « luce » per « vita »: « I' che
temo del cor che mi si parte, E veggio presso il fin della
mia *luce* ».

V, 4.   *Ma se spezzar la fronte
                           ne' rudi tronchi, o da montano sasso
                           dare al vento precipiti le membra
                           lor* suadesse *affanno.*

Il Vocabolario ammette le voci « suadevole, suado, sua-
sione, suasivo ». Ma che vale? Se non porta a lettere di
scatola il verbo « suadere », chi mi prosciogle dal peccato
d'impurità? Non certo i Latini: di modo ch'io me ne vo
dannato senz'altro; e mi terrà compagnia l'Ariosto, che nel
terzo del *Furioso*[5] disse di Bradamante: « Quivi l'audace
giovine rimase Tutta la notte, e gran pezzo ne spese A parlar con Merlin, che *le suase Rendersi* tosto al suo Ruggier
cortese ». Anzi troverò fra la gente perduta anche il Bembo, capitato male per lo stesso misfatto, e che piú? fino
al padre Dante, che non s'astenne dal participio « suaso ».

[1] V. 479.
[2] *Nella lezione definitiva:* « *quando gl'infausti giorni* ».
[3] Boez., lib. 3, rim. 1.
[4] Son. *Quand'io son tutto volto in quella parte.*
[5] St. 64.

E quanto al peccato di questi due, vedi il Dizionario del-
l'Alberti.

CANZONE SETTIMA   [*Alla primavera*]

I, 5.   credano *il petto inerme*
                              gli augelli al vento.

Se tu credi al Vocabolario della Crusca, non puoi « credere » cioè « fidare » altrui se non quel danaio che ti paresse di dare in prestito, voglio dire a usura, ché in altro
modo è fuor di dubbio che non puoi, quando anche lo
permetta il Vocabolario. Ma se credi agli ottimi scrittori
latini e italiani, « crederai » cioè « fiderai » cosí la roba
come la vita, l'onore e quante cose vorrai, non solamente
alle persone, ma eziandio, se t'occorre, alle cose inanimate.
Per ciò che spetta ai latini, domandane il Dizionario; o
quello del Forcellini o quello del Gesner o di Roberto Stefano o del Calepino o del Mandosio o di chi ti pare. Per
gl'italiani vaglia l'esempio seguente, ch'è dell'Alamanni [1]:
« Tutto aver si convien, né men che quelli *Ch'al* tempesto-
so *mar credon la vita* ». E quest'altro, ch'è del Poliziano [2]:
« Né *si credeva ancor la vita a' venti* ». E questo, ch'è del
Guarini [3]: « Dunque *a l'amante l'onestà credesti?* » Al che
l'autore medesimo fa quest'annotazione [4]: « Ripiglia acuta-
mente Nicandro la parola di *credere*, ritorcendola in Amarilli con la forza d'un altro significato, che ottimamente gli
serve; perciocché il verbo credere nel suo volgare, o co-
munissimo sentimento significa dar fede, e in questo l'usa
Amarilli. Significa ancora *confidare sopra la fede*, sí come
l'usano molte volte i Latini; e in questo l'usa Nicandro in
significazione attiva, volendo dire: "Dunque confidasti tu
in mano dell'amante la tua onestà?" » E forse il Molza
ebbe la medesima intenzione de' poeti sopraddetti usando
il verbo « credere » in questo verso della *Ninfa Tiberina* [5]:
« Troppo credi e commetti al torto lido ».

[1] *Coltiv.*, lib. 6, v. 118.
[2] *Stanze*, lib. I, st. 20.
[3] *Past. Fido*, At. 4, sc. 5, v. 101.
[4] *P. F.*, Ven. app. G. B. Ciotti, 1602, pag. 292.
[5] St. 30.

II, 2.   *dissueto.*

Questo forestiero porta una patente di passaggio fatta
e sottoscritta da « Dissuetudine », e autenticata da « Insueto, Assueto, Consueto » e altri tali gentiluomini italiani,
che la caverà fuori ogni volta che bisogni. Ma non si cura
che gli sia fatta buona per entrare nel Vocabolario della
Crusca, avendo saputo che un suo parente, col quale s'ac-
concerebbe a stare, non abita in detto paese. E questo parente si è un cotal « Mansueto »; non quello che, secondo
la Crusca, è « di benigno e piacevole animo », o « che ha
mansuetudine », vale a dire è mansueto: in somma non
quel « Mansueto » ch'è mansueto, ma un altro, che sotto
figura di participio, come sarebbe quella del mio « Dissueto », significa « mansuefatto » o « ammansato », anche di
fresco, e si trova in casa del Tasso: « Gli umani ingegni Tu
placidi ne rendi, e l'odio interno Sgombri, signor, da' *man-
sueti* cori, Sgombri mille furori » [1]. Questi che opera tanti
miracoli, se già non l'hai riconosciuto, è colui che 'l mondo
chiama Amore. Per giunta voglio che sappiano i pedagoghi ch'io poteva dire « disusato » per « dissueto » colla
stessissima significazione; ed era parola accettata nel Vocabolario, oltre che in questo senso riusciva elegante, e di
piú si veniva a riporre nel verso come da se stessa. A ogni
modo volli piuttosto quell'altra. E perché? Questo non
tocca ai pedanti di saperlo. Ma in iscambio di ciò, li voglio
servire d'un bello esempio della voce « dissuetudine », che
lo metteranno insieme con quello che sta nel Vocabolario;
come anche d'un esempio della parola « disusato » posta
in quel proprio senso ch'io formo il vocabolo « dissueto »:
« Mi sveglia dalla *dissuetudine* e dalla ignoranza di questa
pratica ». Il qual esempio è del Caro, e si trova nel Co-
mento sopra la Canzone de' Gigli [2]. L'altro esempio è del
Casa, e leggesi nel *Trattato degli Uffici comuni* [3]: « Perciocché a lui pareva dovere avvenire ch'essi a poco a poco
da quello che di lui pensar solevano, *disusati*, avrebbero

---

[1] *Amin.*, At. 4, Coro.
[2] St. I, v. 13, fra le *Lett. di diversi eccellentis. uomini*, Ven.
1554, pag. 515.
[3] Cap. II, *Op.* del Casa, Ven. 1752, tom. 3, pag. 215.

cominciato a concepire nelle menti loro non so che di maggiore istima ». Il latino ha « desuefacti ».

Ivi, 9. *e 'l pastorel che a l'ombre*
meridiane incerte
(col rimanente della stanza)

Anticamente correvano parecchie false immaginazioni appartenenti all'ora del mezzogiorno, e fra l'altre, che gli Dei, le ninfe, i silvani, i fauni e simili, aggiunto le anime de' morti, si lasciassero vedere o sentire particolarmente su quell'ora, secondo che si raccoglie da Teocrito [1], Lucano [2], Filostrato [3], Porfirio [4], Servio [5], ed altri, e dalla *Vita di san Paolo primo eremita* [6] che va con quelle de' Padri e fra le cose di san Girolamo. Anche puoi vedere il Meursio [7] colle note del Lami [8], il Barth [9], e le cose disputate dai comentatori e specificatamente dal Calmet in proposito del demonio meridiano detto nella Scrittura [10]. Circa all'opinione che le ninfe e le Dee sull'ora del mezzogiorno si scendessero a lavare ne' fiumi o ne' fonti, dà un'occhiata all'Elegia di Callimaco *Sopra i lavacri di Pallade* [11], e in particolare quanto a Diana, vedi il terzo libro delle *Metamorfosi* [12].

Ivi, 10. *e a la fiorita* [13]
margo adducea de' fiumi.

Se per gli esempi recati nel Vocabolario la voce « margo » non ha sortito altro genere che quello del maschio, non ti maravigliare ch'io te l'abbia infemminita. E non

[1] *Idyll.*, I, v. 15 et sequent.
[2] Lib. 3, v. 422 et sequent.
[3] *Heroic.*, cap. I, art. 4. *Op.* Philostr., ed. Olear., p. 671.
[4] *De antro nymph.*, cap. 26 e 27.
[5] *Ad Georg.*, lib. 4, v. 401.
[6] Cap. 6, in *Vita Patr.*, Rosveydi, Antuerp. 1615, lib. I, p. 18.
[7] *Auctar. Philologic*, Cap. 6.
[8] *Op.* Meurs, Florent. 1741-1763, vol. 5, col. 733.
[9] *Animadversion. ad Stat.*, par. 2, pag. 1081.
[10] *Psal.*, 90, v. 6.
[11] V. 71 et sequent.
[12] V. 144 et sequent.
[13] *Nella lezione definitiva: « ed al fiorito ».*

credere ch'a far questo ci sia bisognato qualche gran forza
di stregheria, qualche fatatura, o un miracolo come quelli
delle *Trasformazioni* d'Ovidio. Già sai che da un pezzo
addietro non è cosa piú giornaliera e che faccia meno maraviglia del veder la gente effeminata. Ma lasciando questo, considera primieramente che la voce « margine », in
quanto significa « estremità, orlo, riva », ha l'uno e l'altro
genere; e secondariamente che « margine » e « margo »
non sono due parole, ma una medesima con due varie ter-
minazioni, quella del caso ablativo singolare di « margo »
voce latina, e questa del nominativo. Dunque, siccome dicendo, per esempio, « imago » in vece d'« imagine », tu
non fai mica una voce mascolina, ma femminina, perché
« imagine » è sempre tale; parimente se dirai « margo » in
iscambio, non di « margine » sostantivo mascolino, ma di
quell'altro « margine » ch'è femminino, avrai « margo »
non già maschio, non già ermafrodito, ma tutto femmina
bella e fatta in un momento, come la sposa di Pigmalione,
che fino allo sposalizio era stata di genere neutro. O pure
(volendo una trasmutazione piú naturale) come l'amico di
Fiordispina; se non che questa similitudine cammina a rovescio del caso nostro in quanto ai generi.

v, 2.   *le varie note*
                    dolor non finge [1].

Cioè « non forma, non foggia », secondo che suona il
verbo « fingere » a considerarlo assolutamente. Non è roba
di Crusca. Ma è farina del Rucellai già citato piú volte:
« Indi [2] potrai veder, come vid'io, Il nifolo, o proboscide,
come hanno Gl'indi elefanti, onde con esso finge (*parla
dell'ape*) Sul rugiadoso verde, e prende i figli ». E dello
Speroni [3]: « Egli al fin trovi una donna ove Amore con
maggior magistero e miglior subbietto, conforme agli alti
suoi meriti lo voglia *fingere* ed iscolpire ». È similmente
del Caro nell'*Apologia* [4]; la quale, avanti che uscisse, fu ri-

---

[1] *Nella lezione definitiva:* « *quelle tue varie note | dolor non
forma* ».
[2] *Api*, v. 986 e seguenti.
[3] *Dial. d'Amore. Dialoghi* dello Sper., Ven. 1596, p. 25.
[4] Parma 1558, p. 25.

scontrata coll'uso del parlar fiorentino e ritoccata secondo il bisogno da quel medesimo [1] che nell'*Ercolano* fece la famosa prova di rannicchiare tutta l'Italia in una porzione di Firenze. « E le (voci) nuove, e le nuovamente *finte*, e le greche, e le barbare, e le storte dalla prima forma e dal proprio significato tal volta? » Dove il Caro ebbe l'occhio al detto d'Orazio [2], « Et nova fictaque nuper habebunt verba fidem, si Graeco fonte cadant, parce detorta ».

Ivi, 18.   *s'alberga.*

« Albergare » attivo, o neutro assoluto, dicono i testi portati nel Vocabolario sotto questa voce. « Albergare » neutro passivo, dico io coll'Ariosto [3]: « Pensier canuto né molto né poco Si può quivi *albergare* in alcun core ».

CANZONE OTTAVA *   [*Ultimo canto di Saffo*]

I, 14.   *Noi per le balze e le profonde valli*
           natar giova *tra' nembi.*

Il verbo « giovare » quando sta per « dilettare » o « piacere », se attendiamo solamente agli esempi che ne registra sotto questo significato il Vocabolario, non ammette altro caso che il terzo. Ma qui voglio intendere che sia detto col quarto, bench'io potessi allegare che « noi, voi, lui, lei » si trovano adoperati eziandio nel terzo senza il segnacaso. Ora lasciando a parte i Latini, i quali dicono « iuvare » in questo medesimo sentimento col caso quarto; e lasciando altresí che « giovare », quando suona il contrario di « nuocere », non rifiuta il detto caso, come puoi vedere nello stesso Vocabolario, e che l'accidente di ricevere quell'altra significazione traslata, o comunque si debba chiamare, non cambia la regola d'esso verbo; dirò solamente questo, che in uno de' luoghi del Petrarca citati qui dalla Crusca, il verbo « giovare », costrutto col quarto caso, non ha la si-

---

[1] Caro, *Lett. famil.*, ed. Comin, 1734, vol. 2, let. 77, p. 121.
[2] *De arte poet.*, v. 52.
[3] *Fur.*, can. 6, st. 73.
* *Nona nell'edizione dei* Canti.

gnificazione sua propria, sotto la quale è recato il detto
luogo nel Vocabolario, ma ben quella appunto di « piacere
o dilettare », come ti chiarirai, solamente che il verso allegato dalla Crusca si rannodi a quel tanto da cui dipende: « Novo piacer che ne gli umani ingegni Spesse volte
si trova, D'amar qual cosa nova Piú folta schiera di sospiri accoglia. Ed io son un di quei che 'l pianger *giova* »[1].
Il Poliziano usa il verbo « giovare » in questa significazione assolutamente, cioè senza caso: « Quanto[2] *giova* a
mirar pender da un'erta Le capre e pascer questo e quel
virgulto! » E il Rucellai, fra gli altri, adopera nella stessa
forma la voce « gradire »: « Quanto[3] gradisce il vederle ir
volando Pe i lieti paschi e per le tenere erbe! » Dice delle
api.

IV, 8.   *Me non asperse*
              del soave licor l'avara ampolla
              di Giove[4].

Vuole intendere di quel vaso pieno di felicità che Omero[5] pone in casa di Giove; se non che Omero dice una
botte, e Saffo un'ampolla, ch'è molto meno, come tu vedi:
e il perché le piaccia di chiamarlo cosí, domandalo a quelli
che sono pratichi di questa vita.

Ivi, 10.   *indi che*[6]

Cioè « d'allora che, da poi che ». Della voce « indi »
costrutta colla particella « che », se ne trovano tanti esempi nella *Coltivazione* dell'Alamanni, ch'io non saprei quale
mi scegliere che facesse meglio al proposito. E però lascio
che se li trovi chi n'avrà voglia, massimamente bastando
la ragione grammaticale a difendere questa locuzione,
senza che ci bisogni l'autorità né degli antichi né della
Crusca. « I' fuggo *indi ove* sia Chi mi conforte ad altro

---

[1] Petrarca, *Rime*, XXXVII, 65-69.
[2] *Stanze*, lib. I, st. 18.
[3] *Api*, v. 199.
[4] *Nella lezione definitiva:* « del soave licor del doglio avaro |
Giove ».
[5] *Il.*, lib. 24, v. 527.
[6] *Nella lezione definitiva:* « poi che »

ch'a trar guai », dice il Bembo [1]. Cioè « di là dove ». Ma siccome la voce « indi » talvolta è di luogo, e significa « di là », talvolta di tempo, e significa « d'allora », perciò séguita che questo passo della nostra Canzone, dove « indi » è voce di tempo, significhi « d'allora che » né piú né meno che il passo del Bembo significa « di là dove », e nel modo che dice Giusto de' Conti [2]: « E il ciel d'ogni bellezza Fu privo e di splendore D'allor che ne le fasce fu nudrita ». Cioè « da che ». Il quale avverbio temporale « da che » non è registrato nel Vocabolario; e perché fa molto a questo proposito, lo rincalzerò con un esempio del Caro [3]: « Da ch'io la conobbi, non è cosa ch'io non me ne prometta ». Altri esempi ne troverai senza molto rivolgere, e nel Caro e dovunque meglio ti piaccia. Ma io ti voglio pur mostrare questa medesima locuzione « indi che », adoperata in quel proprio senso ch'io le attribuisco; per la qual cosa eccoti un luogo di Terenzio [4]: « Quamquam haec inter nos nuper notitia admodum 'st (*inde* adeo *quod* agrum in proxumo hic mercatus es), Nec rei fere sane amplius quidquam fuit; Tamen » col resto. Dal qual passo i piú de' comentatori e de' traduttori non ne cavano i piedi. Terenzio vuol dire: « Non ostante che tu ed io siamo conoscenti di poco tempo (cioè *da quando* hai comperato questo podere che hai qui nel contorno), e che poco o nient'altro abbiamo avuto da fare insieme; tuttavia » con quello che segue.

CANZONE NONA * [*Inno ai Patriarchi*]

Chiamo quest'Inno, Canzone, per esser poema lirico, benché non abbia stanze né rime, ed atteso anche il proprio significato della voce « canzone », la quale importa il medesimo che la voce greca « ode », cioè « cantico ». E mi sovviene che parecchi poemi lirici d'Orazio non avendo strofe, e taluno oltre di ciò essendo composto d'una sola

[1] Son. 41.
[2] *Bella Mano*, canz. 2, st. 4.
[3] *Lett. fam.*, ed. Comin, 1734, vol. 2, lett. 233, pag. 399
[4] *Heaut.*, Act. I, v. 1.
* *Ottava nell'edizione dei* Canti.

misura di versi, tuttavia si chiamano Odi come gli altri; forse perché il nome appartiene alla qualità non del metro ma del poema, o vogliamo dire al genere della cosa e non al taglio della veste. In ogni modo mi rimetto alla tua prudenza: e se qui non ti pare che ci abbia luogo il titolo di Canzone, radilo, scambialo, fa quello che tu vuoi.

Verso 10.   *equa* [1].

Tra l'altre facezie del nostro Vocabolario, avverti anche questa, che la voce « equo » non si può dire, perché il Vocabolario la scarta, ma ben si possono dire quarantadue voci composte o derivate, ciascheduna delle quali comincia o deriva dalla suddetta parola.

15.   *e pervicace ingegno* [2].

Qui non vale semplicemente « ostinato » e « che dura e insiste », ma oltre di ciò significa « temerario » e « che vuol fare o conseguire quello che non gli tocca né gli conviene ». Orazio nell'Ode terza del terzo libro [3]: « Non haec iocosae conveniunt lyrae. Quo, Musa, tendis? desine *pervicax* Referre sermones deorum, et Magna modis tenuare parvis ». Vedi ancora la diciannovesima del secondo libro [4], nella quale « pervicaces » viene a inferire « petulantes, procaces » e, come dichiarano le glose d'Acrone, « protervas »; ma è pigliato in buona parte. E noto l'uno e l'altro luogo d'Orazio perché non sono avvertiti dal Forcellini e perché la voce « pervicax », a guardarla sottilmente, non dice in questi due luoghi quel medesimo ch'ella dice negli esempi recati in quel Vocabolario.

32.   *e gl'inarati colli*
        solo e muto ascendea l'aprico raggio
        di febo.

I verbi « salire, montare, scendere » sono adoperati da' nostri buoni scrittori, non solamente col terzo o col sesto

[1] *Nella lezione definitiva:* « *dritta* ».
[2] *Nella lezione definitiva:* « *e irrequieto ingegno* ».
[3] V. 69.
[4] V. 9.

caso, ma eziandio col quarto senza preposizione veruna.
Dunque potremo fare allo stesso modo anche il verbo
« ascendere », come lo fanno i Latini, e come lo fa mede-
simamente il Tasso in due luoghi della *Gerusalemme* [1].

43.   *fratricida.*

Il Vocabolario dice solamente « fraticida » e « fratici-
dio ». Ma io, non trovando ch'Abele si facesse mai frate,
chiamo Caino « fratricida » e non « fraticida ».

46.   *primo i civili tetti, albergo e regno*
            a le macere cure, innalza; e primo
            il disperato pentimento i ciechi
            mortali egro, *anelante, aduna e stringe*
            ne' consorti ricetti.

« Egressusque Cain a facie Domini », dice il quarto della *Genesi* [2], « habitavit profugus in terra ad orientalem
plagam Eden. Et aedificavit civitatem ».

51.   *improba.*

Don Giovanni Dalle Celle nel Volgarizzamento dei *Pa-
radossi* di Cicerone [3]: « Certo io te, non istolto, come
spesse fiate, non improbo, come sempre, ma demente e
pazzo con forti ragioni ti dimostrerò ». Cosí ancora in altro luogo del medesimo Volgarizzamento [4]. Il Machiavelli
nel Capitolo di *Fortuna* [5]: « Spesso costei i buon sotto i
piè tiene, *Gl'improbi* inalza ». Aggiungi questi esempi a
quelli del volgarizzatore antico di *Boezio* che ti sono portati per questa voce nelle *Giunte veronesi.*

62. [61]   *instaurata.*

Se la parola « instaurare » è un contrabbando, facciano
i doganieri pedanti cercare indosso al Segretario fiorentino,

[1] Can. 3, st. 10 e can. 20, st. 117.
[2] Vers. 16.
[3] *Parad.*, 4, Genova 1825, p. 35.
[4] *Parad.*, 2, pag. 29.
[5] V. 28.

e non abbiano rispetto al segretariato, ché gliela troveranno attorno: « Partito Attila d'Italia, Valentiniano imperatore occidentale pensò d'*instaurare quella* » [1]. E altrove [2]: « Accrebbe Ravenna, *instaurò* Roma, ed eccettoché la disciplina militare, rendé ai Romani ogni altro onore ». E in piú altri luoghi.

77. [76]   *nodrici* [3].

Hai questo vocabolo nel Dizionario dell'Alberti coll'autorità del Tasso.

100. [99 sgg.]   *a le riposte* [4]
                leggi del Cielo e di Natura indutto
                *valse l'ameno error, le fraudi e 'l molle
                pristino velo.*

Maniera tolta ai Latini, ma per amore, non per forza. L'Ariosto nel ventesimosettimo del *Furioso* [5]: « Ed Egli e Ferraú *gli aveano indotte L'arme* del suo progenitor Nembrotte ». Questa locuzione al mio palato è molto elegante; ma quelli che non mangiano se non Crusca, sappiano che questa non è Crusca, e però la sputino. Vuol dire « gliele aveano vestite », ed è frequentissima nella buona latinità con questa e con altre significazioni.

116. [115]   *inesperti* [6].

Qui è voce passiva. Non la stare a cercare nel Vocabolario, ché sotto questo significato non ce la troverai, ma piuttosto cerca la voce « esperto », e vedi anche « inexpertus » nei Vocabolari latini.

---

[1] *Istor.*, lib. I, *Op.*, del Mach., Ital. 1819, vol. 1, pag. 214.
[2] Ivi, pag. 218.
[3] *Nella lezione definitiva:* «nutrici».
[4] *Nella lezione definitiva:* «alle secrete». *Cosí* «del cielo e di natura» *e* «il molle».
[5] St. 69.
[6] *Nella lezione definitiva:* «ignorati».

117. [116]   *e la fugace, ignuda*
              felicità per l'imo sole·incalza.

Non occorre avvertire che la California sta nell'ultimo termine occidentale del continente. La nazione de' Californii, per ciò che ne riferiscono i viaggiatori, vive con maggior naturalezza di quello ch'a noi paia, non dirò credibile, ma possibile nella specie umana. Certi che s'affaticano di ridurre la detta gente alla vita sociale, non è dubbio che in processo di tempo verranno a capo di quest'impresa; ma si tiene per fermo che nessun'altra nazione dimostrasse di voler fare cosí poca riuscita nella scuola degli Europei.

CANZONE DECIMA *   [*Alla sua donna*]

v, 1.   *Se de l'eterne idee*
              l'una se' tu,

La nostra lingua usa di preporre l'articolo al pronome « uno », eziandio parlando di piú soggetti, e non solamente, come sono molti che lo credono, quando parla di soli due. Basti recare di mille esempi il seguente, ch'io tolgo dalla quindicesima novella del Boccaccio: « Egli era sopra due travicelli *alcune* tavole confitte, *delle quali* tavole quella che con lui cadde era *l'una* ».

Lettor mio bello, (è qui nessuno, o parlo al vento?) se mai non ti fossi curato de' miei consigli, e t'avesse dato il cuore di venirmi dietro, sappi ch'io sono stufo morto di fare, come ho detto da principio, alle pugna; e la licenza che ti ho domandata per una volta sola, intendo che già m'abbia servito. E però « hic caestus artemque repono ». Per l'avvenire, in caso che mi querelino d'impurità di lingua e che abbiano tanta ragione con quanta potranno incolpare i luoghi notati di sopra e gli altri della stessa data, verrò cantando quei due famosi versi che Ovidio compose quando in Bulgaria gli era dato del barbaro a conto della lingua [1].

* *Diciottesima nell'edizione dei* Canti.
[1] Cfr. l'epistola *Ex Ponto*, 1, 5.

Gli editori a chi legge *

Abbiamo creduto far cosa grata al Pubblico italiano, raccogliendo e pubblicando in carta e forma uguali a quelle delle *Canzoni* del conte Leopardi già stampate in questa città, tutte le altre poesie originali dello stesso autore, tra le quali alcune inedite, di cui siamo stati favoriti dalla sua cortesia. Si è compresa tra le poesie originali la *Guerra dei topi e delle rane*, perché piuttosto imitazione che traduzione dal greco. In ultimo abbiamo aggiunto il *Volgarizzamento delle Satire di Simonide sopra le donne*; della qual poesia, molto antica e molto elegante, ma nota quasi soltanto agli eruditi, non sappiamo che v'abbia finora altra traduzione italiana.

* Prefazione all'edizione dei *Versi* (Bologna 1826).

Agli amici suoi di Toscana *

La mia favola breve è già compita,
E fornito il mio tempo a mezzo gli anni

PETRARCA [1]

Firenze, 15 decembre 1830

Amici miei cari,

Sia dedicato a voi questo libro, dove io cercava, come si cerca spesso colla poesia, di consacrare il mio dolore, e col quale al presente (né posso già dirlo senza lacrime) prendo comiato dalle lettere e dagli studi. Sperai che questi cari studi avrebbero sostentata la mia vecchiezza, e credetti colla perdita di tutti gli altri piaceri, di tutti gli altri beni della fanciullezza e della gioventú, avere acquistato un bene che da nessuna forza, da nessuna sventura mi fosse tolto. Ma io non aveva appena vent'anni, quando da quella infermità di nervi e di viscere, che privandomi della mia vita, non mi dà speranza della morte, quel mio solo bene mi fu ridotto a meno che a mezzo; poi, due anni prima dei trenta, mi è stato tolto del tutto, e credo oramai per sempre. Ben sapete che queste medesime carte io non ho potute leggere, e per emendarle m'è convenuto servirmi degli occhi e della mano d'altri. Non mi so piú dolere, miei cari amici; e la coscienza che ho della grandezza della mia infelicità, non comporta l'uso delle querele. Ho perduto tutto: sono un tronco che sente e pena. Se non che in questo tempo ho acquistato voi: e la compagnia vostra, che m'è in luogo degli studi, e in luogo d'ogni diletto e di ogni speranza, quasi compenserebbe i miei mali, se per la stessa infermità mi fosse lecito di goderla quant'io vorrei; e s'io non conoscessi che la mia fortuna assai tosto mi priverà di questa ancora, costringendomi a consumar gli anni

---

* Dedica dell'edizione dei *Canti* (Piatti, Firenze 1831).
[1] Petrarca, *Rime*, CCLIV, 13-14.

che mi avanzano, abbandonato da ogni conforto della civiltà, in luogo dove assai meglio abitano i sepolti che i
vivi. L'amor vostro mi rimarrà tuttavia, e mi rimarrà forse
ancor dopo che il mio corpo, che già non vive piú, sarà
fatto cenere. Addio.

Il vostro LEOPARDI

Notizie intorno alle edizioni di questi Canti*

I due primi furono pubblicati in Roma nel 1818, con una lettera a Vincenzo Monti. Il terzo, con una lettera al conte Leonardo Trissino, nel 1820 in Bologna. Dieci canti, cioè i nove primi e il diciottesimo, in Bologna nel 1824, con ampie Annotazioni, e copia d'esempi antichi, in difesa di voci e maniere dei medesimi Canti accusate di novità. Altri Canti pure in Bologna nel 1826: i quali coi sopraddetti dieci, e con altri nuovi, in tutto ventitre, furono dati ultimamente dall'autore in Firenze nel 1831. Diverse ristampe di questi Canti, o tutti o parte, fatte dalle edizioni di Bologna o dalla fiorentina, in diverse città d'Italia, essendo state senza concorso dell'autore, non hanno nulla di proprio. Nella presente sono aggiunti undici componimenti non piú stampati, e gli altri riveduti dall'autore e ritocchi in piú e piú luoghi. Dei Frammenti, i primi due sono già divulgati, gli altri non ancora. Le poche note poste appiè del volume, sono cavate quasi tutte dalle edizioni precedenti.

* Pubblicata nell'edizione Starita dei *Canti* (Napoli 1835).

Note ai Canti *

[1. *All'Italia*, v. 79, p. 8]. Il successo delle Termopile fu celebrato veramente da quello che in essa canzone s'introduce a poetare, cioè da Simonide; tenuto dall'antichità fra gli ottimi poeti lirici, vissuto, che piú rileva, ai medesimi tempi della scesa di Serse, e greco di patria. Questo suo fatto, lasciando l'epitaffio riportato da Cicerone e da altri, si dimostra da quello che scrive Diodoro nell'undecimo libro, dove recita anche certe parole di esso poeta in questo proposito, due o tre delle quali sono espresse nel quinto verso dell'ultima strofe. Rispetto dunque alle predette circostanze del tempo e della persona, e da altra parte riguardando alle qualità della materia per se medesima, io non credo che mai si trovasse argomento piú degno di poema lirico, né piú fortunato di questo che fu scelto, o piú veramente sortito, da Simonide. Perocché se l'impresa delle Termopile fa tanta forza a noi che siamo stranieri verso quelli che l'operarono, e con tutto questo non possiamo tenere le lacrime a leggerla semplicemente come passasse, e ventitre secoli dopo ch'ella è seguita; abbiamo a far congettura di quello che la sua ricordanza dovesse potere in un Greco, e poeta, e dei principali, avendo veduto il fatto, si può dire, cogli occhi propri, andando per le stesse città vincitrici di un esercito molto maggiore di quanti altri si ricorda la storia d'Europa, venendo a parte delle feste, delle maraviglie, del fervore di tutta un'eccellentissima nazione, fatta anche piú magnanima della sua natura dalla coscienza della gloria acquistata, e dall'emulazione di

* Apparvero nelle due edizioni dei *Canti* (Firenze 1831 e Napoli 1835), salvo l'ultima nota relativa a *La ginestra*, postuma, pubblicata la prima volta dal Ranieri nei *Canti* (Firenze 1845).

tanta virtú dimostrata pur dianzi dai suoi. Per queste considerazioni, riputando a molta disavventura che le cose scritte da Simonide in quella occorrenza, fossero perdute, non ch'io presumessi di riparare a questo danno, ma come per ingannare il desiderio, procurai di rappresentarmi nella mente le disposizioni dell'animo del poeta in quel tempo, e con questo mezzo, salva la disuguaglianza degl'ingegni, tornare a fare il suo canto; del quale io porto questo parere, che o fosse maraviglioso, o la fama di Simonide fosse vana, e gli scritti perissero con poca ingiuria. (Lettera a Vincenzo Monti premessa alle edizioni di Roma e di Bologna)[1].

[III. *Ad Angelo Mai*, vv. 79-80, p. 29]. Di questa fama divulgata anticamente che in Ispagna e in Portogallo, quando il sole tramontava, si udisse di mezzo all'Oceano uno stridore simile a quello che fanno i carboni accesi, o un ferro rovente, quando è tuffato nell'acqua, vedi Cleomede, *Circular. doctrin. de sublim.* l. 2, c. I, ed. Bake, Lugd. Bat. 1820, p. 109 seq.; Strabone l. 3 ed. Amstel. 1707, p. 202 B; Giovenale, *Sat.*, 14, v. 279; Stazio, *Silv.*, l. 2, *Genethl. Lucani*, v. 24 seqq.; ed Ausonio, *Epist.* 18, v. 2. Floro, l. 2, c. 17, parlando delle cose fatte da Decimo Bruto in Portogallo: « peragratoque victor Oceani litore, non prius signa convertit, quam cadentem in maria solem, obrutumque aquis ignem, non sine quodam sacrilegii metu, et horrore, deprehendit ». Vedi ancora le note degli eruditi a Tacito, *De Germ.*, c. 45.

[*Ibid.*, v. 96, p. 30]. Mentre la notizia della rotondità della terra, ed altre simili appartenenti alla cosmografia, furono poco volgari, gli uomini, ricercando quello che si facesse il sole nel tempo della notte, o qual fosse lo stato suo, fecero intorno a questo parecchie belle immaginazioni: e se molti pensarono che la sera il sole si spegnesse, e che la mattina si raccendesse, altri immaginarono che dal tramonto si riposasse e dormisse fino al giorno. Stesicoro, *Ap. Athenaeum*, l. II, c. 38, ed. Schweigh., t. 4, p. 237; Antimaco, ap. eumd., l.c., p. 238; Eschilo, l.c., e

_____
[1] Vedila, riportata per intero, a pp. 321 sgg.

piú distintamente Mimnermo, poeta greco antichissimo,
l.c., cap. 39, p. 239, dice che il sole, dopo calato, si pone
a giacere in un letto concavo, a uso di navicella, tutto
d'oro, e cosí dormendo naviga per l'Oceano da ponente a
levante. Pitea marsigliese, allegato da Gemino, c. 5, in Petav., *Uranol.*, ed. Amst. p. 13, e da Cosma egiziano, *Topogr. christian.*, l. 2, ed. Montfauc., p. 149, racconta di non
so quali barbari che mostrarono a esso Pitea il luogo dove
il sole, secondo loro, si adagiava a dormire. E il Petrarca
si accostò a queste tali opinioni volgari in quei versi, Canz.
Nella stagion, st. 3:

> *Quando vede 'l pastor calare i raggi*
> *del gran pianeta al nido ov'egli alberga.*

Siccome in questi altri della medesima Canzone, st. I, seguí la sentenza di quei filosofi che per virtú di raziocinio e
di congettura indovinavano gli antipodi:

> *Nella stagion che 'l ciel rapido inchina*
> *verso occidente, e che 'l dí nostro vola*
> *a gente che di là forse l'aspetta.*

Dove quel *forse*, che oggi non si potrebbe dire, fu sommamente poetico; perché dava facoltà al lettore di rappre-
sentarsi quella gente sconosciuta a suo modo, o di averla
in tutto per favolosa: donde si dee credere che, leggendo
questi versi, nascessero di quelle concezioni vaghe e indeterminate, che sono effetto principalissimo ed essenziale
delle bellezze poetiche, anzi di tutte le maggiori bellezze
del mondo.

[*Ibid.*, v. 132, p. 32]. Di qui alla fine della stanza si ha
riguardo alla congiuntura della morte del Tasso, accaduta
in tempo che erano per incoronarlo poeta in Campidoglio.

[VI. *Bruto Minore*, v. 1, p. 53: *tracia*]. Si usa qui la
licenza, usata da diversi autori antichi, di attribuire alla
Tracia la città e la battaglia di Filippi, che veramente furono nella Macedonia. Similmente nel nono Canto si seguita la tradizione volgare intorno agli amori infelici di
Saffo poetessa, benché il Visconti ed altri critici moderni

distinguano due Saffo; l'una famosa per la sua lira, e l'altra per l'amore sfortunato di Faone; quella contemporanea d'Alceo, e questa piú moderna.

[VII. *Alla Primavera*, vv. 28 sgg., p. 66]. La stanchezza, il riposo e il silenzio che regnano nelle città, e piú nelle campagne, sull'ora del mezzogiorno, rendettero quell'ora agli antichi misteriosa e secreta come quelle della notte: onde fu creduto che sul mezzodí piú specialmente si facessero vedere o sentire gli Dei, le ninfe, i silvani, i fauni e le anime de' morti; come apparisce da Teocrito, *Idyll.*, I, v. 15 seqq.; Lucano, l. 3, v. 422 seqq.; Filostrato, *Heroic.* c. I, § 4, opp., ed. Olear., p. 671; Porfirio, *De antro nymph.*, c. 26 seq.; Servio, *Ad Georg.*, l. 4, v. 401; e dalla Vita di san Paolo primo eremita scritta da san Girolamo, c. 6, in *Vit. Patr.*, Rosweyd., l. I, p. 18. Vedi ancora il Meursio, *Auctar. Philolog.*, c. 6, colle note del Lami, opp. Meurs., Florent., vol. 5, vol. 733; il Barth, *Animadv. ad Stat.*, part. 2, p. 1081, e le cose disputate dai comentatori, e nominatamente dal Calmet, in proposito del demonio meridiano della Scrittura volgata *Psal.*, 90, v. 6. Circa all'opinione che le ninfe e le dee sull'ora del mezzogiorno si scendessero a lavare ne' fiumi e ne' fonti, vedi Callimaco in *Lavacr. Pall.* v. 71 seqq. e quanto propriamente a Diana, Ovidio, *Metam.*, l. 3, v. 144 seqq.

[VIII. *Inno ai Patriarchi*, vv. 46-47, p. 75]. « Egressusque Cain a facie Domini, habitavit profugus in terra ad orientalem plagam Eden. Et aedificavit civitatem ». *Genes.* c. 4. v. 16.

[*Ibid.*, v. ultimo, p. 79]. È superfluo ricordare che la California è posta nell'ultimo termine occidentale di terra ferma. Si tiene che i Californi sieno, tra le nazioni conosciute, la piú lontana dalla civiltà, e la piú indocile alla medesima.

[XXIII. *Canto notturno di un pastore errante dell'Asia*, p. 189]. « Plusieurs d'entre eux (parla di una delle nazioni erranti dell'Asia) passent la nuit assis sur une pierre à regarder la lune, et à improviser des paroles assez tristes sur des airs qui ne le sont pas moins ». Il Barone di Meyendorff, *Voyage d'Orenbourg à Boukhara, fait en 1820*, appresso il giornale « *des Savans* », 1826, *septembre*, p. 518.

[*Ibid.*, v. 132, p. 194]. Il signor Bothe, traducendo in bei versi tedeschi questo componimento, accusa gli ultimi sette versi della presente stanza di tautologia, cioè di ripetizione delle cose dette avanti. Segue il pastore: ancor io provo pochi piaceri (« godo ancor poco »); né mi lagno di questo solo, cioè che il piacere mi manchi; mi lagno dei patimenti che provo, cioè della noia. Questo non era detto avanti. Poi, conchiudendo, riduce in termini brevi la quistione trattata in tutta la stanza; perché gli animali non s'annoino, e l'uomo sí: la quale se fosse tautologia, tutte quelle conchiusioni dove per evidenza si riepiloga il discorso, sarebbero tautologie.

[xxxii. *Palinodia*, v. 34, p. 256: *boa*]. Pelliccia in figura di serpente, detta dal tremendo rettile di questo nome, nota alle donne gentili de' tempi nostri. Ma come la cosa è uscita di moda, potrebbe anche il senso della parola andare fra poco in dimenticanza. Però non sarà superflua questa noterella.

[xxxiv. *La ginestra*, v. 51, p. 276]. Parole di un moderno, al quale è dovuta tutta la loro eleganza.

Argomento di una canzone
sullo stato presente dell'Italia *

O patria mia, vedo i monumenti gli archi ec. ma non vedo la tua gloria antica ec. Se avessi due fonti di lagrime non potrei piangere abbastanza per te. Passaggio agl'italiani che hanno combattuto per Napoleone: alla Russia. Morendo i poveretti ec. (dopo una descrizione lirica del modo come morivano) si volgevano a te o patria ec. O italia o italia bella, O patria nostra o in che diversa terra Moriamo per colui che ti fa guerra. Oh morissimo per mano di forti e non del freddo: oh morissimo per te, non per li tuoi tiranni: oh fosse nota la morte nostra! infelici sconosciuti per sempre e inutilmente sofferti le piú acerbe pene. cosí dicendo morivano e gli addentavano le bestie feroci urlando su per la neve. e il ghiaccio ec. Anime care, datevi pace e vi sia conforto Che non hacci per voi conforto alcuno, infelicissimi fra tutti, riposatevi nell'infinità della vostra miseria, vi sia conforto il pianto della patria e de' parenti: non di voi si lagna la patria ma di chi vi spinse A pugnar contra lei E mesce al pianto vostro il pianto suo: sventuratissima sempre; vi sia conforto che la sorte vostra non è stata piú dolce di quella della patria. Dei guai sofferti dall'italia sotto il dominio de' francesi tanto monarchico quanto repubblicano, del suo spoglio ec. Che differenza, parlando della Russia, da quel tempo ec. qui si possono ricordare le vittorie riportate da Adriano sopra i Parti, se però i Parti hanno che fare coi Russi. Si può ricordare in modo di sentenze liriche quello che ho scritto nei miei pensieri delle illusioni che si spengono, in propo-

---

* È il primo abbozzo delle canzoni *All'Italia* e *Sopra il monumento di Dante*: scritto con ogni probabilità nello stesso settembre del 1818, immediatamente prima della composizione delle due canzoni.

sito della freddezza degl'italiani. Sempre poi si può venir paragonando il presente al passato, ai Romani, ai Greci, alle Termopile ec. – E questo vi conforti Che conforto non è per voi nessuno. – O patria mia vedo le mura e gli *archi* ec. Ma la gloria non vedo Non vedo il lauro e 'l ferro ond'eran *carchi* I nostri padri antichi ec. Nuda la fronte e 'l petto ec. O patria mia chi t'ha ridotta in questo stato – passo flebile – ec. Se fosser gli occhi miei due vive fonti (fonti vive. Se le pupille mie fosser due fonti) ec. Non potrei pianger tanto Ch'adeguassi ec. Ché fosti donna un tempo ora se' schiava. incatenata ec. Dove sono i tuoi figli? Che fanno? perché non si combatte piú per te? ec. Odo il suono della battaglia: vedo che i tuoi figli combattono vedo il valore ec. passaggio alla campagna di Russia. Ahi non è per te ch'essi combattono. ec. Misero è ben chi muore pugnando per altro che per la patria. Qui si passi alla battaglia de' greci alle Termopile. Ipotiposi de' combattenti, muoiono tutti. Cosí cosí, Evviva evviva. Beatissimi voi non tempo ec. non invidia oscurerà la vostra fama. Allora Simonide (si metta Il figlio di ec.) prendea la lira. (si veda se visse a quel tempo veramente) Qui si può fingere il canto di Simonide ma passando alle parole sue di colpo come Virgilio citato dal Monti nel settimo dell'Eneide. Cosí cantava Simonide. Oh potess'io cantare egualmente per gl'italiani. Oh come mi arderebbe il cuore ec. – Che la miseria vostra colpa del fato fu non colpa vostra. – Nata l'italia a vincer tutte le genti cosí nella felicità come nella miseria. – Oh come sono sparite le tue glorie ec. in tuono solenne. – Tutte piangiamo insieme, itale genti, Poi che n'ha dato il cielo Dopo il tempo sereno, Tempo d'affanno e d'amarezza (tristezza) pieno. Questo può servire per la chiusa. È stato meglio per voi morire comunque, poich'eravate servi ed era serva la patria vostra.

Perché la pace ec. O italia ti rivolgi ai tuoi maggiori mira ec. vergognati una volta. ec. Onorate italiani i vostri maggiori poiché nessun presente lo merita. Cercava lo straniero la tomba di Dante e non trovava un sasso che gl'indicasse dove posavano le ossa di colui che l'italia collocò tant'alto. O benedetti voi ec. Non vi mancherà fantasia: vi sproni l'alto subbietto. Anch'io vengo come posso a cantare e tributare omaggio con voi e con tutti gl'italiani a Dante. O gran padre Alighier questo già non ti tocca per amor di te che non hai bisogno di monumento, e sei glorioso per tutto e immortale e se l'italia t'avesse dimenticato sarebbe già barbara ec. né certo ti dimenticò, le avvengano tutte le sventure se lo fece: ma pèr gl'italiani acciò si destino ec. Oh come vedi la povera italia come fu straziata dai francesi, spogliata de' marmi e delle tele ec. trattati come pecore vili da' galli itali noi. qual tempio qual altare non violarono, qual monte (pendice) qual rupe qual antro sí riposto fu sicuro dalla loro tirannide. Libertà bugiardissima. ec. E 'l peggio è che fummo costretti di combattere per loro. Qui alle campagne e selve rutene ec. come sopra per l'altra canzone. Ma piú di tutto è male questo sopore degl'italiani. Dimmi, gran padre, dimmi la fiamma che t'accese è spenta? Saran vane le tue fatiche per crearci un idioma e una letteratura? Non sorgerà piú la gloria d'italia? Non ci sarà piú un uomo simile a te? Io finch'avrò lena e voce in petto griderò sempre: Svegliati italia ec. ec. – Che per se stessa inerme, tuttora armata è per lo suo tiranno.

Dell'educare la gioventú italiana *

Sul gusto dell'ode 2 l. 3 d'Oraz. A voi sta, padri madri di far forti i vostri figli e dar loro grandi pensieri e inclinazioni, a voi d'ispirar loro l'amor della patria. Povera patria ec. e si può usare il pensiero di Foscolo che ho segnato ne' miei, verrà forse tempo che l'armento insulterà alle ruine de' nostri antichi sommi edifizi ec. Pensate che se non farete quello che sarà in voi ec. forse i vostri figli sopravviveranno alla patria loro. Questo tempo è gravido di avvenimenti: ricordanze de' fatti passati: grandi pensieri: calor d'animo ec. non lo sprecate: la generazione che sorge ne profitti per cura vostra. Quando ci libereremo dalla superstizione dai pregiudizi ec. quando trionferà la verità il dritto la ragione la virtú se non adesso? Quando risorgerà l'amor della patria? quando? sarà morto per sempre? non ci sarà piú speranza? Io parlo a voi: ricordatevi che fortes creantur fortibus et bonis. Ora ora è 'l tempo da ritrarre il collo dal giogo antico e da squarciare il velo ec. O in questa generazione che nasce, o mai. Abbiatela per sacra, destatela a grandi cose, mostratele il suo destino, animatela.

Cosí faceano gli antichi padri: cosí le madri spartane, usciano incontro ai loro figli morti per la patria ec. E voi donne giovani voi spronate i vostri amanti ad alte imprese. Sublimità di pensieri e coraggio inaudito e desiderio di morte che può ispirar l'amore. Onnipotenza di chi com-

---

* Abbozzo che può riferirsi a piú di una canzone: oltre che alle prime due, a quelle *Ad Angelo Mai* e *Nelle nozze della sorella Paolina* e, per taluni spunti, *A un vincitore nel pallone*. Risale probabilmente al 1818 (secondo lo Scarpa è piú tardo, « in prossimità » della canzone al Mai).

batte o fa altra bella cosa in presenza della sua amante, o
col pensiero di lei. Siate grandi o giovani mie: imitate le
antiche. Si può finire coll'esempio di Pantea esortante il
marito a combattere l'oppressore dell'Asia ec. o colla costanza di Virginia, o con altro esempio di donna verso
l'amante che forse si potrà trovare in Plutarco delle donne
illustre. Si potrà anche fare un'apostrofe ai giovani stessi
come nel mio discorso sui romantici. Raccontato il fatto
di Pantea si può conchiudere sul gusto di Fortunati ambo,
Si quaeret Pater urbium ec.

A un vincitore nel pallone *

Giovane atleta, avvezzati al plauso e a cose grandi, impara da questo onore ed entusiasmo che ora commuovi quanto è meglio la vita operosa e gloriosa che inerte ed oscura, impara a conoscere (gustare) la gloria, (*incipe parve puer risu cognoscere matrem*) eccola qui, vedi com'è amabile, seguila, tu sei fatto per essa, impara a pensare a grandi imprese al bene della patria ec. Cosí una volta i greci ne' loro giuochi s'avvezzavano ec. La vita è una miseria, il suo meglio è gittarla gloriosamente e pel bene altrui e della patria. Che piacere si prova in una vita oziosa conservata con tanta cura? Come mai si fuggono i pericoli? che cos'è il pericolo se non un'occasione di liberarsi da un peso? La gloria e le grandi illusioni non valgono piú di tutta la noiosissima vita? Ora questa città tua patria si pregia di te, come se la tua gloria fosse sua. Una volta se ne pregerà l'Italia, se tu vorrai. L'Italia, se mai la sorte ec. se mai si risovverrà di quell'antico nome di gloria che una volta ec. L'Italia antico nome ec.

* Abbozzo della canzone omonima composta nel novembre 1821.

Comparazione delle sentenze di Bruto Minore e di Teofrasto vicini a morte *

Io non credo che si trovi in tutte le memorie dell'antichità voce piú lagrimevole e spaventosa, e con tutto ciò, parlando umanamente, piú vera di quella che Marco Bruto, poco innanzi alla morte, si racconta che profferisse in dispregio della virtú: la qual voce, secondo ch'è riportata da Cassio Dione, è questa. *O virtú miserabile, eri una parola nuda, e io ti seguiva come tu fossi una cosa: ma tu sottostavi alla fortuna.* E comunque Plutarco nella Vita di Bruto non tocchi distintamente di questa sentenza, laonde Pier Vettori dubita che Dione in questo particolare faccia da poeta piú che da storico, si manifesta il contrario per la testimonianza di Floro, il quale afferma che Bruto vicino a morire proruppe esclamando *che la virtú non fosse cosa ma parola.* Quei moltissimi che si scandalezzano di Bruto e gli fanno carico della detta sentenza, danno a vedere l'una delle due cose; o che non abbiano mai praticato familiarmente colla virtú, o che non abbiano esperienza degl'infortuni, il che, fuori del primo caso, non pare che si possa credere. E in ogni modo è certo che poco intendono e meno sentono la natura infelicissima delle cose umane, o si maravigliano ciecamente che le dottrine del Cristianesimo non fossero professate avanti di nascere. Quegli altri che torcono le dette parole a dimostrare che Bruto non fosse mai quell'uomo santo e magnanimo che fu riputato vivendo, e conchiudono che morendo si smascherasse, argomen-

* Composta a Recanati nel marzo 1822, « opera di otto giorni ». Fu pubblicata per la prima volta nelle *Canzoni* (Bologna 1824), come premessa al *Bruto Minore.* Non compresa nei *Canti,* fu ristampata, fra le prose, nel volume delle *Opere* curate da Antonio Ranieri (Firenze 1845). Su Teofrasto, cfr. *Zibaldone,* 316-18, 325 e 351.

tano a rovescio: e se credono che quelle parole gli venis-
sero dall'animo, e che Bruto, dicendo questo, ripudiasse
effettivamente la virtú, veggano come si possa lasciare
quello che non s'è mai tenuto, e disgiungersi da quello che
s'è avuto sempre discosto. Se non l'hanno per sincere, ma
pensano che fossero dette con arte e per ostentazione;
primieramente che modo è questo di argomentare dalle
parole ai fatti, e nel medesimo tempo levar via le parole
come vane e fallaci? volere che i fatti mentano perché si
stima che i detti non suonino allo stesso modo, e negare
a questi ogni autorità dandoli per finti? Di poi ci hanno a
persuadere che un uomo sopraffatto da una calamità eccessiva e irreparabile; disanimato e sdegnato della vita e della
fortuna; uscito di tutti i desiderii, e di tutti gl'inganni
delle speranze; risoluto di preoccupare il destino mortale e
di punirsi della propria infelicità; nell'ora medesima che
esso sta per dividersi eternamente dagli uomini, s'affatichi
di correr dietro al fantasma della gloria, e vada studiando e
componendo le parole e i concetti per ingannare i circostanti, e farsi avere in pregio da quelli che egli si dispone
a fuggire, e in quella terra che se gli rappresenta per odiosis-
sima e dispregevole. Ma basti di ciò.

Laddove le soprascritte parole di Bruto s'hanno tutto
giorno, si può dire, fra le mani; queste che soggiungerò di
Teofrasto moribondo, non credo che uscissero mai delle
scritture degli eruditi (dove anche non so il conto che se
ne faccia), non ostante che sieno degnissime di considerazione, e che abbiano molta corrispondenza col detto di
Bruto sí per l'occasione in cui furono pronunziate, e sí per
la sostanza loro. Diogene Laerzio le riferisce, copiando,
per quello ch'io mi persuado, qualche scrittore piú antico e
piú grave, com'è solito di fare. Dice dunque che Teofrasto venuto a morte *e domandato da' suoi discepoli se la-
sciasse loro nessun ricordo o comandamento, rispose: Niu-
no; salvo che l'uomo disprezza e gitta molti piaceri a causa
della gloria. Ma non cosí tosto incomincia a vivere, che la
morte gli sopravviene. Perciò l'amore della gloria è cosí
svantaggioso come che che sia. Vivete felici, e lasciate gli
studi, che vogliono gran fatica; o coltivategli a dovere,
che portano gran fama. Se non che la vanità della vita è
maggiore che l'utilità. Per me non è piú tempo a delibe-*

rare: voi altri considerate quello che sia piú spediente. E
cosí dicendo spirò.

Altre cose dette da Teofrasto vicino a morte si trovano mentovate da Cicerone e da San Girolamo, e sono piú
divulgate; ma non fanno al nostro proposito. Per queste
che abbiamo veduto si risolve che Teofrasto in età di sopra
cent'anni; avendola spesa tutta a studiare e scrivere, e servire indefessamente alla fama; ridotto, come dice Suida,
all'ultimo della vita per l'assiduità medesima dello scrivere;
circondato da forse duemila discepoli, ch'è quanto dire seguaci e predicatori delle sue dottrine; riverito e magnifi-
cato per la sapienza da tutta la Grecia, moriva, diciamo
cosí, penitente della gloria, come poi Bruto della virtú. Le
quali due voci, gloria e virtú, non veramente oggi, ma fra
gli antichi sonavano appresso a poco il medesimo. E però
Teofrasto non seguitò dicendo che la stessa gloria le piú
volte è opera della fortuna piuttosto che del valore; il che
non si poteva dire anticamente cosí bene come oggidí: ma
se Teofrasto l'avesse potuto aggiungere, non mancava al
suo concetto nessuna parte che esso non fosse ragguaglia-
tissimo a quello di Bruto.

Questi tali rinnegamenti, o vogliamo dire, apostasie da
quegli errori magnanimi che abbelliscono o piú veramente
compongono la nostra vita, cioè tutto quello che ha della
vita piuttosto che della morte, riescono ordinarissimi e
giornalieri dopo che l'intelletto umano coll'andare dei secoli ha scoperto, non dico la nudità, ma fino agli scheletri
delle cose, e dopo che la sapienza, tenuta dagli antichi per
consolazione e rimedio principale della nostra infelicità,
s'è ridotta a denunziarla e quasi entrarne mallevadrice a
quei medesimi che, non conoscendola, o non l'avrebbero
sentita, o certo l'avrebbero medicata colla speranza. Ma fra
gli antichi, assuefatti com'erano a credere, secondo l'inse-
gnamento della natura, che le cose fossero cose e non ombre, e la vita umana destinata ad altro che alla miseria,
queste sí fatte apostasie cagionate, non da passioni o vizi,
ma dal senso e discernimento della verità, non si trova che
intervenissero se non di rado; e però, quando si trova, è
ragione che il filosofo le consideri attentamente.

E piú maraviglia ci debbono fare le sentenze di Teofrasto, quanto che le condizioni della sua morte non si po-

tevano chiamare infelici, e non pare che Teofrasto se ne potesse rammaricare, avendo conseguito e goduto fino allora per lunghissimo spazio il suo principale intento, ch'era stata la gloria. Laddove il concetto di Bruto fu come un'ispirazione della calamità, la quale alcune volte ha forza di rivelare all'animo nostro quasi un'altra terra, e persuaderlo vivamente di cose tali, che bisogna poi lungo tempo a fare che la ragione le trovi da se medesima, e le insegni all'universale degli uomini, o anche de' filosofi solamente. E in questa parte l'effetto della calamità si rassomiglia al furore de' poeti lirici, che d'un'occhiata (perocché si vengono a trovare quasi in grandissima altezza) scuoprono tanto paese quanto non ne sanno scoprire i filosofi nel tratto di molti secoli. In quasi tutti i libri antichi (o filosofi o poeti o storici o qualunque sieno gli scrittori) s'incontrano molte sentenze dolorosissime, che se bene oggidí corrono piú volgarmente, non per questo si può dire che fra gli uomini di quei tempi fossero pellegrine. Ma esse per lo piú derivano dalla miseria particolare ed accidentale di chi le scriveva, o di chi si racconta o si finge che le profferisse. E quei concetti o, parlando generalmente, quella tristezza e quel tedio che s'accompagnano tanto all'apparenza della felicità quanto alle miserie medesime e ch'hanno rispetto alla natura ed all'ordine immutabile e universale delle cose umane, è raro assai che si trovino significati ne' monumenti degli antichi. I quali antichi quando erano travagliati dalle sventure, se ne dolevano in modo come se per queste sole fossero privi della felicità; la quale essi stimavano possibilissima a conseguire, anzi propria dell'uomo, se non quanto la fortuna gliela vietasse.

Ora volendo cercare quello che potesse avere indotto nell'animo di Teofrasto il sentimento della vanità della gloria e della vita, il quale a ragguaglio di quel tempo e di quella nazione, riesce straordinario; troveremo primieramente che la scienza del detto filosofo non si conteneva dentro ai termini di tale o tal altra parte delle cose, ma si stendeva poco meno che a tutto lo scibile (quanto era lo scibile in quell'età), come si raccoglie dalla tavola degli scritti di Teofrasto, lasciati perire la massima parte. E questa scienza universale non fu subordinata da lui, come da Platone, all'immaginativa, ma solamente alla ragione e all'esperienza, secondo l'uso d'Aristotele; e indirizzata, non allo studio né alla ricerca del bello, ma del suo maggior contrario, ch'è propriamente il vero. Atteso queste particolarità, non è maraviglia che Teofrasto arrivasse a conoscere la somma della sapienza, cioè la vanità della vita e della sapienza medesima; essendo che le molte scoperte fatte da' filosofi degli ultimi secoli circa la natura degli uomini e delle cose, vengano principalmente dal confrontare e dal rapportare che s'è fatto le diverse scienze, e quasi tutte le discipline tra loro, e dall'averle collegate l'une coll'altre e per questo mezzo considerate le relazioni che intervengono tra le varie parti della natura, ancorché lontanissime, scambievolmente.

Oltracciò dal libro dei Caratteri si comprende che Teofrasto vide nelle qualità e nei costumi degli uomini cosí addentro, che pochissimi scrittori antichi gli possono stare a lato per questo rispetto, se non forse i poeti. Ma questa facoltà è segno certo d'un animo che sia capace d'affezioni molte e varie e potenti. Perciocché le qualità morali come anche gli affetti degli uomini, volendoli rappresentare al vivo, non tanto si possono ricavare dall'osservazione materiale de' fatti e delle maniere altrui, quanto dall'animo proprio, eziandio quando sono disparatissimi dagli abiti dello scrittore. Secondo quello che fu detto dal Massillon interrogato come facesse a dipingere cosí al naturale i costumi e i sentimenti delle persone, praticando, com'esso faceva, assai piú nella solitudine che fra la gente. Rispose: considero me stesso. Cosí fanno i Drammatici e gli altri poeti. Ora un animo capace di molte conformazioni, cioè molto delicato e vivo, non può far che non senta la nudità e l'infelicità irreparabile della vita e non inclini alla tristezza, quando i molti studi l'abbiano assuefatto a meditare, e specialmente se questi riguardano all'essenza medesima delle cose, nel modo che s'appartiene alle scienze speculative.

Certo è che Teofrasto, amando gli studi e la gloria sopra ogni cosa, ed essendo maestro o vogliamo dire capo di scuola, e di scuola frequentatissima, conobbe e dichiarò formalmente l'inutilità de' sudori umani, e cosí degl'instituti suoi propri come degli altrui; la poca proporzione che passa tra la virtú e la felicità della vita; e quanto prevaglia la fortuna al valore in quello che spetta alla medesima felicità cosí

degli altri come anche de' sapienti. E forse in queste conoscenze passò tutti i filosofi greci, massime quelli che vennero avanti Epicuro, con tutto che fosse diversissimo e ne'
costumi e nelle sentenze da quello che poi furono gli Epi-
curei. Tutto questo si ricava, non solamente dalle cose dette
di sopra, ma da' riscontri che s'hanno degl'insegnamenti di
Teofrasto in parecchi luoghi degli scrittori antichi. E quasi
ch'egli avesse avuto a dimostrare cogli accidenti suoi propri la verità delle sue dottrine; primieramente non è tenuto da' filosofi moderni in quella stima che dovrebbe, essendo perduti già da piú secoli, per quello che se ne sappia,
tutti i suoi libri morali, eccetto solo i Caratteri; come anche sono perduti i libri politici o appartenenti alle leggi, e
quasi tutti quelli di metafisica. Oltre di ciò, non che i filosofi antichi lo celebrassero per aver veduto piú di loro, anzi
per questo rispetto medesimo lo vituperarono e maltratta-
rono, e particolarmente quelli, tanto meno sottili quanto
piú superbi, i quali si compiacevano d'affermare e di sostenere che il sapiente è felice per sé; volendo che la virtú o
la sapienza basti alla beatitudine; quando sentivano pur
troppo bene in se medesimi che non basta, se però avevano
effettivamente o l'una o l'altra di quelle condizioni. Della
qual fantasia non pare che i filosofi sieno ancora guariti,
anzi pare che sieno peggiorati non poco, volendo che ci
debba menare alla felicità questa filosofia presente, la quale
in somma non dice e non può dir altro, se non che tutto
il bello, il piacevole e il grande è falsità e nulla. Ma per
non dividerci da Teofrasto, i piú degli antichi erano incapaci di quel sentimento doloroso e profondo che l'animava.
*Teofrasto è malmenato nei libri e nelle scuole di tutti i
filosofi per aver lodato nel Callistene quel motto*: non la
sapienza ma la fortuna è signora della vita. *Negano che un
filosofo dicesse mai cosa piú fiacca di questa.* Sono parole
di Cicerone, il quale in altro luogo scrive che Teofrasto nel
libro della vita beata dava molto alla fortuna, cioè a dir che
la sentenziava per cosa di gran momento in riguardo alla
felicità. E quivi a poco soggiunge: *A ogni modo serviamoci
di Teofrasto in molti punti, salvo che s'attribuisca alla
virtú piú consistenza e piú gagliardia che questi non le
diede.* Vegga esso Cicerone quello che se le possa dare.

Forse per questi ragionamenti alcuno conchiuderà che

Teofrasto avesse a far professione di poco affezionato agli errori naturali, anzi che dal canto suo dovesse provvedere cogl'insegnamenti e colle azioni di sequestrarli dall'uso domestico e pubblico della vita, e di stringere gli effetti e la signoria dell'immaginativa, allargando i termini alla ragione. Ma s'ha da sapere che Teofrasto fu ed operò tutto il contrario. In quanto alle azioni, abbiamo in Plutarco nel libro contra Colote che il nostro filosofo liberò due volte la sua patria dalla tirannide. In quanto agl'insegnamenti, Cicerone dice che Teofrasto in un libro che scrisse delle ricchezze, si distendeva molto a lodare la magnificenza e l'apparato degli spettacoli e delle feste popolari, e metteva nella facoltà di queste spese molta parte dell'utilità che proviene dalle ricchezze. La qual sentenza è biasimata da Cicerone e data per assurda. Io non voglio contendere con Cicerone sopra questa materia, se bene io so e vedo ch'egli si poteva ingannare e tastar le cose con quella filosofia che penetra poco addentro. Ma l'ho per uomo cosí ricco d'ogni virtú privata e civile, che non mi basta l'animo d'accusarlo che non conoscesse i maggiori incitamenti e i piú fermi propugnacoli della virtú che s'abbiano a questo mondo, voglio dir le cose appropriate a stimolare e scuotere gli animi ed esercitare la facoltà dell'immaginazione. Solamente dirò che qualunque o fra gli antichi o fra' moderni conobbe meglio e sentí piú forte e piú dentro al cuor suo la nullità d'ogni cosa e l'efficacia del vero, non solamente non procurò che gli altri si riducessero in questa sua condizione, ma fece ogni sforzo di nasconderla e dissimularla a se medesimo, e favorí sopra ogni altro quelle opinioni e quegli effetti che sono valevoli a distornarla, come quello che per suo proprio esperimento era chiarito della miseria che nasce dalla perfezione e sommità della sapienza. Nel qual proposito si potrebbero allegare alcuni esempi molto illustri, massime de' tempi moderni. E in vero, se i nostri filosofi intendessero pienamente quello che s'affaticano di promulgare, o (posto che l'intendano) se lo sentissero, cioè a dire, se l'intendessero per prova, e non per sola speculazione; in cambio d'aversi a rallegrare di queste conoscenze, ne piglierebbero odio e spavento; s'ingegnerebbero di scordarsi quello che sanno e quasi di non vedere quello che vedono; rifuggirebbero, il meglio che potessero fare, a quegl'inganni fortunatissimi che, non questo o quel caso, ma la natura universale avea posto di sua propria mano in tutti gli animi; e finalmente non crederebbero che importasse gran cosa il persuadere altrui che niuna cosa importa quando anche paia grandissima. E se fanno questo per appetito di gloria, concedano che in questa parte dell'universo non possiamo vivere se non quanto crediamo e ponghiamo studio a cose da nulla.

Altra circostanza per la quale il caso di Teofrasto differisce notabilmente da quello di Bruto, si è la natura diversa de' tempi. Perocché Teofrasto gli ebbe, se non propizi, tuttavia non ripugnanti a quei sogni e a quei fantasmi che governarono i pensieri e gli atti degli antichi. Laddove possiamo dire che i tempi di Bruto fossero l'ultima età dell'immaginazione, prevalendo finalmente la scienza e l'esperienza del vero e propagandosi anche nel popolo quanto bastava a produr la vecchiezza del mondo. Che se ciò non fosse stato, né quegli avrebbe avuta occasione di fuggir la vita, come fece, né la repubblica romana sarebbe morta con lui. Ma non solamente questa, bensí tutta l'antichità, voglio dir l'indole e i costumi antichi di tutte le nazioni civili, erano vicini a spirare insieme colle opinioni che gli avevano generati e gli alimentavano. E già mancato ogni pregio a questa vita, cercavano i sapienti quel che gli avesse a consolare, non tanto della fortuna, quanto della vita medesima, non riputando per credibile che l'uomo nascesse propriamente e semplicemente alla miseria. Cosí ricorrevano alla credenza e all'aspettativa d'un'altra vita, nella quale stesse quella ragione della virtú e de' fatti magnanimi, che ben s'era trovata fino a quell'ora, ma già non si trovava, e non s'aveva a trovare mai piú, nelle cose di questa terra. Dai quali pensieri nascevano quei sentimenti nobilissimi che Cicerone lasciò spiegati in piú luoghi, e particolarmente nell'orazione per Archia.

Inni cristiani *

Inni cristiani. Dio. Redentore. Angeli. Maria. Patriarchi. Mosè. Profeti. Apostoli. Martiri. Solitari.

Santi protettori contro qualche male speciale, disgrazia ec. Passo di Catullo di quando gli Dei si facean vedere dagli uomini e quando lasciarono, nelle Nozze di Teti ec. Necessità della Religione e dell'immortalità ec. prese da Cic. nell'oraz. pro Archia fine, e de' Senectute ec. Invocazioni a Maria per la povera italia. Fontane alberi ec. sacri e atti a guarire ec. come le tre fontane a Roma fatte dal capo di S. Paolo. Opinioni contadinesche p.e. intorno a certe feste ec. come che il giorno dell'Ascensione non si muova foglia sull'albero né gli uccelli dal nido.

Appariz. di S. Michele nel Gargano. Angeli Custodi. Apparizioni degli Ang. ad Abramo, a Tobia ec. ec. ec. Guerra loro coi demonii della titanomac. d'Esiodo. Angeli e loro forze invisibili diffusi per tutte le parti del mondo. azioni segrete degli spiriti animatori delle piante nuvole ec. abitatori degli antri ec. È fama ec. e tutto quel poetico che ha la superstiz. nella materia degli spiriti e geni ec.

Noè nell'arca, diluvio. sua prima ubbriachezza. Abramo, Isacco, Giacobbe ec. Plut. Varie parti poetiche della scrittura. Imitaz. di Callim. nel narrar questi fatti. Incominciam d'allor (di Maria, come Callim. di Diana) ec.

---

* Gli abbozzi e il *Discorso intorno agli inni*, tutti compresi fra le carte napoletane, risalgono all'estate-autunno del 1819. Il *Supplemento al progetto di inni cristiani* figura nel *Supplemento generale a tutte le mie carte*, conservato alla Nazionale di Firenze, e fu scritto con ogni probabilità in data di poco posteriore. Cfr. la nota premessa all'*Inno ai Patriarchi*.

Discorso intorno agl'inni e alla poes. crist.

Ragionevolezza del conservar la Chiesa gl'inni suoi antichi come pure i Romani gl'inconditi versi saliari ec. ec. Ma niente di bello poet. s'è scritto religiosam. eccetto Milton ec. Bellezza della relig. Primitivo della scrittura. Unione della ragione e della natura ec. v. i pensieri. Ma principalm. l'inno ch'è poes. sacra dev'esser tratto dalla relig. dominante. Dell'inno v. Thomas. Natal Conti Mytholog. ec. E si può trar belliss. dalla nostra. Né però si è tratto. E dev'esser popolare. ec. E la relig. nostra ha moltiss. di quello che somigliando all'illusione è ottimo alla poesia. Si potranno esaminare gl'inni di Prudenzio, e se c'è altro celebre innografo cristiano.

Inno al Redentore

Tutto chiaro ti fu sin da l'eterno Quel ch'a soffrire avea questa infelice Umanità, ma lascia ora ch'io t'aggia Per testimonio singolar de' nostri Immensi affanni. O uomo Dio, Pietà di questa miseranda vita Che tu provasti ec. Le antiche fole finsero che Giove venendo nel mondo restasse irritatiss. dalle malvagità umane e mandasse (cosí mi pare) il diluv. Era allora la nostra gente assai men trista, che 'l suo dolor non conosceva, e 'l suo crudel fato, e ai poeti parve che la vista del mondo dovesse movere agli Dei piú ira che pietà. Ma noi già fatti cosí dolenti pensiamo che la tua visita ti debba aver mosso a compassione. E già fosti veduto piangere sopra Gerusalemme. Era in piedi questa tua patria (giacché tu pure volesti avere una patria in terra) e doveva esser distrutta desolata ec. ec. Cosí tutti siam fatti per infelicitarci e distruggerci scambievolmente, e l'impero romano fu distrutto, e Roma pure saccheggiata ec. ed ora la nostra misera patria ec. ec. ec.

Inno ai solitari

Dal parlare di S. Benedetto da Filadelfia si potrà discendere alla schiavitú dei negri, alla pazza opinione che

derivassero da Cam ec. ed alla loro emancipazione moderna.

Inno ai martiri

A S. Cecilia cultrice e protettrice delle belle arti, della
musica, della poesia. Fratellanza di queste coll'eroismo che
la spinse al martirio. Invocazione a Lei come special protettrice de' cantori ec.

Supplemento al progetto degl'inni cristiani

Per l'inno al Redentore. Tu sapevi già tutto ab eterno,
ma permetti all'immaginazione umana che noi ti consideriamo come piú intimo testimonio delle nostre miserie.
Tu hai provata questa vita nostra, tu ne hai assaporato il
nulla, tu hai sentito il dolore e l'infelicità dell'esser nostro
ec. ec. Pietà di tanti affanni, pietà di questa povera creatura tua, pietà dell'uomo infelicissimo, di quello che hai
redento, pietà del genere tuo, poiché hai voluto aver comune la stirpe con noi, esser uomo ancor tu.

Nell'inno agli apostoli si potrà parlare dei missionari, di
S. Francesco Saverio, delle missioni all'America. Nell'inno
ai solitari, degli ordini religiosi, delle certose ec., della vita
monastica, degli antichi grandi monasteri ec.

Degl'inni v.la Bibl. Antiquar. del Fabric.

Per l'inno al Creatore o al Redentore. Ora vo da speme
a speme tutto giorno errando e mi scordo di te, benché
sempre deluso ec. Tempo verrà ch'io non restandomi altra
luce di speranza, altro stato a cui ricorrere, porrò tutta la
mia speranza nella morte, e allora ricorrerò a te ec. abbi
allora misericordia, ec.

A Maria. È vero che siamo tutti malvagi, ma non ne
godiamo, siamo tanto infelici. È vero che questa vita e
questi mali son brevi e nulli, ma noi pure siam piccoli e ci
riescono lunghissimi e insopportabili. Tu che sei piú grande e sicura, abbi pietà di tante miserie ec.

Inno ai Patriarchi
o de' principii del genere umano *

E voi primi parenti di prole sfortunatissima, avrete il mio carme; voi molto meno infelici. Perocché alla pietà del Creatore certamente non piacque che la morte fosse all'uomo assai migliore della vita, o che la condizione della vita nostra fosse tanto peggior di quella di ciascuno degli animali e degli altri esseri che ci sottomise in questa terra. E sebbene la fama ricorda un antico vostro fallo cagione delle nostre calamità, pur la clemenza divina non vi tolse che la vita non fosse un bene; e maggiori assai furono i falli de' vostri nepoti, e i falli nostri che ci ridussero in quest'ultimo termine d'infelicità.

Ad Adamo. Tu primo contempli la purpurea luce del sole, e la volta dei cieli, e le bellezze di questa terra. Descrizione dello stato di solitudine in cui si trovava allora il mondo non abitato per anche dagli uomini, e solamente da pochi animali. Il torrente scendeva inudito dalla sua rupe, ed empieva le valli d'un suono che nessun orecchio riceveva. L'eco non lo ripeteva che al vento. L'erbe de' prati erano intatte da' piedi de' viventi: le frutta pendevano senza che la loro vista allettasse alcuno a cibarsene, e, immagine della futura nostra caducità, si rotolavano già mature appiè dell'albero che le aveva prodotte. Le foglie stormivano ec. ec. i fonti ec. ec. Il tuono non atterriva ec. il lampo, la pioggia ec. Si procuri di destare un'idea vasta e infinita di questa solitudine, simile a quella ch'io concepiva scrivendo l'Inno a Nettuno, e descrivendo la scesa di Rea nella terra inabitata per darvi alla luce quel Dio.

Quante sventure, o misero padre, quanti casi infelicis-

---

* Abbozzo dell'inno, composto nel luglio del 1822: probabilmente di poco anteriore.

simi, quante vicende, quanti affanni, quante colpe aspetta-
vano la tua sventurata progenie! Che orribile e dolorosa
storia incominci! Tu non credi che quegli altri progenitori
ai quali imponi i loro nomi, debbano essere tanto piú fortunati nella loro prole: che i tuoi figli debbano invidiare
alla vita delle mute piante, de' tronchi inerti ec.
    Eva, Donne, Bellezza, suo impero, sua corruzione.
    Caino. Ingresso della morte nel mondo. La società fi-
glia del peccato, e della violazione delle leggi naturali, poiché la Scrittura dice che Caino, vagabondo e ramingo per
li rimorsi della coscienza, e fuggendo la vendetta e portando seco la maledizione di Dio fu il primo fondatore
della città.
    Set, cioè consolatore. Vizi del genere umano, e sua
corrutela avanti il Diluvio.
    A Noè. Tu salvi la nostra empia e misera stirpe dalla
guerra e vittoria degli elementi. La salvi, e non per questo
ella ne diviene migliore, né rinnovandosi è meno empia e
sventurata di prima: anzi le calamità e le scelleraggini
della seconda, superano quelle della generazione distrutta.
Corvo, e colomba col suo ramo d'ulivo. Arco baleno.
    Torre di Babele. Nembrod, principio della tirannia.
Confusione delle lingue, e principio delle nazioni. Diffu-
sione del genere umano per la terra. Il nostro globo s'empie tutto di sventure e di delitti. Noi le insegnamo a terre
vergini, le quali per la prima volta sentono l'influenza del-
l'uomo, e con ciò solo divengono consapevoli del male e
del dolore, cose fin qui sconosciute e non esistenti per loro.
    In proposito dell'arca di Noè, de' suoi avanzi che al
tempo d'Eusebio si mostravano ancora, dic'egli, sui monti
d'Arabia ec. si potrà fare una digressione sulla nautica,
sul commercio, sull'usurpato regno del mare, sui morbi,
sulle calamità derivate da queste cagioni.
    Abramo. Vita pastorale de' Patriarchi. Qui l'inno può
prendere un tuono amabile, semplice, d'immaginazione ridente e placida, com'è quello degl'inni di Callimaco. Che
dirò io di te, o padre? Forse quando sul mezzogiorno, sedendo sulla porta solitaria della tua casa, nella valle di
Mambre sonante del muggito de' tuoi armenti, t'apparvero
i tre pellegrini ec.? O quando ec.? Rebecca scelta per ispo-
sa d'Isacco nel cavar l'acqua all'uso delle fanciulle orien-

tali; presso al pozzo ec. Matrimoni di que' tempi. Avventure di Giacobbe, massime nella giovanezza.

A me si rallegra e si dilata il core, o ch'io ti rimembri sedente ec. o che ec. ec.

Iddio, o per sé, o ne' suoi Angeli, non isdegnava ne' principii del mondo di manifestarsi agli uomini, e di conversare in questa terra colla nostra specie. Era lo spirito di Dio nel vento, e nel fuoco ec. V. quel che la Scrittura dice d'un'apparizione di Dio ad Elia *in spiritu aurae lenis*: e quella a Mosè nel roveto ardente senza consumarsi. I nostri padri lo sentivano come a passeggiare a diporto sul vespro ec. (Genesi) E parlava loro: e la sua voce usciva dalle rupi, e da' torrenti ec. Le nubi, le nebbie, le piante erano abitate dagli Angeli che di tratto in tratto si manifestavano agli occhi umani. Le spelonche ec. (Apparizione di S. Michele sul monte Gargano, e quella a Gedeone ec.) Ma cresciute le colpe e l'infelicità degli uomini, tacque la voce viva di Dio, e il suo sembiante si nascose agli occhi nostri, e la terra cessò di sentire i suoi piedi immortali, e la sua conversazione cogli uomini fu troncata. V. Catullo nel principio del poema *de Nuptiis* etc. Tutto ciò si potrà dire in proposito delle apparizioni ad Abramo. Sodoma, Lot, ec.

E in proposito della vita pastorale de' Patriarchi, considerata specialmente e descritta in quella di Abramo, Isacco, Giacobbe, si farà questa digressione o conversione lirica. Fu certo fu, e non è sogno, né favola, né invenzione di poeti, né menzogna di storie o di tradizioni, un'età d'oro pel genere umano. Corse agli uomini un aureo secolo, come aurea corre e correrà sempre l'età di tutti gli altri viventi, e di tutto il resto della natura. Non già che i fiumi corressero mai di latte, né che ec. V. la 4 egloga di Virgilio, e la chiusa del prim'atto dell'Aminta, e del quarto del Pastor fido. Ma s'ignorarono le sventure che ignorate non sono tali ec. ec. E tanto è miser l'uom quant'ei si reputa. Sannazzaro.

Tale anche oggidí nelle Californie selve, e nelle rupi, e fra' torrenti ec. vive una gente ignara del nome di civiltà, e restia (come osservano i viaggiatori) sopra qualunque altra a quella misera corruzione che noi chiamiamo coltura. Gente felice a cui le radici e l'erbe e gli animali raggiunti col corso, e domi non da altro che dal proprio braccio, son

cibo, e l'acqua de' torrenti bevanda, e tetto gli alberi e le
spelonche contro le piogge e gli uragani e le tempeste.
Dall'alto delle loro montagne contemplano liberamente
senza né desiderii né timori la volta e l'ampiezza de' cieli,
e l'aperta campagna non ingombra di città né di torri ec.
Odono senza impedimento il vasto suono de' fiumi, e l'eco
delle valli, e il canto degli uccelli, liberi e scarichi e padroni della terra e dell'aria al par di loro. I loro corpi sono
robustissimi. Ignorano i morbi, funesta dote della civiltà.
Veggono la morte (o piuttosto le morti), ma non la pre-
veggono. La tempesta li turba per un momento: la fuggono negli antri: la calma che ritorna, li racconsola e rallegra. La gioventú è robusta e lieta; la vecchiezza riposata
e non dolorosa. L'occhio loro è allegro e vivace (lo notano
espressamente i viaggiatori): non alberga fra loro né tristezza né *noia*. L'uniformità della vita loro non gli atte-
dia: tante risorse ha la natura in se stessa, s'ella fosse ub-
bidita e seguíta.

Perché invidiamo noi loro la felicità di cui godono, che
non hanno conquistata coi delitti, non mantengono col-
l'infelicità e oppressione de' loro simili, che fu donata loro
gratuitamente dalla natura, madre comune; a cui hanno
pieno diritto in virtú non solo dell'innocenza loro, ma
della medesima esistenza? Che gran bene, che gran felicità, che grandi virtú partorisce questa civiltà della quale
vogliamo farli partecipi, della quale ci doliamo che non
siano a parte? Siamo noi sí felici che dobbiamo compatire
allo stato loro, s'è diverso dal nostro? o perché abbiamo
perduta per nostra colpa la felicità destinata a noi né piú
né meno dalla natura, saremo noi cosí barbari che la vor-
remo torre anche a quelli che la conservano, e farli partecipi delle nostre conosciute e troppo sperimentate miserie?
Che diritto n'abbiamo? E qual cura, qual erinni ci spinge
e ci sollecita a scacciare la felicità da tutto il genere umano,
a snidarla dagli ultimi suoi recessi, da quei piccoli avanzi
del nostro seme, ai quali ell'è ancora concessa: a scancel-
lare insomma per sempre il nome di felicità umana? Non
basta alla nostra ragione d'averla perseguitata ed estinta
in eterno in cosí gran parte della stirpe nostra? ec. ec.

(I Missionarii sono occupatissimi presentemente a civi-
lizzare la California. Non vi riescono da gran tempo. Ado-

prano la forza e costringono i Californi a radunarsi, non so se ogni giorno, o in certi tali giorni, a far certe preghiere ec. Alcuni ne tengono presso di loro, e proccurano d'istruir-li e civilizzarli. Ma questi dimagrano in breve visibilmente, perdono il colore, l'occhio diviene smorto, ed alla prima occasione rifuggono ai boschi e alle montagne, dove ritornano sani e giocondi. Non credo che abbiano alcuna lingua, se non di gesti, o poco piú).

Con questa digressione si potrà molto bene conchiudere. Volendo seguitare, si potrà dir di Giuseppe, delle sue avventure ec. Ultimo de' patriarchi nati pastori, entra finalmente nelle Corti. Finisce la vita pastorale: incomincia la cortigiana e cittadinesca: nasce la fame dell'oro, la sfrenata e ingiusta ambizione ec. ec. e d'indi in poi la storia dell'uomo è una serie di delitti, e di *meritate* infelicità.

Premessa all'« Ultimo canto di Saffo » *

Il fondamento di questa Canzone sono i versi che Ovidio scrive in persona di Saffo, epist. 15, v. 31 segg. *Si mihi difficilis formam natura negavit* etc. La cosa piú difficile del mondo, e quasi impossibile, si è d'interessare per una persona brutta; e io non avrei preso mai quest'assunto di commuovere i Lettori sopra la sventura della bruttezza, se in questo particolar caso, che ho scelto a bella posta, non avessi trovato molte circostanze che sono di grandissimo aiuto, cioè 1. la gioventú di Saffo, e il suo esser di donna. Noi scriviamo principalmente agli uomini. Ora *ni moza fea, ni vieja ermosa*, dicono gli spagnuoli. 2. il suo grandissimo spirito, ingegno, sensibilità, fama, anzi gloria immortale, e le sue note disavventure, le quali circostanze pare che la debbano fare amabile e graziosa, ancorché non bella; o se non lei, almeno la sua memoria. 3. e soprattutto, la sua antichità. Il grande spazio frapposto tra Saffo e noi, confonde le immagini, e dà luogo a quel vago ed incerto che favorisce sommamente la poesia. Per bruttissima che Saffo potesse essere, che certo non fu, l'antichità, l'oscurità de' tempi, l'incertezza ec. introducono quelle illusioni che suppliscono ad ogni difetto.

* Questa e la *Postilla* seguente risalgono al maggio 1822 (la *Postilla* è datata dallo stesso Leopardi) e sono vergate rispettivamente in testa e in calce all'autografo dell'*Ultimo canto di Saffo*.

Postilla ai versi 68-70

Ecco di tante Sperate palme e dilettosi errori Il Tartaro m'avanza. Il Tartaro è forse una palma, o un error dilettoso? Tutto l'opposto, ma ciò appunto dà maggior forza a questo luogo, venendoci ad entrare una come ironia. Di tanti beni non m'avanza altro che il Tartaro, cioè un male. Oltracciò si può spiegare questo luogo anche esattamente, e con un senso molto naturale. Cioè, queste tante speranze e questi errori cosí piacevoli si vanno a risolvere nella morte: di tanta speranza, e di tanti amabili errori, non esce, non risulta, non si realizza altro che la morte. Cosí il *di* viene a stare molto naturalmente per *da* o *per* o cosa simile. Che se la frase è ardita e rara, non per questo è oscura, ma il senso n'esce chiarissimo. E di queste tali espressioni incerte, e piú incerte ancora di questa n'abbonda la poesia latina, Virgilio, Orazio, che sono i piú perfetti: anzi questi due n'abbondano massimamente. E lo stesso incerto, e lontano, e ardito, e inusitato, e indefinito, e pellegrino di questa frase le conferisce quel *vago* che sarà sempre in sommo pregio appresso chiunque conosce la vera natura della poesia. In somma il luogo sta bene cosí, e non bisogna guastarlo. La voce *tante* è da conservare a tutti i patti, ché nessun'altra potrebbe supplire all'effetto suo; effetto che appartiene all'intima natura del cuore umano, e deriva dall'indeterminato di questa voce, ossia dalla quantità ch'ella significa; come ho notato altrove (19 maggio. Domenica. 1822).

Memorie del primo amore *

Io cominciando a sentire l'impero della bellezza, da piú
d'un anno desiderava di parlare e conversare, come tutti
fanno, con donne avvenenti, delle quali un sorriso solo,
per rarissimo caso gittato sopra di me, mi pareva cosa stra-
nissima e maravigliosamente dolce e lusinghiera: e questo
desiderio nella mia forzata solitudine era stato vanissimo
fin qui. Ma la sera dell'ultimo Giovedí, arrivò in casa nostra, aspettata con piacere da me, né conosciuta mai, ma
creduta capace di dare qualche sfogo al mio antico desiderio, una Signora Pesarese nostra parente piú tosto lontana,
di ventisei anni, col marito di oltre a cinquanta, grosso e
pacifico, alta e membruta quanto nessuna donna ch'io m'abbia veduta mai, di volto però tutt'altro che grossolano,
lineamenti tra il forte e il delicato, bel colore, occhi neris-
simi, capelli castagni, maniere benigne, e, secondo me,
graziose, lontanissime dalle affettate, molto meno lontane
dalle primitive, tutte proprie delle Signore di Romagna e
particolarmente delle Pesaresi, diversissime, ma per una
certa qualità inesprimibile, dalle nostre Marchegiane. Quella sera la vidi, e non mi dispiacque; ma le ebbi a dire pochissime parole, e non mi ci fermai col pensiero. Il Venerdí
le dissi freddamente due parole prima del pranzo: pran-
zammo insieme, io taciturno al mio solito, tenendole sempre gli occhi sopra, ma con un freddo e curioso diletto di
mirare un volto piú tosto bello, alquanto maggiore che se
avessi contemplato una bella pittura. Cosí avea fatto la sera

* Secondo il titolo del Flora. Negli *Scritti vari* figura col titolo
« Diario d'amore ». Sono le pagine scritte fra il 14 dicembre 1817 e
il 2 gennaio 1818, ispirate dall'amore per la cugina Geltrude Cassi
Lazzari. Cfr. la nota premessa al *Primo amore.*

precedente, alla cena. La sera del Venerdí, i miei fratelli
giuocarono alle carte con lei: io invidiandoli molto, fui costretto di giuocare agli scacchi con un altro: mi ci misi per
vincere, a fine di ottenere le lodi della Signora (e della Signora sola, quantunque avessi dintorno molti altri) la quale
senza conoscerlo, facea stima di quel giuoco. Riportammo
vittorie uguali, ma la Signora intenta ad altro non ci badò;
poi lasciate le carte, volle ch'io l'insegnassi i movimenti
degli scacchi: lo feci ma insieme cogli altri, e però con
poco diletto, ma m'accorsi ch'Ella con molta facilità impa-
rava, e non se le confondevano in mente quei precetti dati
in furia (come a me si sarebbero senza dubbio confusi), e
ne argomentai quello che ho poi inteso da altri, che fosse
Signora d'ingegno. Intanto l'aver veduto e osservato il suo
giuocare coi fratelli, m'avea suscitato gran voglia di giuocare io stesso con lei, e cosí ottenere quel desiderato parlare e conversare con donna avvenente: per la qual cosa
con vivo piacere sentii che sarebbe rimasa fino alla sera
dopo. Alla cena, la solita fredda contemplazione. L'indomani nella mia votissima giornata aspettai il giuoco con
piacere ma senza affanno né ansietà nessuna: o credeva
che ci avrei trovato soddisfazione intera, o certo non mi
passò per la mente ch'io ne potessi uscire malcontento.
Venuta l'ora, giuocai. N'uscii scontentissimo e inquieto.
Avea giuocato senza molto piacere, ma lasciai anche con
dispiacere, pressato da mia madre. La Signora m'avea trattato benignamente, ed io per la prima volta avea fatto
ridere colle mie burlette una dama di bello aspetto, e par-
latole, e ottenutone per me molte parole e sorrisi. Laonde
cercando fra me perché fossi scontento, non lo sapea trovare. Non sentia quel rimorso che spesso, passato qualche
diletto, ci avvelena il cuore, di non esserci ben serviti del-
l'occasione. Mi parea di aver fatto e ottenuto quanto si
poteva e quanto io m'era potuto aspettare. Conosceva però
benissimo che quel piacere era stato piú torbido e incerto,
ch'io non me l'era immaginato, ma non vedeva di poterne
incolpare nessuna cosa. E ad ogni modo io mi sentiva il
cuore molto molle e tenero, e alla cena osservando gli atti
e i discorsi della Signora, mi piacquero assai, e mi ammol-
lirono sempre piú; e insomma la Signora mi premeva molto: la quale nell'uscire capii che sarebbe partita l'indo-

mani, né io l'avrei riveduta. Mi posi in letto considerando
i sentimenti del mio cuore, che in sostanza erano inquietudine indistinta, scontento, malinconia, qualche dolcezza,
molto affetto, e desiderio non sapeva né so di che, né
anche fra le cose possibili vedo niente che mi possa appagare. Mi pasceva della memoria continua e vivissima della
sera e dei giorni avanti, e cosí vegliai sino al tardissimo, e
addormentatomi, sognai sempre come un febbricitante, le
carte il giuoco la Signora; contuttoché vegliando avea pensato di sognarne, e mi parea di aver potuto notare che io
non avea mai sognato di cosa della quale avessi pensato che
ne sognerei: ma quegli affetti erano in guisa padroni di
tutto me e incorporati colla mia mente, che in nessun modo
né anche durante il sonno mi poteano lasciare. Svegliatomi
prima del giorno (né piú ho ridormito), mi sono ricomin-
ciati, com'è naturale, o piú veramente continuati gli stessi
pensieri, e dirò pure che io avea prima di addormentarmi
considerato che il sonno mi suole grandemente infievolire e
quasi ammorzare le idee del giorno innanzi specialmente
delle forme e degli atti di persone nuove, temendo che
questa volta non mi avvenisse cosí. Ma quelle per lo contrario essendosi continuate anche nel sonno, mi si sono
riaffacciate alla mente freschissime e quasi rinvigorite. E
perché la finestra della mia stanza risponde in un cortile
che dà lume all'androne di casa, io sentendo passar gente
cosí per tempo, subito mi sono accorto che i forestieri si
preparavano al partire, e con grandissima pazienza e impazienza, sentendo prima passare i cavalli, poi arrivar la carrozza, poi andar gente su e giú, ho aspettato un buon pezzo
coll'orecchio avidissimamente teso, credendo a ogni momento che discendesse la Signora, per sentirne la voce l'ultima volta; e l'ho sentita. Non m'ha saputo dispiacere
questa partenza, perché io prevedeva che avrei dovuto
passare una trista giornata se i forestieri si fossero tratte-
nuti. Ed ora la passo con quei moti specificati di sopra, e
aggiugnici un doloretto acerbo che mi prende ogni volta
che mi ricordo dei dí passati, ricordanza malinconica oltre
a quanto io potrei dire, e quando il ritorno delle stesse ore
e circostanze della vita, mi richiama alla memoria quelle di
que' giorni, vedendomi dintorno un gran voto, e stringen-
domisi amaramente il cuore. Il quale tenerissimo, tenera-

mente e subitamente si apre, ma solo solissimo per quel suo
oggetto, ché per qualunque altro questi pensieri m'hanno
fatto e della mente e degli occhi oltremodo schivo e mo-
destissimo, tanto ch'io non soffro di fissare lo sguardo nel
viso sia deforme (che se piú o manco m'annoi, non lo so
ben discernere) o sia bello a chicchessia, né in figure o cose
tali; parendomi che quella vista contamini la purità di
quei pensieri e di quella idea ed immagine spirante e
visibilissima che ho nella mente. E cosí il sentir parlare di
quella persona, mi scuote e tormenta come a chi si tastasse
o palpeggiasse una parte del corpo addoloratissima, e spesso mi fa rabbia e nausea; come veramente mi mette a soq-
quadro lo stomaco e mi fa disperare il sentir discorsi alle-
gri, e in genere tacendo sempre, sfuggo quanto piú posso
il sentir parlare, massime negli accessi di quei pensieri. A
petto ai quali ogni cosa mi par feccia, e molte ne disprezzo
che prima non disprezzava, anche lo studio, al quale ho
l'intelletto chiusissimo, e quasi anche, benché forse non del
tutto, la gloria. E sono svogliatissimo al cibo, la qual cosa
noto come non ordinaria in me né anche nelle maggiori
angosce, e però indizio di vero turbamento. Se questo è
amore, che io non so, questa è la prima volta che io lo
provo in età da farci sopra qualche considerazione; ed ec-
comi di diciannove anni e mezzo, innamorato. E veggo
bene che l'amore dev'esser cosa amarissima, e che io pur-
troppo (dico dell'amor tenero e sentimentale) ne sarò sempre schiavo. Benché questo presente (il quale, come ieri
sera quasi subito dopo il giuocare, pensai, probabilmente
è nato dall'inesperienza e dalla novità del diletto) son certo
che il tempo fra pochissimo lo guarirà: e questo non so
bene se mi piaccia o mi dispiaccia, salvo che la saviezza
mi fa dire a me stesso di sí. Volendo pur dare qualche al-
leggiamento al mio cuore, e non sapendo né volendo farlo
altrimenti che collo scrivere, né potendo oggi scrivere altro, tentato il verso, e trovatolo restio, ho scritto queste
righe, anche ad oggetto di speculare minutamente le viscere dell'amore, e di poter sempre riandare appuntino la
prima vera entrata nel mio cuore di questa sovrana passione.

La Domenica 14 di Decembre 1817

Ieri, avendo passata la seconda notte con sonno interrotto e delirante, durarono molto piú intensi ch'io non credeva, e poco meno che il giorno innanzi, gli stessi affetti, i quali avendo cominciato a descrivere in versi ieri notte vegliando, continuai per tutto ieri, e ho terminato questa mattina stando in letto. Ieri sera e questa notte c'ho dormito men che pochissimo, mi sono accorto che quella immagine per l'addietro vivissima, specialmente del volto, mi s'andava a poco a poco dileguando, con mio sommo cordoglio, e richiamandola io con grandissimo sforzo, anche perché avrei voluto finire quei versi de' quali era molto contento, prima d'uscire del caldo della malinconia. Avanti d'addormentarmi ho previsto con gran dispiacere che il sonno non sarebbe stato cosí torbido come le notti passate, e cosí è successo, ed ora tutti quegli affetti sono debolissimi, prima per la solita forza del tempo, massimamente in me, poi perché il comporre con grandissima avidità quei versi, oltre che m'ha e riconciliato un poco colla gloria, e sfruttatomi il cuore, l'avere poi con ogni industria ad ogni poco incitati e richiamati quegli affetti e quelle immagini, ha fatto che questi non essendo piú cosí spontanei si sieno infievoliti. Ma perché essi mi vadano abbandonando, non me ne scema il voto del cuore, anzi piú tosto mi cresce, ed io resto inclinato alla malinconia, amico del silenzio e della meditazione, e alieno dai piaceri che tutti mi paiono piú vili assai di quello ch'ho perduto. E insomma io mi studio di rattenere quanto posso quei moti cari e dolorosi che se ne fuggono: per li quali mi pare che i pensieri mi si sieno piú tosto ingranditi, e l'animo fatto alquanto piú alto e nobile dell'usato, e il cuore piú aperto alle passioni. Non però in nessun modo all'amore (se non solamente verso il suo oggetto), che il fastidio d'ogni altra bellezza umana è, posso dire, dei moti descritti di sopra quello che piú vivo e saldo mi si mantiene nella mente. E una delle cagioni di ciò (oltre l'essere ora il mio cuore troppo signoreggiato da un sembiante), come anche di tutta questa mia crisi, è, come poi pensando m'è parso di poter affermare, l'impero che, se non fallo, per natura mia, hanno e debbono avere nella mia vita sopra di me due cose. Prima i lineamenti forti (purché sieno misti col delicato e grazioso e non virili), gli occhi e capelli neri, la vivacità del volto, la persona grande: e però io aveva già prima d'ora ma con molta incertezza osservato che le facce languide e verginali e del tutto delicate, capelli o biondi o chiari, statura bassa, maniere smorte, e cosí discorrendo, mi faceano molto poca forza, e forse forse qualche volta niuna, quando queste qualità davano in eccesso, e per avventura in altri facevano piú gran presa. Secondo, le maniere graziose e benigne ma niente affettate, e soprattutto nessun torcimento notabile, nessun moto troppo lezioso, nessunissima smorfia, insomma, come di sopra ho detto, le maniere pesaresi, che hanno anche quanto alla grazia e alla vivacità modesta un altro non so che ch'io non posso esprimere; e per questo e per la disinvoltura e la fuga dell'affettazione (almeno in quella di cui scrivo), vantaggiano a cento doppi le marchegiane; le quali ora conosco essere molto piú affettate e smorfiose e meno leggiadre. Per queste due cagioni, il guardare o pensare ad altro aspetto (poiché io non vedo né, posso dire, ho veduto altro che marchegiane) mi par che m'intorbidi e imbruttisca la vaghezza dell'idea che ho in mente, di maniera che lo schivo a tutto potere.

Il Martedí 16 Decembre 1817.

Ieri dopo liberatomi dal peso de' versi, quegli affetti non mi parvero né cosí deboli né cosí vicini a lasciarmi come m'erano paruti la mattina, in ispecie quella dolorosa ricordanza spesso accompagnata da quell'incerto scontento e dispiacere o dubbio di non aver forse goduto bastantemente, che fu il primo sintoma della mia malattia, e che ancor dura, e quasi non so vedere come mi possa passare, eccetto che per la natural forza del tempo non è cosí intenso come da principio, ma né anche cosí indebolito come si potrebbe credere e come io credeva che sarebbe stato. Ieri sera la continua malinconia di tre giorni, la spessa e lunga tensione del cervello, tre notti non dormite, l'inquietudine, il mangiar meno del solito, m'aveano alquanto indebolito, e istupiditami la testa; nondimeno io era e sono contento di questo stato di malinconia uguale uguale, e di meditazione, vedendomi anche l'animo piú alto, e non cu-

rante delle cose mondane e delle opinioni e dei disprezzi
altrui, e il cuore piú sensitivo molle e poetico. Questa notte per la prima volta son tornato al sonno cosí lungo co-
m'è d'ordinario, e ho sognato della solita passione, ma per
poco nel fine, e senza turbamento. Oggi durano appresso
a poco gl'istessi pensieri e sentimenti di ieri e di ieri sera,
la stessa svogliatezza al cibo e ad ogni diletto, in particolare alla lettura, e massime di cose d'amore, perché come
io non posso vedere bellezze umane reali, cosí né anche
descritte, e mi fa stomaco il racconto degli affetti altrui.
In genere questa svogliatezza a ogni cosa e specialmente
allo studio, mi pare cosí radicata in me, che io non so vedere come ne uscirò, non facendo con piacere altra lettura
che quella de' miei versi su questo argomento, e di queste
righe. Alle ragioni del presente mio stato addotte di sopra
mi pare che vada aggiunta quella dell'essermi riuscite nuove ed insolite le maniere della Signora, cioè le pesaresi
(vedute da me di raro), se bene non conversando io punto
mai con donne, parrebbe che anche le maniere marchegiane dovessero riuscirmi pressoché nuove, e però da questa parte non ci fosse ragione perché non m'avessero a fare
l'istesso effetto. Nondimeno credo che bisogni fare qualche
caso anche di questa osservazione, perché è naturale che
la maggior novità mi dovesse riuscire piú grata, ed eccitar-
mi maggiormente all'attenzione: e mi par poi che la spe-
rienza la confermi.

                    Il Mercoledí 17 di Decembre 1817.

    La sera d'avanti ieri mi parve che il mio caro dolore
stesse veramente per licenziarsi, e cosí ieri mattina. Tornavami l'appetito, passavami per la mente un pensiero che
avrei fatto bene a ripigliare lo studio, pareami d'esser fatto
meno restio al ridere e meno svogliato a certi dilettucci
della giornata, ricominciava a ragionare tra me stesso cosí
di questa come d'altre cose tranquillamente come soglio, di
maniera che io con molto dispiacere n'argomentava che
presto sarei tornato come prima. I sogni di ieri notte due
o tre volte mi mentovarono il solito oggetto, ma per pochissimo e placidamente. Ieri però quasi a un tratto, principalmente per avere udito parlare della Signora, mi ripre

se l'usata malinconia, e n'ebbi degli accessi cosí forti che
quasi mi parea d'esser tornato al principio della malattia.
Lo stesso turbamento di stomaco nel sentir parole allegre,
lo stesso dolore, la stessa profonda e continua meditazione,
e quasi anche la stessa smania e lo stesso affanno, le quali
due cose in genere non mi parea d'aver mai provate veramente fuori che la sera e notte del Sabato, tutta la Domenica, e (ma già molto rintuzzate) la prima parte del Lunedí. E in verità in questi ultimi giorni non potendo piú
la malinconia per cagione del tempo durare tuttavia cosí
calda ed intensa come ne' primi, s'è risoluta in parecchi
accessi, ora piú lunghi ed ora meno, ora piú ora meno forti, e talvolta cosí gagliardi che la cedono a pochi di que'
primi. E in particolare mi dura quello scontento, sul quale
io riflettendo, m'è paruto d'accorgermi ch'egli appartenga
al tempo, cioè che io avrei voluto giuocare piú a lungo;
non già che propriamente mi paresse d'aver giuocato poco,
o vero meno ch'io non m'aspettava; né pure che mentre
ch'io giuocava, fossi contento, e non mi dolesse altro che
il dover presto lasciare; né manco finalmente che io giuocando piú a lungo e giuocando un mese e un anno, avessi
potuto mai uscirne pago, che m'accorgo bene ch'io non sarei stato mai altro che scontentissimo; ma tuttavia mi pare
che questo scontento mi s'affacci alla mente con un colore
d'avidità, come se venisse da un desiderio di godere piú
a lungo, e da una cieca ingordigia incontentabilissima, che
nel tempo del giuoco quanto maggior diletto ci provava
tanto piú m'affannava e m'angosciava, quasi che mi facesse
fretta di goder di quel bene che presto e troppo presto
avrei perduto. Già la sera del Lunedí quella vagheggia-
tissima immagine del volto, forse per lo averla troppo avidamente contemplata, m'era pressoché del tutto svanita di
mente; e quindi in poi con gran cordoglio posso dire di non
averla piú veduta, se non come un lampo alle volte di
sfuggita e sbiaditissima, e questo, mentre l'immagine del
suo compagno ch'io non ricerco per niente, mi si fa innanzi viva freschissima e vegeta sempre ch'io me ne ricordo.
Ogni sera, stando in letto e vegliando a lungo, con ogni
possibile industria m'adopero di richiamarmi alla mente la
cara sembianza, la quale probabilmente per questo appunto ch'io con tanto studio la cerco, mi sfugge, ed io non

arrivo a vederne altro che i contorni, e ci affatico tanto il cervello che alla fine mi addormento per forza colla testa annebbiata infocata e dolente. Cosí m'accadde ieri sera, ma questa mattina svegliatomi per tempissimo, in quel proprio punto di svegliarmi, tra il sonno e la veglia spontaneamente m'è passata innanzi alla fantasia la desiderata immagine vera e viva, onde io immediatamente riscosso e spalancati gli occhi, subito le son corso dietro colla mente, e se non sono in tutto riuscito a farla tornare indietro, pure in quella freschezza di mente mattutina, tanto ne ho veduto e osservato e dell'aria del volto, e dei moti e dei gesti e del tratto e dei discorsi e della pronunzia, che non che m'abbia fatto maraviglia l'esserne stato una volta preso, ho anzi considerato che se io avessi quelle cose tuttora presenti alla fantasia, sarei ben piú smanioso e torbido ch'io non sono. Ora appresso a poco io duro come ne' giorni innanzi, parendomi che il solo mio vero passatempo sia lo scrivere queste righe; coll'animo voto o piú tosto pieno di tedio (eccetto nel caldo di quei pensieri), perché non trovo cosa che mi paia degna d'occuparmi la mente né il corpo, e guardando come il solo veramente desiderabile e degno di me quel diletto che ho perduto, o almeno come maggiore di qualunque altro ch'io mi potrei procacciare, ogni cosa che a quello non mi conduce, mi par vana; e però lo studio (al quale pure di quando in quando ritorno svogliatissimamente e per poco) non m'adesca piú, e non mi sa riempiere il voto dell'animo, perché il fine di questa fatica, che è la gloria, non mi par piú quella gran cosa che mi pareva una volta, o certo io ne veggo un'altra maggiore, e cosí la gloria divenuto un bene secondario non mi par da tanto ch'io ci abbia da spender dietro tutta la giornata, distogliendomi dal pensare a quest'altro bene: oltrech'ella per avventura mi pare una cosa piú lontana, e questo in certa guisa piú vicino, forse perché nell'atto di leggere e di studiare non s'acquista gloria, ma nell'atto di pensare a quest'altro bene s'acquista quel doloroso piacere, che pure il cuor mio giudica il piú vero e sodo bene ch'io ora possa cercare. Ed anche quando non penso a questo bene, non però mi so risolvere di darmi allo studio, per quella ragione ch'io ho detto, che mi par poco degno di me e poco importante, e perché in somma ho in testa un oggetto che piú mi preme, e o ci pensi o non ci pensi, sempre m'impedisce ogni seria applicazione di mente a cosa ch'esso non sia. E però non so vedere come ripiglierò l'antico amore allo studio, perché mi pare che anche passata questa infermità di mente, sempre mi dovrà restare il pensiero che c'è una cosa piú dilettosa che lo studio non è, e che io n'ho fatto una volta lo sperimento.

Il Venerdí 19 Decembre 1817.

Il tempo pigliò avanti ieri sera e tutto ieri gran vantaggio sulla mia passione, la quale va adesso veramente scadendo e mancando, né io ripugnava piú tanto alla lettura, anzi tra la passione e l'amore dello studio, parea che quella a poco a poco scemando tuttavia di peso, questo cominciasse a dare il crollo alla bilancia; e ammansato l'animo mio e fatto men severo e nemico de' piaceruzzi, e accostumatomi a que' pensieri e però non mi facendo piú quell'effetto, e potendogli assaporare senza inquietudine e con meno diletto e piú tranquillo, e diradati e indeboliti gli accessi di malinconia; l'appetito già dalla sera del Mercordí cominciatosi a raggiustare, tornavami al suo sesto, ed io quasi ripigliava le costumanze di prima, se ben sempre mi pareva e mi pare che qualche cosa mi manchi, e ch'io potrei star meglio che non isto, e provare un certo diletto che non provo. Ieri mattina svegliatomi, e pensando al solito oggetto, in sul riaddormentarmi m'apparve la desiderata e cercata immagine piú viva assai che il giorno prima, anzi cosí spirante ch'io subito la sentii parlare appuntino come quella persona suole, e come la memoria mia stanca e spremuta non mi sapea né mi sa ricordare: che passati quei pochi minuti ch'io vidi e contemplai e godetti palpitando quella sembianza, con ogni immaginabile studio riconducendola ne' luoghi ne' quali avea già veduto l'oggetto reale, e particolarmente nel giuoco; quel fantasma secondo l'usato sparí, né piú mi s'è lasciato vedere se non dilavato e smortissimo. E quando cosí smorto mi si presenta, per l'essermici io avvezzato, come ho detto, non mi turba piú gran cosa: e in oltre anche quando è veramente chiaro e spiccato, m'affanna alquanto meno che ne' primi giorni, e pare che la mente piú tosto che di tenergli dietro, ami di ricoverarsi in qualche altro suo pensiero gradito (per lo piú degli studi), tra perché ci s'affatica meno, e perché oramai inclina meglio alla calma che alla tempesta. A ogni modo io sento ancora e tutto ieri sentii l'impero di quella dolorosa e scontenta ricordanza ch'è il fondamento e l'anima delle mie malinconie, né par che per ora mi voglia lasciare, contuttoché sia meno amara e meno viva, e mi s'affacci alla mente piú di rado, e ci resti meno a lungo. E piú debole è quando sorge spontaneamente, imperocché piglia piú forza, e mi s'interna maggiormente nell'animo, e arriva anche a turbarmi quando è svegliata da qualche oggetto di fuori, com'è il sentir parlare di quella persona, e il giuocare che mi bisogna far tutte le sere: e in ispecie ieri sera giuocando e ricordandomi bene ch'era l'ottava di quel fatal giorno, presemi gagliardamente quel tristo pensiero, tanto ch'io n'alzai gli occhi verso quella parte dov'era stata la Signora per guardarla, com'avea fatto in quel turbolento giuocare, quasich'ella ancora ci fosse. E durando il cuor mio piú sensitivo assai dell'ordinario, e sempre sulle mosse, e voglioso di slanciarsi, non è dubbio che la musica, s'io ne sentissi in questi giorni, mi farebbe dare in ismanie e in furori, e ch'io n'impazzerei dagli affetti: e l'argomento cosí dal consueto incredibile potere della musica sopra di me, come dalle spinte che mi davano al cuore certi vilissimi canterellacci uditi a caso in questo tempo. Nei sogni di questa notte ho veduto il doloroso oggetto piú a lungo che i giorni innanzi, e con qualche inquietudine da vantaggio, ma cosí sformato e guasto che la ricordanza del sogno non m'ha punto mosso dopo svegliato.

La Domenica 21 Decembre 1817.

Chiudo oggi queste ciarle che ho fatte con me stesso per isfogo del cuor mio e perché mi servissero a conoscere me medesimo e le passioni; ma non voglio piú farne, perché non si sa quando io mi risolverei di finire, e oramai poco potendo dire di nuovo, mi pare ch'io ci perderei il tempo, del quale io soglio far caso, ed è bene che torni a servirmene giacché la passione al tutto non me l'impedisce.

La quale già si va dileguando, in tanto che io nelle mie
occupazioni ricomincio ad amar l'ordine, quando ne' giorni
addietro non lo curava e piú tosto l'odiava, e m'adatto al
ridere, e al pensare di proposito ad altre cose, e allo studiare; eccetto che l'amor dello studio provo di racconciarlo
colla passione, proponendo cosí in aria di scrivere qualche
cosa dov'io possa ragionare con quella Signora, o introdur-
la a favellare; e immaginandomi di potere forse una volta
divenuto qualche cosa di grande nelle lettere, farmele innanzi in maniera da esserne accolto con piacere e stima.
E di questi stessi pensieri mi sono di quando in quando
pasciuto anche ne' dí passati. Io dunque ripiglio il consueto tenore di vita, perché la passione languente non mi sa
piú riempire la giornata; e langue la passione per difetto
d'alimento, essendo stata proprio in sul nascere immediatamente strozzata dalla partenza del suo oggetto; laonde finora non s'è nutrita d'altro che di ricordanza e d'immagini,
delle quali immagini, come ho detto, la fantasia mi s'è da
piú giorni impoverita: che certo s'io fossi in luogo dove
potessi a mio talento praticare colla Signora, o anche solamente vederla di quando in quando, la passione non che
ora languisse, menerebbe gran fiamma, e sarebbe veramente
incominciata per me una fila di giorni smaniosissimi e infelici, com'io me ne posso avvedere considerando il tremito
e l'inquietudine che mi muove il rappresentarmi un po' vivamente al pensiero le forme e gli atti della Signora, il che
oramai, come ho notato, di rarissimo e per pochissimo mi
vien fatto. E cosí ora la passione sarebbe piú vigorosa che
non è, se dopo nata avesse avuto spazio di crescere alquanto e di pigliar piede nutrendosi d'altro che di rimembranza; ma di ciò fare non ebbe, come ho raccontato, altro spazio che una mezza sera. Contuttociò ella, nonostanteché
langua come un lume a cui l'olio vada mancando, pur tuttavia dura e durerà fors'anche lungo tempo, sempre lan-
guendo e facendo vista di spegnersi, e tratto tratto mandando qualche favilluzza, come nelle ore di piú ozio e
soprattutto di malinconia, ch'io credo che l'animo mio dovrà per molto spazio risentire a ogni altra sua malattia
questa piaghetta rimasa mezzo saldata. Ora di questo lungo
solco che la passione partendo mi lascerà nel cuore, e che
principalmente consisterà in un certo indistinto desiderio, e

scontento delle cose presenti, e in accessi piú o meno lunghi e risentiti della solita lamentevole e tenera ricordanza che in particolare mi sarà destata dagli oggetti esterni (come quelli che ieri specificai), non intendo di scriver piú altro, bastandomi d'aver tenuto dietro agli affetti miei sino al vederli languire, ed esser chiaro del modo nel quale si spegneranno. E quando saranno spenti, caso che io riveda (come penso che rivedrò, e al presente lo desidero) quel fatale oggetto, mi rendo quasi certo che riarderanno violentissimamente; e cosí non dubito che se una volta mi sarà facile, purch'io voglia, di portarmi da me stesso a rivederlo, e molto piú se l'occasione me ne verrà, io tremando e sudando freddo, e biasimando altamente me stesso, e dandomi del pazzo, e compassionandomi, senza però dubitare correrò a quel temuto diletto: salvo se la lunghezza del tempo, e piú l'aver conversato con altre donne, e conceputo e provato altri affetti, e veduto piú mondo, e incontrato piú casi non m'avessero affatto sradicata dal cuore questa passione: la qual certo se finora con tanto poco alimento s'è sostenuta, e se piú oltre benché debole si sosterrà, è forza che in gran parte lo riconosca dall'oziosità e dall'eterna medesimezza del mio vivere senza nessuno svagamento né diletto massimamente nuovo. E cosí da quello che ne' dí passati ho scritto, si fa bastevolmente chiaro ch'ella è nata dall'aver io inespertissimo giuocato e conversato alquanto famigliarmente con una persona d'aspetto piú tosto bello, e di forme e di maniere fatte pel cuor mio; ancorché questa seconda cagione è veramente secondaria, perch'io fo conto che con questa mia inesperienza, un altro bel volto, parlando e praticando nella stessa guisa con me, m'avrebbe similmente preso, anche con tutt'altri atti e sembianze. E ho detto ch'io mi riprenderei di qualunque azione che mi dovesse o risuscitare o rinfrancare questa passione nel cuore, non già perch'io di essa mi vergogni punto; che s'al mondo ci fu mai affetto veramente puro e platonico, ed eccessivamente e stranissimamente schivo d'ogni menomissima ombra d'immondezza, il mio senz'altro è stato tale ed è, e assolutamente per natura sua, non per cura ch'io ci abbia messa, immantinente s'attrista e con grandissimo orrore si rannicchia per qualunque sospetto di bruttura; ma per la infelicità ch'ella partorisce; imperocché, posto che una certa nebbietta di malinconia affettuosa, come quella ch'io negli ultimi giorni ho provata, non sia discara, e anche diletti senza turbarci piú che tanto, non cosí altri può dire di quella sollecitudine e di quel desiderio e di quello scontentamento e di quella smania e di quell'angoscia che vanno col forte della passione, e ci fanno s'alcuna cosa mai tribolati, e miseri. Ed io di questa miseria ho avuto un saggio nella prima sera e ne' due primi giorni della mia malattia, ne' quali al presente giudico di avere in fatti propriamente ed intimamente sentito l'amore: e quali sieno stati i sintomi e le proprietà e in somma il carattere di questo primo amor mio, si dichiara in quelle carte ch'io scrissi nel maggior caldo degli affetti; se non che ci puoi aggiugnere un manifesto desiderio di trovare nel mio volto qualcosa che potesse pur piacere: ma questo desiderio non l'ebbi nel primo giorno, nel quale anzi avvertentemente sfuggiva la vista e il pensiero della immagine mia, non altrimenti che facessi delle facce altrui. Del resto tanto è lungi ch'io mi vergogni della mia passione, che anzi sino dal punto ch'ella nacque, sempre me ne sono compiaciuto meco stesso, e me ne compiaccio, rallegrandomi di sentire qualcheduno di quegli affetti senza i quali non si può esser grande, e di sapermi affliggere vivamente per altro che per cose appartenenti al corpo, e d'essermi per prova chiarito che il cuor mio è soprammodo tenero e sensitivo, e forse una volta mi farà fare e scrivere qualche cosa che la memoria n'abbia a durare, o almeno la mia coscienza a goderne, molto piú che l'animo mio era ne' passati giorni, come ho detto, disdegnosissimo delle cose basse, e vago di piaceri tra dilicatissimi e sublimi, ignoti ai piú degli uomini. Non negherò dunque di avere in questo tempo con ogni cura aiutati e coltivati gli affetti miei, né che una parte del dispiacere ch'io provava vedendogli a infievolire non venisse dal gusto e dal desiderio ch'io avea di sentire e di amare. Ma sempre sincerissimamente detestando ogni ombra di romanzeria, non credo d'aver sentito affetto né moto altro che spontaneo, e non ho in queste carte scritta cosa che non abbia effettivissimamente e spontaneamente sentita: né ho pur mai voluto in questi giorni leggere niente d'amoroso, perché, come ho notato, gli affetti altrui mi stomacavano, ancorché non ci fosse punto d'affettazione; manco il Petrarca, comeché credessi che ci avrei trovato sentimenti somigliantissimi ai miei. Ed anche ora appena con grande stento e ritrosia m'induco a lasciar cadere gli occhi sopra qualche cosa di questo genere, quando me ne capita l'occasione. Ed io so molto bene di parecchi altri effetti che l'amore o talvolta o anche d'ordinario fa; ma perché in me non gli ha fatti, né io gli ho descritti, nonostanteché forse qualche volta n'abbia avuto qualche sentore, ma cosí dubbio o piccolo che non n'ho voluto far caso.

Il Lunedí e il Martedí 22 e 23 Decembre 1817.

Non avendo per l'addietro fatto parola né dato indizio della mia passione a chicchessia, la manifestai a mio fratello Carlo, fattigli leggere i versi e queste carte, ai 29 di Decembre, durandomi nell'animo, come ancora mi durano oggi 2 di Gennaio 1818, le vestigia evidentissime degli affetti passati, ai quali non manca per ridar su altro che l'occasione.

Ricordi d'infanzia e di adolescenza *

pieghevolezza dell'ingegno facilità d'imitare, occasione di parlarne sarà la Batrac. imitata dal Casti.

molto entusiasmo temperato da ugual riflessione e però incapace di splendide pazzie mi pare che formi in genere uno dei piú gran tratti del suo carattere.

La mia faccia aveva quando io era fanciulletto e anche piú tardi un so che di sospiroso e serio che essendo senza nessuna affettaz. di malinconia ec. le dava grazia (e dura presentemente cangiata in serio malinconico) come vedo in un mio ritratto fatto allora con verità, e mi dice di ricordarsi molto bene un mio fratello minore di un anno, (giacché io allora non mi specchiava) il che mostra che la cosa durò abbastanza poich'egli essendo minore di me se ne ricorda con idea chiara. Quest'aria di volto colle maniere ingenue e non corrotte né affettate dalla cognizione di quel ch'erano o dal desiderio di piacere ec. ma semplici e naturali altrimenti che in quei ragazzi ai quali si sta troppo attorno mi fecero amare in quella età da quelle poche Signore che mi vedevano in maniera cosí distinta dagli altri fratelli che questo amore cresciuto ch'io fui durò poi sempre assolutamente parziale fino al 21 anno nel quale io scrivo (11 Marzo 1819) quando quest'amore per quella quindicina d'anni ch'essendo cresciuta a me era cresciuta anche alle Signore già mature fin dal principio non era

* Il titolo secondo il Flora. Negli *Scritti vari* (Le Monnier, Firenze), figurano col titolo « Appunti e ricordi ». Sono databili tra il marzo e il maggio del 1819, la stagione dei primi idilli (*L'infinito, Alla luna, La vita solitaria, Il sogno, La sera del dì di festa* e il *Frammento* XXXVII), che anche se composti in gran parte piú tardi recano tutti il sigillo di questo Leopardi.

punto pericoloso. E una di queste Signore anzi sempre che
capitava l'occasione, piú e piú volte mi dicea formalmente
che quantunque volesse bene anche agli altri fratelli, non
potea far che a me non ne volesse uno molto particolare,
e si prendeva effettivam. gran pena d'ogni cosa sinistra che
m'accadesse, anche delle minime bagattelle, e questo senza
ch'io le avessi dato un minimo segno di particolar bene-
volenza né compiaciutala notabilmente o precisamente in
nessuna cosa, anzi fuggendola il piú che poteva quanto nessun'altra.

Canto dopo le feste, Agnelli sul cielo della stanza, Suono
delle navi, Gentiloni (otium est pater ec.), Spezioli (chie-
rico), dettomi da mio padre ch'io doveva essere un Dottore, Paure disciplinazione notturna dei missionari, Compassione per tutti quelli che io vedeva non avrebbono
avuto fama, Pianto e malinconia per esser uomo, tenuto
e proposto da mia madre per matto, compassione destata
in Pietruccio sulle mie ginocchia, desiderio concepito studiando la geograf. di viaggiare, Sogni amorosi ed efficacia
singolare de' sogni teneri notata, amore per la balia, per la
Millesi, per Ercole, Scena dopo il pranzo affacciandomi alla
finestra, coll'ombra delle tettoie il cane sul pratello i fanciulli la porta del cocchiere socchiusa le botteghe ec., effetti
della musica in me sentita nel giardino, aria cantata da
qualche opera E prima di partire ec., Compiacente e lezioso da piccolo ma terribile nell'ira e per la rabbia ito in
proverbio tra' fratelli piú cattivi assai nel resto, prima lettura di Omero e primo sonetto, Amore amore cantato dai
fanciulli (leggendo io l'Ariosto) come in Luciano ec., principio del mondo (ch'io avrei voluto porre in musica non
potendo la poesia esprimere queste cose ec. ec.) immaginato in udir il canto di quel muratore mentr'io componeva
ec. e si può dire di Rea ec. senza indicar l'inno a Nettuno,
Gennaio del 1817 e lettura dell'Alamanni, e del Monti
nell'aspettazione della morte e nella vista di un bellissimo
tempo da primavera passeggiando, nel finire di un di questi passeggi grida delle figlie del cocchiere per la madre sul
mettermi a tavola, composizione notturna fra il dolore ec.
della Cantica, lettura notturna di Cicerone e voglia di
slanciarmi quindi preso Orazio, descriz. della veduta che

si vede dalla mia casa le montagne la marina di S. Stefano
e gli alberi da quella parte con quegli stradelli ec., mie
meditazioni dolorose nell'orto o giardino al lume della luna
in vista del monistero deserto della caduta di Napoleone
sopra un mucchio di sassi per gli operai che ec. aspettando la morte, desiderio d'uccidere il tiranno fanciulli nella
domenica delle palme e falsa amicizia dell'uno piú gran-
dicello, Educande mia cugina ed orazione mia a loro (Si-
gnorine mie) consolatoria (mi fate piangere anche me) con
buon esito di un sorriso come il sole tra una pioggetta
perciò scritta da me allora che me ne tenni eloquente,
testa battuta nel muro dell'Assunta. faccia dignitosa ma
serena e di un ideale simile a quel cammeo di Giove Egioco
avute le debite proporzioni ec. S. Cecilia considerata piú
volte dopo il pranzo desiderando e non potendo contemplar la bellezza, baci dati alla figlia e sospiri per la vicina
partenza che senza nessuna mia invidia mi turbavano
in quel giuoco a cagione ec., prevedo ch'io mi guasterei coi
cattivi compagni coll'esempio massimamente ec. e perciò
che nessun uomo non milenso non è capace di guastarsi,
mal d'occhi e vicinanza al suicidio, pensieri romanzeschi
alla vista delle figure del Kempis e di quelle della piccola
storia sacra ec., del libro dei santi mio di Carlo e Paolina
del Goldoni della Storia santa francese dei santi in rami
dell'occhio di Dio in quella miniatura mio disprezzo degli
uomini massime nel tempo dell'amore e dopo la lettura
dell'Alfieri ma già anche prima come apparisce da una
mia lettera a Giordani, mio desiderio di vedere il mondo
non ostante che ne conosca perfettamente il vuoto e qualche volta l'abbia quasi veduto e concepito tutto intiero,
accidia e freddezza e secchezza del gennaio ec. insomma del
carnevale del 19 dove quasi neppur la vista delle donne
piú mi moveva e mio piacere allora della pace e vita casalinga e inclinazione al fratesco, scontentezza nel provar le
sensazioni destatemi dalla vista della campagna ec. come
per non poter andar piú addentro e gustar piú non parendomi mai quello il fondo oltre al non saperle esprimere ec.
tenerezza di alcuni miei sogni singolare movendomi affatto
al pianto (quanto non mai maissimo m'è successo vegliando) e vaghissimi concetti come quando sognai di Maria
Antonietta e di una canzone da mettergli in bocca nella

tragedia che allora ne concepii la qual canzone per esprimere quegli affetti ch'io aveva sentiti non si sarebbe potuta fare se non in musica senza parole, mio spasimo letto il Cimitero della Maddalena, carattere e passione infelice della mia cugina di cui di sopra, Lettura di Virgilio e suoi effetti, notato quel passo del canto di Circe come pregno di fanciullesco mirabile e da me amato già da scolare, cosí notato quel far tornar Enea indietro nel secondo libro, lettura di Senofonte e considerazioni sulla sua politica, notato quel luogo delle fanciulle persiane che cavavano acqua comparato cogl'inni a Cerere di Callimaco e Omero ec. e Verter lett. 3, mie considerazioni sulla pluralità dei mondi e il niente di noi e di questa terra e sulla grandezza e la forza della natura che noi misuriamo coi torrenti ec. che sono un nulla in questo globo ch'è un nulla nel mondo e risvegliato da una voce chiamantemi a cena onde allora mi parve un niente la vita nostra e il tempo e i nomi celebri e tutta la storia ec., sulle fabbriche piú grandi e mirabili che non fanno altro che inasprire la superficie di questo globetto asprezze che non si vedono da poco in su e da poco lontano ma da poco in su il nostro globo par liscio liscio ed ecco le grandi imprese degli uomini della cui forza ci maravigliamo in mirar quei massi ec. né può sollevarsi piú su ec., mio giacere d'estate allo scuro e persiane chiuse colla luna annuvolata e caliginosa allo stridore delle ventarole consolato dall'orologio della torre ec., veduta notturna colla luna a ciel sereno dall'alto della mia casa tal quale alla similitudine di Omero ec., favole e mie immaginazioni in udirle vivissime come quella mattina prato assolato ec., Giordani, apostrofe all'amico e all'amicizia, mio desiderio della morte lontana timore della vicina per malattia, quindi spiegato quel fenomeno dell'amor della vita ne' vecchi e non nei giovani del che nello Spettatore, detto a Carlo piú volte quando faremo qualcosa di grande? canti e arie quanto influiscano mirabilm. e dolcem. sulla mia memoria mosco ec., allegrezze pazze massime nei tempi delle maggiori angosce dove se non mi tenessi sarei capace di gittar sedie in aria ec. saltare ec. e anche forse danneggiarmi nella persona per allegria, malattia di 5 anni o 6 mortale, Ricotti, Donna Marianna e miei sforzi in carrozza, prima gita in teatro miei pensieri alla vista di un popolo tumultuante

ec. maraviglia che gli scrittori non s'infiammino ec. unico
luogo rimasto al popolo ec. Persiani d'Eschilo ec. mie re-
verie sopra una giovine di piccola condizione bella ma
molto allegra veduta da me spesso ec. poi sognata inte-
ressantemente ec. solita a salutarmi ec. mie apostrofi fra me
e lei dopo il sogno, vedutala il giorno e non salutato quindi
molestia, (eh pazzo, ell'aveva altri pensieri ec. e se non ti
piace, se non l'ho detto né le dirò mai sola una parola. Eppure avrei voluto che mi salutasse), primo tocco di musica
al teatro e mio buttarmi ec. e quindi domandato se avessi
male, pensiero che queste stesse membra questa mano con
cui scrivo ec. saranno fra poco ec. (nel fine), desiderio di
morire in un patibolo stesso in guerra ec. ec. (nel fine), si
discorrerà per due momenti in questa piccola città della
mia morte e poi ec., aprí la finestra ec. era l'alba ec. ec.
non aveva pianto nella sua malattia se non di rado ma
allora il vedere ec. per l'ultima volta ec. comparare la vita
della natura e la sua eterna giovinezza e rinnuovamento
col suo morire senza rinnuovamento appunto nella primavera della giovinezza ec. pensare che mentre tutti riposa-
vano egli solo, come disse, vegliava per morire ec. tutti
questi pensieri gli strinsero il cuore in modo che tutto
sfinito cadendo sopra una sedia si lasciò correre qualche la-
grima né piú si rialzò ma entrati ec. morí senza lagnarsi né
rallegrarsi ma sospirando com'era vissuto, non gli mancarono i conforti della religione ch'egli chiamava (la Cristiana) l'unica riconciliatrice della natura e del genio colla
ragione per l'addietro e tuttavia (dove questa mediatrice
non entra) loro mortale nemica, (dove ho detto qui sopra,
come disse, bisogna notare ch'io allora lo fingo solo) scrisse
(o dettò) al suo amico quest'ultima lettera (muoio innocente seguace ancora della santa natura ec. non contami-
nato ec.), a Giordani nell'apostrofe (se queste mie carte
morendo io come spero prima di te ti verranno sott'occhio
ec. ec.), timore di un accidente e mia indifferenza allora, i
veri infortuni sono nemici della compassione della malinconia che ce ne finge dei falsi e di quelle dolcezze che
si provano dallo stesso fabbricarsi una sventura ec. cac-
ciano le sventure fatteci dalla nostra fantasia fervore ec.
ci disseccano ec. eccetto in qualche parte di sensibilità ec.,
si può portare il mio primo sonetto, S. Agostino (cioè

benedizione in quel giorno di primavera nel cortile solitario per la soppressione cantando gli uccelli allora tor-
nati ai nidi sotto quei tetti, bel giorno, sereno, sole, suono delle campane vicine quivi, e al primo tocco mia
commozione verso il Creatore), l'istesso giorno passeggiando campana a morto, e poi entrando in città Dati accompagnato da' seminaristi, buoi del sole quanto ben fanciullesco nel princip. dell'Odissea come anche tutto il
poema in modo speciale, che gli antichi continuassero veramente mercè la loro ignoranza a provare quei diletti che
noi proviamo solo fanciulli? oh sarebbero pur da invidiare, e si vedrebbe bene che quello è lo stato naturale ec.,
mio rammarico in udire raccontare i gridi del popolo contro mio padre per l'affare del papa (che si racconti con
riflessioni sopra l'aura popolare essendo stato sempre mio
padre cosí papalino) comparata al presente disprezzo forse
nato in parte allora, odi anacreontiche composte da me alla
ringhiera sentendo i carri andanti al magazzino e cenare
allegramente dal cocchiere intanto che la figlia stava male,
storia di Teresa da me poco conosciuta e interesse ch'io
ne prendeva come di tutti i morti giovani in quello aspettar la morte per me, mia avversione per la poesia modo
onde ne ritornai e palpabile operazione della natura nel
dirigere ciascuno al suo genio ec., filsero e riflessioni su
quel carattere espresso con una voce di mia invenzione ec.,
favole raccontate a Carlo la mattina delle feste in letto ec.,
mio fuggire facendosi qualche comando duro o rimbrotto
ec. alla servitú ec. e da che nato, mia madre consolante una
povera donna come male facesse dicendole che se un momento prima ci avesse pensato avrebbe ottenuto ec., si
riportino de' pezzi della Cantica, mio costume di μελετᾶν [1]
meco stesso l'eloquenza e la facondia in tutto quello che
mi accadea poi trovato riferito da Plutarco di Demostene,
fu posto (sotterrato) nel sepolcro della famiglia, e di lui
non resta altra memoria nella città dove solamente fu conosciuto (tra appresso quanti lo conobbero) che di qualunque altro giovane morto senza fatti e senza fortuna, Orazione contro Gioacchino sull'affare della libertà e indipendenza italiana. Sergente tedesco che diceva = voi siete per

---

[1] Esercitare.

l'indipendenza ec. a mio padre ch'era tutto il contrario ma
ec., mio spavento dell'obblivione e della morte totale ec.
v. Ortis 25 Maggio 1798 sul fine, Canto mattutino di
donna allo svegliarmi, canto delle figlie del cocchiere e in
particolare di Teresa mentre ch'io leggeva il Cimitero della
Maddalena, logge fuor della porta del duomo buttate giú
ch'io spesso vedeva uscendo ec. e tornando ec. alla luna o
alle stelle (vedendo tutti i lumi della città) dicendo la corona in legno, in proposito della figura di Noè nella Storia
sacra si ricordi quella fenestrella sopra la scaletta ec. onde
io dal giardino mirava la luna o il sereno ec., mie occupaz.
con Pietruccio, suonargli quand'era in fasce, ammaestrarlo,
farci sperienze circa le tenebre ec., sdraiato presso a un pa-
gliaio a S. Leopardo sul crepuscolo vedendo venire un contadino dall'orizzonte avendo in faccia i lavoranti di altri
pagliai ec., torre isolata in mezzo all'immenso sereno come mi spaventasse con quella veduta della camerottica
per l'infinito ec., volea dire troverai altri in vece mia ma
no: un cuore come il mio non lo troverai ec. (nell'ultima
lettera), mio amore per la Broglio monacantesi, perder per
sempre la vista della bellezza e della natura dei campi ec.
perduti gli occhi ciò m'induceva al suicidio, riflessioni sopra coloro che dopo aver veduto rimasti ciechi pur deside-
rano la vita che a me parea ec. e forse anch'io ec. come
quel povero di Luciano il cui luogo (dell'ultimo Dialogo
de' morti circa) si può portare chiudendo il capo con quelle parole tradotte ἡδὺ γάρ [1] ec. – la vita è una bella cosa
ma la morte è bruttissima e fa paura, palazzo bello, luna
nel cortile, ho qui raccolte le mie rimembranze ec. (nel
proemio) Teresa si afflisse pel caso della sorella carcerata e
condannata di furto, non era avvezza al delitto né all'obbrobrio ec. ed era toccata dalla confusione della rea cosa
orrenda per un innocente, suo bagno cagione del male, suo
pianto ch'ella interrogata non sapea renderne ragione ec.
ma era chiaro che una giovanetta ec. morire ec., come alcuni godono della loro fama ancora vivente cosí ella per
la lunghezza del suo male sperimentò la consolazione dei
genitori ec. circa la sua morte e la dimenticanza di sé e
l'indifferenza ai suoi mali ec., non ebbe neppure il bene

[1] Dolce infatti.

di morire tranquillamente ma straziata da fieri dolori la poverina, circa la politica di Senofonte si può in buona occasione mentovare quelle parole di Senofonte il giovane spediz. d'Alessand. lib. 1, c. 7, sect. 2., Benedetto storia della sua morte ec., mio dolore in veder morire i giovini come a veder bastonare una vite carica d'uve immature ec. una messe ec. calpestare ec. (in proposito di Benedetto), (nello stesso proposito) allora mi parve la vita umana (in veder troncate tante speranze ec.) come quando essendo fanciullo io era menato a casa di qualcuno per visita ec. che coi ragazzini che v'erano intavolava ec. cominciava ec. e quando i genitori sorgevano e mi chiamavano ec. mi si stringeva il cuore ma bisognava partire lasciando l'opera tal quale né più né meno a mezzo e le sedie ec. sparpagliate e i ragazzini afflitti ec. come se non ci avessi pensato mai, cosí che la nostra esistenza mi parve veram. un nulla, a veder la facilità infinita di morire e i tanti pericoli ec. ec. mi par da dirsi piuttosto caso il nostro continuare a vivere che quegli accidenti che ci fanno morire come una facella messa all'aria inquieta che ondeggia ec. e sul cui lume nessuno farebbe un minimo fondamento ed è un miracolo se non si spegne e ad ogni modo gli è destinato e certo di spegnersi al suo finire, Ecco dunque il fine di tutte le mie speranze de' miei voti e degl'infiniti miei desideri (dice Verter moribondo e ti può servire pel fine), si suol dire che in natura non si fa niente per salto ec. e nondimeno l'innamorarsi se non è per salto è almeno rapidiss. e impercettib. voi avrete veduto quello stesso oggetto per molto tempo forse con piacere ma indifferentem. ec. all'improvviso vi diventa tenero e sacro ec. e non ci potete più pensare senza ec. come un membro divenuto dolente all'improvviso per un colpo o altro accidente che non vi si può più tastare ec., vedeva i suoi parenti ec. consolati anticipatamente della sua morte e spento il dolore che da principio ec. ministrarle indifferentem. e considerarla ec. freddamente fra i dolori ec. parlarle ec., pittura del bel gennaio del 17 donne che spandono i panni ec. e tutte le bellezze di un sereno invernale gratissimo alla fantasia perché non assuefattaci ec., detti della mia donna quella sera circa la povertà della famiglia ond'era uscita ec. e le sue malattie e la famiglia ov'era ec. si potrà farlo morire in villa andatovi per l'aria onde fargli vedere e riflettere sulla campagna ec., quel mio padre che mi volea dottore vedutomi poi ec. disubbidiente ai pregiudizi ec. diceva in faccia mia in proposito de' miei fratelli minori che non si curava ec. (nell'Oraz. su Gioacchino) apostrofe a Gioacchino, scelleratissimo sappi che se tu stesso non ti andasti ora a procacciar la tua pena io ti avrei scannato con queste mani ec. quando anche nessun altro l'avesse fatto ec. Giuro che non voglio piú tiranni ec. la mia provincia desolata da te e da' tuoi cani ec., mirabile e sfacciatiss. egoismo in un quasi solitario e nondimeno viaggiatore ec. ec. veduta tutta l'italia ec. dimorato in capitali ec. del che gli esempi sarebbero innumerabili ma si può portare quel delle legna, del fare scansar gli altri e ristringerli ec. a tavola senz'addurre altro se non ch'egli stava incomodo, dell'offrire il formaggio ec. e forzare a prenderlo 1 per torne il risecco, 2 per sapere se il giorno dopo fosse buono ec. (questo 2 si può dire in genere di una vivanda), dello sgridare apertamente stando pure in casa d'altri ec. la padrona ec. per non aver messo in tavola qualche buon piatto ec., del fare un delitto serio a D. Vincenzo per non avergli mandato parte di una vivanda sua mentr'egli mangiava in camera ec. tutto ciò scusandomi con dire che solo in tavola egli conviveva ec. e però quindi son tratti quasi tutti gli es. ma anche altri ne potrò cercare e discorrere del suo metodo e piccolezza di spirito e d'interessi occupazioni ec., il fanciullesco del luogo di Virg. su Circe non consiste nel modo nello stile nei costumi ec. come per l'ordinar. in omero ec. ma nella idea nell'immagine ec. come pur quello degli altri luoghi che ho notati, allora (nel pericolo di perder la vista) non mi maravigliava piú come altri avesse coraggio di uccidersi ma come i piú dopo tal disgrazia non si uccidessero, contadino dicente le ave Maria e 'l requiem aeternam sulla porta del suo tugurio volto alla luna poco alta sugli alberi del suo campo opposti all'orizzonte ad alta voce da sé (il dí 9 Maggio 1819 tornando io da S. Leopardo lungo la via non molto lontano dalla Città, a piedi con Carlo), per l'oraz. contro Gioacchino v. Ortis lett. 4 Dicembre 1798, io non saprei niente se non avessi allora avuto il fine immediato di far dei libretti ec. necessità di questo fine immediato nei fanciulli che non guardano troppo lungi mirandoci anche

gli uomini assai poco, cosí mi duole veder morire un giovine come segare una messe verde verde o sbatter giú da
un albero i pomi bianchi ed acerbi;

giardino presso alla casa del guardiano, io era malinco-
nichiss. e mi posi a una finestra che metteva sulla piazzetta
ec. due giovanotti sulla gradinata della chiesa abbandonata ec. erbosa ec. sedevano scherzando sotto al lanternone
ec. si sballottavano ec. comparisce la prima lucciola ch'io vedessi in quell'anno ec. uno dei due s'alza gli va addosso ec.
io domandava fra me misericordia alla poverella l'esortava
ad alzarsi ec. ma la colpí e gittò a terra e tornò all'altro ec.
intanto la figlia del cocchiere ec. alzandosi da cena e affac-
ciatasi alla finestra per lavare un piattello nel tornare dice
a quei dentro = stanotte piove da vero. Se vedeste che
tempo. Nero come un cappello = e poco dopo sparisce il
lume di quella finestra ec. intanto la lucciola era risorta ec.
avrei voluto ec. ma quegli se n'accorse tornò = porca buz-
zarona = un'altra botta la fa cadere già debole com'era ed
egli col piede ne fa una striscia lucida fra la polvere ec. e
poi ec. finché la cancella. Veniva un terzo giovanotto da
una stradella in faccia alla chiesa prendendo a calci i sassi
e borbottando ec. l'uccisore gli corre a dosso e ridendo lo
caccia a terra e poi lo porta ec. s'accresce il giuoco ma con
voce piana come pur prima ec. ma risi un po' alti ec. sento
una dolce voce di donna che non conoscea né vedea ec.
Natalino andiamo ch'è tardi – Per amor di Dio che adesso
adesso non faccia giorno – risponde quegli ec. sentivo un
bambino che certo dovea essere in fasce e in braccio alla
donna e suo figlio ciangottare con una voce di latte suoni
inarticolati e ridenti e tutto di tratto in tratto e da sé senza
prender parte ec. cresce la baldoria ec. C'è piú vino da
Girolamo? passava uno a cui ne·domandarono ec. non c'era
ec. la donna venia ridendo dolcemente con qualche pa-
roletta ec. *oh che matti!* ec. (e pure quel vino non era per
lei e quel danaro sarebbe stato tolto alla famiglia dal marito) e di quando in quando ripetea pazientemente e ridendo l'invito d'andarsene e invano ec. finalmente una voce di
loro *oh ecco che piove* era una leggera pioggetta di primavera ec. e tutti si ritirarono e s'udiva il suono delle porte e
i catenacci ec. e questa scena mi rallegrò (12 Maggio 1819),

giuoco degli scacchi e in essi mia φιλοτιμία [1] da piccolo,
facilità e intensità delle antipatie e simpatie ordinaria ne'
fanciulli e a me particolare ec. e ancora rimastine gli
effetti sino nei nomi di quelle persone o cose ec. e di questa antipatia o simpatia per i nomi si potrà pur discorrere,
forse riportando il passo della Cantica sulla tirannia si potrà dire che rappresenti la tirannia piuttosto dopo ripor-
tatolo che prima ec. dico però, forse, mio desiderio sommo
di gloria da piccolo manifesto in ogni cosa ec. ne' giuochi
ec. come nel volante scacchi ec., battaglie che facevamo fra
noi a imitaz. delle Omeriche al giardino colle coccole sassi
ec. a S. Leopardo coi bastoni e dandoci i nomi omerici
ovvero quelli della storia romana della guerra civile per la
quale io era interessatiss. sino ad avermi fatto obbliare
Scipione che prima ec. (e se non erro ne aveva anche sognato davvero e non da burla come Marcio che diede ad
intendere ai soldati d'aver veduto in sogno i due vecchi
Scipioni ec.) e mio discorso latino contro Cesare recitato
a babbo e riflessioni su questo mio odio pel tiranno e
amore ed entusiasmo in leggere la sua uccisione ec., altre
simili rappresentazioni che noi facevamo secondo quello
che venivamo leggendo, nota ch'io sceglieva d'esser Pompeo
quantunque soccombente dando a Carlo il nome di Cesare
ch'egli pure prendeva con ripugnanza, fanciullo visto in
chiesa il 20 Maggio dí dell'ascensione passeggiare su e giú
disinvoltamente in mezzo alla gente e mie considerazioni
sul perdere questo stesso che fanno gli uomini e poi cercar con tutti i modi di tornare là onde erano partiti e
quello stesso che già avevano per natura cioè la disinvoltura ec. osservazioni applicabili anche alle arti ec. palazzo
bello contemplato il 21 Maggio sul vespro ec. gallina nel
cortile ec. voci di fanciulli ec. di dentro ec. porta di casa
socchiusa ec. da un lato una selvetta d'arbori bassi bassi
e di dietro a sfuggita essendo in pendio ec., vista già tanto
desiderata della Brini ec. mio volermi persuadere da principio che fosse la sorella quantunque io credessi il con-
trar. persuaso da Carlo ec. suo guardar spesso indietro al
padrone allora passato ec. correr via frettolosam. con un
bel fazzoletto in testa vestita di rosso e qualche cosa in-

---

[1] Ambizione.

volta in un fazzoletto bianco in una mano ec. nel suo
voltarsi ci voltava la faccia ma per momenti ed era istabile
come un'ape: si fermava qua e là ec. diede un salto per
vedere il giuoco del pallone ma con faccia seria e semplice,
domandata da un uomo dove si va? a Boncio luogo fuori
del paese un pezzo per dimorarvi del tempo colla padrona
noi andarle dietro finché fermatasi ancora con alcune donne si tolse (non già per civetteria) il fazzoletto di testa e
gli passammo presso in una via strettiss.; e subito ci venne
dietro ed entrò con quell'uomo nel palazzo del padrone ec.
miei pensieri la sera turbamento allora e vista della campagna e sole tramontante e città indorata ec. e valle sottoposta con case e filari ec. ec. mio innalzamento d'animo
elettrizzamento furore e cose notate ne' pensieri in quei
giorni e come conobbi che l'amore mi avrebbe proprio
eroificato e fatto capace di tutto e anche di uccidermi,
Riveduta la Brini senza sapere ed avendomi anche salutato
dolcemente (o ch'io me lo figurai) ben mi parve un bel viso
e perciò come soglio domandai chi era (che m'era passata
alquanto lontano) e saputolo pensa com'io restassi e piú
nel riuderla poco dopo a caso nello stesso passeggio: dico
a caso perché io stava sulle spine per lasciare quella compagnia e Zio Ettore che poi mi trattenne affine di andare
in luogo dove potessi rincontrarla ma invano finché tornandomi lasciata troppo tardi la compagnia e senza speranza
la rividi pure all'improvviso, sogno di quella notte e mio
vero paradiso in parlar con lei ed esserne interrogato e
ascoltato con viso ridente e poi domandarle io la mano a
baciare ed ella torcendo non so di che filo porgermela guardandomi con aria semplicissima e candidissima e io baciarla
senza ardire di toccarla con tale diletto ch'io allora solo in
sogno per la primissima volta provai che cosa sia questa
sorta di consolazioni con tal verità che svegliatomi subito
e riscosso pienamente vidi che il piacere era stato appunto
qual sarebbe reale e vivo e restai attonito e conobbi come
sia vero che tutta l'anima si possa trasfondere in un bacio
e perder di vista tutto il mondo come allora proprio mi
parve e svegliato errai un pezzo con questo pensiero e
sonnacchiando e risvegliandomi a ogni momento rivedeva
sempre l'istessa donna in mille forme ma sempre viva e
vera ec. in somma il sogno mio fu tale e con sí vero di-

letto ch'io potea proprio dire col Petrarca *In tante parti e sí bella la veggio Che se l'errór durasse altro non chieggio*, a quello che ho detto della meschinità degli edifizi si può aggiungere la meschina figura che fa per esempio una torre ec. qualunque piú alta fabbrica veduta di prospetto sopra un monte e cosí una città che si veda di lontano stesa sopra una montagna, che appunto le fa da corona e non altro: tanto è imparagonabile quell'altezza a quella del monte che tuttavia non è altro che un bruscolo sulla faccia della terra e in pochissima distanza sollevandosi in alto si perderebbe di vista (come certo la terra veduta dalla luna con occhi umani parrebbe rotondissima e liscia affatto) e si perde infatti allontanandosene sulla stessa superficie della terra.

Argomenti di elegie *

1.
Argomento di un'elegia

Io giuro al cielo ec. O donna ec. né tu per questo ec. io m'immagino quel momento. ec. Non ho mai provato che soffra chi comparisce innanzi ec. essendo ec. ἐρώμενος ec. giacché io sinché *la* vidi non λ'*amai.* io gelo e tremo solo in pensarvi or che sarà ec. Che posso io fare περ τε? che soffrire che τι sia utile. Benché io già ἠρώμην σου (che cosí si è detto nella prima Elegia) non era ben deciso né conosceva l'αμωρη quand'io τυ compariva innanzi.

2.
D'un'altra

Oggi finisco il ventesim'anno. Misero me che ho fatto? Ancora nessun fatto grande. Torpido giaccio tra le mura paterne. Ho *amato* τε σωλα. O mio core. ec. non ho sentito passione non mi sono agitato ec. fuorché per la morte che mi minacciava. ec. Oh che fai? Pur sei grande ec. ec. ec. Sento gli urti tuoi ec. Non so che vogli. che mi spingi a cantare a fare né so che. ec. Che aspetti? Passerà la gioventú e il bollore ec. Misero ec. E come πιακερώ a τε senza grandi fatti? ec. ec. ec. O patria o patria mia ec. che

---

* Ispirati dall'amore per la cugina Geltrude Cassi Lazzari. Cfr. l'*Elegia prima* e *seconda* dell'edizione dei *Versi* (Bologna 1826), divenute poi rispettivamente *Il primo amore* e il *Frammento* XXXVIII. Le parole che si dànno in corsivo, nell'autografo sono scritte con lettere ebraiche: accorgimento, come quello di scriverne altre in lettere greche, con cui il giovanissimo poeta intendeva probabilmente nascondere a occhi indiscreti la sua passione. Si veda la nota premessa al *Primo amore*.

farò non posso spargere il sangue per te che non esisti piú.
ec. ec. ec. che farò di grande? come piacerò *a te*? in che
opera per chi per qual patria spanderò i sudori i dolori il
sangue mio?

3.

D'un'altra

Non sai ch'io τ'*amo*, ec. O campi o fiori ec. ec. Ma non
importa ec. Mi basta di soffrire περ ϑε. Non ti sognasti mai,
non desiderasti non pensasti d'essere *amata* ec. Non merito
che tu μ'*ami* ec. Mi basta il mio dolore la purità de' miei
pensieri l'ardore la infelicità dell'*amor* mio. Non te lo manifesto per non gittar sospetti in te che non crederesti pienamente alla purità ec. Nato al pianto mi contento anche
in questo *amore* d'essere infelicissimo.

4.

Io giuro al ciel che rivedrò la mia
donna lontana ond'il mio cor non tace
ancor posando e palpitar desia.
Giuro che perderò questa mia pace
un'altra volta poi ch'il pianger solo
per lei tuttora e 'l sospirar mi piace.

5.

Elegia di un innamorato in mezzo a una tempesta che si
getta in mezzo ai venti e prende piacere dei pericoli che
gli crea il temporale ed egli stesso errando per burroni ec.
E infine rimettendosi la calma e spuntando il sole e tornando gli uccelli al canto (dove si potrebbero porre quelle
terzine ch'io ho segnate ne' pensieri [1]) si lagna che tutto si
riposa e calma fuorché il suo cuore. Anche si potranno intorno al serenarsi del cielo usare le immagini del Canto

---

[1] Cfr. *Zibaldone*, 21.

secondo e quarto della mia Cantica [1]. Io vedo ec. Gli uccei girarsi basso per la valle: Poco può star che s'alzi una tempesta. Donna donna io non ispero che tu mi possa amar mai: povero me non mi amare no, non lo merito, infelicissimo non ho altro che questo povero cuore, non mi ami, non mi curi, non ho speranza nessuna: Oh s'io potessi morire! oh turbini ec. Ecco comincia a tonare: venite qua, spingetelo o venti il temporale su di me. Voglio andare su quella montagna dove vedo che le querce si movono e agitano assai. Poi giungendo il nembo sguazzi fra l'acqua e i lampi e il vento ec. e partendo lo richiami.

[1] Cfr. la cantica *Appressamento della morte*.

Argomenti di idilli *

Idillio primo

1. SOPRA L'INFINITO

Oh quanto a me gioconda quanto cara fummi quest'erma (sponda) plaga (spiaggia) e questo roveto che all'occhio (apre) copre l'ultimo orizzonte.

2. Concetto dell'Idillio secondo

ALLA NATURA

Sempre adorata mia solinga sponda
deh perché agli occhi miei furi la vista
dell'incantevole e magico effetto
che Natura concede alle creature.
Alle creature sí, ma non a tutte...
Ahi a me madrigna, spietata madre!
Dimmi il perché di tal misura e peso.
Qual sfregio mai ti feci, il perché dimmi?
Da l'alveo materno me traesti
forse a scherno e ludibrio de' mortali?
Mortal pur io, non [sono] a lor secondo,
né merto pena tal. Benedicesti
pure la terra di cui me plasmasti...
Forse de la tua diva luce un raggio
non balenò ne la fronte per cui
mi festi a te simíle? e lo tuo spirto

* Risalgono tutti al periodo, fra la primavera e l'estate del 1819, precedente la composizione dell'*Infinito*, cui si riferiscono gli appunti 1, 3 e 4. L'appunto n. 2, che si apre con un movimento analogo a quello dell'*Infinito*, è da collegare all'*Ultimo canto di Saffo*, composto nel maggio 1822. Negli altri è accennato piú d'un motivo sviluppato nei *Canti*.

sentii in me, in me sentii esultar le ossa?
Opra delle tue mani son dunque io,
né disdegnar me puoi, qual belva i nati.
È vero: larga mi fosti di doni,
di quanti doni ingegno adunar puote.
Sitibondo qual cervo all'onda corsi,
premei le tue vestigia, né arrestai...
Perché poi maggiori beni negarmi
e dei mortali farmi, ahi spïetata
il piú meschino, e dei mali spezzarmi
sul capo di Pandora il fatal vaso!
Tu ridesti forse della mia sorte
ridi pur, n'hai ben d'onde: oh gran prodezza!
Ridi dell'opra tua! Perdona o Matre:
è il dolore che parla, non parlo io...
Son opra tua pur io: né mi fa credere
che me tu lascierai fra tante pene.

3. L'INFINITO

Caro luogo a me sempre fosti benché ermo e solitario,
e questo verde lauro che gran parte cuopre dell'orizzonte
allo sguardo mio. Lunge spingendosi l'occhio gli si apre
dinanzi interminato spazio vasto orizzonte, per cui si perde
l'animo mio e nel silenzio infinito delle cose e nell'amica
quiete par che si riposi se pur spaura. E al rumor d'impe-
tuoso vento e allo stormir delle foglie delle piante a questo
tumultuoso fragore l'infinito silenzio paragono.

4. IDILLIO. MDCCCXIX. L'INFINITO

Sempre caro mi è – fu – quest'ermo colle
e questa siepe che da tanta parte
de l'ultimo orizzonte (che) il guardo (sparte) esclude.
Ma sedendo e mirando interminato
spazio di là da quella e sovrumani
silenzi, e interminabile quïete
già nel pensier mi fingo ove per poco
il cor non si spaura. E come il vento

odo soffiar tra queste piante io quello
infinito silenzio a questa voce
vo comparando.

5.

Ombra delle tettoie. Pioggia mattutina del disegno di
mio padre. Iride alla levata del sole. Luna caduta secondo
il mio sogno [1]. Luna che secondo i villani fa nere le carni,
onde io sentii una donna che consigliava per riso alla compagna sedente alla luna di porsi le braccia sotto il zendale.
Bachi da seta de' quali due donne discorrevano fra loro e
l'una diceva, chi sa quanto ti frutteranno, e l'altra, in tuono flebiliss. oh taci che ci ho speso tanto, e Dio voglia ec.

6.

Galline che tornano spontaneamente la sera alla loro
stanza al coperto. Passero solitario [2]. Campagna in gran declivio veduta alquanti passi in lontano, e villani che scendendo per essa si perdono tosto di vista, altra immagine
dell'infinito.

7.

LE FANCIULLE NELLA TEMPESTA

Donzellette sen gian per la campagna
correndo e saltellando, cogliendo fiori, giocando ec.
Né s'avvedean che sopra agli Appennini
da lungi s'accoglieva un tempo nero
e brontolava lungamente il tuono.
Ma quelle nol badar però che 'l sole
rideva ancor sulla fiorita piaggia.

[1] Cfr. il *Frammento* XXXVII.
[2] Cfr. il canto omonimo.

Levossi un vento all'improvviso ec. e chiuse tutto il cielo. Fuggirono. Quella diceva. O Dio che il vento m'affoga io non ho piú lena, conviene che mi volti indietro. Quell'altra, Queste piante vedete come le curva ec. Un'altra. Oh Dio che lampo: m'accieca ec.

Ecco una grandine ec.

> E moribondi a terra ivan gli augelli
> con l'ali mezzo chiuse, e palpitando
> si dibattean fra l'erbe e fra la polve.

(E rotto il volo ec. e moribondi ec. e sulle vie)
Ahi! povere fanciulle, in un momento (Ahi triste donzellette)
Perdero il fior de gli anni. Giacciono sul campo ec. E poi di loro Con gran doglia i parenti ivan cercando. Qui non si trova capanna o tetto. Che faremo?
Le vacche spaventate fuggivano per li prati dalla grandine, ec. E givano a gran cosa Anelanti le vacche per li campi Fuggendo (Ed a gran corsa Anelanti le vacche ivan fuggendo Pei campi). Ma né tetto né capanna Era da presso.
Mi par d'udire le campane (torri) della città dare il segno della tempesta.
Allora le donzelle si dicevano l'una all'altra. Fanciulla. Altra. ec.

Del fingere poetando un sogno *

Se tu devi poetando fingere un sogno, dove tu o altri veda un defonto amato, massime poco dopo la sua morte, fa che il sognante si sforzi di mostrargli il dolore che ha provato per la sua disgrazia. Cosí accade vegliando, che ci tormenta il desiderio di far conoscere all'oggetto amato il nostro dolore; la disperazione di non poterlo; e lo spasimo di non averglielo mostrato abbastanza in vita. Cosí accade sognando, che quell'oggetto ci par vivo bensí, ma come in uno stato violento; e noi lo consideriamo come sventuratissimo, degno dell'ultima compassione, e oppresso da una somma sventura, cioè la morte; ma noi non lo comprendiamo bene allora, perché non sappiamo accordare la sua morte con la sua presenza. Ma gli parliamo piangendo, con dolore, e la sua vista e il suo colloquio c'intenerisce, e impietosisce, come di persona che soffra, e non sappiamo, se non confusamente, che cosa. (3 Dicembre 1820).

* Il titolo secondo il Flora. Da collegare all'idillio *Il sogno*.

Erminia *

Fa notte e 'l campo è lungi e non conviene Errar per questi boschi estrania donna Al buio or che d'armati e di sospetti Pieno è 'l paese e piú questi dintorni. E. Gli è 'l monte e la città ch'adombra il sole. Ma ben di qui vegg'io rosse le cime De le mura e de' tetti e de le torri. V. Or guata e ve' com'oriente è bruno. E bruni tutti i colli opposti al sole: Quei son gli ultimi rai: mentre si corca Batte lassú ne l'alto. Ei starà poco Ad annottar. Ch'io giunga al campo è forza. Quanto piú tosto io possa. Or tu piú lungi Non andar che qui presso un abituro D'agricoltor veggio a sinistra, e forse Non troveresti un altro in queste bande. Qui riparar potrai per questa notte Tanto ch'io giunga al campo ed a Goffredo E a gli altri capitani esponga quello Che d'esplorare ingiunto hammi Tancredi. Ritornerò su l'alba, e com'hai voglia, A lui ricondurrotti. E. Oimè credea Vederlo questa sera, e tu mel nieghi. Oimè lascia ch'io venga: ei non c'è rischio, Veruno, o se pur c'è, non sarà grande. Passato ho tante notti ec.

Vanno trovano il vecchio colla moglie e uno de' figli. Vafr. li saluta, espone il caso, acconsente il vecchio cortesemente, dice Vafr. partendo e ringraziandoli Ambo ec. e non daravvi impaccio. Poco le basta e partirà dimani Com'io venga a ritorla in su l'aurora. Parte. Accoglienze. E. Quest'è la tua famiglia? Vecchio. È questa Com'al ciel piace, e questa è la mia donna. Quest'è l'un de' figliuoi ec. Poi la trattiene mostrandogli i campi danneggiati dalla guerra vicina additandogli questa pianta guasta tagliata ec.

* Conservato tra le carte napoletane, è l'abbozzo di un idillio drammatico sull'Erminia della *Liberata*. Risale presumibilmente al 1818-19. Cfr., per qualche analogia di movimenti, *La vita solitaria*.

lamentandosi ma senza amarezza placidamente, raccontandogli, l'altro giorno vennero e corsero giú per questo ec. dietro a una pecora ec. Ingiunge alla moglie di portarla dentro a veder la casa col figlio, dicendole, adagiatevi, offrendole da sedere che sarà stanca ec. anche prima cioè tosto arrivata. perché vede venire il gregge coll'altro figlio o figlia, e quando l'avrà fatto ricoverare sarà con loro. Arriva lo palpa ec. Che ha quest'agnella ec. Lo ricovera. Soldati a cavallo. Domandano da bere, frutti ec. Gliene dà. Beati voi, la vostra vita è un zucchero. La nostra è penosissima. Che fatica è la vostra? Noi sí. Ecco oggi s'è presa Gerusalemme, e mentre gli altri stan dentro e fanno chi sa quanto bottino, a noi tocca andare ad esplorare. ci dispiace ch'è vicino il comandante della nostra squadra in una via poco lontana, dove l'abbiamo da raggiungere, che ci gastigherebbe se vi portassimo via di piú, quantunque sarebbe tanto ragionevole. Partono. Erminia e gli altri. Qualche trattenim. scambievole. E. Fate il vostro ordinario, non voglio servirvi d'impedim. a nulla. Quindi il canto de' due fanciulli. Kempis, Luna viaggiatrice, Beltà in mezzo alla natura, alla campagna. Lepri che saltano fuor dei loro covili nelle selve ec. e ballano al lume della luna, onde ingannano il cacciatore co' loro vestigi, e i cani, Mosco, Canto degli agricoltori per le ville. Vecchio. Cantaci quell'aria forestiera che ora è qui di moda, ovvero, che ci fu cantata da colui che passò ec. già che sovente Suol piú gradire altrui quel ch'è piú nuovo. Già tu per certo Antiochía loco Non averai tra le città felici. La figlia del re che ne sarà fatto. Per quella mi dolgo Oimè quant'era bella! ahi tristi noi. E. Piange. Vecchio. Che avete? E. Ahi ahi ec. Molte misere donne in Asia furo Ma quanto me nessuna. O figliuoli miei cari io voglio a voi Narrar. ec. Io sono ec. racconto intero e confidenziale. Pianto comune tra loro per le disgrazie dell'Asia e della guerra. Raccontando nomina Tancredi ma non dice che sia italiano. Nel discorso seguente capita com'è naturale di dire il vecchio ch'è presa Gerus. quel giorno, saputolo ec. e dal romore e le grida ec. E. Sapete niente di quel Cav. o capitano italiano che ec. ec. combatté con Argante e promise di tornare al 6sto giorno ec. Vecchio. Io so che qualche tempo fa Argante uccise un gran Cav. (duce, condottiere) Cristiano

di che ne fu gran pianto ec. E. E come si chiamava? Tancredi? Vecch. Tancredi? io non so ben. Tancredi? parmi
Ch'egli sia desso. E. Li manda a casa come può. Vuol restare a goder la notte e la campagna di fuori ec. ricusando
le offerte ec. Suoi lamenti secondo la cartina. O nubi o
piante ec. ah voi non sapete quanto io sia miserabile. ec.
Vecchio. S'affaccia al balcone sentendo piangere e sospirare.
Dubita che sia Erminia. O quanto mi dorrebbe, perché
l'ama di cuore per le sue sventure, bontà ec. scende. Colloquio. Armi di lontano splendenti. Soldati vengono ec.
Par che portino un morto. Vecchio. consiglia ed Erminia
accetta d'entrare in casa per non esporsi. Vengono. E. si
ferma fra la curiosità e la paura sulla porta. Raccontano
come l'han trovato che bisogna averne cura, veder se vive
ec. e son venuti a lui perch'era più vicino al luogo dove ha
combattuto e ucciso Argante che la città. N'abbia cura perch'è Tancredi. E. sbalza. Suoi pianti ec. Opposizioni degli
altri ec. il vecchio gl'informa. Tancr. si scuote. Dove sono
ec. che è questo sangue? e chi è questa donna? ec. ec. ec.
risposte d'E. che si manifesta, si scopre l'inganno tra Tancr.
e Dudone del vecchio. E. informa Tancr. della missione di
Vafr. e delle nuove che porta e com'ella sia venuta ec. con
lui ec. Imbrunendo la notte (giacché tutto si può esser passato tra il tramontare e i crepuscoli) si scoprono tutto intorno ai colli opposti a Gerus. i fuochi dell'armata Egiz.
Domani si combatterà. Tancr. qui dunque non siamo si-
curi. Saremmo s'io non mi trovassi in questo stato. Cosí
s'inviano a Gerusalemme.

Teocrito. Tragedie greche. Nini. Alfieri (Mirra Ottavia
Antigone Merope Sofonisba) Bentivoglio. Marchetti. Remi-
gio. Maffei (Merope). Aminta. Caro. Alamanni. Rucellai.
Baldi (Nautica).

Supplemento all'abbozzo dell'Erminia

Parmi che sia quel desso. Povera Antiochía, già te per
certo Non conteran fra le città beate. Si avverta che la domanda di Erminia al vecchio intorno a Tancredi segua la
nuova ch'egli le dà della presa di Gerusalemme per togliere

l'inverisimiglianza ch'ella non sappia di Tancredi quelle cose che potea saper Vafrino, il quale gliele avrebbe certo dette, e perciò si badi ch'ella non si mostri ignorante di quello che deve aver saputo da Vafrino. Vicino è 'l monte e la città ch'è sopra, E n'adombrano il sol c'hanno a le spalle – De le torri e de' tetti e de le mura.

Il canto della fanciulla *

Canto di verginella, assiduo canto,
che da chiuso ricetto errando vieni
per le quiete vie; come sí tristo
suoni agli orecchi miei? perché mi stringi
sí forte il cor, che a lagrimar m'induci?
e pur lieto sei tu; voce festiva
de la speranza: ogni tua nota il tempo
aspettato risuona. Or, cosí lieto,
al pensier mio sembri un lamento, e l'alma
mi pungi di pietà. Cagion d'affanno
torna il pensier de la speranza istessa
a chi per prova la conobbe.

* È forse la prima idea di *A Silvia* ed è da supporre sia stato scritto a Pisa nell'aprile 1828.

Ad Arimane *

Re delle cose, autor del mondo, arcana
malvagità, sommo potere e somma
intelligenza, eterno
dator de' mali e reggitor del moto,

io non so se questo ti faccia felice, ma mira e godi ec.
contemplando eternam. ec.

produzione e distruzione ec. per uccider partorisce ec.
sistema del mondo, tutto patimen. Natura è come un bambino che disfa subito il fatto. Vecchiezza. Noia o passioni
piene di dolore e disperazioni: amore.

I selvaggi e le tribú primitive, sotto diverse forme, non
riconoscono che te. Ma i popoli civili ec. te con diversi
nomi il volgo appella Fato, natura e Dio. Ma tu sei Arimane, tu quello che ec.

E il mondo civile t'invoca.

Taccio le tempeste, le pesti ec. tuoi doni, che altro non
sai donare. Tu dai gli ardori e i ghiacci.

E il mondo delira cercando nuovi ordini e leggi e spera
perfezione. Ma l'opra tua rimane immutabile, perché p.
natura dell'uomo sempre regneranno L'ardimento e l'inganno, e la sincerità e la modestia resteranno indietro, e la fortuna sarà nemica al valore, e il merito non sarà buono a
farsi largo, e il giusto e il debole sarà oppresso ec. ec.

Vivi, Arimane e trionfi, e sempre trionferai.

Invidia dagli antichi attribuita agli dèi verso gli uomini.

* Probabilmente scritto a Firenze, nella primavera del 1833, al
tempo del canto *A se stesso*. Per analogie e rapporti si vedano i canti
successivi *Sopra un bassorilievo antico*, la *Palinodia* e *La ginestra*.
Arimane è la personificazione del male nell'antica religione iranica.

Animali destinati in cibo. Serpente Boa. Nume pietoso ec.

Perché, dio del male, hai tu posto nella vita qualche apparenza di piacere? l'amore?... per travagliarci col desiderio, col confronto degli altri, e del tempo nostro passato ec.?

Io non so se tu ami le lodi o le bestemmie ec. Tua lode sarà il pianto, testimonio del nostro patire. Pianto da me per certo Tu non avrai: ben mille volte dal mio labbro il tuo nome maledetto sarà ec.

Mai io non mi rassegnerò ec.

Se mai grazia fu chiesta ad Arimane ec. concedimi ch'io non passi il 7° lustro. Io sono stato, vivendo, il tuo maggior predicatore ec. l'apostolo della tua religione. Ricompensami. Non ti chiedo nessuno di quelli che il mondo chiama beni: ti chiedo quello che è creduto il massimo de' mali, la morte. (non ti chiedo ricchezze ec. non amore, sola causa degna di vivere ec.). Non posso, non posso più della vita.

Indice

Frammenti

*Stampato per conto della Casa editrice Einaudi
presso Mondadori Printing S.p.A., Stabilimento N.S.M., Cles (Trento)
nel mese di maggio*

C.L. 17741

Edizione   Anno

1   2   3   4   5   6   7   8   2005   2006   2007   2008